これが私の

小児整形外科診療

―適切な診療への道しるべ―

改訂2版

千葉こどもとおとなの整形外科　院長　**西須　孝** 著

南山堂

改訂2版の序

　初版を発刊後，こども病院から診療所へ移って2年あまりの月日が流れました．手術は提携病院で行っていますが，ご紹介いただいた患者さんを手術する仕事よりも，手術すべき患者さんをスクリーニングする仕事の割合が多くなってきました．第一線の現場はこんなに大変だったのか，と日々感じております．難しい手術をたくさんやってきたと自惚れておりましたが，肘内障の整復ひとつをとってみても容易ではありません．"後医は名医"とよく言われますが，まったくその通りでした．近医で経過をみて良くならなかった患者さんをご紹介いただいてから精査を行えば，その診断は難しくありませんでした．しかし，ちょっとした愁訴で訪れた乳幼児に，睡眠薬を投与してMRI検査を行うわけにはいきません．限られた情報からどうやって診断し，診療方針を立てていくか，というのが診療所における課題でした．ご家族は「大丈夫です．心配ありません」の一言を期待して来院されるのですが，歯切れの悪い説明に終始することが少なくありませんでした．

　そんな中，役に立ったのが自分の書いたこの本でした．鑑別が必要な疾患の写真をご家族に見せ「たぶん心配ありませんが，稀にこんな疾患もあるので，念のため経過をみさせてください」と説明すると，意外に安心した様子で帰られるご家族が多いようでした．どんな病気に注意して経過をみたらよいかを具体的に示すことによって，漠然とした不安から解放されるのかもしれません．

　こうして診療の場において自著を読み直してみると，手術を要さないありふれた疾患の解説に十分紙面が割かれていないことに気付きました．膝の章には誰もが知っているOsgood-Schlatter病の解説すらありませんでした．これでは本書を愛読してくれる小児科の先生やメディカルスタッフの方々に不親切です．また，小児整形外科を専門とする先生方に自分なりの治療方針を伝えることができません．こうした反省をもとに，第2版の執筆を進めました．少し厚くなってしまいましたが，より親切な成書になったのではないかと思っております．

　私が診療の場で大切にしていることは「ひとりひとりに心をこめて・・・」です．この本からその気持ちが皆様に伝わり，そして皆様が診るこどもたちが，愛情にあふれた治療を受けられることを心から祈っております．

2022年11月

西須　孝

初版の序

　こどもが四肢の症状で来院すると,「どんな病気を考えてよいかわからない」,「X線写真をみても正常かどうかわからない」,「見逃すとたいへん」といった不安を感じながら診察している医師が多いと思います．筆者も専門病院で経験を積むまではそうでした．そしてこどもの病気を診断するには,とてつもなく多くの知識が必要と思っていました．整形外科の成書には,先天性股関節脱臼,内反足,筋性斜頚,Perthes病,大腿骨頭すべり症など,さまざまな小児整形外科の主要疾患について解説されています．しかし,実際に外来を訪れる患児の半数以上はこのような主要疾患から外れているため,どう対応してよいかわからないケースが多いのです．このため小児整形外科は特殊な知識を長年学んだ医師にしか適切な診療ができない"聖域"のように思われてしまっています．

　しかし,小児整形外科診療に長く携っているうちに,診断と治療にはいくつかの定石があり,それは一般整形外科医や小児科医でもほとんど対応できることに気づきました．専門医が診る必要があるのは,その定石からはずれた少数例で,それをスクリーニングするだけなら難しくないと感じました．そして,定石通りの外来診療と専門医へ紹介すべきケースのスクリーニングについては,平易に読める一冊の本で十分伝えられるのではないかと考えました．

　本書では,筆者が日常行っている診断手順を紹介し,こどもの将来を心配して外来を訪れた両親の不安に対し適切に対応できる診療方法を,専門的知識のない医師でもすぐに理解し実践できるよう,写真やシェーマを数多く交えて解説しました．専門医が扱う希少疾患は,特に見逃してはいけないものを重点的に取り上げました．こどもの骨・関節疾患は自然に治るものが多く,疾患の予後を知っておくことはきわめて大切です．また,患児の両親に無用な心配をさせないためには,外科的治療の適応・方法についての知識もある程度知っておく必要があり,その点もわかりやすく解説しました．

　本書が整形外科や小児科の診療の場で,とっさに調べるときに欠かせない一冊,そして日々気軽に読み返していただける一冊となることを切に願っています．

2018年11月

西須　孝

Contents

第1章　足趾の診かた

愁訴からの診断
1. 先天的な足趾の変形 ... 1
2. 成長に伴ってみられる足趾の変形 ... 4
3. その他の愁訴
   - 1) 原因のわからない足趾の骨溶解　6
   - 2) 爪がだんだんと盛り上がってきた　6

主な疾患について知っておくべき知識
- 内反趾 ... 7
- 内反小趾 ... 7
- 重なり趾 ... 8
- 短趾症 ... 8
- 中足骨短縮症 ... 8
- 外反母趾 ... 9
- マイクロジオディク病 ... 10
- 爪下外骨腫 ... 10
- 母趾種子骨障害 ... 11

第2章　足の診かた

愁訴からの診断
1. 先天的な足の変形 ... 13
2. 扁平足 ... 16
3. つま先歩行 ... 20
4. 底屈しない足 ... 22
5. 凹足と下垂足 ... 24
6. 足の痛み ... 25
7. くるぶしのところで腱がはずれる・音が鳴る ... 28

主な疾患について知っておくべき知識
- 先天性内反足 ... 29
- 垂直距骨 ... 29
- 斜め距骨 ... 31
- 外反扁平足 ... 31
- 特発性つま先歩行 ... 33
- Charcot–Marie–Tooth病 ... 33
- 尖足 ... 35
- 麻痺性踵足 ... 36
- Sever病 ... 37
- 足底腱膜炎 ... 38
- 第1 Köhler病 ... 38
- Freiberg病（第2 Köhler病） ... 38

- ⦿ 有痛性外脛骨 ……………………… 38
- ⦿ 足関節・足部の離断性骨軟骨炎 ……… 40
- ⦿ 足根骨癒合症 …………………… 40
- ⦿ 腓骨筋腱脱臼，後脛骨筋腱脱臼 ……… 40
- ⦿ Iselin 病 …………………………… 40
- ⦿ Jones 骨折 ………………………… 41
- ⦿ 踵骨単発性骨嚢胞（腫）…………… 43

第3章　膝の診かた

愁訴からの診断

1. 反 張 膝 ………………………………………………………………… 45
2. 乳幼児の膝が伸びない ……………………………………………… 48
3. 乳幼児の膝が曲がらない …………………………………………… 51
4. 学童期以降で膝が伸びない・曲がらない ………………………… 53
5. 膝の腫脹 ……………………………………………………………… 57
6. 新生児や乳児の膝が鳴る …………………………………………… 61
7. 膝の痛み ……………………………………………………………… 62

主な疾患について知っておくべき知識

- ⦿ 先天性膝関節脱臼（先天性反張膝）…… 65
- ⦿ （先天性）恒久性膝蓋骨脱臼，
  習慣性膝蓋骨脱臼・亜脱臼 ………… 67
- ⦿ 円板状半月板 ……………………… 68
- ⦿ 膝窩嚢胞 …………………………… 69
- ⦿ 離断性骨軟骨炎と軟骨剥離 ………… 69
- ⦿ Osgood-Schlatter 病 ……………… 71
- ⦿ Sinding Larsen-Johansson 病 …… 74
- ⦿ 鵞足部の有痛性骨棘 ………………… 75
- ⦿ 膝周囲の線維性骨皮質欠損症 FCD
  （非骨化性線維腫 NOF）…………… 75

第4章 下肢の診かた

愁訴からの診断

1. 幼児のO脚 79
2. 学童期以降のO脚（内反膝）................... 85
3. X脚（外反膝）... 86
4. うちわ歩行（内旋歩行, 内股歩行）......... 88
5. そとわ歩行（外旋歩行, 外股歩行）......... 91
6. 脚長不等 92
7. 下肢の痛み, 疼痛性跛行 95
8. 下腿弯曲 98
9. その他の愁訴
   1) 両下肢が急速に腫脹した　101　　2) 両下腿外側に皮膚のくぼみがある　101

主な疾患について知っておくべき知識

- 生理的O脚 103
- Blount病 103
- 局所性線維軟骨異形成症 105
- プロテインC欠乏症, プロテインS欠乏症 105
- 生理的X脚 106
- うちわ歩行（内旋歩行, 内股歩行）........... 108
- 脚長不等 111
- 先天性下腿弯曲症, 先天性下腿偽関節症 115
- 成長痛 117

第5章 股関節の診かた

愁訴からの診断

1. 新生児・乳児健診で股関節の異常を疑われた 119
2. 股関節の痛み, 疼痛性跛行 124
3. 股が閉じなくなってきた（股関節外転拘縮）.. 136
4. 股が開かなくなってきた（股関節内転拘縮）.. 138
5. 単純X線検査でみつかった股関節の骨形態異常 140

主な疾患について知っておくべき知識

- 先天性股関節脱臼（発育性股関節形成不全, DDH）...... 144
- 単純性股関節炎 152
- 化膿性股関節炎 153
- 化膿性筋炎 154
- 腱付着部炎と関連する骨端症 156
- Perthes病 158
- 大腿骨頭すべり症 162
- 特発性股関節軟骨溶解症 168
- Down症の股関節脱臼 169

Contents

第6章 手の診かた（先天奇形を除く）

愁訴からの診断

1. 指が伸びない・屈伸時にひっかかる …… 171
2. 指が曲がらない …… 175
3. 指の痛み …… 177
4. 指が短くなってきた …… 180
5. 指が太くなってきた …… 181
6. その他の愁訴
   - 1）指先が曲がってきた　185
   - 2）中指と環指の間が広がっている　185
   - 3）手が黄色くなってきた　186
   - 4）小指が短い　186

主な疾患について知っておくべき知識

- 強剛母指・弾発指（ばね指） …… 188
- 先天性握り母指症 …… 188
- 屈指症 …… 189
- マイクロジオディク病 …… 189
- 中手骨短縮症 …… 189

第7章 肘と前腕の診かた

愁訴からの診断

1. 乳幼児の「肩がはずれた」・「腕を動かさない」 …… 191
2. 肘が伸びない・曲がらない …… 195
3. 手のひらを反せない（前腕回内外制限） …… 202
4. 肘の痛み，肘が腫れている …… 204
5. 音が鳴る，引っかかる感じがある …… 206
6. 肘の肉眼上の変形（先天性を除く） …… 208

主な疾患について知っておくべき知識

- 橈骨頭脱臼 …… 213
- 野球肘 …… 213
- Panner病 …… 215
- 骨折後遺症 …… 215
- 先天性橈尺骨癒合症 …… 216
- 肘関節強直 …… 216
- 弾発肘と肘関節ロッキング …… 217

第8章 肩と肩甲帯の診かた

愁訴からの診断

1. 肩が上がっている ... 219
2. 肩が下がっている ... 224
3. 腕が挙がらない（痛みを伴わない場合）... 227
4. 乳幼児の「肩がはずれた」... 234
5. 肩の痛み ... 234
6. 肩がたびたびはずれる ... 237
7. 肩が前に出ている，鎖骨が出っ張っている ... 241
8. 肩甲骨が浮き上がっている（翼状肩甲）... 245

主な疾患について知っておくべき知識

- Sprengel 変形 ... 247
- 肩関節不安定症 ... 249
- 肩周辺の先天性筋欠損症 ... 251
- 三角筋拘縮症 ... 251
- 先天性鎖骨偽関節症 ... 252
- 先天性鎖骨欠損症 ... 252
- リトルリーグ肩 ... 253
- 顔面肩甲上腕型筋ジストロフィー ... 253

第9章 胸郭の診かた

愁訴からの診断

1. 胸壁が凹んでいる ... 255
2. 前胸部の一部が突出している ... 258

主な疾患について知っておくべき知識

- 漏斗胸 ... 262
- 鳩胸 ... 262
- Poland 症候群 ... 262
- 胸骨分節脱臼 ... 263

第10章 頸部の診かた

愁訴からの診断

1. 新生児・乳児の首にしこりがある ... 265
2. 先天性にみられる斜頸（発症時期のわからない斜頸） ... 267
3. 幼児期以降で初発した痛みを伴う斜頸（後天性斜頸） ... 271
4. 首が硬い（後天性斜頸を除く） ... 272
5. 首の痛み（斜頸位を伴わない） ... 276

主な疾患について知っておくべき知識

- 先天性筋性斜頸 ... 278
- 炎症性斜頸 ... 279
- 環軸関節回旋位固定 ... 279
- Klippel-Feil 症候群 ... 281

第11章 腰部の診かた

愁訴からの診断

1. 腰　痛 ... 283
2. 背部のくぼみ ... 290
3. 尾 骨 痛 ... 291

主な疾患について知っておくべき知識

- 腰椎分離症 ... 292
- 仙腸関節炎 ... 292
- 二分脊椎症 ... 293
- 尾 骨 痛 ... 295

第12章 全身性疾患と小児整形外科総論

1. 関節炎 ... 297
2. 出血性関節障害 ... 301
3. 骨髄病変（MRI検査でみられる骨髄輝度の異常） ... 303
4. 多発性骨病変 ... 306
5. 栄養障害 ... 307
6. 全身の関節弛緩がみられる結合織性疾患 ... 311
7. 先天性に多関節拘縮がみられる疾患 ... 312

各疾患について知っておくべき知識

I 関節炎をきたす疾患
- 化膿性関節炎 ... 314
- 若年性特発性関節炎 ... 314
- 付着部炎関連関節炎 ... 315
- 感染症関連関節炎と反応性関節炎 ... 316

II 出血性関節障害をきたす疾患
- 血友病性関節症，その他の血液凝固因子欠損症 ... 317
- 血管腫 ... 317

III 骨髄病変のみられる疾患
- 化膿性骨髄炎 ... 319
- 抗酸菌性骨髄炎 ... 320
- 慢性再発性多発性骨髄炎 ... 321
- 傍骨端線部限局性骨髄浮腫 ... 321
- 類骨骨腫 ... 321

IV 多発性骨病変のみられる疾患
- 多発性外骨腫，メタコンドロマトーシス ... 323
- Langerhans 細胞組織球症 ... 324
- Ollier 病 ... 324
- 多骨性線維性骨異形成症，McCune-Albright 症候群 ... 326
- 骨斑紋症 ... 327
- 大理石骨病 ... 327
- 濃化異骨症 ... 328
- 骨流蝋症 ... 329
- Camurati-Engelmann 病 ... 330
- 片肢性骨端異形成症 ... 330

V 骨病変をもたらす栄養障害
- ビタミンD抵抗性くる病，ビタミンD欠乏性くる病 ... 332
- 壊血病 ... 333

VI 関節弛緩のみられる全身性疾患
- Down 症候群 ... 333
- Marfan 症候群，Ehlers-Danlos 症候群，Loeys-Dietz 症候群 ... 333

VII 関節拘縮のみられる全身性疾患
- 先天性多発性関節拘縮症 ... 335
- Larsen 症候群 ... 336
- Freeman-Sheldon 症候群 ... 337
- Beals 症候群 ... 337

VIII その他
- 骨形成不全症 ... 337
- 軟骨無形成症 ... 339
- 神経線維腫症1型（NF1） ... 341
- 進行性骨化性線維異形成症 ... 341
- 先天性無痛無汗症 ... 342
- 爪・膝蓋骨症候群 ... 343
- 猫ひっかき病 ... 344
- 身体症状症（身体表現性障害），詐病 ... 344
- 骨端線早期閉鎖 ... 345

日本語索引 ... 349
外国語索引 ... 354

解説

後足部内外反の評価	17
トータルコンタクトの足底板	35
関節の音	60
ケガをしていないのにいつのまにか？―幼児の骨折	97
変形矯正を目的とした骨端線片側成長抑制術の考え方	105
大腿骨頭が骨化する前の先天性股関節脱臼のX線画像診断 ―IHDI分類―	123
ペルテス様変形	147
先天性股関節脱臼の呼称変更 ―専門医には発育性股関節形成不全，一般の方には乳児股関節脱臼	148
リーメンビューゲル法を避けるべきケース	150
遺残性亜脱臼と臼蓋形成不全	150
脱臼の既往がない臼蓋形成不全	151
こどもの不登校とゲーム障害	187
回外しないとできない日常生活動作	203
肘内障のエコー診断	212
小児における非外傷性肩関節脱臼・亜脱臼の用語について	240
成長とともに挙上が良くなる骨欠損と悪くなる筋欠損	251
安全な穿刺経路	299
小児の骨髄のMRI	305

私の流儀

外反扁平足に対する足底板（アーチサポート）	36
生理的O脚（自家矯正するO脚）とBlount病の定義付け	83
筆者の考える先天性下腿弯曲症の3つのパターン	99
下腿内捻の手術治療	110
成長軟骨板の骨性架橋とその治療	113
先天性股関節脱臼の重症度から考える治療法の選択	148
肘内障の電話整復	193
投球を休んでくれない球児に対する治療方針	215
翼状頸に対する治療	249
くる病の診断に迷ったら手関節のレントゲンを撮る	308

麻痺性踵足，何が困るか？	16
脳性麻痺は意外に身近な疾患！	20
peroneal spastic flatfoot（腓骨筋痙性扁平足）	20
「不必要な検査や治療はやるな」というアメリカからの提言	43
内視鏡手術とスキル	60
予後の悪い疾患に対する家族への説明	68
成長期の骨に対する体外衝撃波治療—諸刃の剣—	71
幼児期のO脚の診断に単純X線検査は必要か？	83
四肢の痛みと不登校	97
親との会話の中で空気を読む	102
小児整形外科診療における意外な落とし穴	110
温存と切断，どちらが幸せになれるか？	112
患児の障害を母親が受容するプロセス	122
診察しにくい膝	134
被虐待児症候群	194
整容的問題に対する整形外科診療	240
ビタミンD不足と小児のうつ状態	263
私の師匠	282
すでに診断のついている希少疾患を診るときに大切なこと	297
用語の混乱：死語となったReiter症候群と反応性関節炎から分離された感染症関連関節炎	299
悩ましいグレーゾーン	301
歩ける子のバギー	302
全身性疾患を見逃さないためには	305
こどもの骨に栄養障害をもたらす4つのパターン	308
整形外科における専門の細分化によって難民化した希少疾患患者	313
治療薬の開発されている希少疾患	331
痛み止めについて	343
ビタミンA過剰摂取と骨端線早期閉鎖	346

第1章

足趾の診かた

　足趾の問題で乳幼児期に受診されるケースは意外に多くあります．その多くは肉眼所見で即時に診断が可能です．その多くは治療の不要なものですが，こどもの整形外科診療ではこのようなケースにどう対応するかについて悩む場面が多いと思います．初診医に求められるのは，両親の大きな不安をできるだけ取り除いてあげることです．

　（合趾症，多趾症など出生直後から見た目ですぐに診断がつき，手外科・形成外科専門医による手術治療が必要なものに関しては，本章では割愛します．）

愁訴からの診断

❶ 先天的な足趾の変形

思い浮かべるべき疾患
内反趾（curly toe），内反小趾（overriding fifth toe, varus fifth toe），重なり趾（overlapping toe），先天性外反母趾，短趾症，合趾症，多趾症

見逃してはならない疾患
進行性骨化性線維異形成症（fibrodysplasia ossificans progressiva：FOP）

　足趾の形態異常で唯一診断を急ぐ必要があるのは，「FOP」と呼ばれる疾患です．無策で経過をみると全身の筋肉が骨化していきます．乳幼児で母趾の形態異常をみたら，本疾患の可能性を考慮して，全身の診察を行いましょう．

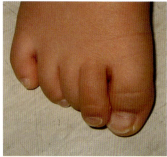

図1-1 第3,4,5趾の内反趾（2歳男児）

ありふれた変形でほぼ治療は必要ないと考えます．

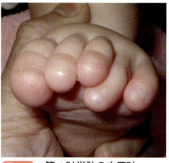

図1-2 第4趾単独の内反趾

このようなパターンだと将来治療を考慮する可能性もあります．

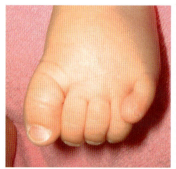

図1-3 内反小趾

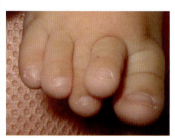

図1-4 重なり趾

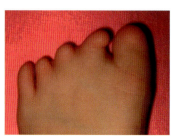

図1-5 短趾症

診断へのプロセス

STEP 1　視診でほとんど診断がつく

- 新生児・乳児の足趾の変形は，見た目で診断します．一番多いのは，第3〜5趾が内向きに丸まっている内反趾（curly toe）です（図1-1,2）．一方，第5趾が第4趾に乗り上げるように変形しているのが内反小趾（overriding fifth toe）です（図1-3）．足趾が重なっているのは，重なり趾（overlapping toe）です（図1-4）．足趾が短かく先細りになって爪が小さかったり欠損しているものは，短趾症（または足趾形成不全）と呼びます（図1-5）．

STEP 1 STEP 2　単純X線検査を行う

- 稀に骨奇形（図1-6）や関節変形（図1-7）による変形の場合があるので，足部全体の単純X線検査を行って病態を確認します．

STEP 1 STEP 2 STEP 3　外反母趾や母趾短趾症ではFOPの除外診断を行う

- きわめて稀に進行性骨化性線維異形成症（fibrodysplasia ossificans progressiva：FOP）（図1-8）の場合があります．
- FOPは，日常生活の過ごし方で生命予後が大きく変わる疾患です．決して見逃してはなりません．母趾の変形や短縮をみたら，頸椎や肩甲胸郭関節の運動制限がないか確認し，拘縮がみられたら小児整形外科専門医へ紹介してください（第12章 p.341）．

1 先天的な足趾の変形

第1章 足趾の診かた

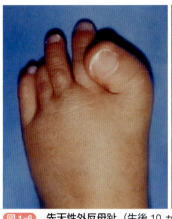
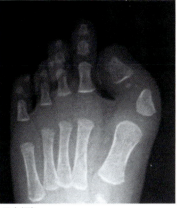

図1-6 先天性外反母趾（生後10ヵ月女児）
生下時から著明な外反母趾がみられました．X線写真上，基節骨の骨奇形が原因でした．生後10ヵ月でIP関節固定術，14歳で基節骨矯正骨切り術と2回の手術を行って矯正しました．

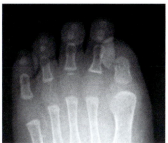

図1-7 先天性外反母趾（生後7ヵ月女児）
IP関節の変形による外反がみられました．単純X線検査では末節骨が未骨化で描出されていません．16歳まで経過をみましたが，手術希望はありませんでした．

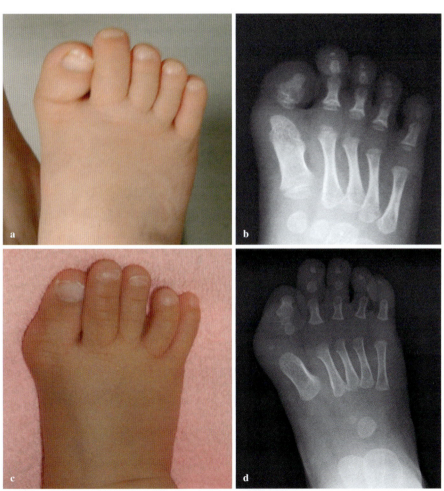

図1-8 進行性骨化性線維異形成症（FOP）に伴う母趾の短縮と外反
a．足部外観，b．X線所見（1歳女児）
c．足部外観，d．X線所見（生後10ヵ月男児）

愁訴からの診断

2 成長に伴ってみられる足趾の変形

思い浮かべる
べき疾患

中足骨短縮症，外反母趾，筋拘縮による屈趾症（骨流蝋症など）

乳児期にみられなかった変形が幼児期以降でみられ，悪化傾向があるときは，手術適応の場合が少なくありません．

診断へのプロセス

- 成長に伴ってみられる足趾の変形は，単純X線検査で診断します．
- 中足骨短縮症は，中足骨骨端線の早期閉鎖です．単純X線検査で中足骨の短縮と骨端線早期閉鎖があれば（図1-9），中足骨短縮症の診断となります．幼児期には目立たず，ほかの中足骨が伸びてくると，相対的に短くなるため外観上目立つようになります．
- 乳幼児期にみつかる外反母趾には，歩行時だけにみられる生理的なもの（図1-10）がある一方，荷重していないときにもみられる外反母趾では，骨変形によるものもあります（図1-6, 7）．
- 学童期以降でみられる母指MTP関節の外反による外反母趾は，成人の外反母趾と同様の病態です．第1～2中足骨の間が遠位部で開いていることが特徴です（図1-11）．
- IP関節で後天的に変形がみられる外反母趾にはさまざまな病態があります．図1-12はその1例です．幼児の母趾基節骨のIP関節面の骨折は，未骨化の軟骨部分で骨折していると単純X線検査で異常がわからないため，学童期になって骨化してから陳旧性骨折と判明することがあります．
- 骨流蝋症では筋拘縮と関連した足趾の変形がみられることがあります．両下肢全長と骨盤の単純X線検査を行い，ほかの部位にも骨流蝋症の所見がみられたら確定診断となります（図1-13）．

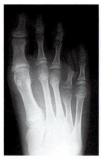 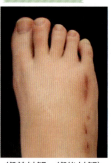 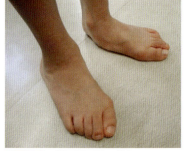

図1-9 第4中足骨短縮症（左からX線所見，術前外観，術後外観）

図1-10 外反扁平足に伴う生理的外反母趾

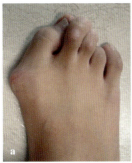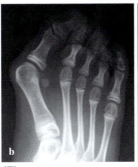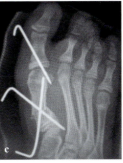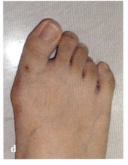

図 1-11　外反母趾（11 歳女児）
第 1～2 中足骨間が開いているのが青年期以降に多い外反母趾で，成人の外反母趾と同じ病態です．長期間にわたり歩行時に母趾基部の痛みを訴えていたため，手術を行いました．
a. 術前外観，b. 術前 X 線，c. 術直後 X 線，d. 術後外観

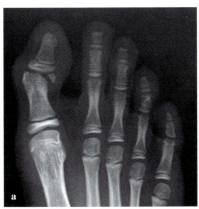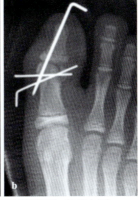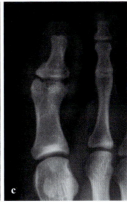

図 1-12　外傷かスポーツの関与が考えられる外反母趾（8 歳女児）
外傷歴はなく，4 歳から新体操を行っています．3 歳頃外反母趾に気づき，装具療法では改善がみられず，8 歳で当科受診．新体操時に痛みを訴えていました．X 線写真上，基節骨頭外側の骨片分離がみられ，偽関節が疑われました（a）．11 歳時に骨接合術を行い（b），術後骨癒合が得られ，15 歳まで経過をみましたが痛みもなく経過良好です（c）．

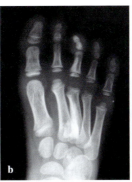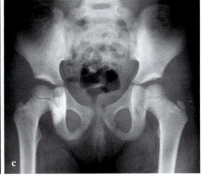

図 1-13　骨流蝋症に伴う第 3 趾屈趾症（3 歳女児）
右第 3 趾の屈曲変形（a）を主訴として近医を受診し，骨腫瘍の疑いで紹介．第 3 趾の趾骨に加え，第 2・3 中足骨，踵骨に骨髄内骨硬化像を認めたため（b），骨盤・両下肢の単純 X 線検査を行ったところ，右坐骨にも骨硬化像を認め（c），骨流蝋症の診断となりました．第 3 趾の屈趾症に加え，進行性の尖足変形がみられたため，13 歳児に足関節後方解離術を行ったところ，踵骨の前内側に付着するアキレス腱の副腱がみつかりました．副腱を切除してアキレス腱 Z 延長術を行い，足趾は屈筋腱切離と皮膚の Z 形成術を行いました．術後 7 年までの経過は良好です．

3 その他の愁訴

1) 原因のわからない足趾の骨溶解 → マイクロジオディク病

- 小児では重度のしもやけ（凍傷）で骨溶解がみられることがあります（図 1-14）．これを「マイクロジオディク病（microgeodic disease）」と呼びます．足趾に骨溶解がみられたら，まずこれを思い浮かべましょう（第 6 章 p.189）．鑑別としては「風棘（spina ventosa）」と呼ばれる結核性骨髄炎が挙げられますが，現在わが国においてこの疾患がみられることはまずないと思います．

2) 爪がだんだんと盛り上がってきた → 爪下外骨腫

- 爪部の痛みと膨隆を主訴に来院します．爪の下の末節骨背側に外骨腫ができることは珍しくありません（図 1-15）．放置すると爪を突き破って出てくることもあります．

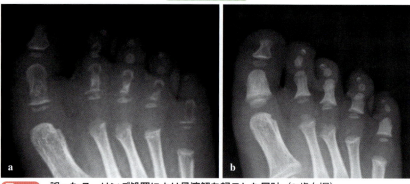

図 1-14　誤ったクーリング処置により骨溶解を起こした足趾（2 歳女児）
ほかの疾患で入院中，誤って足趾を長時間クーリングした後に足趾の腫脹がみられました．凍傷の診断で経過観察したところ，2 週間後の単純 X 線検査ですべての基節骨に著明な骨溶解像がみられましたが（a），5 ヵ月後には骨溶解部に自然修復がみられました（b）．

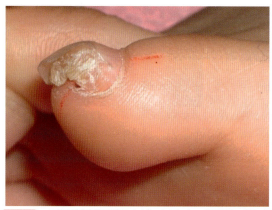

図 1-15　爪下外骨腫で盛り上がった爪（10 歳男児，第 5 趾）

主な疾患について知っておくべき知識

◉ 内反趾（curly toe）（図1-1, 2）

- 最も頻度の高い足趾の変形で出生直後に気づき，両親が心配して来院します．
- 第3〜5趾が外旋屈曲して丸まって見えるので英語では「curly toe」と呼ばれていますが，これに該当する和訳は「内反趾」という耳慣れない言葉になると思います．筆者はcurly toeを直訳して「巻き趾（まきゆび）」と呼んでいます．
- 自然に治ることが多いと書いてある英文の成書もありますが，実際には<u>自然に治ることはほとんどありません</u>．しかし機能的にも整容的にもほとんど困ることがないため，治療が必要になるケースはきわめて稀です．両親にとって，乳幼児期にはささいな形態異常でも非常に気になりたいへん心配されますが，学童期以降になってこどもとの距離が開いてくると，特に気に留めなくなってきます．本人が気にすることはまずありません．
- 実は筆者自身も両側第4, 5趾が巻き趾ですが，治療の必要性を感じたことはありません（図1-16）．
- 第5趾の巻き趾は「内反小趾」と呼ばれ，インターネットで検索すると数多くの記述がみつかります．さまざまな弊害のある病態であるかのような記述や，装具治療が有効であるかのような記述がみつかりますが，稀に爪の変形や胼胝形成による不具合がみられるくらいで重大な問題となることはなく，装具治療やテーピング治療には一時的な効果しかないという考え方が一般的です．
- 治療を必要とするときは，長趾屈筋腱切離術を行います．

> **患者家族への説明**
> 「ありふれた変形で将来的に困ることはほとんどないので心配ありません．どうしても困る場合は，学校にあがってからでも手術を行えば治すことができます．」

◉ 内反小趾（overriding fifth toe, varus fifth toe）（図1-3）

- 日本整形外科学会編の用語集では，overriding toeはoverlapping toeと同義語とされていますが，ここで述べるoverriding fifth toeは少し状態が異なるため，筆者は直訳して「乗り趾（のり

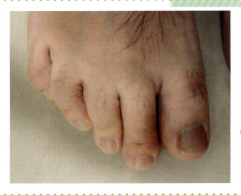

図1-16 第4,5趾の内反趾（筆者の足趾）
これまで困ったことはなく，見た目を気にしたこともありません．

ゆび）」と呼んでいます．
- この変形は自然に良くなるよりも徐々に目立ってくることが多く，小趾が隣の趾に乗り上げているため，靴のtoe box（つま先の上部を覆う部分）と接触して痛みを出す場合があります．この場合は手術治療（伸筋腱の切離と皮膚の形成術）を行います．

> **患者家族への説明**　「将来，靴とあたって痛みを出す可能性があります．そのときは手術の相談をしましょう．」

◉ 重なり趾（overlapping toe）（図1-4）

- 巻き趾の次に頻度の高い足趾の変形です．
- 乳幼児期からみられるもののほとんどは病的なものではなく，<u>機能的な問題はありません．見た目も他者から指摘されることはなく，学童期以降も本人が気にすることはありません</u>．したがって，手術治療はほとんど行われていません．
- 学童期以降に進行性の変形がみられるものの多くは，別な疾患で治療が必要です．その代表格が内反小趾と中足骨短縮症です．

> **患者家族への説明**　「ありふれた変形で将来的に困ることはないので心配ありません．」

◉ 短 趾 症（図1-5）

- 出生直後からみられる足趾の形成不全で治療法はありません．
- 妊娠中の喫煙など嗜好品との関連が推測されるケースもありますが，その因果関係は明らかになっていないので，原因について必要以上の説明は慎しむ必要があります．ただし次の子を妊娠する可能性がある場合には，慎重に説明を行います．
- 有効な治療法はありませんので，日常生活上の支障が出た場合に，相談にのることが担当医の役割となります．靴の中で先が余りますが中足骨の先端まで正常であれば，靴が脱げやすくなることはありません．

> **患者家族への説明**　「残念ながら有効な治療法はありませんが，日常生活で支障が出ることはほとんどありません．見た目の問題を気にしないおおらかな心を持ったこどもに育ててください．妊娠中に身体に入った物質が原因のこともありますので，次のお子さんを希望されているようなら，何か思い当たることがないか思い出してみてください．」

◉ 中足骨短縮症（brachymetatarsia）（図1-9）

- 幼児期以降で徐々に進行し，学童後期で異常が明らかとなる変形です．
- 中足骨の成長軟骨板が早期に成長停止し，ほかの中足骨が伸びるにつれて，相対的に短くなってしまうため，<u>進行性に変形がみられます</u>．
- 第4趾に多く，両足にみられることが少なくありません．
- <u>Turner症候群や先端異骨症（偽性副甲状腺機能低下症）などの全身疾患が原因のこともあります</u>．

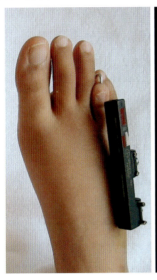
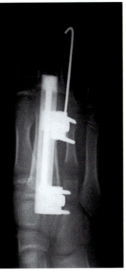

図 1-17 中足骨短縮症に対する骨延長術

中足骨短縮症は，中足骨の延長術で治療します．1 cm程度の短縮であれば，腸骨を骨移植して一度に骨延長することもできますが，一般的には骨延長のできる創外固定器を装着して，仮骨延長術を行います．この時，単純に中足骨を延長していくと，MTP関節にかかる圧力が上がり，脱臼してしまいますので，必ずMTP関節を鋼線固定しておくことが重要です．

- 欧米では整容的問題となることが少なく，あまり手術が行われていませんが，他者に足を見られることの多い生活習慣の東洋では，積極的に手術治療が行われています．
- <u>手術は1回で済ませるため成長終了が近づいてから行います</u>．具体的には思春期を迎える小学校6年生以降で手術することをお勧めします．もちろん，それ以降の年齢で手術を行うことも可能です（図 1-17）．

患者家族への説明

「骨の成長障害が原因なので，徐々に変形が悪化しますが，手術できれいに治すことができます．手術を1回で済ませるため，小学6年生以降で手術の相談をしましょう．」

● 外反母趾

- 外反母趾は思春期以降で頻度の高い変形ですが，乳幼児では珍しいものです．
- 外反扁平足（後述）に伴うものをしばしば見かけますが，この変形は荷重時のみにみられ，隣趾との重なりもなく，病的な意義を持ちません（図 1-10）．
- 乳幼児期の病的な外反母趾の多くは骨変形によるもので，変形部位によりさまざまなパターンがあり，治療が必要であれば学童期以降に骨切り術を行います（図 1-6, 7）．
- 見逃してはならないのは，先述した進行性骨化性線維異形成症（FOP）です．
- 思春期以降でみられる外反母趾の多くは，第1中足骨の内転（図 1-11）によるもので，母趾が外反するというよりは <u>"母趾の根元が内側へずれたために，母趾の先が外側を向いてしまった"</u> と考えたほうが良いでしょう．この変形に対して，母趾の先を内側へ向けようとする治療が仮に成功すると，母趾と第2趾の間が大きく開いてしまい，整容面では別な問題が生じてしまいます．そればかりか，母趾の先を内側へ移動しようとすると，第1中足骨の内転がよけいに悪化してしまう可能性もあります．したがって装具治療を行うとすれば，第1中足骨の遠位部を外側へ押したうえで，母趾の先を内側へ移動するタイプのものが合理的です．筆者の経験では，<u>装具治療には装着時に痛みを軽減する効果はあっても，変形を矯正</u>

- 唯一の有効な治療法は手術であり，第1中足骨の遠位部を外側へ移動する骨切り術（図1-11）が最も病態に即した術式です．この際，母趾を真っすぐにしてしまうと，母趾と第2趾の間が大きく開いてしまい，整容的に好ましくない状態となるので注意が必要です．また，十分な説明なく適切な手術を行うと，「（真っすぐではないので）外反が治っていない」と術後苦言を呈されることがあります．手術が終わってから，「少し外反が残っていたほうがいいんです」と説明しても言い訳のように聞こえてしまうので，その点については十分な術前の説明が必要です．

> **患者家族への説明**
>
> 〔軽症例に対して〕→「ありふれた変形で，予想外に悪化しない限り治療は必要ありません．」
> 〔母趾が第2趾と重なるような重症例に対して〕→「装具で治療する方法もありますが，なかなか目に見えた効果は出ません．手術治療は身体の負担が大きいので安易に行うべきものではありませんが，日常生活でどうしても困るようになってしまったら手術の相談をしましょう．」

◉ マイクロジオディク病（microgeodic disease）（図1-14）

- しもやけ（凍傷）で骨溶解が起こった状態です．こどものしもやけでは，骨が溶けてしまうことは珍しくありません．
- 「冬趾」と呼ぶ医師もいます．
- 日本整形外科学会編の用語集では，これを「小空洞病」と訳しています．骨が溶解と再生をくり返した結果，X線写真で空洞のような所見がみられることを指しての病名と考えています．
- しもやけによる痛痒さは，両親や医師の想像以上にこどもにとってはつらいものなので，温かい靴下や靴を履くよう丁寧に指導することが大切です．

> **患者家族への説明**
>
> 「しもやけで骨からカルシウムが抜けてしまったようです．痛痒くてつらかったことと思います．外で足先を冷やさないように温かい靴や靴下を選んであげてください．」

◉ 爪下外骨腫（図1-15）

- 爪の下に骨隆起が起こり爪が持ち上げられ，ときには爪を突き破って骨が突出してくる疾患です．
- 外骨腫を切除すると，驚くほどきれいに爪が再生し，変形が治ってくる疾患です．無策に経過観察すると感染が起こり治療が難しくなることもあるので，速やかに手術を行ったほうが良いでしょう．
- 再発をくり返す難治例もあります．

> **患者家族への説明**
>
> 「爪の下にある骨が盛り上がってしまう病気です．放置すると骨が外に出てきてしまうこともありますので，手術をお勧めします．再発することもありますが，ほかに治療法はないのでがんばりましょう．」

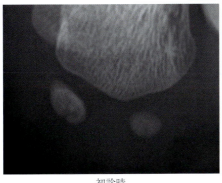 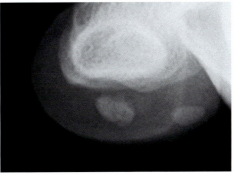

初診時　　　　　　　　　　　　　1ヵ月後

図1-18 母趾種子骨障害（10歳男児，左母趾）

1ヵ月前コンクリートの上で縄跳びをしてから母趾基部底側の痛みが出現しました．母趾MTP関節の軸写像では，脛側種子骨に亀裂骨折のような所見を認めました．道路や硬い床の上での運動を禁止したところ，1ヵ月後にはX線検査上の修復所見がみられ，2ヵ月後に痛みは軽快しました．

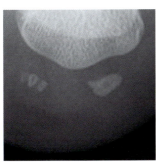 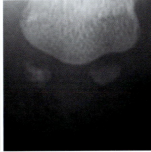 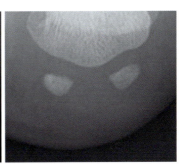

初診時　　　　　　　　1ヵ月後　　　　　　　　2ヵ月後

図1-19 母趾種子骨障害（10歳男児，右母趾）

高所から飛び降りてから右母趾MTP関節底側の痛みが出現．前医で捻挫の診断を受けたが，痛みがとれないため1ヵ月後初診．水泳のターンでキックするときに痛みがあるとのことでした．母趾種子骨に圧痛を認めたため軸射撮影を行ったところ，腓側種子骨に bone in bone の所見を認めました．種子骨の軟骨部分が外傷刺激で早期骨化してきた所見と考えられました．痛みの出る運動を休止して経過観察したところ，1ヵ月後に痛みは消失し，2ヵ月後には画像上軟骨部分の骨化が完了しました．

● 母趾種子骨障害（図1-18, 19）

- 母趾種子骨障害は，小児では比較的稀な疾患です．成人例のように難治性の症例は筆者には経験がありません．
- 硬い床の上での運動で発症することが多く，痛みの原因となった運動を休止することで徐々に改善がみられます．
- 病態としては，疲労骨折や不全骨折の頻度が高いように思います．手術が必要になった症例は経験がありません．

患者家族への説明　足の親指の付け根にある小さな骨が痛みを出しています．この骨に刺激が加わらないように生活していけば，通常数ヵ月で痛みは良くなってきます．

第2章 足の診かた

　こどもの足の疾患は，静止した状態の外観だけで診断することはできず，可動性をみたり歩かせたりして，ダイナミックな評価をすることが診断には不可欠です．また痛みを愁訴とするさまざまな疾患があり，どこに圧痛があるのか，丁寧に診察したうえで画像診断をしていくことが大切です．

愁訴からの診断

1 先天的な足の変形

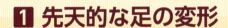

思い浮かべるべき疾患

胎内肢位による踵足・外反足・内反足，先天性内反足，先天性内転足，oblique talus（斜め距骨），麻痺性踵足，垂直距骨

　先天的な足の変形には，胎内肢位の影響で一時的にみられる変形と治療を要する病的な変形（先天性内反足，垂直距骨，麻痺性踵足など）があります．病的な変形の多くは，新生児期からの治療が必要なため，初診時に診断をつける必要性があります．新生児・乳児の足はX線写真を撮っても一部の骨しか写らないので，診察所見が最も重要です．病的な変形かどうかは，見た目と動き（他動運動と自動運動）をみて診断します．

診断へのプロセス

STEP 1　見た目と可動性をみる　〔他動的に正常な形（中間位）にできるか〕

● どんなに変形が強くても，関節が柔らかく徒手的に正常な形にすることができれば，先天性内反足や垂直距骨ではありません．逆に関節が固く正常な形にできなければ，病的な変形を疑います．

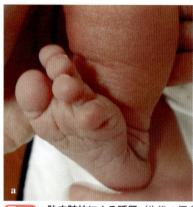
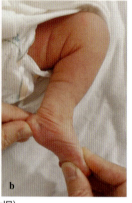

図 2-1 胎内肢位による踵足（生後6日女児）
初診時，足の甲が下腿前面に接触する足関節背屈位（a）をとっており，他動的にも底屈制限（b）がみられましたが，中間位をとることは可能でした．1ヵ月後には底屈制限はなくなり，自然治癒が確認されました．

図 2-2 胎内肢位による外反足（生後6ヵ月男児）
初診時，外反足の外観でしたが，可動域制限はありませんでした．1ヵ月後には正常な外観となりました．

- 踵足や外反足の多くは，軽度の可動域制限があっても中間位をとることができれば，胎内肢位の影響で一時的にみられる変形（図 2-1, 2）で，自然治癒が期待できるものです．
- 生下時からみられる内反足は，拘縮がまったくなければ胎内肢位による一過性の内反足と診断します（図 2-3）．背屈制限を伴う拘縮があれば先天性内反足（図 2-4），背屈制限がなく足部の内転拘縮だけがみられる場合は先天性内転足と診断します．
- 垂直距骨は足部全体が船底のように背屈した肢位で拘縮しているので，その特徴的な外観（図 2-5）を知っていれば診断は容易です．ただし，底屈位をとったときに，徒手的に足部が正常な形態に矯正できる場合は，「oblique talus（直訳すると斜め距骨）」と小児整形外科専門医の間では呼称されています．この2つの鑑別は最大底屈位の単純X線検査で行います．

STEP 1 STEP 2 自動運動をみる〔ひと通りの動きができるか〕

- 関節が柔らかく徒手的に正常な形にできても，何らかの麻痺があれば，将来治療が必要になります．その代表格が麻痺性踵足（図 2-6）です．麻痺がなければ，胎内肢位による一時的な変形なので自然に治っていきます．
- 麻痺性踵足では，足関節を背屈できますが，底屈ができません．しかしこれを確認することは容易でありません．時間をかけて患児の足をさすったりくすぐったりして，自動運動を誘発することによって確認します．
- 麻痺がある場合，その大部分は二分脊椎症が原因です（第11章 p.293）．出生時から明らかに肉眼的に異常がわかる開放性脊髄髄膜瘤では最初から診断がついていますが，閉鎖性脊髄髄膜瘤や脊髄脂肪腫の場合は，必要に応じてMRI検査を行って診断します．

1 先天的な足の変形

図 2-3 胎内肢位による内反足（生後 7 日女児）
初診時，一見典型的な内反足の外観でしたが，他動的には可動域制限はありませんでした．1ヵ月後には正常な外観となりました．

図 2-4 先天性内反足（生後 1ヵ月男児）
写真の肢位で著明な拘縮を認めました．矯正ギプス治療の後，アキレス腱皮下切腱術を行いました．

図 2-5 垂直距骨の外観
1 歳まで待ってから距骨下全周解離術を行って矯正しました．現在は，新生児期から逆 Ponseti 法（p.29）という矯正ギプス治療を始め，その後必要に応じて手術治療を行っています．

図 2-6 二分脊椎の麻痺性踵足（生後 14 日男児）
下腿三頭筋の麻痺があるため，自分では底屈できない状態でした．

第 2 章　足の診かた

コラム　麻痺性踵足，何が困るか？

本人の悩み：足での荷重は，通常つま先と踵の2点で可能ですが，麻痺性踵足では踵1点での荷重になります．それでも歩行は意外にスムーズにできますが，両麻痺性踵足の患児において，立位を保持しようとすると，両側の踵2点で荷重する状態となり，うまくバランスを保つことができません．補助輪のない自転車が止まると左右に倒れてしまうのと似たような状態です．本人にとっては，友達と立ち話ができないことが大きな悩みとなっていますが，手をつないであげれば立位が保持できるので，意外に両親が気づいていないこともあります．

両親の悩み：1点荷重ではスプリングの機能がないため，ドンドンと大きな足音を立てて歩くので，共同住宅では階下の住人から苦情を受けることもあります．

長期的な問題：踵での荷重が続くと踵に胼胝形成がみられ，踵全体が次第に肥大していきます．歩行時間が限界を超えると踵部に褥瘡が形成され，放置すると踵骨の骨髄炎にまで至ります．この問題があるため，踵足は下垂足よりも治療に関する優先度の高い病態と考えられています．

2 扁平足

思い浮かべるべき疾患

生理的外反扁平足，学童期以降も存続する外反扁平足（flexible flatfoot），足根骨癒合症，腓骨筋痙性扁平足（peroneal spastic flatfoot），尖足が距踵関節外反で代償された脳性麻痺，斜め距骨（oblique talus），垂直距骨，腓骨列形成不全，弛緩性麻痺（二分脊椎症など）による内外反の筋力不均衡

扁平足とは，立位・歩行時に土踏まずがべったりと接地する足の形態です．長く歩くと足部に痛みが出たり，疲れて歩けないという愁訴が問題となります．しかし，大部分の患児は特に困っておらず，他者に扁平足を指摘されたことで心配になり来院します．扁平足のほとんどは，後足部の外反を伴うため，外反扁平足とほぼ同義語と考えて差し支えありません．

診断へのプロセス

STEP 1　足の形態をよく見る　〔立位と歩行時の足の形態を時間をかけて視診〕

- ほとんどの外反扁平足は病的ではない生理的なもの（図2-7）なので，それ以外の疾患を除外していくことが，診断のプロセスになります．
- 幼児期の扁平足は健常児でもみられる荷重時の足の変形です．一般に土踏まずが接地するイメージですが，小児整形外科専門医は踵部が外反するイメージを持っていて，「外反扁平足」と呼びます．
- 外来を訪れる患児の多くは，歩行開始後に保育士や知人に扁平足を指摘されて受診しますが，ほとんどのケースは生理的な扁平足で治療を要しません．しかし，ときに病的な扁平足がみつかることもあるので，これを除外診断することが必要です．

解説 後足部内外反の評価

後足部の内外反は，通常，距骨に対する踵骨の位置で評価します（図2-8）．ただし，足関節に傾きがある場合は，脛骨に対する踵骨の位置で評価します．これは診察室で立位歩行時のheel cordのライン（図2-7, 9）を肉眼で見るとよくわかります．これをX線評価するのが，「Cobey撮影」と呼ばれる方法（図2-10）です．

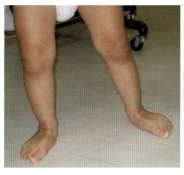
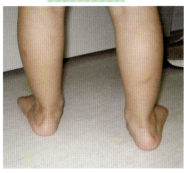

図2-7 運動発達過程でみられる生理的な外反扁平足（1歳8ヵ月女児）

土踏まずがべったり床に接地し，heel cordが過剰に外反しています．

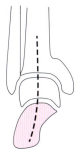
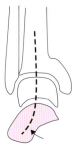
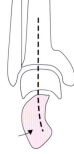

正常　　後足部の外反　　後足部の内反

図2-8 後足部の外反と内反のイメージ

扁平足では通常後足部が外反しており，先天性内反足の矯正不良例では後足部の内反がみられます．

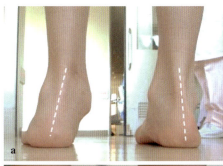
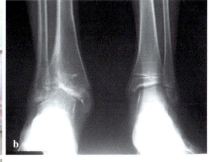
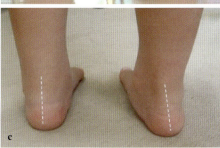

図2-9 heel cord

後足部の内外反は，後方から肉眼で見たアキレス腱のラインで評価できます．おおむね5〜10°程度外反しているのが正常です．

a. 10歳男児：交通事故の後遺症で左下腿遠位部の外反変形（b：後方からみた立位X線像）があり，左のheel cordが大きく外反しています．後足部外反と評価します．右はheel cordが軽度外反しており正常です．

c. 3歳男児：左内反足の治療中で，矯正不十分のため左のheel cordがストレートになっています．後足部内反と評価します．右はheel cordが軽度外反しており正常です．

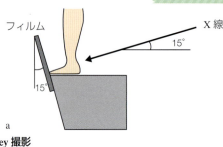
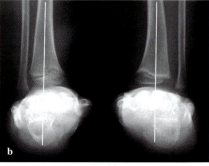

図 2-10 Cobey 撮影
a. フィルムの配置と X 線入射方向．
b. 図 2-9c の足を Cobey 撮影したところ：脛骨骨軸中央のラインが踵骨接地面の内側縁付近を通ると正常（写真右側）ですが，左足（写真左側）では踵骨接地面の外側縁を通っているので，後足部内反と評価します．

STEP 2　筋肉の固さと可動域をみる

- 関節が固い場合は，先述した病的な先天性の変形（垂直距骨など）を考えますが，通常このようなケースが歩行開始後まで放置されることはありません．

　まず最初に注意して診察すべきは筋肉の固さです．特に扁平足では下腿三頭筋の拘縮（十分伸びない状態）がないかどうか，チェックします．下腿三頭筋の拘縮があると足底接地する際に外反扁平足になることがあります（→下腿三頭筋の拘縮があると外反扁平足になることがある）．具体的には痙性麻痺の患児にこのような徴候がみられます（図 2-11）．

STEP 3　麻痺がないか確認する

- 二分脊椎症などの弛緩性麻痺をきたす疾患では，極端な外反扁平足がみられることがあります．このようなケースでは，扁平足単独で症状がみられることはなく，膀胱直腸障害などほかの症状が随伴しますので，よく問診することが大切です．

STEP 4　足根骨の癒合がないか確認する

- 足根骨癒合症という疾患があります（図 2-12）．足根骨同士が癒合してしまう病態ですが，距骨–踵骨，踵骨–舟状骨，舟状骨–楔状骨間など，さまざまな組み合わせがあります．これが原因で外反扁平足になることがあります．骨化が十分に進んでいない幼児期の診断は難しく，学童後期以降で診断が可能となります．単純 X 線検査でわかる場合もありますが，3D-CT が診断には有用です．

意外に知られていないこと　下腿三頭筋の拘縮があると外反扁平足になることがある

　下腿三頭筋の拘縮（長さが足りない状態）があると，通常は足関節が背屈しないので尖足になりますが，一部の患児はこれを補おうとして距骨下関節を外反させることによって前足部が上方へ移動できるようにします（図 2-13）．このようなケースには，下腿三頭筋の拘縮を改善するための夜間装具（中間位を保持するプラスチック製の短下肢装具）が有効です．筋緊張を緩和するボツリヌス療法（下腿三頭筋へのボツリヌス毒素の注射）も選択肢のひとつです．

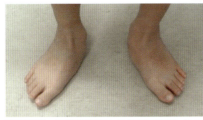

図 2-11　脳性麻痺による外反扁平足（10歳女児）

精神発達遅帯はなく扁平足を主訴に10歳で来院するまで，脳性麻痺の診断はありませんでした．前医よりアーチサポートの足底板を処方されましたが，これを装着すると踵で接地できなくなりました．診察上，下腿三頭筋の拘縮が原因の外反扁平足でした（図 2-7 と酷似していますがまったく異なる病態）．

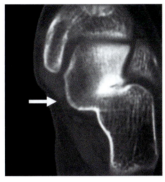

図 2-12　距踵骨癒合症（9歳女児）

扁平足を指摘されて受診しました．reconstruction CT では，矢印の部分が完全に癒合しており，痛みはありませんでした．このようなケースにアーチサポートの足底板を処方すると，靴底が外反するので，靴の内側がすり減って困るようになります（→私の流儀：外反扁平足に対する足底板 p.36）．

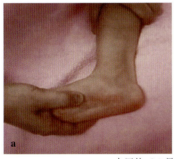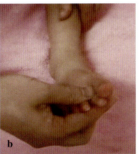

a, b.　内反位での最大背屈位

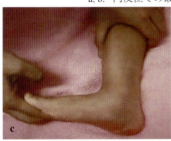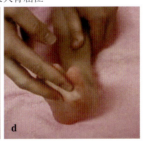

c, d.　外反位での最大背屈位

図 2-13　下腿三頭筋の拘縮を補おうとして外反するパターン

足部を内反位にすると背屈制限が強いですが，外反位にすると背屈が改善します．つまり，患児は背屈するために外反しています．この点が足の解剖でイメージしにくいところですが，難しいことは考えずに「後足部が外反すると足が背屈する」と覚えておきましょう．

STEP 5　精神発達遅滞がないか確認する

- Down 症などの先天性疾患に伴う<u>精神発達遅滞があると，多くの場合外反扁平足</u>は学童期以降も残存します．

　外反扁平足を改善するには，歩行時にさまざまな筋肉をバランスよく使う必要があります．このためには複雑な運動プログラムが脳で作られていなければなりません．言葉を発声するためには声帯周囲の筋肉に脳から複雑な命令が出されますが，発声のできない発達遅滞がある患児

においては，下肢の筋肉を自在にコントロールする能力もありません．したがって，外反扁平足の改善は脳機能の発達を待つよりありません．

> **コラム　脳性麻痺は意外に身近な疾患！**
>
> 重度の脳性麻痺は乳児期以前に診断がなされていますが，下肢の痙性を唯一の症状とする脳性麻痺患児は，幼児期以降まで正常なこどもとして認識されています．痙性が明らかになるのは通常2歳以降で，無治療で経過をみると徐々に下腿三頭筋の拘縮が悪化していきます．脳の障害というとどうしても精神発達遅滞のイメージが捨てきれませんが，下肢の痙性以外まったく障害がなく，高い学力を持つ患児もおり，実際に筆者は脳性麻痺の下肢治療後，東京大学に合格したケースも経験しています．下肢の痙性を唯一の症状とする患児において，脳性麻痺という診断を両親に告げるときには，悲観的なイメージを与えないよう十分な配慮が必要です．

> **コラム　peroneal spastic flatfoot（腓骨筋痙性扁平足）**
>
> 小児整形外科専門医の間ではよく知られた概念（病名）です．この原因についてはさまざまな意見があり，現在も議論が続いていますが，この概念は「足根骨癒合症」が広く知れ渡る以前から提唱されているもので，当時この診断を受けた患児の多くは足根骨癒合症であったことがわかっています．腓骨筋の過緊張による扁平足もまったくないわけではありませんが，足根骨癒合症も含めてこの病名で呼称することは，時代に合わなくなってきているように思います．

❸ つま先歩行

思い浮かべるべき疾患

特発性つま先歩行，痙性麻痺（脳性麻痺など），先天性内反足（放置例や軽症例），Charcot-Marie-Tooth 病（CMT）

治療を要さない特発性つま先歩行の場合が多いのですが，環軸椎亜脱臼，脊髄腫瘍などの治療を急ぐ麻痺性疾患の可能性もあるので，痙性がないかどうか，よく診察することが大切です．

診断へのプロセス

STEP 1　歩容を何度も見る

- 通常歩行に加えて，①踵歩行（heel walk），②つま先歩行（toe walk）も行ってもらいます．足関節背屈筋の麻痺（drop foot），下腿三頭筋拘縮，足関節の尖足位での拘縮のいずれかがあれば，①ができません．逆に言うと①ができれば，いずれにも該当しないということが瞬時にわかります．②は下腿三頭筋の筋力をみる目的で指示します．

- 踵を浮かせて歩くという愁訴で訪れる幼児は少なくありません．伝い歩きや歩行を始めた時期には，特に異常がなくてもつま先で歩くことがあります．幼児期以降でこの愁訴があるほとんどの

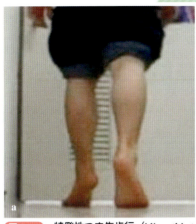
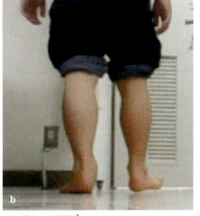

図 2-14　特発性つま先歩行（idiopathic toe-walking：ITW）
普通に歩かせると極端なつま先歩行（a）ですが，踵をついて歩くように指示すると普通に歩行できます（b）．診察上，足部変形はなく痙性も認めません．

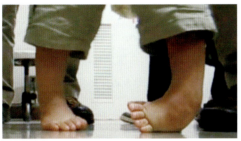

図 2-15　先天性内反足放置例（1歳4ヵ月男児）
足部内転拘縮も含めて高度な拘縮がみられました．被虐待児症候群（ネグレクト）で児童相談所に保護された後で受診されました．

図 2-16　脳性麻痺による尖足
右の片麻痺により右だけ極端なつま先歩行がみられます．
両側性ではないので，ITWは除外診断できます．

場合は，特発性つま先歩行か脳性麻痺の診断となります（図 2-14）．

- 学童期以降で凹足の傾向があれば，Charcot-Marie-Tooth 病（CMT）の可能性も考えます（図 2-22）．
- 足部内転拘縮があれば先天性内反足を疑いますが，乳児期から明らかな異常があるにもかかわらず幼児期に初診するケースでは，わが国においてはいわゆる被虐待児症候群（ネグレクト）を疑います（図 2-15）．発展途上国においては，極端な貧困によって治療を受けられないケースも多いようです．

STEP 1 STEP 2　腱反射を診る

- 脳性麻痺では痙性があるため，腱反射が亢進します．と言っても，打腱器で反射をみても亢進しているのかどうかはっきりしない場合が多いため，実際にはクローヌスが誘発できるかどうかで痙性があるかどうかを判定します．
- 痙性があれば脊椎病変がないか整形外科的なチェックを行い，問題がなければ脳性麻痺と暫定的に診断し，神経内科専門医に確定診断を委ねます（図 2-16）．両下肢ともに腱反射がまったく消失していれば，CMT が疑われますので，これも神経内科専門医に紹介します．
- 腱反射に明らかな異常がなければ，特発性つま先歩行と暫定的に診断し経過観察を行います．

4 底屈しない足

思い浮かべるべき疾患

若年性特発性関節炎（若年性関節リウマチ），HLA-B27関連関節炎，感染症関連関節炎，出血性関節障害（血友病性関節症など），二分脊椎症による麻痺性踵足，化膿性関節炎

> 底屈しない足には二通りあります．ひとつは麻痺によるもの，もうひとつは関節液増加によるものです．

診断へのプロセス

STEP 1 麻痺があるか確認する

- 先天性の麻痺によるものは，乳児期から踵足変形があるため容易に診断がつきます．幼児期以降で発症し，他動的に底屈させたときに，底屈させまいと力を入れていたら関節液増加を疑います．
- つま先歩行ができれば，麻痺性踵足でないことがわかります．会話のできる年齢では本人に底屈させれば確認できます．
- 会話のできない乳幼児や精神発達遅滞のある患児に対しては，足部をくすぐったりして刺激することによって，底屈できるかどうかを確認します．
- 麻痺によるものは先述した二分脊椎症などによる先天的な踵足（図2-6, 17）が大部分です．
- 関節液増加による底屈制限の原因疾患で多いのは，小児のリウマチ，すなわち若年性特発性関節炎（juvenile idiopathic arthritis：JIA）（図2-18, 19）（第12章 p.314）です．感染症関連関節炎（第12章 p.316），HLA-B27関連関節炎（図2-20），化膿性関節炎による膿の貯留，血管腫や血友病による関節内出血などの場合もあります．踵で歩くため独特な歩容になりますが，保護者は"びっこをひいている"と表現して来院します．

STEP 1 > STEP 2 画像検査，関節液検査，血液検査，関節鏡検査を行う

- **麻痺がある場合**：脊椎のMRIを撮像して，二分脊椎症かどうかを確認します．脊髄円錐低位，脊柱管内脂肪腫などの異常がみられたら脳神経外科医へ紹介します（第11章 p.293）．
- **麻痺がない場合**：超音波検査やMRI検査で関節液増加が確認できたら，血液検査と関節液検査（性状の観察と各種培養検査）を行います．関節水症があれば，JIA，感染症関連関節炎，HLA-B27関連関節炎，関節液に濁りがあれば化膿性関節炎，関節血症があれば，血管腫や血友病を疑います（第12章 p.298）．
- 関節血症であれば，血液検査で凝固系の異常がないか調べます．
- 関節炎の診断は，主に血液検査を参考にして診断しますが，必要に応じて関節鏡検査（滑膜生検）を行います（図2-19, 20）．

4 底屈しない足

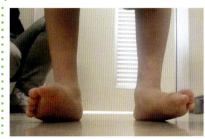

図 2-17 二分脊椎症による麻痺性踵足（5歳男児）

S1レベル以下の弛緩性麻痺があり，底屈することがまったくできません．

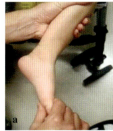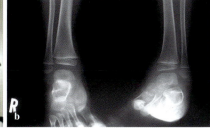

図 2-18 若年性特発性関節炎による足関節炎（2歳10ヵ月女児）

1歳2ヵ月で跛行を主訴として発症し，2つの大学病院での入院精査でも診断がつかず，2歳10ヵ月時に筋生検の依頼で初診．a は最大底屈位の足関節で，これ以上底屈させようとすると患児は力を入れて抵抗しました．b は両足関節のX線像で左足関節（向かって右側）の関節列隙の狭小化がみられますが，これは底屈制限のため軟骨が比較的薄い距骨前方が荷重面にきているためです．MRIで滑膜増殖の所見を認め，関節鏡による滑膜生検で確定診断されました．

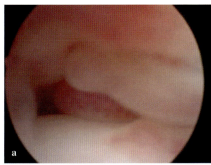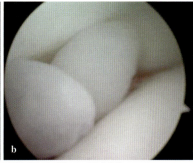

図 2-19 若年性特発性関節炎による足関節炎の鏡視像（2歳4ヵ月女児）

著明な滑膜増殖(a)に加えて，米粒体(b)がみられました．小児のリウマチでは，米粒体が高頻度にみられます．

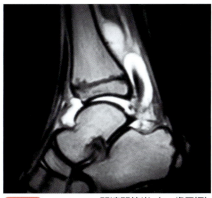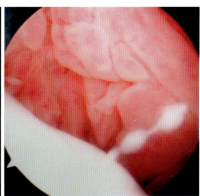

図 2-20 HLA-B27関連関節炎（10歳男児）

野球の練習後から左足関節の腫脹疼痛を自覚し，症状が続くため近医でMRI検査が行われ，著明な関節炎の所見がみられました．関節液培養は陰性で，発症後約2ヵ月で紹介．血液検査ではリウマチ反応陰性で，滑膜生検を行いましたが「JIAに相当しない」という病理診断でした．家族歴は特にありませんでしたが，HLA型判定ではB-27が検出され，HLA-B27関連関節炎と診断しました．その後左膝関節炎，右第3趾趾節関節炎，左母趾中足趾節関節炎を併発しましたが，サラゾスルファピリジンの内服投与などで1年後には関節炎はほぼ沈静化しました．しかし12歳より右股関節炎，22歳より両仙腸関節炎を発症し，最終的には強直性脊椎炎の診断となりました．

愁訴からの診断

5 凹足と下垂足

思い浮かべるべき疾患

Charcot-Marie-Tooth 病（CMT），先天性内反足，二分脊椎症，腓骨神経麻痺

凹足と下垂足にはさまざまな原因がありますが，そのほとんどは麻痺によるものか医原性のものです．いずれにしても生理的なものではありません．

診断へのプロセス

- 診断には，問診が第一です．問診によってわかるのは，先天性内反足や二分脊椎症です．先天性内反足の初期治療後，後足部の矯正が不十分な状態で足底接地できるように矯正すると，足部が回内するため凹足変形が起こります．しかし Ponseti 法（p.27）が普及してからは，このような変形の患者はほとんどみられなくなりました．
- 腓骨神経麻痺は小児に特有のものではなく，成人同様に診断します．Tinel 様徴候や感覚障害が診断の一助となります．
- 二分脊椎症では麻痺の高位によってさまざまな変形がみられますが，S2（第 2 仙骨神経）麻痺があれば凹足と鉤爪趾（claw toe）が起こり得ます（図 2-21）．
- 問診によって診断が得られなければ，神経内科に何らかの麻痺がある旨を伝えたうえで，診断を委ねます．凹足や下垂足の原因として最も頻度が高いのは，Charcot-Marie-Tooth 病（CMT）（p.33）です．この疾患は病初期にはごく軽度の凹足のみがみられ，次第に鉤爪趾も明らかとなってきます（図 2-22）．さらに悪化すると内反変形や下垂足がみられるようになります．

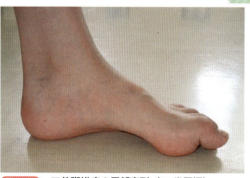

図 2-21　二分脊椎症の足部変形（13 歳男児）
凹足と鉤爪趾（claw toe）がみられます．S2 麻痺による足部内在筋の萎縮と拘縮によるものです．

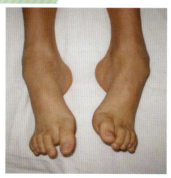

図 2-22
Charcot-Marie-Tooth 病（CMT）の足部変形（10 歳男児）

図 2-21 とよく似た変形で，凹足と鉤爪趾がみられます．CMT では長い神経の麻痺が起こるので，二分脊椎同様に足部内在筋の萎縮と拘縮がみられます．

6 足の痛み

思い浮かべるべき疾患

有痛性外脛骨・後脛骨筋腱付着部炎，Sever 病，足根骨癒合症，足底腱膜炎，Freiberg 病（第 2 Köhler 病），第 1 Köhler 病，離断性骨軟骨炎，疲労骨折，慢性再発性多発性骨髄炎，化膿性骨髄炎，白血病，悪性リンパ腫，Iselin 病，Jones 骨折

こどもの足の痛みは，痛みの部位をよく確認することによって，診断を絞り込むことができます．

診断へのプロセス

- 圧痛点を入念に確認してから画像診断します．さまざまな骨端症，足根骨癒合症，離断性骨軟骨炎は，これによってほぼ確定診断可能です．

- 舟状骨背側に圧痛があれば第 1 Köhler 病（図 2-23），舟状骨内側縁に圧痛があれば有痛性外脛骨（図 2-24）や後脛骨筋腱付着部炎，舟状骨と第 1 楔状骨の間に圧痛があれば舟状第 1 楔状骨癒合症（足根骨癒合症のひとつ）（図 2-25），踵骨と舟状骨の間（二分靱帯の部位）に圧痛があれば踵舟状骨癒合症（足根骨癒合症のひとつ）（図 2-26），載距突起（内果の少し下方）に圧痛があれば距踵骨癒合症（図 2-27）（足根骨癒合症のひとつ），中足骨頭に圧痛があれば Freiberg 病（第 2 Köhler 病）（図 2-28），前距腓靱帯に圧痛があれば捻挫（前距腓靱帯損傷）の後遺症，踵骨後方に圧痛があれば Sever 病，第 5 中足骨基部に圧痛があれば Iselin 病や Jones 骨折を疑います．

- 1 つひとつの足根骨を触診で同定し，その間の凹みがわかれば，圧痛点から解剖学的位置を特定することができ，かなり病変部位を絞り込むことが可能です．経験の少ない医師の場合は，圧痛点に印をつけて単純 X 線検査を行うのも一法です．

- 小児の足部痛に MRI 検査を行うと，しばしば骨髄浮腫の所見がみられます．この場合，疲労骨折，化膿性骨髄炎，慢性再発性多発性骨髄炎（単発性の場合は慢性非細菌性骨髄炎），白血病，悪性リンパ腫などを疑いますが，その鑑別診断は容易でありません．全身症状を伴っていれば血液検査を行って悪性疾患の除外診断に努めますが，悪性リンパ腫や一部の白血病の初期には血液検査で異常がみられないこともあります．一定期間の安静後，症状が軽快し画像上骨髄浮腫が消失したら，悪性疾患は否定でき，疲労骨折や慢性再発性多発性骨髄炎を考えます．その後，運動量と相関なく，再発したり骨髄浮腫の部位が変わる場合は，慢性再発性多発性骨髄炎と診断します（第 12 章 p.303）．

- 離断性骨軟骨炎は距骨滑車部の内側または外側（図 2-29）に多く，病変部に一致した強い圧痛を認めます．足関節 X 線正面像でこの部位を注視するとわずかな変化を読み取ることができます．MRI または CT 検査で診断を確認します．離断性骨軟骨炎は稀に距舟関節にもみられることがあります．

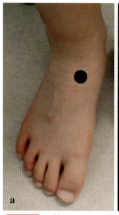
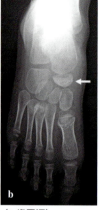

図 2-23　第1 Köhler 病（5歳男児）

圧痛点（a の黒点）から本症を疑い，単純 X 線検査で舟状骨の骨硬化（b）が確認できれば，ほぼ確定診断となります．ただし，舟状骨の化膿性骨髄炎でも同様な X 線所見がみられることがあるので，発熱がある場合は鑑別診断が必要です．

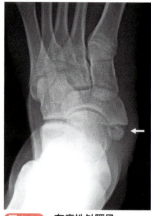

図 2-24　有痛性外脛骨（14歳男児）

矢印の部位に圧痛を認めます．痛みの出にくい靴を探してもらい，これを使用してもらうことが治療の第一歩となります．

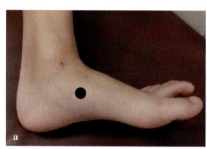
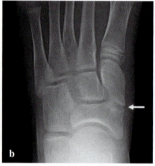
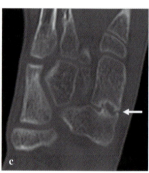

図 2-25　舟状第1楔状骨癒合症（13歳男児）

陸上長距離選手で運動時の左中足部内側痛を訴えて受診．舟状骨内側部のやや前方に圧痛を認め（a の黒点），単純 X 線検査では舟状第1楔状関節に不整を認めました（b の矢印）．CT 検査にて舟状第1楔状関節の不完全な癒合所見を認め（c の矢印），舟状第1楔状骨癒合症の診断となりました．悪化しても重大な問題とはならないことをよく説明したうえで，痛みの強いときだけ運動制限を行うように指導したところ，ときどき強い痛みがありましたが，中学卒業まで長距離走を続けていくことができました．

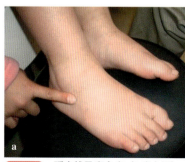
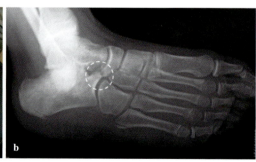

図 2-26　踵舟状骨癒合症（9歳女児）

本人に人差し指で最も痛い部位（a）を指してもらうと有力な診断情報となります．b の点線で囲まれた部位に踵舟状骨の不完全な癒合所見を認めたため，踵舟状骨癒合症の診断となりました．

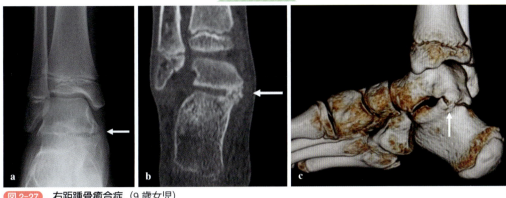

図 2-27　右距踵骨癒合症（9 歳女児）

載距突起の後部に圧痛を認めました．単純 X 線検査で距踵骨癒合症が疑われたため（a の矢印），CT 検査（b，c）を行い確定診断となりました．対症療法で経過観察したところ，1 年後に痛みは消失しました．

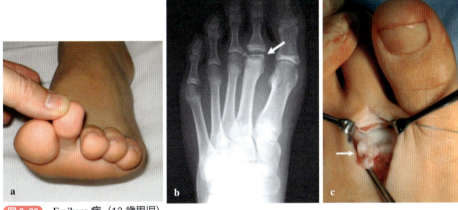

図 2-28　Freiberg 病（13 歳男児）

つま先で荷重したときの第 2 趾基部の痛みを訴えていました．診察上，第 2 趾 MTP 関節の背屈制限を認め（a），単純 X 線検査で第 2 中足骨頭の圧潰（b の矢印）を認めました．野球選手で早期スポーツ復帰を強く希望したため，手術を行いました．遊離骨片（c の矢印）の切除，中足骨頭のドリリング，吸収性ピンによる固定を行い，約 1 ヵ月で症状は軽快しスポーツ復帰しました．

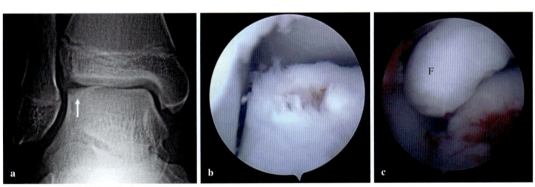

図 2-29　離断性骨軟骨炎（14 歳男児）

捻挫をした後，数ヵ月に渡り痛みが続いているため受診．単純 X 線検査で距骨滑車外側部に骨欠損を認めたため（a の矢印），離断性骨軟骨炎を疑い関節鏡手術を行いました．距骨滑車外側部の骨軟骨欠損（b）を認め，関節内に遊離骨片（c の F）を認めました．遊離骨片の摘除を行い症状は軽快しました．

7 くるぶしのところで腱がはずれる・音が鳴る

腓骨筋腱脱臼，後脛骨筋腱脱臼

診断へのプロセス

- 肉眼所見と触診所見で診断します．
- 外果のところで腓骨筋腱が前後に動けば，腓骨筋腱脱臼です（図 2-30）．内果のところで後脛骨筋腱が前後に動けば，後脛骨筋腱脱臼です（図 2-31）．
- 新生児の腓骨筋腱脱臼は，よくみられるもので，必ずしも病的なものではありません．
- 学童期以降では，外傷を契機に腓骨筋腱脱臼や後脛骨筋腱脱臼がみられることがあります．痛みを伴うこともあります．

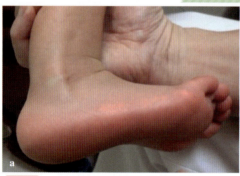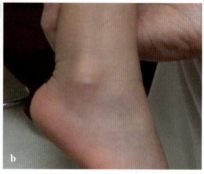

図 2-30 随意性腓骨筋腱脱臼（3 歳女児）
a．脱臼位（長腓骨筋腱・短腓骨筋腱ともに脱臼），b．整復位

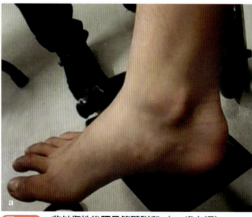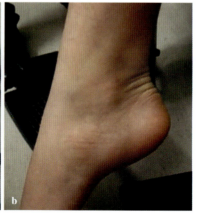

図 2-31 非外傷性後脛骨筋腱脱臼（11 歳女児）
6ヵ月前から右足関節内果の痛みが出現し，その後，硬いスジが内果の表面を前後に移動する様子がみられるようになりました．3ヵ月遅れて左にも同じ症状がみられるようになりました．脱臼すると痛いので足部内反位で歩行するようになり，当科紹介．非外傷性後脛骨筋腱脱臼の診断で AFO （図 2-39）を中間位で作成し，脱臼整復位で 4 週間持続的に装着したところ，脱臼はみられなくなり痛みも消失しました．
a．脱臼位，b．整復位

主な疾患について知っておくべき知識

● 先天性内反足

- 生下時よりみられる内反尖足変形です．
- Ponseti 法という治療体系が世界中で普及しています．矯正ギプス治療（図2-32）→アキレス腱皮下切腱術→足部外転装具（図2-33）による装具治療という流れで治療を行い，必要に応じて幼児期に前脛骨筋腱外方移行術を行います．
- Ponseti 法では，装具着用を怠ると高頻度で再発がみられます．
- Ponseti 法の治療体系で十分な矯正が得られないケースが少なからず存在します．装具着用を怠っていることをその原因とする考えもありますが，装具は矯正位を保持するものなので，一時的にも矯正位に至らない難治例は装具着用を怠っていることが原因ではありません．このような難治例を治療するうえで切り札となるのが，距骨下全周解離術（図2-34）と Ilizarov 法（図2-35）です．

患者家族への説明
「がんばって治療すれば，ふつうに歩いて運動も人並みにできるようになる疾患です．良くなってからも再発しないようにしっかり治療することが大切です．」

● 垂直距骨（図2-5）

- 先天性内反足の変形は，後内方から足が引っ張りあげられたイメージですが，垂直距骨の変形は，後方と前方の両方から足が引っ張り上げられたイメージです．結果として距舟関節が脱臼して，下方凸に折れ曲がります（図2-36）．このイメージが大切です．
- 垂直距骨に似た外観でも，前足部を底屈したときに距舟関節が整復される場合は，垂直距骨よりも軽症の病態と考えられ，「oblique talus（斜め距骨）」と呼ばれます．
- 以前は乳児期は放置し，1歳頃に距骨下全周解離術を行う治療が一般的でした（図2-37）．
- 最近試みられているのが「逆 Ponseti 法」と呼ばれる治療体系で，Ponseti 法とはまったく逆の矯正ギプス治療を行って，中足部から前足部の形態を矯正します．次に，矯正された足部を鋼線固定で保持したうえで，アキレス腱皮下切腱を行い足部全体を背屈させます．この際必要があれば，小切開を加えて距舟関節の整復を行います．
- 実際には，逆 Ponseti 法を行っても十分な矯正が得られないケースが少なからず存在します．最終的に治療の切り札となるのは，やはり距骨下全周解離術です．

患者家族への説明
「足の前のほうと後ろのほうが筋肉に引っ張られて変形しています．ギプスを巻いたり，手術をしたり，装具をつけたり，いろいろたいへんですが，少しずつ良くなっていきますので，気長にがんばりましょう．」

図 2-32 矯正ギプス治療

前足部を回外位で外転させることによって，踵骨の roll-in（距骨の下外側に外転位で位置するべき踵骨が，距骨の下内方へ転がり込み内転位をとっている状態）を矯正します．

図 2-33 足部外転装具（foot abduction brace）

矯正位が得られたら，この装具を幼児期（できれば 4〜5 歳）まで夜間装着して良肢位を保持します．

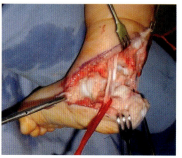

図 2-34 距骨下全周解離術

矯正位が得られない難治例には手術治療を行います．この手術には賛否両論ありますが，難治例に対する治療の切り札であることは間違いありません．

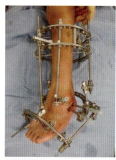

図 2-35 Ilizarov 法（右は矯正終了後）

脛骨，距骨，踵骨，中足骨に鋼線やハーフピンを挿入して創外固定器を装着し，拘縮のある関節を 1 日約 1 mm のペースで牽引して関節包や靱帯を緩ませ，徐々に矯正位へ誘導する方法です．この方法では確実に完全な矯正位が得られますが，牽引で伸びた筋肉がすぐに再拘縮を起こすため，その矯正位を維持することは容易でありません．観血的に腱延長術をしっかり行っておくことが，再発を防止するためには重要です．

正常

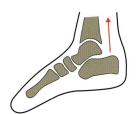
先天性内反足

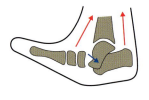
垂直距骨

図 2-36 先天性内反足と垂直距骨のイメージ

垂直距骨は距舟関節の脱臼（青矢印）というイメージだけでとらえると治療はうまくいきません．後方に加えて前方まで近位方向へ引かれた（赤矢印）結果，距舟関節が脱臼したと考えれば，おのずと何をすべきかがわかります．

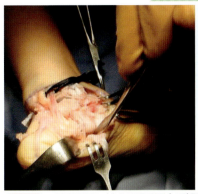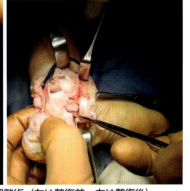

図 2-37　垂直距骨に対する距骨下全周解離術（左は整復前，右は整復後）
内反足と同様の距骨下全周解離術を行った後に距舟関節を整復し，さらに前脛骨筋腱の延長術を行います（左足を内側から見たところ）．

◉ 斜め距骨　Oblique talus

- 論文に用いられる正式な用語ではありませんが，国際的な討論において外反扁平足の重症例が Oblique talus と呼ばれることがあります．これを直訳すると「斜め距骨」となります．垂直距骨（p.29）と flexible flatfoot（下記）の中間的病態に位置付けられています．
- 外観は通常の外反扁平足よりやや重症（図 2-38）で，Cobey 撮影で踵骨は脛骨骨軸よりも大きく外側へ変位しています．通常のX線側面像では垂直距骨と同様に距骨骨軸が足底に対して垂直となっていますが，最大底屈位で撮影すると正常像と変わりません．つまり，立っていると距骨頭は内下方に落っこちて距舟関節がほぼ脱臼した位置にあるのですが，前足部を底屈すると距舟関節が整復位に戻るという状態です．
- 幼児期に初診した場合は，アーチサポートの足底板で経過観察としますが，乳児期に初診した場合は「逆 Ponseti 法」による矯正ギプス治療を試みても良いと思います．ただし効果がない可能性もあります．特に両側例で全身の関節弛緩性が強い場合は，効果のない可能性が高いと思われます（図 2-41 と類似した病態）．
- 学童期以降で，歩行時の痛みが足底板でコントロール不能となったら，手術治療を考慮します（外側支柱延長術など）．

> **患者家族への説明**　長い距離を歩くと痛みが出やすい重症の扁平足です．装具で経過をみて，どうしても困るようなら手術治療の相談をしましょう．

◉ 外反扁平足

- 外反扁平足は発達の過程で健常児にもよくみられる荷重時の足の形態です．幼児期にみられる生理的な外反扁平足（図 2-7）は，足底板を処方しなくても自然に改善していきます．
- 学童期以降でも改善しない外反扁平足は病的なもので，「flexible flatfoot」と呼ばれます．発達遅滞や全身性の関節弛緩と関連のある場合が多いです．<u>脳性麻痺による下腿三頭筋の過緊張・拘縮や足根骨癒合症が原因の場合もあります</u>．
- 下腿三頭筋の拘縮による外反扁平足に尖足歩行が合併したら，下腿三頭筋の拘縮を改善する

主な疾患について知っておくべき知識

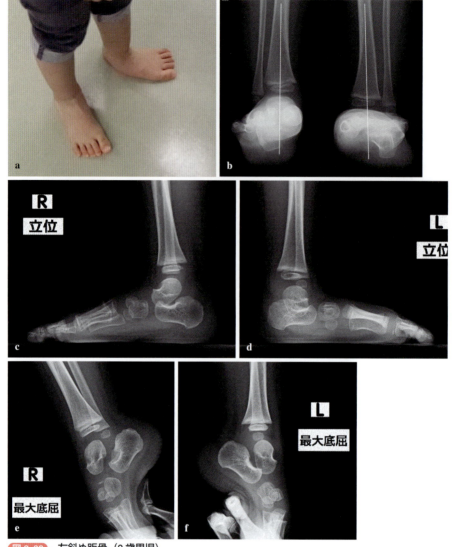

図 2-38　左斜め距骨（2歳男児）
始歩の時より歩行時に前足部が外転していることを心配して受診された．
a．外観
b．Cobey 撮影：左踵骨（向かって右）は脛骨骨軸よりも外側へ変位し，外反扁平足同様の所見
c．右（健側）の立位側面像
d．左（患側）の立位側面像：距骨骨軸が足底に対してほぼ垂直になっている．
e．右（健側）の最大底屈位側面像
f．左（患側）の最大底屈位側面像：距骨の位置が正常化し，明らかな左右差がみられない．

ための夜間装具（図 2-39）の適用を考えます．筋緊張が強いだけで筋拘縮がなければ，筋緊張を緩和するボツリヌス療法（下腿三頭筋へのボツリヌス毒素の注射）を行います．いずれの場合も十分な効果がなければ，下腿三頭筋の延長術を行います．

● 足根骨癒合症で接地する部位に胼胝形成がみられ，これが痛みや潰瘍形成などの愁訴となっていれば，変形を許容したトータルコンタクトの足底板（→解説：トータルコンタクトの足底板 p.35）を作成します．トータルコンタクトの足底板で愁訴の改善がみられなければ，骨切り術や癒合部の切除術を考慮します．

- 全身性の関節弛緩がみられる場合は，結合織性疾患の可能性があるので，心血管系の異常がないか，循環器内科へ紹介する必要があります（第12章 p.311）．

> **患者家族への説明**
> 「健常なこどもにもみられるもので治療は必要ありません．もし5歳くらいになっても同じような状態が続いて，長く歩くと疲れてしまうような症状があれば，靴の中敷きを作ったほうが良いかもしれないので，改めて相談しましょう．」

◉ 特発性つま先歩行（図2-14）

- その名の通り原因のわからないつま先歩行を主訴とする疾患です．
- 欧米では「idiopathic toe-walking（ITW）」と呼ばれ広く知られた疾患名ですが，わが国においてはほとんど認識されておらず，日本整形外科学会編の用語集にも記載されていません．「特発性つま先歩行」という疾患名も idiopathic toe-walking を直訳したものです．
- 小児整形外科外来で扱う主要な疾患のひとつで，専門医の間ではよくある疾患という認識です．欧州での調査では5%のこどもにみられ，5歳までに60%，10歳までに80%くらい自然に治ったということです．
- 学童期以降もつま先歩行を続けていると，下腿三頭筋の拘縮が生じ，拘縮が進んだケースでは，装具治療や手術が必要になることがあります．

> **患者家族への説明**
> 「自然に治ることが多い疾患ですが，ふくらはぎの筋肉が固くなってしまうと，装具治療や手術が必要になることもあります．」

◉ Charcot-Marie-Tooth 病（CMT）（図2-22）
（シャルコー・マリー・トゥース）

- 一般の整形外科外来でこの疾患を診断する機会はほとんどないと思いますが，小児専門病院では意外にありふれた疾患です．
- イメージとしては，長い末梢神経が成長に伴って伸長するときに麻痺が生じる疾患です．足部の固有筋から麻痺が始まり，学童期以降で下腿筋にも麻痺がみられ症状が顕在化してきます．重症例では手の内在筋にも麻痺が生じます．
- CMT は進行性の神経麻痺が起こる疾患ですが，親子例が多いことからもわかるように，通常は生命予後の良い疾患です．
- 神経の易損性があり，術中の牽引で麻痺することがあるので注意が必要です．
- 名前が知られている割に見逃されてしまうことの多い疾患です．軽症例では，成人となっても診断を受けていないことがあり，ただの凹足として一般診療所で対症療法を受けている患者も少なくありません．したがって患児の親がCMTであっても未診断の場合が多いので，親の足を診察することが診断や機能予後を知る一助となることがあります．
- 足部変形に加えて，下肢の腱反射が消失していることでこの疾患を疑います．
- 腓腹部の筋拘縮による内反尖足の傾向がみられる場合，放置すると手術が必要となるので，成長が終了するまでシューホーン型の短下肢装具（AFO）（図2-39）を夜間に装着させます．
- 下垂足に対しては，さまざまな装具がありますが，筆者の経験では，下垂足に対して硬性装具

主な疾患について知っておくべき知識

図 2-39　シューホーン型の短下肢装具
（ankle-foot orthosis：AFO）
下腿三頭筋の拘縮を改善するには，このような装具を夜間に装着することが非常に効果的です．骨は主に夜間に伸びるのですが，そのときに下腿三頭筋の緊張が高まる肢位をとれば，筋肉も同時に伸びていきます．家族には「これは筋肉を伸ばすための装具です．」と説明しています．

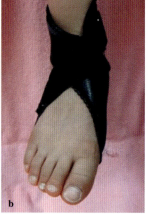

図 2-40　下垂足に対する軟性装具
足底の部分だけ硬い素材で作成された合成皮革の装具です．装着感がよく，褥瘡のリスクも少ないので，長く使ってもらうことができます．

を処方しても，長く使ってくれる患児はほとんどいません．固定力のある軟性装具（図 2-40）をお勧めします．

- 足部の良肢位をとれなくなったときは，手術治療が必要です．良肢位を確保するための腱延長術や腱移行術を行います．
- 整形外科医が知っておかなければならないのは，股関節に亜脱臼を伴う臼蓋形成不全がみられることがある点で，一般的な成書にはあまり書かれていないので注意が必要です（→注意！：Charcot-Marie-Tooth 病の股関節 p.141）．

患者家族への説明　「手足の先のほうに麻痺が起こる病気ですが，通常は命に関わるような病気ではありません．成長している間は症状の悪化がみられるので，歩くのに支障が出ないよう必要なときには装具治療を行いましょう．」

● 尖　　足（全般）

- 尖足の患児では，下腿三頭筋の拘縮がありますが，骨が伸びる分下腿三頭筋が伸びていかないことが多く，成長に伴って悪化傾向がみられます．こどもの骨は夜伸びるので，夜間足関節の中間位を保てば，骨が伸びた分だけ下腿三頭筋が伸びていきます．そこで下腿三頭筋の拘縮がみられれば，夜間装具（中間位を保持するプラスチック製の短下肢装具）（図 2-39）による治療を行います．夜間装具は装着を順守すれば効果的ですが，患児が嫌がってつけてくれないケースもあります．
- 先天性内反足に伴う下腿三頭筋拘縮は，先天性多発性関節拘縮症を伴う場合を除けば，骨成長に伴って悪化しません．したがって，夜間装具は必要ありません．
- 装具治療で十分な改善がみられなければ手術治療（→ポイント：筋拘縮に対する手術）が必要となることもあります．しかし手術を行っても術後装具の装着を怠れば，再発は避けられません．仮に筋肉を 3 cm 延長しても，骨が 3 cm 伸びれば元の状況に戻ってしまうからです．
- もともと関節拘縮のない尖足でも，10 歳以降まで中間位までの背屈ができない状態が続くと，関節拘縮の合併により，腱延長を行っても十分な背屈可動域が得られないことがあります．このようなケースでは，術前 X 線検査（最大底背屈側面像）で足部の関節拘縮（足関節ではなく Chopart 関節が背屈制限の原因となっていることがあります）の有無と足関節前方の骨性インピンジメントの可能性を評価します．足関節拘縮に対しては後方解離術，足関節前方の骨性インピンジメントに対しては距骨前方の骨切除術，足部の関節拘縮に対しては関節授動術や骨切り術を行います．これらの手術を行っても十分な可動性が得られないときは，Ilizarov 法による関節授動術を行います（図 2-35）．

患者家族への説明

> 「ふくらはぎの筋肉が伸びない状態です．放置すると骨が伸びた分だけ筋肉の長さが足りなくなって悪化するので，夜寝ているときに装具をつける必要があります．この装具は筋肉を伸ばすために必要な装具なので，つけないでいると手術が必要になることもあります．」

解説　トータルコンタクトの足底板

足底にかかる圧力を分散するため，荷重時の足裏の形に合わせて作る足底板です．局所に圧力が集中し，胼胝が形成されている場合に適応となります．必要があれば，胼胝の部分を薄くして除圧することもあります．

> **私の流儀　外反扁平足に対する足底板（アーチサポート）**
>
> 　アーチサポートを安易に処方してはいけない場合が2つあります．ひとつは足根骨癒合症です．もうひとつは下腿三頭筋の拘縮（長さが足りない状態）がある場合（→意外に知られていないこと：下腿三頭筋の拘縮があると外反扁平足になることがある p.18 図 2-11, 13）です．
>
> 　前者では距踵関節が動かなかったり，動きが制限されていることがあるので，アーチサポートを装着すると足関節に異常な内反応力がかかってしまいます．また，荷重時に矯正位がとれないと靴ごと外反して内側接地するようになります．後者では足部を外反しないと尖足になるので，つま先で歩くようになるか靴ごと外反して内側接地するようになります．
>
> 　そもそも外反扁平足で何が困るかと言えば，長時間の歩行で疲れやすかったり，足部の痛みが出たりすることです．始歩の頃は短い距離しか歩かないので，アーチは必要なく健常児でも外反扁平足です．この時期にアーチサポートを処方するのは，過剰な治療だと考えます．その後歩く距離が長くなるにつれて，歩行時にアーチを作る筋肉を使う複雑な運動プログラムが脳に形成されてきます．5歳頃になっても，外反扁平足が改善しないときは，何らかの発達遅滞や関節弛緩があって，脳で複雑な運動プログラムを形成できない状態と考えています．体格が上がり歩行距離も長くなる学童期以降で，長時間の歩行で足の痛みや持久力の低下により，集団での活動に支障をきたすケースでは対症療法としてアーチサポートが有効です．
>
> 　Marfan症候群などの全身性に関節弛緩がある結合織性疾患にみられる外反扁平足は，比較的重症です．特にLoeys-Dietz症候群では，極端な関節弛緩のためアーチサポートだけでは良肢位が保持できません（図 2-41）．固定力の強い装具で下腿遠位部から足部全体を保持する必要があります．

> **POINT!　筋拘縮に対する手術**
>
> 　腱の延長術を行うと筋腹は延長した部位と反対方向へ移動します．例えば，アキレス腱延長ではアキレス腱が伸びた分だけ，足首の細くなっている部分が長くなり整容面の問題が生じます．また，腱延長では若干の筋力低下が避けられません．このため，できるだけ腱延長術を避け，筋内腱の切離や腱膜の切離を行い，筋腹のある部位で筋長を延長する手術を行います．ただし，筋腹のある部位での延長には限界があるため，あらかじめ大きな延長量が必要と想定される場合は，最初から腱のZ延長術を行います．

● 麻痺性踵足

- 麻痺性踵足に対して，足底板を処方しても圧力の分散はなかなかうまくいきません．そうなると歩行時にある程度の底屈位を保持するほかありません．これには短下肢装具が必要となります．おおむね10歳未満ではシューホーン型の短下肢装具（図 2-39），10歳以上では支柱付き短下肢装具（図 2-42）を適用します．
- しかし，このような装具を装着しても，踵部の褥瘡を予防することは容易でないため，可能な限り手術治療を行います．手術は前脛骨筋腱の麻痺がなければ，この後方移行術を行います．移行した筋肉は非常によく機能し，つま先歩行ができるまでの効果がみられることも少なく

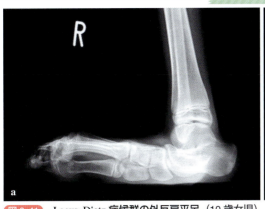
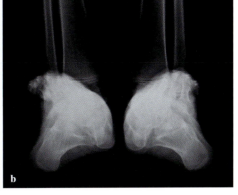

図 2-41 Loeys-Dietz 症候群の外反扁平足（10 歳女児）
a．右足の荷重時側面像，b．Cobey 撮影（図 2-10）
踵骨が極端に外反しており，靴型装具による良肢位の保持が必要となりました．

図 2-42 支柱付きの短下肢装具

ありません．しかし術前の足関節背屈の力源が前脛骨筋腱に限られていた場合は，術後下垂足になります．先述したように（→コラム：麻痺性踵足，何が困るか？ p.16），踵足は下垂足よりも治療優先度の高い病態なので，下垂足になることがわかっていても前脛骨筋腱の後方移行術を考慮します．踵足が改善すれば，下垂足となっても本人および両親の満足度は高いのですが，事前に十分な説明をしておくことが大切です．

患者家族への説明

「足先で踏み込めない状態なので，歩くことができても，立って止まっていることが難しい状態です．また，踵に全体重がかかるので胼胝（たこ）ができて，それがだんだん大きくなってくると皮膚に傷ができて治りにくい状態になることもあります．装具をつけてみて，効果が十分でなければ手術の相談をしましょう．」

● Sever 病（シーバー病とも呼ばれます）

- 踵骨骨端部がアキレス腱の牽引によって痛みを出す骨端症です．
- 踵骨のアキレス腱付着部に痛みと圧痛があり，骨髄炎などほかの疾患を除外できれば，Sever 病と診断します．踵骨の骨端線付近は，小児においては化膿性骨髄炎の好発部位なので，

発熱がある場合には精査が必要です．
- 本症が好発する学童期には，X線上，健常児にも踵骨骨端部に骨硬化がみられることが多く，この骨硬化所見をもって本症の診断としてはなりません．あくまでも診察所見から診断します．単純X線検査はほかの疾患の除外診断目的で行います．

足底腱膜炎

- 小児の足底腱膜炎は成人と比べて頻度が低いもので，難治例はほとんどありません．
- 知っておかなければならないことは，付着部炎関連関節炎（enthesitis-related arthritis：ERA）の最初の症状として足底腱膜炎がみられることが多いことです（第12章 p.315）．足底腱膜炎に続いて四肢の関節炎を発症したときは，ERAを念頭に置いて診断を進めます．

第1 Köhler（ケーラー）病（図2-23）

- 原因不明の舟状骨の壊死で，幼児期に多くみられます．
- X線経過上，骨硬化・圧潰が起こりますが，放置しても1～2年で完全に自然修復します．
- 問題になるのは，自然治癒するまでの間の"痛み"です．
- 舟状骨に直接かかる荷重を減らすよう局所を減圧した足底板を処方して経過をみますが，あまり効果的ではないケースが多いようです．痛いときには痛みが出ないよう運動や生活を制限してもらって自然治癒を待つのが，現実的ではないかと思っています．
- 同じようなX線所見でも，発熱がみられる場合は，化膿性骨髄炎の可能性があるので注意が必要です．

Freiberg（フライバーグ）病（第2 Köhler（ケーラー）病）

- 原因不明の中足骨頭の壊死で，ほとんどが第2中足骨で，青年期に多くみられます．
- 中足骨頭が圧潰し，重症例では骨片が遊離して，MTP関節の背屈制限がみられます．
- 骨片が遊離した重症例では手術が必要です．骨切り術を勧める成書が多いのですが，筆者の経験では，遊離骨片の切除に加え壊死部のドリリングと吸収性素材を用いたピンニングを行うと痛みはすみやかに軽減し，短期間でスポーツ復帰が可能です（図2-28）．

有痛性外脛骨（図2-24，43）

- 外脛骨は，足の舟状骨内側端に一部付着する後脛骨筋腱の遠位端に局在する種子骨と考えられており，この周囲に炎症が起こって痛みがでる病態を有痛性外脛骨と呼んでいます．
- 足部や足関節の捻挫を機に発症することも多く，外傷が発症のきっかけとなることが少なくありません．舟状骨結節と呼ばれる舟状骨内側端の骨膨隆部に限局した圧痛を認めるので診断は比較的容易です．
- 靴が当たって痛いという愁訴に対しては，靴屋さんでいろいろな靴を試着して痛みの出ない靴を選んでもらうことが第一にとるべき対応です．
- 後脛骨筋腱の牽引痛と思われる運動時痛に対しては，できるだけスポーツ活動の休止によって対応します．また，痛みがとれてきたら痛みが出ない範囲での後脛骨筋のストレッチを十分に

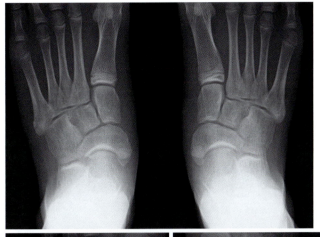
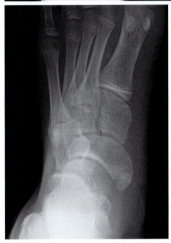
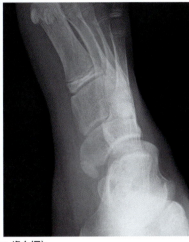

図 2-43　有痛性外脛骨（両側例，11歳女児）
長期間続く両足痛で受診．中足部内側の舟状骨結節の部位に圧痛を認めました．アーチサポートを処方して経過観察したところ，7ヵ月後には完全に痛みが消失しました．

行うよう指導します．
- 長期にわたって痛みの続く難治例にはアーチサポートの足底板を処方します．しかし，なかなか良くならない場合や良くなってもスポーツ復帰するとすぐに痛みが再発してしまうケースも少なくありません．そのような場合には，スポーツ活動を許可しつつも，強い痛みが出ないよう運動量を調節してもらいます．この点はOsgood-Schlatter病などの骨端症への対応と共通しています．
- 最終的な予後は良好で，成長終了時に痛みが残っていたケースを筆者は経験していません．

患者家族への説明　慢性化したらスポーツを継続しながら痛みとだましだまし付き合っていくしかありません．1年以上痛みが続くこともありますが，3年以上続くことはほとんどありません．何か他の病気を見逃していない限り，重い後遺症の心配もありません．定期的に診察を行い，別な病気の可能性がないかくり返しチェックしていきます．

◉ 足関節・足部の離断性骨軟骨炎

- スポーツ活動や，先天性疾患による関節変形が原因で関節軟骨が軟骨下骨とともに分離してくる疾患です．足関節の距骨滑車部が好発部位です．
- 完全に剥がれていなければ，運動制限によって自然治癒を待つか，ドリリングやピンニングを行って自然治癒を促すように治療します．骨軟骨片が遊離していれば，手術で摘出するしかありません．手術はできるだけ鏡視下に行います（図 2-29）．
- 距舟関節の離断性骨軟骨炎は稀な疾患です．一定期間のギプス固定や装具による固定を行うと症状は改善しますが，画像上治癒を確認できるまでには数年を要します．

◉ 足根骨癒合症（図 2-25〜27）

- 「なかなか治らない捻挫」という診断で紹介されたら，まず本疾患を考えます．隣接する足根骨の間ならどこにでも起こり得る疾患です．
- 学童期以下の年齢では，軟骨性に癒合していても単純 X 線検査では癒合していない場合が多く，関節面の不整だけがみられます．
- 癒合によって良肢位がとれない場合は，癒合部を切除するか，良肢位がとれるよう骨切り術を行うほかありません．良肢位がとれる場合は，必要最小限の運動制限を行い，痛みが軽減するのを気長に待つのが無難な治療方針です．

◉ 腓骨筋腱脱臼，後脛骨筋腱脱臼

- 腓骨筋腱脱臼には，先天性と外傷性があり，乳幼児期に受診されるケースは先天性と考えられるものです（図 2-30）．
- 新生児の腓骨筋腱脱臼は 3％程度の発生率で，自然治癒が多いことがわかっています．整復位で装具によって固定する治療が行われることがありますが，外果後方で腱を安定化させる腓骨果溝は腱が滑動することによって形成されていくので，固定するとかえって治りにくくなるのではないかという意見があります．
- 後脛骨筋腱脱臼はきわめて稀な疾患で，自然経過や有効な治療法については，よくわかっていません．筆者が経験したのはわずか 1 例ですが，整復位で 1 ヵ月間装具で固定することによって，6 ヵ月以上続いていた症状が軽快しています（図 2-31）．
- 外傷を契機に発症した学童期以降の腓骨筋腱脱臼に対しては，痛みを伴う場合は手術治療を考慮します．

◉ Iselin 病（図 2-44）
（イズラン）

- 第 5 中足骨基部には学童後期頃骨端核が一時的にみられます．この骨端核の骨端症が Iselin 病です．
- ここには短腓骨筋腱が付着しており，Iselin 病は短腓骨筋腱による traction apophysitis（骨端核の腱付着部炎）と考えられています．
- 骨端核があること自体に異常があるわけではないので，X 線診断は Iselin 病の可能性を示すだけです．

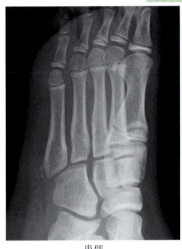
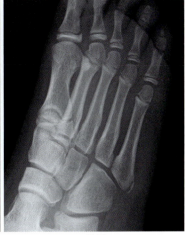

患側　　　　　　　　　　　　　健側

図 2-44　Iselin 病の単純 X 線像（12 歳男児）
少年野球の地区大会で優勝後，左中足部外側の痛みを訴え受診．第 5 中足骨基部に圧痛を認め，単純 X 線検査では同部に骨端核を認めました．Iselin 病の診断で運動制限を指示し，2 ヵ月後には軽快しました．

- 前足部の捻挫（短腓骨筋腱の牽引）によって発症することもあります．発症時の外傷機転が明らかなものほど治癒しやすい傾向があります．
- 通常骨端核は数年以内に癒合しますが，偽関節となった症例の報告も散見されます．しかし，この部位の種子骨 os vesalianum の可能性もあり，Iselin 病から移行することがあるかどうかについては，まだ明らかになっていません．筆者は偽関節移行例の経験がありません．

患者家族への説明　足の外側の骨が，腱に引っ張られて炎症を起こす病気です．運動を休止すると通常数ヵ月で痛みはとれてきます．

Jones 骨折（図 2-45）

- 第 5 中足骨近位骨幹端付近の疲労骨折を Jones 骨折と呼びます．難治性で手術を要することが多い病態です．
- Charcot-Marie-Tooth 病など未診断の麻痺性内反足が原因となっていることがあるので，骨癒合だけ考えてはいけません．
- 麻痺性疾患がなければ一度は保存治療を試みますが，スポーツ活動早期復帰を希望される患者に対しては手術治療を考慮します．術式はスクリュー固定術を行うのが簡便な方法です．
- 内反変形がある時は再発をくり返すので，これに対する手術（腱移行術など）が必要となります．

患者家族への説明　なかなか治らない疲労骨折です．放置しても大きな問題にはなりませんが，ずっと痛みが続くことが多いので手術治療をお勧めします．足の変形が原因の場合は，その治療を同時に行う必要がありますので，いろいろ調べてみましょう．

主な疾患について知っておくべき知識

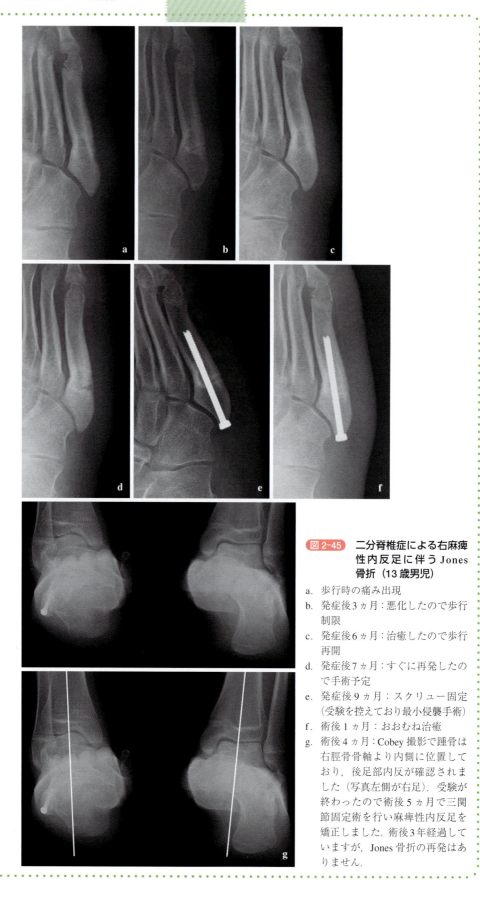

図 2-45 二分脊椎症による右麻痺性内反足に伴う Jones 骨折（13歳男児）

a. 歩行時の痛み出現
b. 発症後3ヵ月：悪化したので歩行制限
c. 発症後6ヵ月：治癒したので歩行再開
d. 発症後7ヵ月：すぐに再発したので手術予定
e. 発症後9ヵ月：スクリュー固定（受験を控えており最小侵襲手術）
f. 術後1ヵ月：おおむね治癒
g. 術後4ヵ月：Cobey撮影で踵骨は右脛骨骨軸より内側に位置しており，後足部内反が確認されました（写真左側が右足）．受験が終わったので術後5ヵ月で三関節固定術を行い麻痺性内反足を矯正しました．術後3年経過していますが，Jones骨折の再発はありません．

⦿ 踵骨単発性骨囊胞（腫）solitary bone cyst （図 2-46）

- 単発性骨囊胞は，長管骨の骨幹端部に好発しますが，最も頻度が高いのは踵骨です．好発年齢は10歳〜15歳くらいです．
- 自然治癒が見込まれるので手術は必要ないという意見もありますが，病的不全骨折や疲労骨折をくり返し，長期にわたり学校体育活動に大きな支障をきたすため，経過観察をしていく過程でほとんどのケースで手術希望となります．
- 長管骨の単発性骨囊胞の手術は再発が多いのですが，踵骨に関しては予後良好で，筆者は術後再発を経験していません．文献的にも手術成績は良好です．
- 外側の腓骨筋腱の後下方を開窓すると湧き水のように中から無色透明の液体が出てきます．ハイドロキシアパタイトのチューブを入れて，この湧き水を骨外と交通させることによって，囊胞内に骨再生がみられます．さまざまな術式がありますが，どの術式でも手術成績に大差はないようです．

> **患者家族への説明**
> 骨の中に水がたまって空洞ができる病気です．周辺に小さな骨折をくり返して痛みを出します．長期にわたってスポーツ活動に支障が出ることがありますので，希望があれば手術治療を行います．特に困らないようなら定期的に経過をみていくだけでも問題ありません．

コラム 「不必要な検査や治療はやるな」というアメリカからの提言

2018年に米国小児科学会と北米小児整形外科学会（小児整形外科領域では最も権威ある学会のひとつ）から，以下のような共同提言がありました．

1. 発育性股関節形成不全（先天性股関節脱臼）のスクリーニングに関して，もし診察上の異常がなく，リスクファクターもなければ，超音波検査は必要ない（超音波検査を行うと必要のない治療を受ける赤ちゃんが増えてしまう）．
2. 8歳未満のうちわ歩行に対してX線撮影をしたり装具治療や手術治療を勧めてはいけない（理学療法，装具療法で自然経過を変えることはできない）．
3. 症状の軽い外反扁平足にオーダーメイドの装具や足底板を作成してはいけない（痛みや拘縮がなければ，経過観察や市販の装具で十分である）．
4. 十分な診察，単純X線検査，検体検査を行うまでは，MRIやCT検査を行ってはならない．
5. 隆起骨折に対して痛みや圧痛がなければ，経過観察のX線撮影は必要ない．

一言でいうと「不必要な検査や治療はやるな」という提言です．医療経済学の影響を受けたアメリカらしい発想です．しかし，効果のない装具をこどもたちに押し付け，つらい日常生活を強要する医業類似行為がわが国で横行している現状を考慮すると，いくつか頷ける点もあります．たとえ医師であっても，わが国の優れた健康保険制度の下では，過剰診療に陥ることがあるかもしれません．この提言を読み，こどもたちに不要な身体的負荷を与えない診療を行っていきたいとあらためて思いました．

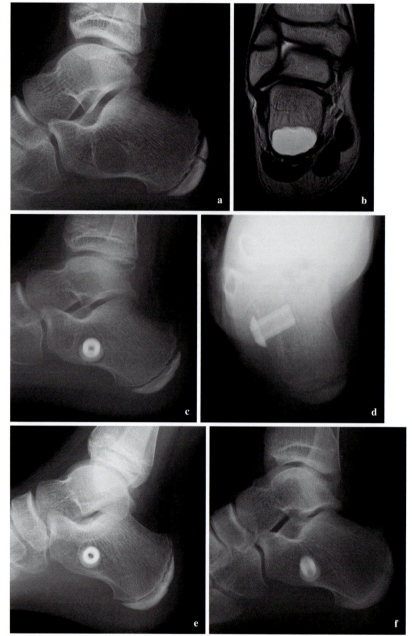

図 2-46 踵骨単発性骨嚢胞（11 歳男児）

誘因なく右踵部痛が出現し受診．X 線検査で単発性骨嚢胞の診断となり経過観察しましたが，2 ヵ月間痛みが持続．野球への早期復帰を希望したため手術を行い，ハイドロキシアパタイトのチューブを外側から挿入する術式としました．術後 1 ヵ月から痛みのない範囲でスポーツ活動を許可し，術後 1 年で痛みは完全に消失しました．

a．初診時単純 X 線側面像
b．初診時 MRI 像（SE 法 T2 強調画像，冠状断）
c．術後単純 X 線側面像
d．術後単純 X 線軸写像
e．術後 1 年：嚢胞は著明に縮小しました．
f．術後 4 年：嚢胞は消失しました．

第3章 膝の診かた

　成人では痛みを主訴とする患者が大半ですが，小児，特に乳幼児では伸展・屈曲制限を主訴とする患児が大半です．最も多いのは，整形外科医ならば誰もが知る外側円板状半月板ですが，それは膝の愁訴で訪れるこどもの1/4にも満たない割合です．症状に応じて，どのような疾患が考えられるのか，候補となる疾患の概要を知っておくことが大切です．

愁訴からの診断

1 反張膝

思い浮かべるべき疾患

生理的反張膝，先天性膝関節脱臼（先天性反張膝），骨端線早期閉鎖（大腿骨遠位骨端線前方または脛骨近位骨端線前方），大腿四頭筋機能不全（大腿神経麻痺など）

 生下時にみられる反張膝は先天性膝関節脱臼で，歩行開始後にみられる反張膝のほとんどは生理的な反張膝です．

診断へのプロセス

STEP 1　先天性か後天性か

- 先天性の反張膝は，先天性膝関節脱臼（先天性反張膝）（図3-1）と診断してほぼ差し支えありません．全身疾患の一症状である可能性もあり，それを診断することが重要です．特に両側例では，全身疾患を考えてほかの部位の診察と画像評価を行います．先天性股関節脱臼，先天性内反足，垂直距骨などを合併する場合は，多発性関節拘縮症やLarsen症候群など全身疾患の可能性を考え

愁訴からの診断

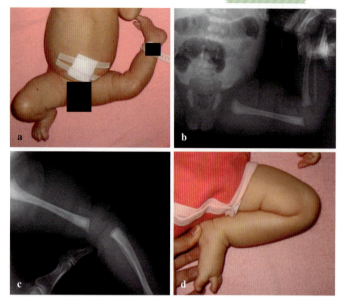

図 3-1　先天性膝関節脱臼（生後 4 日女児）

左膝反張位で出生し，そのままの肢位が続き，他動的には 40°程度までしか屈曲できませんでした．最大屈曲位で石膏ギプスによる固定を 5 日間行い，90°程度屈曲可能となったので，その後は経過観察としました．
a. 初診時（生後 4 日）の外観
b. 初診時の X 線像（反張位）
c. 初診時の X 線像（最大屈曲位）：屈曲は 40°程度で，一見整復位に見えますが，よく見ると脛骨近位部の前方偏位がみられました．Curtis type B に分類される中等症と判定し，ギプス治療を行いました．脛骨の前方偏位がなければ Curtis type A の軽症と判定し，最大屈曲位のシーネ固定を数日行えば十分です．脛骨近位部が大腿骨遠位部の前方に乗り上げているときは，Curtis type C の重症と判定します．重症例では，ギプス治療の後に手術治療を行う必要があります．
d. 生後 6 ヵ月：可動域は正常となり，反張もみられませんでした．

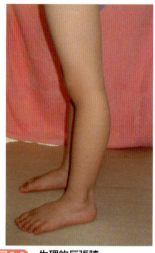

図 3-2　生理的反張膝

歩き始めの幼児にみられる反張膝は，大腿四頭筋の持久力不足によるものと考えられます．膝を過伸展位にして後方支持機構が緊張する肢位をとれば，大腿四頭筋に力を入れなくても立位が保持できるからです．このような反張膝は病的なものではありません．

ます．特に Larsen 症候群（図 3-36）では，頚椎の高度後弯変形により頚髄症をきたす危険性があるので，頚椎の単純 X 線検査が必須です（第 12 章 p.336）．

● 後天性の反張膝のほとんどは，立位・歩行時にみられる生理的な（病的ではない）反張膝（いわゆる back knee）です（図 3-2）．歩行開始後の幼児では，荷重する際に大腿四頭筋の筋力を利用せず，膝関節の後方支持機構（後十字靱帯など）の緊張を利用して，膝が折れないようにしています．二分脊椎症などの麻痺性疾患がないかぎり，運動発達に伴って自然に反張膝はみられなくなるので心配ありません．

STEP 1 STEP 2　大腿四頭筋の筋力は十分か

● 何らかの麻痺性疾患で大腿四頭筋機能不全が起こると，反張膝で立位を保持し，歩行時も荷重時は反張膝の肢位をとるようになります．膝伸展筋力がまったくなくても，この肢位をとれば，平地であれば一見正常に見える歩行が可能です（図 3-3）．このような代償性の反張膝歩行について知っておくことは，稀な病態の診断に役立ち，大腿四頭筋麻痺への対応を考えるときにも参考になるので，小児整形外科専門医にとっては必須の知識です．

1 反張膝

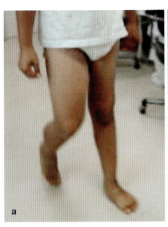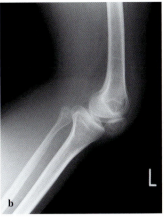

図 3-3 **左大腿神経切除後の歩容（11歳男児）**

左腸腰筋横紋筋肉腫に対する広範囲切除術を行った術後です．左大腿神経も切除しましたが，平地であれば反張膝で荷重する（a）ことによって，難なく歩行可能です．その後，階段歩行も手すりなしで可能となりました．単純X線検査上，徐々に膝蓋骨低位（b）がみられましたが，24歳の最終経過観察時まで経過良好でした．しかし将来的な膝関節の関節症性変化は避けられません．

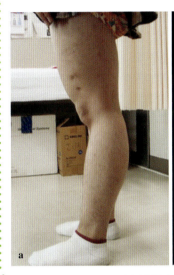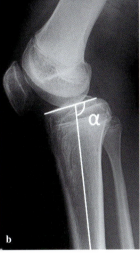

図 3-4 **脛骨近位部の前方傾斜による反張膝（13歳男児）**

11歳時，交通事故で左大腿骨骨幹部骨折を受傷し，近医で創外固定による治療を受けましたが，反張膝が徐々にみられたため当科初診（a）．脛骨近位部の生理的後方傾斜が前方傾斜となっており，後方傾斜角（bの角α）を計測すると100°でした（b）．交通事故の際，脛骨近位骨端線損傷（Salter-Harris V型）も受傷していたことが推測されました．18歳時に脛骨粗面直下で骨切りを行い，矯正＋骨延長術を行いました．

STEP 3 成長に伴って悪化しているか

- 反張膝が進行性の場合は，<u>大腿骨遠位骨端線・脛骨近位骨端線前方の早期閉鎖</u>が考えられます．このような場合は膝の単純X線検査を行って，骨端線早期閉鎖の有無を確認します．例えば脛骨近位骨端線前方に骨性架橋があると，骨成長に伴って脛骨高原部が前方に傾斜し，進行性の反張膝がみられるようになります（図3-4）．外傷，骨髄炎，手術などが原因となります．これに対しては，骨性架橋の切除術や骨切り術などの手術治療が必要となります．

2 乳幼児の膝が伸びない

思い浮かべるべき疾患

生理的膝伸展制限，円板状半月板，先天性恒久性膝蓋骨脱臼，習慣性膝蓋骨脱臼，若年性特発性関節炎（若年性関節リウマチ），化膿性関節炎，抗酸菌性関節炎（結核性関節炎，BCG 関節炎，非定型抗酸菌性関節炎），出血性関節障害（血友病性関節症，関節内血管腫），大腿四頭筋形成不全と膝蓋骨形成不全，多発性関節拘縮症，膝窩翼状片症候群，骨系統疾患，骨軟部腫瘍

乳児の膝が伸びないことを心配して来院されるケースがときどきありますが，まず知っておかなければならないのは，正常な乳児でも膝関節は完全伸展しないことが多いということです（→意外に知られていないこと：乳児期の膝は健常児でもまっすぐ伸びないことが多い）．膝が完全伸展するようになるのは，おおむね1歳以上です．

意外に知られていないこと

乳児期の膝は健常児でもまっすぐ伸びないことが多い（図1）

健常児の平均膝伸展可動域は，新生児で−15°程度，生後6ヵ月以下の乳児で−10°程度です．1歳になるとだいたい完全伸展できるようになります．

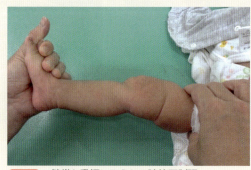

図1 健常な乳児にみられる膝伸展制限（生後2ヵ月男児）

診断へのプロセス

STEP 1 見てすぐにわかるもの

- 膝窩翼状片症候群（図3-5）は，膝窩部にweb（水かきのような皮膚の状態）がみられるのですぐにわかります．
- 足部や手部の関節拘縮を伴っていれば，先天性多発性関節拘縮症とわかります（第12章 p.335）．ただしこの病名は，関節拘縮が多関節に生じるさまざまな全身疾患の総称です．

STEP 1 → STEP 2 いつから伸びないのか

- 新生児や乳児で両側性に膝が完全伸展せず，ほかに症状がないときは，まず生理的膝伸展制限を考えます．

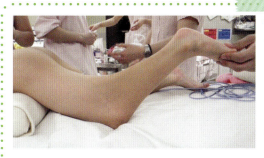

図 3-5　膝窩翼状片症候群の膝

膝窩部に web（水かき様の皮膚）があり，膝伸展制限の一因となっています．本疾患では，膝窩動静脈は骨に沿って深部を走行していますが，web の後縁の皮膚直下に坐骨神経とこれに伴走する硬い索状物があるため，手術は困難をきわめます．索状物の切除，坐骨神経の広範な解離，膝関節後方の筋・腱と関節包の解離，内外側側副靱帯の後方半分の解離，皮膚の multiple Z 形成術を行い，完全伸展が可能となりました．その後，再発防止のため，夜間装具（完全伸展位）を適用し可動域を維持しました．

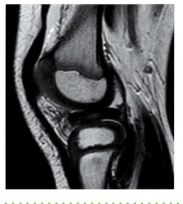

図 3-6　外側円板状半月板の MRI（4 歳女児）

4 歳時より右膝の伸展制限（−20°程度）がみられ紹介．右膝外顆中央部の矢状断像では，関節裂隙に厚い半月板が前方から後方まで同じ厚さで介在していました．典型的な完全型外側円板状半月板の所見です．

- 完全伸展しない状態が 1 歳以降も続く場合は，病的なものを考えます．考えられる疾患は，円板状半月板，大腿四頭筋機能不全（先天性恒久性膝蓋骨脱臼，大腿四頭筋形成不全など），多発性関節拘縮症です．→**A 群**（STEP4，STEP5 へ）
- 完全伸展できていた膝が完全伸展できなくなったときは，病的な状態です．考えられる疾患は，円板状半月板，若年性特発性関節炎，感染（化膿性関節炎，結核性関節炎，BCG 関節炎，非定型抗酸菌性関節炎），出血性関節障害（血友病性関節症，関節内血管腫）です．→**B 群**（STEP6 へ）

STEP 1 › 2 › **3**　深屈曲させてみる

- 深屈曲から伸展させ，もう一度深屈曲させてみます．この間に「ボコッ」と音が鳴り大きなクリックが診察する手に伝わってきたら，円板状半月板です．MRI で確定診断します（図 3-6）．ただし，円板状半月板ではクリックがなく伸展制限だけがみられる場合も少なくありません．

STEP 1 › 2 › 3 › **4**　四頭筋の筋力をみる　A 群

- 麻痺性疾患で拘縮がなければ立位・歩行時に反張膝となりますが，反張位のとれないケースでは，次第に屈曲拘縮がみられるようになります．
- 膝蓋骨脱臼がないのに大腿四頭筋の筋力低下があれば，麻痺性疾患や大腿四頭筋・膝蓋骨形成不全を疑います．

STEP 1 › 2 › 3 › 4 › **5**　膝蓋骨をよく診察する　A 群

- 膝伸展制限を主訴とする乳幼児にときどき見つかるのが，膝蓋骨の脱臼です．乳幼児では膝蓋骨が未骨化で単純 X 線検査ではわからないこともあるので，触診が重要です．

愁訴からの診断

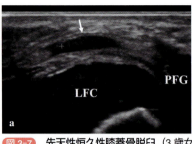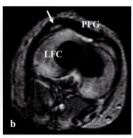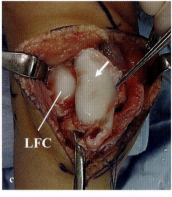

図 3-7　先天性恒久性膝蓋骨脱臼（3 歳女児）

1歳6ヵ月時に約20°の膝伸展制限を主訴に受診．1歳7ヵ月のMRI検査では膝蓋骨が同定できず先天性膝蓋骨欠損症を疑いました．しかし1歳8ヵ月時に超音波検査で大腿骨外顆外側に低エコー領域（a）がみられ，膝蓋骨脱臼の可能性を考えました．2歳11ヵ月のMRI検査（b）でようやく恒久性膝蓋骨脱臼の診断に至り，3歳時に手術を行いました．関節外からは膝蓋骨が同定できませんでしたが，関節内に進入すると，大腿骨外顆外側に厚さ2〜3 mmの軟骨性の膝蓋骨が同定されました（c）．
a. 脱臼した膝蓋骨の超音波像：大腿骨外顆を外側からみた横断像．矢印は膝蓋骨．
　LFC：lateral femoral condyle，PFG：patellofemoral groove．
b. 脱臼した膝蓋骨のMRI像：大腿骨顆部の横断像．矢印は膝蓋骨．
c. 脱臼した膝蓋骨の術中所見：矢印は膝蓋骨．膝蓋骨外側の膝蓋支帯を縦切開して翻転したところ，光沢のある関節包の中央に触診上周囲よりもわずかに硬いおはじき大（直径1 cm軽度）の膝蓋骨を触れた．

図 3-8　習慣性膝蓋骨脱臼（5 歳男児）

2歳から転びやすく，3歳になっても変わらず，膝の外反と跛行もみられたため紹介．外来では診断がつかず経過観察となり，5歳になり60°屈曲位のX線軸射像で膝蓋骨脱臼の所見（aの矢印）を認めたため手術を行いました．術後の軸射像では膝蓋大腿関節の大腿骨溝（patellofemoral groove）はありませんでしたが（b），術後8年13歳時の軸射像では，大腿骨溝が形成され（c），形態的にも機能的にも正常な膝蓋大腿関節となりました．膝蓋骨の触診が容易でない幼児期には，小児整形外科専門医であっても診断が難しいと思わせたケースです．乳幼児を診察するにあたっては，膝蓋骨脱臼の可能性を認識して診察にあたる必要があります．

- 膝蓋骨を触れない場合は，先天性恒久性膝蓋骨脱臼（膝蓋骨がずっと外側にはずれたままの状態）（図 3-7）を疑います．
- 膝蓋骨を触れたら膝を屈曲させ，外側に脱臼しないか確認します．屈曲位で脱臼したら習慣性膝蓋骨脱臼（図 3-8）です．
- 診察しても膝蓋骨の有無がよくわからないときは，少なくとも膝蓋骨に何らかの異常があるときです．この場合は，超音波検査やMRI検査（図 3-7）を行います．

STEP 6　関節内病変を調べる　B群

- 膝蓋跳動（ballottement of patella：BOP）をみて，関節液の増加がないかチェックします．痛み症状

があれば関節穿刺を行ってその性状をみます（漿液性か膿性か血性か）．関節穿刺を行ったら，必ず培養検査も行います．その際，一般細菌検査のみならず必ず抗酸菌検査も行います．関節液が黄色透明であれば，若年性特発性関節炎，膿性であれば感染，血性であれば出血性関節障害を考えます．
- 血液検査を行って，リウマチ性疾患（血清 MMP-3 など），感染症，凝固異常について調べておきます．血液検査結果の評価については第 12 章 p.299 を参照してください．

STEP 7　画像検査を行う

- 骨系統疾患や骨軟部腫瘍は画像診断します．
- 凝固系検査で異常のない関節血症では，MRI 検査で血管腫（図 3-15）がないか入念に調べます．
- 大腿四頭筋形成不全（生まれつき筋肉が小さい状態）は MRI で診断します．大腿四頭筋の筋力低下がある場合に，こうした疾患が否定されたときは，麻痺性疾患を疑い神経内科に紹介します．
- 両側性で画像検査ではまったく異常がなく，多発性関節拘縮症や麻痺性疾患が否定されたときは，1 歳以上であっても生理的膝伸展制限と診断します．このようなケースでは軽度の膝伸展制限があっても，患児は何も困っておらず，歩容もほぼ正常に見えるのが特徴です．

3　乳幼児の膝が曲がらない

思い浮かべるべき疾患

大腿四頭筋内の血管腫，大腿四頭筋の化膿性筋炎，大腿四頭筋の反復性外傷（被虐待児症候群），大腿四頭筋拘縮症，片肢性骨端異形成症

この愁訴は意外に珍しいものです．多くの場合，大腿四頭筋に原因があります．

診断へのプロセス

- 曲がらない膝の診断は容易でなく，画像検査，特に MRI 検査が必要となります．単純 X 線検査で関節変形の有無をチェックし，異常がなければ大腿部も含めた膝関節の MRI 検査を行います．
- 急性発症であれば，大腿四頭筋の化膿性筋炎や筋内出血（図 3-9）を考えます．筋内出血の原因として頻度が高いのは筋内血管腫です．
- 大腿四頭筋の明らかな萎縮がみられれば，拘縮（伸びない状態）も合併することが多く，膝屈曲制限の原因と考えて良いと思います（図 3-10）．
- MRI で関節軟骨の輪郭に異常があれば，片肢性骨端異形成症を疑います（図 3-11）（第 12 章 p.330）．
- 伸展制限を伴う屈曲制限では，関節炎などの疾患が考えられますので，前項に準じて診断を進めていきます．

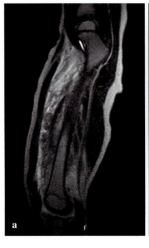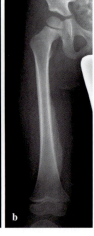

図 3-9　膝屈曲制限を主訴とした大腿四頭筋内出血（3 歳男児）

膝を曲げなくなった，正座をしなくなったという主訴で近医を受診．MRI 検査（a）が行われて腫瘍専門医より大腿四頭筋内血管腫の診断を受け紹介されました．屈曲は 70°が限度でした．3 週間後の単純 X 線検査では骨化性筋炎（b）を疑う所見がみられたため，原因について調査を行い，最終的に被虐待児症候群と診断しました．その後病変部には自然治癒が確認されています．

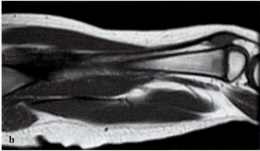

図 3-10　中間広筋の脂肪変性による進行性膝屈曲制限（1 歳 10 ヵ月女児）

膝が曲がらないことを主訴に受診（a）．MRI 検査では，中間広筋の脂肪変性がみられ（b），先天性の筋形成不全か，血管腫の自然退縮後の筋拘縮と考えられました．筋肉が伸びない状態では骨が伸びた分だけ相対的に筋拘縮が悪化するため，成長に伴って屈曲制限が強くなります．夜間装具（最大屈曲位で固定）の装着で年々少しずつ改善がみられています．

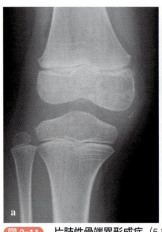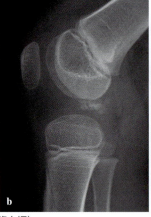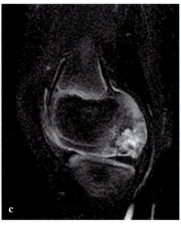

図 3-11　片肢性骨端異形成症（5 歳女児）

膝の屈曲制限を主訴に受診．単純 X 線検査では内側に異所性骨化病巣を認めます（a, b）．MRI 所見（c）から，大腿骨内顆後方の関節軟骨から発生した骨軟骨腫と考え，片肢性骨端異形成症（dysplasia epiphysealis hemimelica：DEH）と診断しました．4 年後に一部が遊離体となったため，鏡視下に摘出しました．

4 学童期以降で膝が伸びない・曲がらない

思い浮かべるべき疾患

円板状半月板，大腿四頭筋拘縮症，習慣性膝蓋骨（亜）脱臼（爪・膝蓋骨症候群など），反復性膝蓋骨（亜）脱臼，若年性特発性関節炎（若年性関節リウマチ），化膿性関節炎，関節内血管腫，骨端線早期閉鎖（大腿骨遠位骨端線後方または脛骨近位骨端線後方），脳性麻痺，身体症状症（身体表現性障害）

 学童後期以降では本人から十分に愁訴を聴くことができるため，診断は比較的容易です．しかし最近は，学童期以降で膝関節可動域制限を訴えるケースの中で，身体症状症（身体表現性障害：こころの病気）や詐病の頻度が高く，現場の医師を悩ませています．いたずらに経過観察するとやがて不登校へと移行することが多いので，器質的疾患の除外診断を効率的に行い，精神科へ紹介することが大切です．

診断へのプロセス

STEP 1 診断に至るパターンにあてはまるものから除外する

- 最も頻度が高いのは円板状半月板です．深屈曲から伸展させ，もう一度深屈曲させてみます．この間に「ボコッ」と音が鳴り大きなクリックが診察する手に伝わってきたら，円板状半月板障害とほぼ診断でき，MRI で確定診断します（図 3-12）．

- 学童期以降では膝蓋骨の位置は診察すれば容易にわかります．伸展位と屈曲位それぞれの肢位で膝蓋骨の位置を確認し，いずれかで脱臼位がみられたら習慣性膝蓋骨脱臼です．亜脱臼であれば，習慣性膝蓋骨亜脱臼と診断します．伸展位でのみ亜脱臼がみられるケースでは，検者が膝蓋骨に触れたときの脱臼不安感が強く，触らせてもらえないことがよくあります．このようなときは本人の手を借りて膝蓋骨の位置を確認します．

- 膝蓋骨の異常で最も診断が難しいのは，反復性膝蓋骨亜脱臼です．「反復性」というのは偶発性に外力が加わったときのみ亜脱臼するという意味で，診察室で再現性のある亜脱臼がみられる「習慣性」とは異なる病状です．屈曲制限（膝が脱臼しないよう力を入れて曲げさせない状態）と膝前面の痛みを訴えますが，診察室では膝蓋骨が整復位にあるため気づきにくいのです．力を入れて曲げさせない様子が不自然に感じられるため，詐病のような印象を受けることもあります．丁寧に診察すると内側膝蓋大腿靱帯に圧痛を認め，膝蓋骨を徒手的に外方へ移動すると不安感を訴えます（patellar apprehension test）．MRI では内側膝蓋大腿靱帯の膝蓋骨付着部か大腿骨付着部に不全断裂を疑う所見を認めます．放置するといずれ完全脱臼を生じ，反復性膝蓋骨脱臼へと移行して，診断は容易となります．

- 爪の形成不全（小さい，つやがない，変形が目立つ）があるときは，爪・膝蓋骨症候群を思い浮かべます．骨盤の X 線正面像を撮影すると，ほとんどのケースで iliac horn がみられ，これによって確定診断が可能です（図 3-13）．

愁訴からの診断

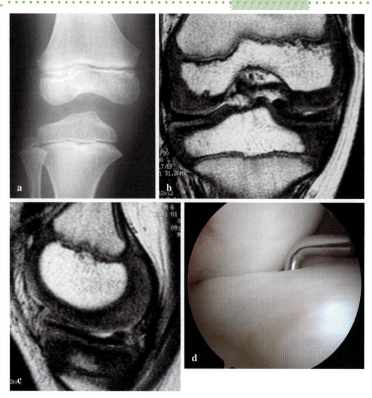

図 3-12 内側円板状半月板
（6 歳男児）

誘因なく右膝が完全伸展できなくなり受診．単純 X 線検査では脛骨内顆の形成不全（骨化遅延）がみられました（a）．MRI 検査では，非常に珍しい内側円板状半月板の所見を認め（b, c），鏡視下に確認し（d），半月板切除術を行いました（当時は全切除術を行っていましたが，最近は半月板形成術を行っています）．

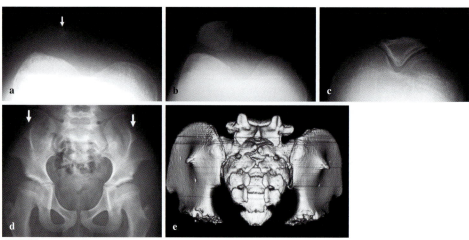

図 3-13 爪・膝蓋骨症候群の X 線画像（右膝，男児）

a．9 歳時：診察上，習慣性膝蓋骨亜脱臼の所見がみられました．45°屈曲位の軸射撮影で膝蓋骨（矢印）は異常に小さく，外側へ亜脱臼しています．
b．12 歳時：膝蓋骨の骨化が進み，縦長の逆三角形となっています．手術を施行しました．
c．14 歳時：深い膝蓋大腿溝に縦長で逆三角形の膝蓋骨がおさまっています．この膝蓋骨の形態は，爪・膝蓋骨症候群に特有のものです．
d．9 歳時の骨盤正面像：両側の腸骨に「iliac horn」と呼ばれる突起（矢印）がみられます．
e．別な患児の爪・膝蓋骨症候群の 3D-CT 像（8 歳男児）

- 膝屈曲制限があり，大腿部へ筋肉内注射を打った既往があれば，大腿四頭筋拘縮症を疑います．大腿四頭筋への筋肉内注射による大腿四頭筋拘縮症は，かつて集団発生し全国各地で訴訟が起こり社会問題となった疾患です．筆者は1例しか経験しておりませんが，発展途上国では今でも問題となっています．筋肉内に索状物があり，これが筋肉の伸長を妨げます．骨が成長に伴って伸びた分，相対的な筋短縮が起こり，屈曲制限が徐々に悪化します．手術で索状物を切離することにより改善します．
- 痛みの訴えと膝蓋跳動があれば，関節炎を考えます．第12章 p.297で述べる手順で診断します．
- 膝伸展制限と下肢の腱反射亢進があれば，脳性麻痺を疑います．popliteal angle（図3-14）を測定し，40°以上であればハムストリングスの拘縮があると判定します．
- 膝の関節内血管腫は小児ではありふれた疾患のひとつです．著しい腫脹が時々みられる場合は，関節内血管腫（図3-15）の反復性出血を思い浮かべます．腫脹がみられたときに関節穿刺を行い関節血症があれば，MRI検査を行って診断します．同じようなエピソードが成人でみられたときは，陳旧性前十字靱帯断裂を思い浮かべると思いますが，小児ではほとんどありません．
- 単純X線検査で，大腿骨遠位部や脛骨近位部に屈曲または伸展変形があれば，骨端線早期閉鎖（図3-16）を疑いCT検査を行います．

図3-14 popliteal angle の測定（7歳男児，脳性麻痺）
明らかなハムストリングスの拘縮を認めました．

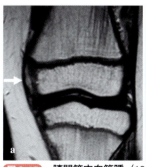 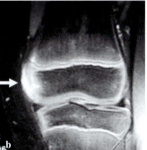 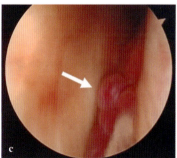

図3-15 膝関節内血管腫（10歳男児）
5歳から膝関節の腫脹をくり返し，一度関節穿刺を受け多量の血液がひけたと言われていました．10歳で初診し鏡視下切除術を行いました．
a．SE法T2強調像：矢印の部分に異常組織を認めました．
b．造影MRI像：矢印の部分に血流豊富な組織を認めました．
c．矢印の部分に血管腫を認め，鏡視下で完全に切除しました．

愁訴からの診断

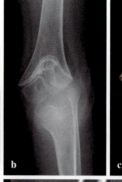
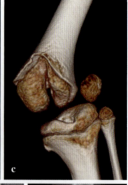
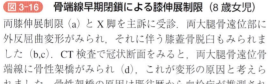
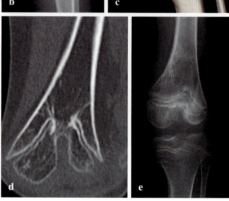

図 3-16　骨端線早期閉鎖による膝伸展制限（8歳女児）

両膝伸展制限（a）とX脚を主訴に受診．両大腿骨遠位部に外反屈曲変形がみられ，それに伴う膝蓋骨脱臼もみられました（b,c）．CT検査で冠状断面をみると，両大腿骨遠位骨端線に骨性架橋がみられ（d），これが変形の原因と考えられました．骨性架橋の原因は既往歴から血栓症が推測されました．鏡視下骨性架橋切除術を行って成長再開を図り，8プレートで外反矯正を行い，ある程度矯正されたところで，膝蓋骨脱臼の観血整復術を行いました．初回術後から約1年で正常に近い骨形態に戻り（e），正常な可動域まで回復しました．

STEP1 STEP2　full study

- STEP1 で診断がつかないときは，いわゆる"full study"を行います．具体的には単純X線検査，CT検査，MRI検査，骨シンチグラム，血液検査を行います．
- full study で異常がみつからなければ，身体症状症（身体表現性障害）を疑います．
- 身体症状症（身体表現性障害）による膝の伸展制限や屈曲制限は，一晩入院させて睡眠時に診察するとまったく可動域制限がないことがよくあります．このようなケースは精神科に紹介します．睡眠時にも制限がある場合は，器質的疾患の可能性が残るので，注意深く経過観察を行います．先述した反復性膝蓋骨亜脱臼と間違えないよう注意が必要です．

5 膝の腫脹

思い浮かべるべき疾患

膝窩嚢胞，膝蓋前滑液包炎，若年性特発性関節炎（若年性関節リウマチ），化膿性膝関節炎，膝関節内血管腫，骨軟部腫瘍（特に外骨腫），抗酸菌性関節炎（結核性関節炎，BCG 関節炎，非定型抗酸菌性関節炎），出血性関節障害（血友病性関節症，関節内血管腫），アレルギー性紫斑病，先天性無痛無汗症

関節内病変のほかに，膝周辺の嚢胞や骨軟部腫瘍が考えられます．

診断へのプロセス

STEP 1　関節液の増加があるか

- 膝蓋跳動（ballottement of patella：BOP）が陽性であれば，円板状半月板，若年性特発性関節炎（図 3-17），化膿性関節炎，結核性関節炎，BCG 関節炎（図 3-18），非定型抗酸菌性関節炎，出血性関節障害（血友病性関節症，関節内血管腫）などを考え一連の検査を行います（第 12 章 p.298）．

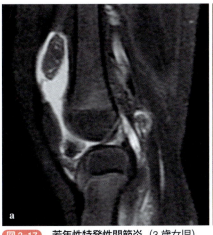
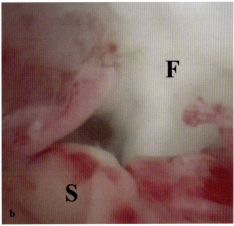

図 3-17　若年性特発性関節炎（3 歳女児）
誘因なく右膝の疼痛と腫脹が出現して受診．発熱はなく，血液検査上，血清 MMP-3 が 168 ng/mL と明らかな高値を認めました．MRI 検査上，膝蓋上嚢内に腫瘤を認めました（a）．関節鏡検査を行い腫瘤がフィブリン塊であることが確認されました．b は膝蓋上嚢の鏡視像です．F はフィブリン塊で S は増殖した滑膜です．病理検査から若年性特発性関節炎と診断しました．

愁訴からの診断

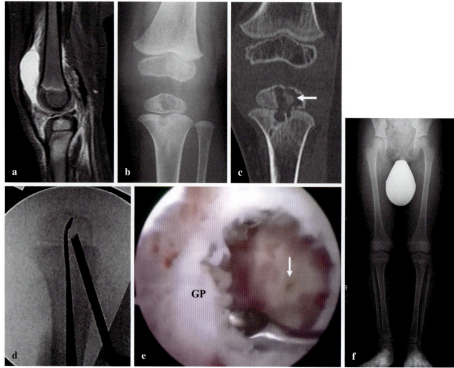

図3-18 BCG関節炎と骨髄炎（1歳9ヵ月男児）

膝関節腫脹と跛行を主訴に来院．単純X線検査で異常を認めず，MRI検査で関節炎の所見を認めました（a）．関節液検査にてBCG関節炎と診断し，鏡視下滑膜切除術を行い抗結核薬の投与開始から3ヵ月たっても症状は改善しませんでした．単純X線検査で脛骨近位部に骨溶解がみられたため（b），CT検査にて骨端線をまたぐ骨溶解像がみられ，骨端部には腐骨（cの矢印）を認めました．関節から波及した骨髄炎と考え，骨髄鏡視下病巣掻爬術（d）と再度の鏡視下滑膜切除術を行いました．骨端部の腐骨をすべて郭清すると，骨端部の天井部分に関節と交通する骨孔（eの矢印，GPは成長軟骨板）を認め，関節を徒手的に圧迫すると膿が骨孔から骨髄内に流入することが確認されました．術後5年の時点で成長障害は認めず，7 mmの過成長がみられました（f）．

STEP 1→STEP 2　骨性腫瘤・骨性隆起があるか

- 単純X線検査で骨性腫瘤・骨性隆起があれば，骨軟部腫瘍を考え画像診断を進めます．最も多いのは外骨腫ですが，10歳前後では骨肉腫などの悪性腫瘍の頻度が比較的高いので，外骨腫と断定できないときは骨軟部腫瘍専門医に相談する必要があります．

STEP 1→STEP 2→STEP 3　どこが腫脹しているのか

- 軟部の腫脹がみられる場合，まずは腫脹している部位を特定します．最も頻度の高いのは膝窩嚢胞（popliteal cyst）（図3-19, 29）です．膝窩部にゴルフボール大の硬い腫瘤が急に出現したときには猫ひっかき病によるリンパ節腫脹を考えます．
- 膝蓋骨前面に限局した腫脹がみられる場合は，成人と同様で膝蓋前滑液包炎（housemaid's knee）を考えます．膝蓋骨近位部に限局した腫脹がみられる場合はsuprapatellar cystを考えます（図3-20, 21）．

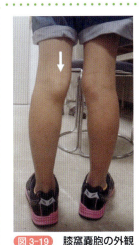

図 3-19 膝窩嚢胞の外観（6歳女児）

立位で膝を後方から見ると膨隆していることがよくわかります（矢印）.

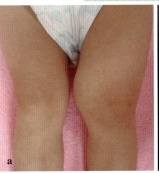
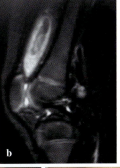
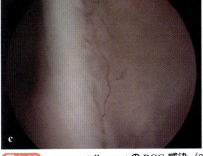
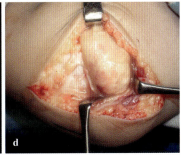

図 3-20 suprapatellar cyst の BCG 感染（2歳女児）

1歳2ヵ月から左膝の腫脹（a）と跛行がみられました．MRI検査では膝蓋上嚢に固形物を含む液体貯留がみられたため，JIA による関節液とフィブリン塊の貯留が疑われました（b）．関節液培養は陰性であったため，JIA の診断で薬物療法を行いました．しかし，腫脹が悪化したため関節鏡検査を行い，鏡視所見（c）で膝蓋上嚢に関節内病変は認めなかったため，関節外病変と判断して皮膚切開を行うと，乾酪壊死病変が認められました（d）．これを摘除し，培養で BCG が検出されました．MRI 検査で膝蓋上嚢と思われた部位は，関節腔と交通のない suprapatellar cyst であったことが後になってわかりました．

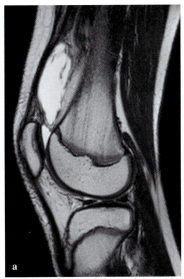
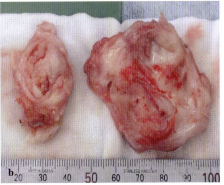

図 3-21 スポーツに起因する suprapatellar cyst（15歳男子）

膝上部の腫脹と痛みを主訴に来院．MRI検査では膝蓋上部に関節内と隔壁で隔てられた嚢胞がみられます（a）．症状が長く続くため，嚢胞を切除しました（b）．サッカーのキーパーで膝上部の打撲が続いたことが原因と考えられました．

- 足部，下腿の腫脹を伴う膝全体の腫脹（浮腫）がみられ，皮下出血斑を伴っていればアレルギー性紫斑病（図4-23）を疑います．この疾患では数時間で腫脹がひろがっていくことが特徴的です．
- 明らかな外傷歴がないのに骨折様のX線所見がみられたら，先天性無痛無汗症（図12-38）の可能性があるので，暑いときにうつ熱がないか問診し，足部に同様のX線所見がみられないか調べます．

解説 関節の音

　赤ちゃんの関節の音を心配して来院する患者家族は少なくありません．特に多いのは，股関節の音が鳴ることを心配してこられるケースですが，この多くはおむつを替えるときに膝で鳴る生理的な音です．しかし時に先天性股関節脱臼のクリックや円板状半月板が関節内で動くクリックの場合もあります．関節の音には次の2種類があります．

　ひとつは「関節内減圧による発泡現象」，すなわち関節が陰圧になる肢位をとったときに関節液に溶け込んでいた気体が気泡となってパキッと鳴る現象です．耳に聞こえる高い音です．この音は一度鳴らすと気泡が再び関節液に溶け込むまで時間がかかるので，しばらくは鳴りにくくなります．この種の音は病的なものではなく，健常児にもよくみられる生理的な音です．

　もうひとつは「骨や軟骨の衝突」による音です．円板上半月板が異常な動きをしたときに鳴る音，先天性股関節脱臼の患児で股関節が外れたり入ったりするときに鳴る音，習慣性肩関節脱臼が整復されたときに鳴る音，関節外の弾発股において大腿筋膜張筋筋膜が大転子と衝突するときの音，などがこれにあたります．この音は耳には聞こえにくい小さな音で，患児に触れていると確かな感触として手に伝わってくるものです．この感触は単なる音ではないので「クリック」と呼ばれます．基本的に病的な所見ですが，治療を要するものは限られています．

　患者家族には，耳に聞こえにくい音で音が鳴るたびに患児の表情が険しくなったり泣いたりするときは，注意が必要と説明しています．

コラム 内視鏡手術とスキル

　関節鏡手術を行う小児整形外科専門医は，世界的にもほとんどいないのが現状です．筆者は，もともと肩・肘関節外科医であったため，さまざまな関節の関節鏡手術を小児整形外科領域に導入し，そのスキルを後輩医師に伝えてきました．その中で技術的に最も難しく，後輩への指導にも苦労しているのが膝関節鏡です．膝関節鏡の歴史は古いため，一般に関節鏡手術の基本は膝関節鏡のように思われていますが，それは間違いです．膝関節鏡手術では，経験が浅いと操作鉗子を視野の中へ誘導する際に関節軟骨と衝突することが多く，医原性軟骨損傷を確実に避けることは困難です．また，ブラインドで後方の処置を行うと膝窩動脈損傷のリスクもあります．最近は膝関節の後方鏡視も普及し，ますます高度なスキルが必要な手術となっています．できればほかの関節から入門し，内視鏡手術の操作に十分慣れてから膝関節鏡を学んだほうが良いのではないかと思っています．

　一方，筆者がライフワークのひとつとして行ってきた骨端線周囲の骨髄鏡手術は，ドリルホールを開けた後は，術野のすべてが骨で囲まれているため，関節軟骨を損傷する可能性はなく，骨外に出ない限り脈管を損傷する危険もありません．ブラックボックスに穴を開けて，中に内視鏡と鉗子を入れて操作するイメージです．したがって初執刀の医師でも指導者がいれば，安全に手術を行うことができます．この手術の普及とともに，小児整形外科専門医が内視鏡手術に慣れ馴染み，関節鏡手術を行う医師が増えてくれることを祈っています．

6 新生児や乳児の膝が鳴る

思い浮かべるべき疾患

生理的クリック，円板状半月板

　新生児や乳児の「膝が鳴る」という愁訴で受診されるケースは少なくありません．そのほとんどは生理的なクリックで治療を必要とするものではありません．しかし，なぜ鳴るのかと訊かれると，答えに窮してしまいます．「指を鳴らす」ときの音はjoint crackと呼ばれ，関節内陰圧によって誘発されたcavitation（空洞形成）によって音が出ることがわかっており，成人で膝を深屈曲したときに「パキッ」と鳴る音もこれと同種のものと考えられます．しかし，新生児や乳児によくみられる膝の音は診察者の手に「コキッ」と伝わってくる別種のものです．まれに円板状半月板の不安定性によって「ボコッ」と鳴るケースがあり，経験的には唯一これが将来的に治療が必要となる可能性のあるものです．このような状態を米国の成書ではsnapping knee with discoid meniscus（円板状半月板による弾発膝）と記述されています．このほか，筆者は随意性膝関節亜脱臼によるクリックと考えられるケースを経験していますが，円板状半月板以外で治療が必要になった経験はありません．股関節が鳴るといって受診するケースも，その大部分は膝が発信源です．

診断へのプロセス

STEP 1　クリックを再現する

- クリックを再現し，その部位・性状・痛みの有無を見極めます．痛みや苦痛表情を伴わない小さなクリックは生理的クリックと診断します．明らかに痛みを伴っていれば何らかの病的状態を疑い，経過観察を行います．

STEP 1 > STEP 2　深屈曲させる

- 深屈曲から伸展させ，もう一度深屈曲させてみます．この間に「ボコッ」と音が鳴り大きなクリックが診察する手に伝わってきたら，円板状半月板を疑います．すぐに確定診断する必要はありませんが，症状が続けばいずれMRI検査で確定診断します．

7 膝の痛み

思い浮かべるべき疾患

Osgood-Schlatter 病，Sinding Larsen-Johansson 病，鵞足炎，腓腹筋付着部炎，二分膝蓋骨，半月板障害，半月ガングリオン，離断性骨軟骨炎，プロテイン C・S 欠乏症，傍骨端線部限局性骨髄浮腫，慢性再発性多発性骨髄炎，壊血病（感染，リウマチ，出血性関節障害を除く），鵞足部骨棘

乳幼児の膝の痛み（または痛み症状）の多くは，他覚的異常所見が画像検査にて検出されますが，青年期以降では，スポーツが原因の腱付着部炎が多く，診察がより重要となります．この項では先述した感染，リウマチ，出血性関節障害を除いた疾患について解説します．

診断へのプロセス

STEP 1 圧痛部位を特定する

- 腱付着部炎（Osgood-Schlatter 病，Sinding Larsen-Johansson 病，鵞足炎，腓腹筋付着部炎）は圧痛で診断します．Osgood-Schlatter 病では脛骨粗面に，Sinding Larsen-Johansson 病では膝蓋腱の膝蓋骨付着部に圧痛があります．二分膝蓋骨，半月板障害，離断性骨軟骨炎，鵞足部骨棘も，ほとんどのケースで病変部位に一致した圧痛があります．

STEP 1 → STEP 2 画像診断する

- 二分膝蓋骨は単純 X 線検査で診断します．単純 X 線検査では診断の難しいケースもあり，症状が強く診断のはっきりしないケースでは CT 検査を行います．
- 半月板障害は MRI 検査で診断します．筆者は矢状断のみで診断しています．MRI 検査での診断率は撮像方法の進歩と画質向上により高くなりましたが，断裂の有無はいまだ誤判定の可能性があります．学童期以下の小児では手術を考慮すべきケースの大半は円板状半月板で，その診断はバケツ柄状断裂を除けば難しくありません．円板状半月板のバケツ柄状断裂では，バケツの柄にあたる不自然な組織塊が膝の中央よりあることで診断します（図 3-22）．
- 離断性骨軟骨炎の診断は典型例（図 3-23）では容易ですが，膝蓋骨にある場合や軟骨のみ剥離している場合（図 3-24）は，撮像方法が適切でないと診断が困難です．膝蓋大腿関節に症状がある場合（patellar compression grinding test 陽性），横断面も撮像することが大切です．
- 脛骨近位骨幹端内側に発生する骨棘は青年期の膝痛の原因として比較的頻度の高いもので，「鵞足部骨棘」と呼ばれます．
- 小児の膝周囲はさまざまな骨髄疾患がみられます．最も注意が必要なのは白血病，悪性リンパ腫などの悪性疾患で，このほかに壊血病（第 12 章 p.333），慢性再発性多発性骨髄炎（第 12 章 p.321），プロテイン C・S 欠乏症（図 3-25），傍骨端線部限局性骨髄浮腫（focal periphyseal edema：FOPE

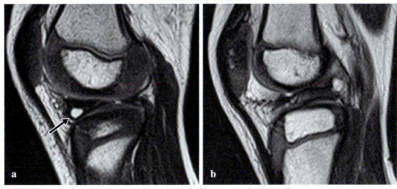

図 3-22 外側円板状半月板バケツ柄状断裂の MRI（4 歳男児）

膝の痛みと可動域制限（伸展 -20°，屈曲 120°）を主訴に受診．大腿骨外顆中央の矢状断像（a）では前後の半月板の連続性がなく，より内側（前十字靱帯側）の矢状断像（b）では前後の半月板の連続性がみられたため，外側円板状半月板バケツ柄状断裂と診断しました．本例では半月ガングリオン（meniscus ganglion）（矢印）もみられています．

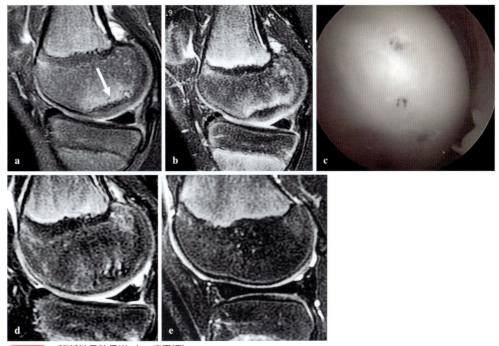

図 3-23 離断性骨軟骨炎（11 歳男児）

1 年以上続く右膝痛を主訴に受診したサッカー選手です．MRI 検査から大腿骨内顆の離断性骨軟骨炎と診断し（a の矢印），運動を 1 年休止させましたが痛みの改善はなく，MRI 検査でも改善がみられなかったため（b），関節鏡手術を行いました．鏡視所見では関節軟骨表面の連続性は保たれていたので，病変部のドリリングと吸収性ピンによる固定術を行いました（c は吸収性ピンによる固定後の鏡視像）．術後 2 ヵ月の MRI 検査では病変部の修復がみられたので（d），スポーツ復帰を許可しました．その後 6 年以上経過をみましたが，再発もなく経過良好でした（e は術後 1 年 9 ヵ月の MRI）．

（図 3-26），化膿性骨髄炎（第 12 章 p.319），抗酸菌性骨髄炎（第 12 章 p.320）などの疾患が考えられます．骨髄疾患の鑑別診断は，第 12 章（p.303）で解説します．

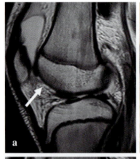
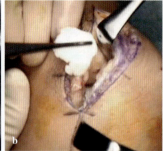
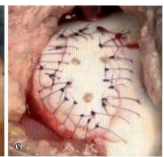
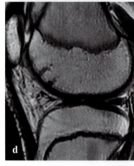

図3-24　膝関節軟骨剥離（12歳男児）

走っているときに突然左膝の激痛が出現したバスケットボール選手です．MRI検査では膝蓋大腿関節大腿骨側の軟骨欠損がみられました（aの矢印）．鏡視下に遊離軟骨片を確認してから関節を開けて軟骨片を摘出し（b），軟骨欠損部の母床をドリリングしてから軟骨片を戻して，吸収性ピンおよび吸収糸にて縫合固定しました（c）．術後1年のMRI検査で軟骨片の癒合が確認されました（d）．

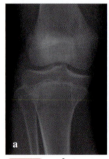
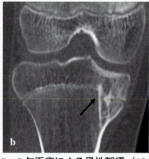
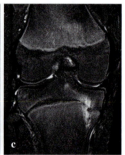

図3-25　プロテインC・S欠乏症による骨性架橋（10歳女児）

誘因なく右膝痛が出現し，近医でMRIを撮像され，右脛骨近位骨端線周囲の骨髄浮腫がみられたため当科紹介．CTでは同部に骨性架橋がみられました．血液検査では，プロテインC活性65%，プロテインS活性68%とともに70%未満の低値であったため，プロテインC・S欠乏症と診断しました．自然経過をみたところ，痛みは消失しましたが，3ヵ月後の単純X線検査で脛骨の内反変形がみられたため，鏡視下に骨性架橋を切除し，骨端線外側への8プレート挿入を行いました．
（a．単純X線正面像，b．CT冠状断像，矢印は骨性架橋，c．MRI冠状断像）

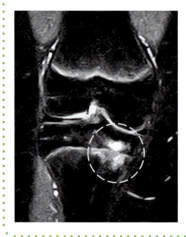

図3-26　成長終了前にみられる生理的浮腫（14歳女児）

誘因なく出現した右膝痛を主訴に受診．単純X線検査では異常がなく，MRI検査にて脛骨骨端線内側に骨髄浮腫像（点線内）を認めました．左膝にも同様な症状が後発しましたが，発症から1年後に自然治癒しました．このような骨端線閉鎖直前（11〜15歳）にみられる痛みを伴う生理的浮腫は，傍骨端線部限局性骨髄浮腫（focal periphyseal edema：FOPE）と呼ばれるもので，自然治癒しますが，他疾患との鑑別に気を使う疾患です．

主な疾患について知っておくべき知識

● 先天性膝関節脱臼（先天性反張膝）

- 生下時からみられる明らかな反張膝は先天性膝関節脱臼と診断されます．自然位が過伸展位で，屈曲制限がみられる状態です．

- 見た目の変形が著しいわりに，簡単に治ることが多いのですが，簡単に治らない少数例はきわめて難治性です．軽症・中等症例（図 3-1）と重症例（図 3-27）で極端に予後が違うので，重症例を知らずに初診時に安易な説明を行うと，保護者の信頼を失ってしまうので注意が必要です．

- 本疾患の約9割にあたる軽症・中等症例では，膝を最大屈曲位でシーネやギプスで固定しておくと1～2週間で改善し，それ以降の治療は不要となります．紹介から初診までの数日間に自然治癒することも少なくありません．順調に回復するケースを経過観察すると，診察上前後方向の不安定性が長期に渡り残存していますが，これによる機能障害がみられたケースはありません．

- 問題となるのは残り約1割の重症例で，外固定による治療では屈曲制限は十分に改善しません．このようなケースに無理なギプス治療を続けていくと，脛骨近位部の不全骨折による屈曲変形が起こります．見た目は膝が屈曲しているけれども，膝関節は屈曲していないという状態です．愛護的なギプス治療を心掛けてください．また，脛骨高原部が前方に偏位したまま，すなわち半月板後角に大腿骨顆部が乗るような位置関係で膝が屈曲するようになるケースもあります（図 3-28）．このような場合は手術治療が必要です．

- 胎児期に踵が下顎にひっかかっている状態が一因と考えられていますが，多発性関節拘縮症や Larsen 症候群などの全身疾患の一症状の場合もあり，このようなケースは難治性です．

- 重症例には手術が必要です．術式の課題は，大腿四頭筋の拘縮（十分な長さまで伸びない状態）に対してどう対応するかです．大腿四頭筋の拘縮があると膝が十分屈曲できなくなります．これに対して従来は大腿四頭筋の VY 延長術が行われていましたが，これを行うと多くの場合大腿四頭筋の筋力が低下し，他動的には伸展するが重力に抗して自動的には伸展できない状態，すなわち extension lag を生じます．この状態が何年も続くと，次第に他動的にも十分伸展しなくなり，屈曲拘縮に至ります．これを防ぐため，大腿四頭筋の延長をあきらめ，

図 3-27　Larsen 症候群に伴う両先天性膝関節脱臼，両先天性股関節脱臼，両先天性内反足の外観（2歳男児）

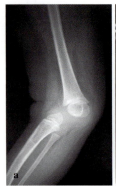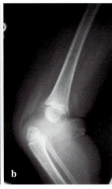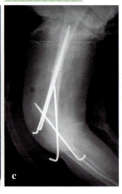

図 3-28 先天性膝関節脱臼重症例（1歳5ヵ月男児）

生下時より高度な反張膝がみられ，最大屈曲位矯正ギプス治療，装具治療を続けてきましたが，脱臼位が残存していました．屈曲位側面像では脛骨近位部は著明に前方へ偏位しています．観血整復術を行い，整復位で鋼線固定しました．大腿四頭筋の拘縮に対しては，膝蓋腱のZ延長と大腿骨の短縮骨切り術（鋼線固定）で対処しました．術後順調に改善し歩行機能を獲得しています．
a．術前X線側面像（最大伸展位）
b．術前X線側面像（膝屈曲位）
c．術直後X線側面像

　大腿骨の短縮を行うことによって大腿四頭筋の緊張を軽減する治療（図 3-28）を選択する小児整形外科専門医が増えてきました．両側例では，脚長差は生じませんが，片側例ではいずれ脚長補正が必要となります．それでも屈曲拘縮とそれによる実質的脚長不等の治療よりは苦労が少ないと筆者は感じています．大腿骨短縮術を含む先天膝関節脱臼の観血的整復術は，1歳以降で行い，大腿骨の短縮量は2cm程度が目安となりますが，それでも十分な屈曲可動域は得られないため，現在もなお課題の残る術式です．

● 先天性膝関節脱臼では，生下時よりハムストリングスの過緊張があるため，先天性股関節脱臼を合併することがあります．筆者は，先天性膝関節脱臼を初診したら，すぐに股関節の超音波検査もしくは単純X線検査を行っています．股関節の脱臼がみつかった場合，膝が順調に回復しても，先天性股関節脱臼に対する治療が別に必要になってきます．この両者を同時に治療するため，リーメンビューゲル装具が良いという意見があり，理論上は良い方法のように思われますが，実際に装具をつけてみるとなかなかうまく装着できません．まず，先天性膝関節脱臼の治療を行い，十分な改善がみられてから先天性股関節脱臼の治療を行うのが，実際的ではないかと思います．

● 先天性内反足を合併する先天性膝関節脱臼はかなり重症で，Larsen症候群や多発性関節拘縮症などの全身疾患を伴います．また多くの場合，先天性股関節脱臼も合併します．精神発達遅滞を合併しなければ，治療目標は歩行獲得となり，実際にほとんどのケースで多数回手術を重ねていけば歩行可能となります．このようなケースにおける治療優先順位は，原則的に膝→足→股関節の順となります．しかし膝の手術は1歳頃まで待つ必要があるので，実際にはできることからやっていくことになります．具体的には，膝最大屈曲位＋足部最大矯正位の矯正ギプス治療を1週間ごとに行い，足部変形がギプス治療に反応しなくなった時期にアキレス腱皮下切腱術を行い，さらに矯正ギプス治療を続けていきます．膝も足部も矯正ギプス治療に反応しなくなったら，最大矯正位のプラスチック製長下肢装具を装着します．装具は夜間装着を必須とし，運動発達に悪影響が出ないよう起きている時間には適宜はずすようにします．1歳頃になったら，膝の手術を行います．そして術後の状態が落ち着いたら，

足部の手術（筆者は距骨下全周解離術を行っています）を行います．股関節の整復手術は，必須ではありません．脱臼したままでも歩行は可能だからです．しかし一定の技術があれば，歩行開始後でも十分な治療成績が得られるので，筆者は積極的に行っています．この際，術後の外転制限が問題となることがあるので，大腿骨の過度な内反骨切り術を行ってはいけません（第12章 p.336）．

> **患者家族への説明**
> 「見た目の変形が強いのでご心配のことと思いますが，約9割の患者さんは数週間の簡単な治療で正常に近いところまで回復します．残り1割の患者さんはいずれ手術が必要となり，膝が十分曲がらない状態が残ってしまいますが，ほかの病気がない限りは歩けるようになりますのでがんばって治療しましょう．」
> （→コラム：予後の悪い疾患に対する家族への説明 p.68）

◉（先天性）恒久性膝蓋骨脱臼，習慣性膝蓋骨脱臼・亜脱臼

- 意外に気づきにくい疾患です．特に先天性恒久性膝蓋骨脱臼は，X線診断ができないため診断に苦労します．超音波検査で膝蓋骨が本来の位置にないことで本疾患を疑い，外側に脱臼した膝蓋骨が確認できた段階で確定診断とします（図3-7）．
- 習慣性膝蓋骨（亜）脱臼は，この疾患を疑って診察すれば診断は容易です．しかし実際には，明らかに脱臼するケースでも見逃されてしまうことが少なくありません（図3-8）．
- 習慣性膝蓋骨亜脱臼には，伸展時に整復位で屈曲すると外側へ亜脱臼するケース（図3-13）と，伸展時に亜脱臼位で屈曲すると整復されるケースがあります．この相反するケースのうち，比較的診断しにくいのは後者で，伸展時に膝周囲を触ると強い不安感を訴え，診察しようとする手を払うようにしてくるのが特徴です．このようなケースでは手術で症状が改善すると，とても喜ばれます．
- 手術はさまざまな方法がありますが，筆者は以下の複数の処置を組み合わせて行っています．
  ① **外側の解離**：膝蓋骨外側と膝蓋腱外側の解離（関節包と支帯），外側広筋の解離（膝蓋骨付着部と大腿直筋遠位部との接合部）
  ② **内側の縫縮**：内側膝蓋大腿靱帯，関節包，支帯を重ね合わせて縫合
  ③ **内側広筋の移行**：内側広筋を膝蓋骨付着部で切離して下方へ移行し，膝蓋骨前面に縫着
  ④ **膝蓋腱外側部の移行**：膝蓋腱の外側半分を脛骨停止部から切離し，残った膝蓋腱の後方を通して内側へ移行し，膝蓋骨が最も安定する位置で脛骨に縫着
  ⑤ **半腱様筋腱の移行**：脛骨付着部を切離せず，半腱様筋腱を近位部で切離して膝蓋骨下内側部に移行

  ①②は必須で，以後は術中判断となります．膝蓋骨が安定するまで③から⑤の順に追加していきます．多くの場合④までの処置で安定します．一番大切なのは①の中にある外側広筋の解離で，大腿直筋に停止するところまで解離することが効果的です．

- 手術が成功すると大腿骨溝（patellofemoral groove）が形成され，膝蓋大腿関節が安定してきますが（図3-8），年齢が高いほど改善は少なくなります．できるだけ若年齢で手術を行うべき疾患です．

主な疾患について知っておくべき知識

> **患者家族への説明**
> 「装具治療には根本的な治療効果はないので手術治療をお勧めします．年齢が上がるほど治療は難しくなりますので，できるだけ早く手術を行いましょう．」

● 円板状半月板

- 東洋人の20人に1人くらいにみられるありふれた半月板の形態異常で，ほとんどは外側（図3-6, 22）ですが，稀に内側の場合もあります（図3-12）．愁訴がなければ治療は必要ありませんが，10歳以降になると離断性骨軟骨炎を合併することがあります．

- 痛みや歩行障害を伴う伸展制限が長期に渡って続き改善傾向がなければ，筆者は鏡視下半月板形成術（saucerization：三日月状の形態になるように部分切除する方法）を行っています．筆者の経験ではこの手術を学童期以下で行うと，断裂や辺縁の解離による不安定性がある場合でも，およそ1年で安定してきます．術後数十年のX線経過で必ず関節症性変化がみられることがわかっているので（痛みを伴うわけではありません），この手術に対しては反対意見もありますが，放置した場合に関節症性変化がどの程度みられるかはわかっていません．症状の強いケースには，長期予後も含めた十分な説明を行ったうえで患者家族が手術を希望すれば，行っても良いのではないかと考えています．

- 離断性骨軟骨炎の合併は，放置した場合に多くみられますが，半月板形成術後に合併することもあるので，十分な説明が必要です．

> **患者家族への説明**
> 「半月板と呼ばれる膝の軟骨の異常で，20人に1人くらいにみられます．症状が自然に良くなることもあるので様子をみてもいいと思いますが，長く続くようなら内視鏡手術を行う方法もあります．膝の骨の表面の軟骨が剥がれてくることもあるので，年に1回くらい診察に来てくれると安心です．」

✈ コラム　予後の悪い疾患に対する家族への説明

こどもを病院へ連れてくる家族の多くは，安心を求めて来院しています．「大丈夫です．」「治ります．」「後遺症は残りません．」のような医師の言葉を何とか引き出そうとさまざまな質問を投げかけてきます．しかし医師の立場からすると，絶対的に安心できる言葉を返すことはなかなかできません．特に予後の悪い疾患では，その旨を何らかの形で伝えなければなりません．そんなときの説明で筆者が心掛けていることは，2つあります．

ひとつめは，悪いことを話した後は，必ず良いことを話して締めくくることです．「・・ですが，・・はできるようになりますので，がんばって治療しましょう．」「・・ですが，がんばって治療を続けていけば確実に正常な状態に近づいていきます．」のような説明です．

ふたつめは，改善の見込みがほとんどないケースに対する説明です．最初から厳しい説明を行うと，家族を逃げ場のない苦境へ追い込んでしまうことになります．このようなケースでは，長い時間の経過で家族自らが予後が悪いであろうことを感じとり，それを受け入れる心の準備ができるときを待つことが大切です．それまでの間は，「個々の患者さんで経過は異なりますので，将来の予測は難しいと思います．できることを行って回復を祈りましょう．」と説明し，筆者自身も一緒になって心から祈るようにしています．

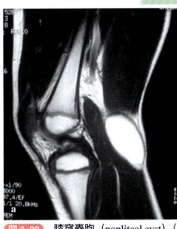
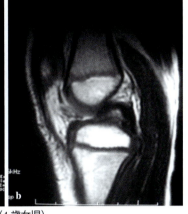

図 3-29 膝窩嚢胞（popliteal cyst）（4歳女児）
右膝窩部の腫脹を主訴に来院．MRI検査で膝窩部に嚢胞を認めました（a）．発熱はなく，診察上発赤，熱感も認めなかったため，膝窩嚢胞と診断し，2年後のMRI検査では自然治癒が確認されました（b）．

● 膝窩嚢胞（popliteal cyst）（図3-19, 29）

- こどもで膝の異常を訴えて来院する患児の中では，比較的頻度の高い疾患です．両側にみられることもあります．
- こどもの膝窩嚢胞は，滑液包（gastrocnemio-semimembranosus bursa や subgastrocnemius bursa）内の液体貯留と考えられています．成人の Baker 嚢腫と異なり膝関節液が後方へ漏出してできるものは稀ですが，膝蓋跳動（ballottement of patella：BOP）を認めるときには，二次的な嚢胞を考えます．具体的には，若年性特発性関節炎の患児でこのような病態が稀にみられます．
- 数年の経過で自然治癒する例の多いことがわかっています．現在でも本疾患に対する手術治療（摘出術）が行われていますが，再発例が多く，手術例に限り後遺症として痛みが残ってしまうという報告もあります．
- 筆者は膝窩部の結核性膿瘍を1例だけ経験しています．発熱や強い痛みがあるときには，穿刺して培養検査を行ったほうが安心です．また，下腿や足部の痛みやしびれを訴える場合も，嚢胞の圧迫による脛骨神経障害の可能性があるので穿刺して培養検査を行っておきます．
- 痛みが出ても一過性のもので，治療は必要ありませんが，症候性のものを確実に除外診断するため，年に1回程度，超音波検査やMRI検査を行って，経過観察を行うことをお勧めします．

> **患者家族への説明**
> 「数年の経過で自然消失する可能性が高く，残ったとしても通常困ることはないので当面治療は必要ありません．年に1回くらい経過を見させてください．」

● 離断性骨軟骨炎と軟骨剥離

- 関節面にある軟骨と軟骨下骨が力学的ストレスで剥がれてくる病態を離断性骨軟骨炎（OCD）と呼びます（図3-23）．軟骨だけが剥離する場合もあります（図3-24）．画像上，OCDに見えても，そうでない場合があるので注意が必要です．
- 鑑別点として重要なのは，①OCDでは画像上異常がみられる部位にピンポイントで明らか

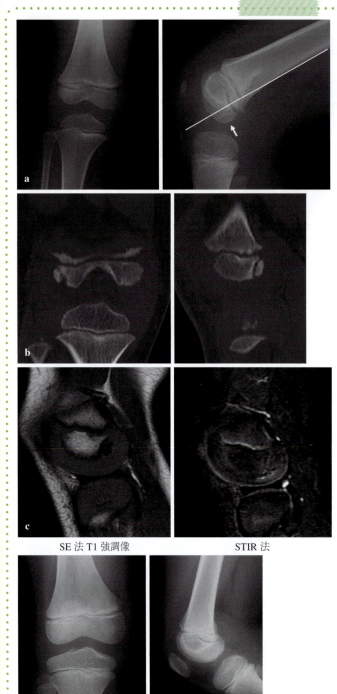

図 3-30 病的ではない OCD 様所見（6 歳男児）

1ヵ月以上続く右膝痛で近医受診し，CT 検査が行われ，遊離骨片がみられたとのことで紹介となりました．初診時ボールを蹴ると右膝が痛いとのことでしたが，診察上，特に異常所見は認めず，痛みの部位も特定できませんでした．MRI 検査を行いましたが，骨片が剥離しているようにみえる境界部に STIR 像で高輝度変化はなく，OCD ではないと判断し，スポーツ活動は痛みの出ない範囲で継続を許可しました．その後 3 年間経過観察しましたが，運動制限なしでサッカーを続け，まったく痛みを認めていません．

a. 初診時 X 線：大腿骨顆部後方に OCD の様な所見を認めました．内顆か外顆かはわかりません．OCD 様の異常像は，全領域が大腿骨骨幹部後縁の直線を遠位に延長したラインよりも後方にありました．
b. 初診時 CT（他院撮影）：大腿骨外顆後方に骨片剥離のような所見がみられます．
c. 初診時 MRI：骨片が剥がれたように見えるところを厚い骨端軟骨に覆われているのがわかります．
d. 3 年後 X 線：まだ正常化はしていませんが，癒合傾向がみられました．

な圧痛があること，② 10 歳未満では OCD の可能性がきわめて低いこと（骨が厚い骨端軟骨に覆われています図 3-30），③ 大腿骨骨幹部後縁の直線を遠位に延長したラインよりも後方にある大腿骨顆部の OCD 様の変化（図 3-30，31）は OCD ではなく成長過程でみられる生理的な画像所見の可能性がきわめて高いこと，④ 多発する場合や両膝にみられる場合は，

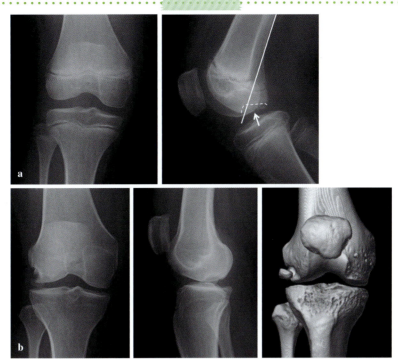

図 3-31 生理的 OCD 様所見と思ったら剥がれてしまった痛恨の症例（10 歳女児）

Down 症の女児で右膝痛を訴えていました．単純 X 線検査を行ったところ大腿骨外顆後方に OCD 様の所見を認めました．圧痛点の確認が困難で画像上の変化は生理的な変化と考え，Down 症に多い膝蓋骨不安定症の症状と考え経過観察としました．その後ずっと痛みは続いていましたが，許容範囲の痛みであったため経過観察としました．単純 X 線検査上は骨片剥離はみられませんでした．22 歳時に痛みが悪化し伸展位のまま屈曲できなくなり受診しました．単純 X 線検査では完全な骨片剥離像がみられ，摘出術が必要となりました．発症時 10 歳以上であったこと，痛みが続いていたこと，大腿骨骨幹部後縁の直線を遠位に延長したラインよりも前方に病変部が及んでいたことを考慮すれば OCD と早期に診断できたかもしれません．

a. 発症時：よくみると OCD 様の異常像は，大腿骨骨幹部後縁の直線を遠位に延長したラインよりもごく一部だけ前方にありました．

b. 12 年後（22 歳）：骨片は完全に剥がれて遊離体となっていました．

多発性骨端異形成症という骨系統疾患の可能性があること（図 3-32），の 4 点です．

患者家族への説明　関節の表面から軟骨や骨が剥がれる病気です．きちんと治療しないと痛みが後遺症として残ってしまいます．運動を休止して治らない場合は，手術治療を考慮します．

● Osgood-Schlatter 病（図 3-33, 34）
オスグッド・シュラッター

- 膝蓋腱が付着する脛骨粗面の骨端症で，局所の圧痛と運動時痛を認めます．小児のスポーツ障害としては最も頻度が高く，治そうとしても治らない医者泣かせの疾患です．病態としては大腿四頭筋の牽引による腱付着部炎で，骨端部の移動や分離を伴うことが少なくありません．以下の 2 つの要因が考えられます．

① 大腿骨長の成長に大腿四頭筋長の成長が追いついていないため過度の牽引力が加わる．

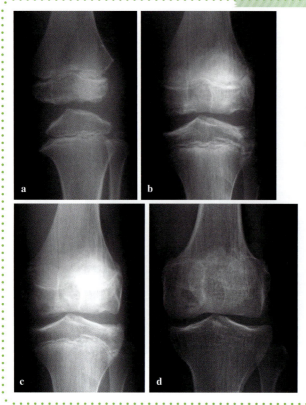

図 3-32 多発性骨端異形成症（12 歳男児）

膝の痛みはなく，骨系統疾患として経過観察していた症例です．この症例では 12〜13 歳の時期に OCD 様の画像所見がみられていました．この時期に膝痛で初診すると，OCD と誤診されてしまうことがあります．両膝に OCD が疑われたときは，他の関節の X 線検査も行って，骨系統疾患の疑いがないか確認しておく必要性があります．
a. 8 歳：両膝ともこのような所見でした．多発性骨端異形成症と診断しました．
b. 12 歳：この画像だけ見ると大腿骨外顆の OCD を疑いますが，これは骨化遅延の所見です．類似した所見が両膝に認められました．痛みの訴えはありません．この時期に初診すると診断は容易でありません．
c. 13 歳：まだ大腿骨外顆の骨化遅延が残っています．
d. 16 歳：ようやく骨化しました．

　② 脛骨粗面の骨端部およびその直下にある成長軟骨板が成長期に脆弱な状態にあるため，スポーツ活動に伴う牽引によって容易に疲労骨折を起こすと同時に容易に形態変化をもたらす．

● スポーツ活動を休止すると痛みは改善しますが，復帰するとほとんどのケースで再発します．このため痛みが出たら運動休止と指示すると何年もスポーツ活動ができなくなり，現実的な治療方針になりません．大切なのは運動量の調節と特定の運動（スクワットジャンプ，うさぎ跳び，バスケットボールのサイドキック）の休止です．最終的には無理をした分，骨隆起は悪化しますが，成長終了時には痛みは消失し，機能障害はほとんど残りません（正座した時に骨隆起部が床に当たって痛む程度）．Osgood は"治す病気"ではありません．"治るのを待つ病気"です．そして治るまでだましだまし付き合っていく病気です．海外では手術治療も行われていますが，筆者は賛成しません．

患者家族への説明　膝の骨が腱によって引っ張られて炎症を起こし，強い痛みが出ています．成長期特有のスポーツ障害で，多くの場合痛みは慢性化していきます．運動を休止すれば治るのですが，再開するとまた痛くなる場合がほとんどです．何年も運動を休止するのは現実的ではないので，痛みが強い時だけ運動を休み，痛みと付き合いながら運動を続けていくのが現実的です．痛みでスポーツ選手としてのパフォーマンスが低下するほどの運動量になると，練習の成果が得られません．大腿四頭筋のストレッチが有効と言われていますが，

痛みが強い時にこれを行うと痛みが悪化するので，調子が良い時だけ行ってください．成長が終了する頃，自然に痛みはなくなります．骨の出っ張りが残り，硬い床で正座するときに痛いという後遺症が残ることがありますが，それ以外で困ることはないので，無理をして悪化しても大変なことにはなりません．

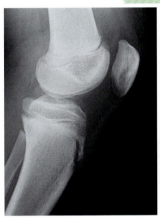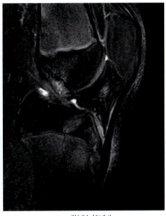

T2 脂肪抑制

図 3-33 Osgood-Schlatter 病（13 歳男児）

バスケットボール部．1ヵ月前から左膝の痛みあり，近医でX線検査に加えMRI検査が行われてから紹介されました．脛骨粗面に圧痛を認め，X線画像では脛骨粗面直下に骨端線の開大を認め，MRIでは脛骨粗面周囲の骨髄浮腫，膝蓋腱遠位部表層から皮下にかけての浮腫像を認めました．Osgood-Schlatter 病と診断し，痛みに応じた運動制限を指示しました．

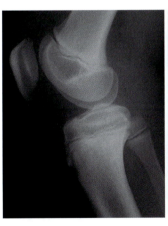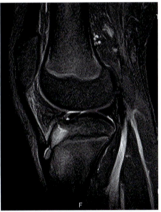

STIR 像

図 3-34 比較的重症の Osgood-Schlatter 病（12 歳男児）

3週間前から右膝痛．近医で保存治療を受けましたが，痛みが増悪するため紹介となりました．X線検査では脛骨粗面と骨端部の連続性が絶たれ，MRIでは脛骨粗面から骨端部にかけて著明な骨髄浮腫像がみられました．比較的重症の Osgood-Schlatter 病と診断し，運動休止を指示しました．

主な疾患について知っておくべき知識

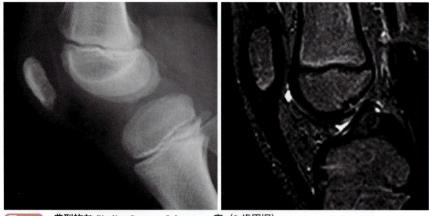

図 3-35 典型的な Sinding Larsen-Johansson 病（9 歳男児）

8 ヵ月前から右膝痛を訴え初診．膝蓋骨下端に著明な圧痛を認めました．バスケットボールを3 年間やっていました．X 線検査では膝蓋骨下端に骨片が剥離しかかったような変化（実際は早期骨化像）を認めました．MRI では膝蓋骨下端にわずかな骨髄浮腫像を認めます．痛みに応じた運動制限を行い 2 ヵ月後には痛みは消失しました．

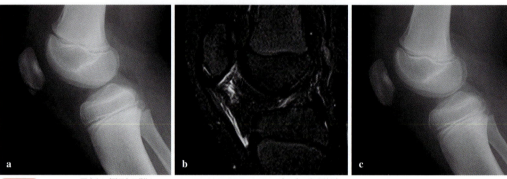

図 3-36 Sleeve 骨折と鑑別困難な Sinding Larsen-Johansson 病（9 歳男児）

陸上ハードルの着地時に右膝痛を発症しました．X 線所見は Sleeve 骨折か Sinding Larsen-Johansson 病か，意見の分かれる所見と思われます．MRI 所見では，Sleeve 骨折にしては骨折部周囲の骨髄変化に乏しく，Sinding Larsen-Johansson 病の所見と筆者は考えています．発症後 2 週間は痛みが強かったためニーブレースで固定し，その後痛みがとれるまで運動を休止したところ，発症後 3 ヵ月で画像所見も正常化しました．
a．初診時 X 線：骨片が剥離したような所見を認めましたが，境界部に骨硬化を認め，陳旧性の病変と考えました．
b．初診時 MRI（STIR 像）：膝蓋骨本体と骨片の間に線状の高輝度領域を認めました．
c．3 ヵ月後：骨片は膝蓋骨本体と癒合しました．

Sinding Larsen-Johansson 病（図 3-35, 36）

- 小児期特有の膝蓋骨下端の腱付着部炎（成人ではジャンパー膝）で，単純 X 線検査で膝蓋骨下端に骨片が剥離しかかったような変化を認めます．運動制限を行うと痛みは改善し，多くの場合 X 線所見も改善します．

患者家族への説明　成長期特有の膝の痛みです．膝のお皿の下端のところが腱に引っ張られて炎症を起こしています．痛みを伴う運動を休んでいれば自然に治ってきます．

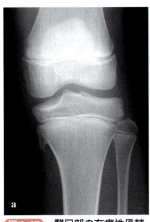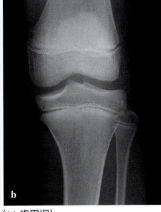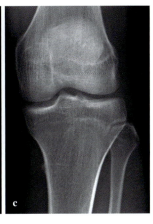

図 3-37 鵞足部の有痛性骨棘（11 歳男児）

半年前から続く左膝痛で紹介されました．X 線検査上，鵞足部に骨棘を認め，ここに限局した強い圧痛を認めました．サッカーのクラブチームに所属しており，早期復帰のため手術治療を希望されたので手術治療を行いました．術中所見では，骨棘は鵞足の下にあり屈伸時に骨棘が鵞足の下面をこするような状態でした．伏在神経の膝蓋下枝は腫瘍の上縁にありました．骨棘を切除し，病理検査へ提出したところ，軟骨帽を伴わない骨棘の診断でした．術後速やかに痛みは消退し，スポーツ活動に復帰しました．
a. 術前：鵞足部に尾側を向く骨棘を認めました．
b. 術直後：骨棘は完全に切除されています．
c. 術後 5 年（17 歳）：骨棘のわずかな再発がみられましたが，痛みはなく経過良好です．

◉ 鵞足部の有痛性骨棘（図 3-37）

- 小児の脛骨近位内側にみられる有痛性の骨棘は，保存療法に抵抗性で手術治療が必要となる頻度の高い疾患です．多発性の場合は，軟骨帽を伴う外骨腫であることが多いのですが，単発性の場合は，ほとんどの場合，軟骨帽を伴わない単なる骨棘です．
- 骨棘といえば靱帯や筋・腱による牽引で生じる traction spur と呼ばれるものが普通ですが，この部位の骨棘に限って言えば，靱帯や筋・腱の付着はなく，成因は不明です．手術時の局所所見から推察すると，膝の屈伸時に骨棘と鵞足または伏在神経膝蓋下枝が接触して痛みを出しているように見えます（ほとんどは鵞足）．

患者家族への説明 放っておいても大変なことにはなりませんが，手術で骨棘を取り除いてあげると痛みから解放されます．痛みが続く場合は，手術の相談をしましょう．

◉ 膝周囲の線維性骨皮質欠損症 FCD（非骨化性線維腫 NOF）（図 3-38）

- 大腿骨遠位骨幹端や脛骨近位骨幹端には辺縁硬化像を伴う皮質骨の陰影欠損像がしばしばみられます．そのほとんどは線維性骨皮質欠損症（非骨化性線維腫と同じ病態）で，通常は治療の必要ないものです．
- ただし，稀に治療を要する骨腫瘍や骨髄炎の場合があるので，慎重に診断します．病変部に痛みがあれば，念のため CT や MRI などの検査を行います．特に発熱を伴う場合は早急に精査を進めます．また病変部の周囲を触診可能であれば超音波検査も行い，骨外腫瘤が疑われたら CT や MRI などの検査を行います．小児の膝，特に 10 歳前後は悪性腫瘍に注意

主な疾患について知っておくべき知識

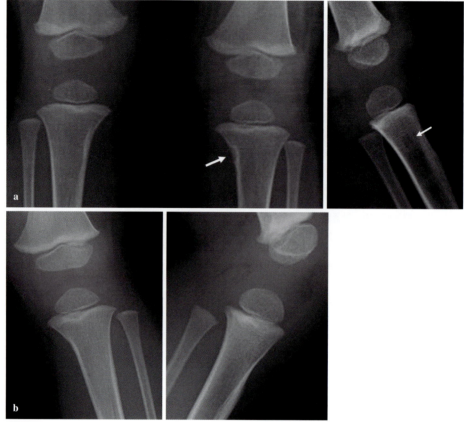

図 3-38　脛骨近位部の線維性骨皮質欠損症（1 歳 11 ヵ月男児）
左かかと歩行を主訴に近医受診し，X 線検査で左脛骨の腫瘍を指摘されて紹介されました．脛骨近位骨幹端内側の骨皮質内に透亮像を認めました．局所に痛みを認めず，触診上骨外に明らかな腫瘤を触れなかったため，線維性骨皮質欠損症の仮診断で経過観察としました．8 ヵ月後に再検し病変部の明らかな縮小を認め，線維性骨皮質欠損症であることが確認されました．
a. 1 歳 11 ヵ月：左脛骨近位骨幹端内側の骨皮質内に透亮像を認めました（矢印）．
b. 2 歳 7 ヵ月：X 線所見は正常化しました．自然治癒と思われます．

が必要なので，不安があれば腫瘍専門医または小児整形外科医へ紹介したほうがいいと思います．

● 線維性骨皮質欠損症の場合でも増大傾向がないか確認が必要です．徐々に大きくなる場合は，病的骨折をきたす可能性があります（筆者は 2 例経験しています）．また多発する場合は，Jaffe-Campanacci 症候群の可能性がありますので，専門医への紹介が必要です．

患者家族への説明　よくある小児特有の骨の異常で，自然に治ることが多いのですが，きわめて稀に大きくなることがあり，そうなると骨折の危険性があるので，数ヵ月後に再度 X 線検査を行い大きくなる傾向がないか確認しておいたほうが安心です．

コラム　成長期の骨に対する体外衝撃波治療　－諸刃の剣－

　筆者は1994年より運動器に対する体外衝撃波療法の基礎研究を始め，千葉大学整形外科衝撃波研究グループを立ち上げ，1997年より東京女子医科大学と共同での臨床試験，1999年からはミュンヘン大学と共同での基礎研究を進めてきました．

　2008年にようやく薬事法認可を得て，2012年には足底腱膜炎に対する保険診療認可を得ました．現在，多くの整形外科医にとってこの治療法は安全で効果の高い治療法と認識されていますが，私の認識は違います．成長期の動物に対するさまざまな基礎実験を行ってきましたが，この治療法はまさに「諸刃の剣」であり，際立った治療効果がある一方で，骨端線早期閉鎖（図1），脊髄損傷（図2），腱断裂，血気胸，腸管出血などの重大な合併症が起こり得るのです．最近，Osgood-Schlatter病など，骨端線閉鎖が起きてはならない部位への体外衝撃波治療が安易に行われていますが，この治療法のリスクを十分に理解しないでこの治療を行うのは危険です．体外衝撃波のタイプ，出力，周波数などについて十分考慮し，安全な照射条件で適用して欲しいと願っています．

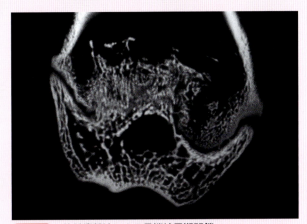

図1　体外衝撃波による骨端線早期閉鎖
成長期のウサギの大腿骨遠位部に体外衝撃波を照射した8週後，照射側の下肢の明らかな短縮がみられました．大腿骨遠位部の軟X線撮影を行うと骨端線に骨性架橋が生じていました．

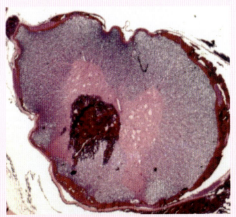

図2　体外衝撃波による脊髄出血
成長期のウサギの脊椎に体外衝撃波を照射したところ直後から対麻痺となりました．病理検査では脊髄の髄内出血が確認されました．

第4章 下肢の診かた

　下肢の愁訴で多いのはO脚とうちわ歩行ですが，その多くは病的なものではありません．しかしすぐに治るものでもありませんので，家族が安心して子育てを続けられるように説明することが大切です．

愁訴からの診断

1 幼児のO脚

思い浮かべるべき疾患

生理的O脚，Blount病，くる病，局所性線維軟骨異形成症（focal fibrocartilaginous dysplasia），骨系統疾患

　幼児のO脚は最も頻度の高い愁訴のひとつです．初診時に大切なことは，早期治療が重要なくる病を見逃さないことです．そのためには単純X線検査が必要です（→コラム：幼児期のO脚の診断に単純X線検査は必要か？ p.83）．O脚は単純X線検査とその経過で確定診断することが可能です．

診断へのプロセス

STEP 1　単純X線検査を行う

● 立位で両下肢全長の正面像を撮影します．くる病，局所性線維軟骨異形成症，骨系統疾患は，初診時の単純X線検査で診断できます．これらの疾患が除外できれば，生理的O脚（自然に良くなるO脚）（図4-1）か，Blount病と考えて経過観察を行います．

愁訴からの診断

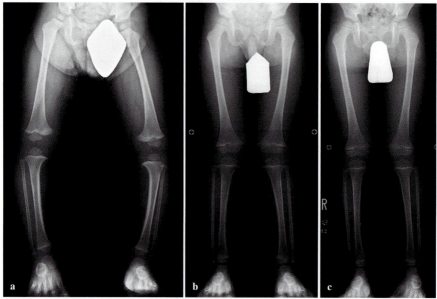

図 4-1 自家矯正した生理的 O 脚（男児）

O 脚を主訴に 1 歳 9 ヵ月で初診し自然経過をみたところ，4 歳時には X 脚となり 5 歳時に正常化しました．O 脚→X 脚→正常というのは，健常児に一般的にみられるひとつのパターンです．
a. 1 歳 9 ヵ月，b. 4 歳，c. 5 歳

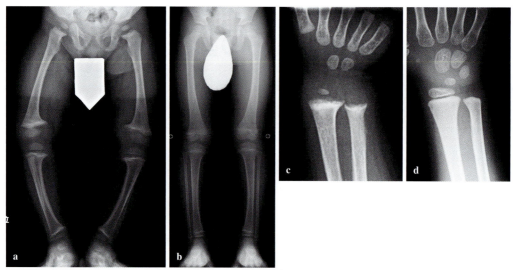

図 4-2 典型的なビタミン D 欠乏性くる病（1 歳 8 ヵ月男児）

O 脚を主訴に来院．単純 X 線検査上，大腿骨遠位骨幹端と脛骨近位骨幹端・遠位骨幹端に cupping，flaring を認めました（a）．手関節の単純 X 線検査を行うと，橈尺骨遠位骨幹端にも cupping，flaring を認めました（c）．血液検査を行い，血清カルシウム 8.7 mg/dL（低値），リン 3.5 mg/dL（正常下限），アルカリフォスファターゼ 2,613 IU/L（異常高値），25-OH ビタミン D 8 pg/mL（異常低値），インタクト PTH 449 pg/mL（異常高値）と典型的なくる病の所見を認めました．兄に乳製品の食物アレルギーがあり，このため患児も乳製品を摂取していないとのことでした．食事指導を行い，ビタミン D 製剤を 4 歳まで投与したところ，5 歳時には O 脚の自家矯正が確認されました（b）．手関節の X 線所見も正常化していました（d）．

- くる病に特徴的な X 線所見は，骨幹端部の cupping（杯状変形），fraying（毛羽立ち），flaring（広がり）などの言葉で表現されますが，簡単に言うと骨化不全のために骨端線が広くなっているということです（図 4-2）．軽症例の下肢では脛骨遠位部だけに異常所見がみられる場合もあります．

1 幼児のO脚

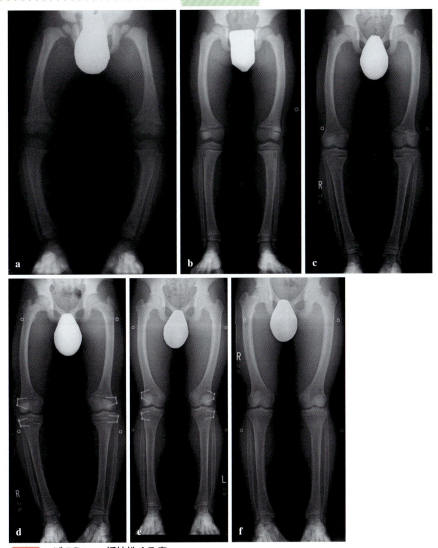

図4-3　ビタミンD抵抗性くる病
幼児期にビタミンD抵抗性くる病の診断を受け，内分泌科にて薬物治療を受けていた患者です．腎臓の石灰化を合併したため薬物治療に制限が加わり，10歳以降でO脚変形の悪化がみられました．14歳時に両大腿骨遠位骨端線と両脛骨近位骨端線の外側に8プレートによる成長抑制術を行いました．2年7ヵ月で十分な矯正が得られたため，プレートを抜去しました．成長終了時，下肢機能軸は概ね正常であることが確認されました．
a. 2歳7ヵ月，b. 10歳2ヵ月，c. 術前（14歳5ヵ月），
d. 術直後，e. 術後2年7ヵ月（17歳2ヵ月）抜去直前，f. 18歳2ヵ月

くる病は早期治療（食事指導と薬物治療）を行えば自家矯正しますが，診断が遅れると手術が必要になるので初診時での見逃しが許されない疾患です．

- 下肢のX線像でくる病が疑われたら，手関節のX線像を撮影します．橈骨遠位部では，くる病でみられる骨幹端部の骨化遅延がより顕著にみられます（図4-2 および図12-6）．
- くる病には，遺伝子変異によるビタミンD抵抗性くる病という疾患があります（第12章 p.332）．薬物治療により一定の効果がみられますが，生涯にわたり継続的な治療が必要です．整形外科では必要に応じて8プレートによる治療を行います（図4-3）．
- さまざまな骨系統疾患がみつかることがありますが，単純X線検査で健常な骨とは明らかに異なる

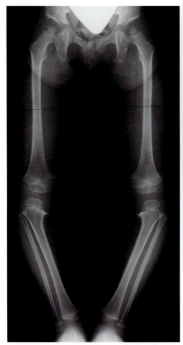
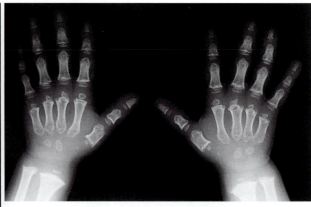

図 4-4 骨系統疾患による O 脚（3 歳女児）

O 脚を主訴に初診．下肢の X 線所見は一見 Blount 病に似ていましたが，典型的ではなかったため手の単純 X 線検査を行ったところ，骨幹端部に明らかな異常がみられ何らかの骨系統疾患であることがわかりました．遺伝科に紹介し偽性軟骨無形成症の診断となりました．5 歳まで自然経過をみましたが，自家矯正がみられなかったため，両下腿骨近位部の矯正骨切り術を行いました．何か変だと思ったときには両手の単純 X 線検査が参考になります．

所見がみられるので，その時点で専門医へ紹介すれば良いと考えます（図 4-4）．

- 局所性線維軟骨異形成症では，骨幹部と骨幹端部の境界付近の内側骨皮質に特徴的な透亮像がみられるので，診断は容易です（図 4-5）．
- 上記疾患の除外診断によって，生理的 O 脚（図 4-1）か Blount 病（図 4-6）と考えられた場合は，その後の経過によって最終診断に至ります．生理的 O 脚の自家矯正には 2 つのパターンがあります．ひとつは徐々に内反が改善し 5 歳くらいまでに正常化するパターンで，これが最も多いと考えています．もうひとつは内反が改善した後に逆に外反膝となり X 脚の状態となってから，今度は外反が徐々に改善して正常化するパターンです．5 歳というのが大切な区切りで，これ以降の自家矯正はわずかしかみられません．5 歳時に内反膝変形が残っているケースでは Blount 病と診断して，変形の程度により手術治療を検討します（→私の流儀：生理的 O 脚と Blount 病の定義付け）．5 歳時に高度な変形が残っている場合は，それ以上放置すると，脛骨近位骨端線の内側部に骨性架橋が生じて進行性病変となり，多数回手術を要する状態になることがあります．

STEP 1 STEP 2 食生活について問診を行う

- くる病にはグレーゾーンが存在します．単純 X 線検査で見逃してしまう可能性もあるので，必ず食生活に問題がないかどうか問診しておくことが大切です．特に食物アレルギーのため，乳製品などが摂取できない状況にないかどうか，必ず確認します（第 12 章 p.307）．

1　幼児のO脚

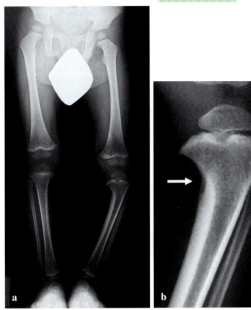
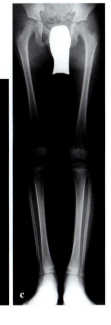

図 4-5　局所性線維軟骨異形成症による内反膝（男児）
自然経過により自家矯正がみられました．
a．1歳11ヵ月
b．病変部を拡大したところ：矢印の部位にみられる透亮像がこの疾患に特徴的です．
c．7歳

コラム　幼児期のO脚の診断に単純X線検査は必要か？

O脚のほとんどは自然に良くなるので安易に単純X線検査を行うべきではないという意見があります．しかし筆者の経験では，O脚を主訴に来院する患児の約5％にくる病がみつかります．最近の傾向としてはその多くがビタミンD欠乏性くる病で，食生活に問題があることや日光浴の不足が原因です．子育てに十分な労力を注いでいない家庭の増加が背景にあるのではないかと感じています．

私の流儀　生理的O脚（自家矯正するO脚）とBlount病の定義付け

Blount病には明確な定義がありません．初診時の角度計測（骨幹端骨端角：MDA）やLangenskiöld分類（脛骨近位骨端線内側部の形態評価）で生理的O脚とBlount病を区別する考え方もありますが，このような定義付けで診断しても，その後自然治癒に至ることが多く，治療が必要かどうかという話には結びつきません．筆者は，自然に治るO脚は「生理的O脚」と呼称すべきと考えています．この考えに従い，5歳までに自家矯正したO脚を生理的O脚と呼び，これ以外は病的なO脚，すなわち「Blount病」と診断しています．Blount病の原因は明らかでなく，さまざまな原因でO脚が遺残してしまう疾患の総称と考えて良いのではないかと思います．欧米では高度な肥満が原因で自家矯正が妨げられたケースが多いようですが，わが国ではそのようなケースは少ないようです．しかし，肥満はO脚が自家矯正しないリスクファクターであることは間違いないので，初診時にはその点についてもよく説明し，必要であれば食事指導を行っています．

愁訴からの診断

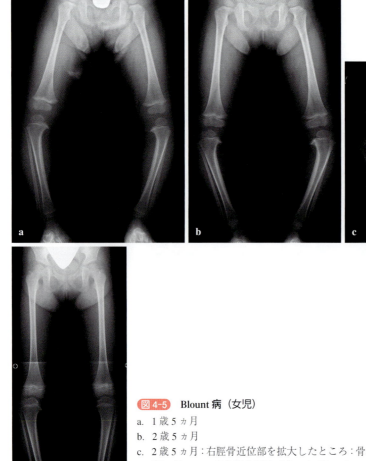

図 4-5　Blount 病（女児）
a. 1 歳 5 ヵ月
b. 2 歳 5 ヵ月
c. 2 歳 5 ヵ月：右脛骨近位部を拡大したところ：骨幹端部にみられる階段状の変化（矢印）が Blount 病を疑う所見です．ただし，このような変化がみられても十分な自家矯正がみられることが少なくありません．
d. 5 歳：まだ O 脚変形が残っています．これ以上の自家矯正は期待できないため手術治療を行いました．

STEP 3　くる病が疑われたら血液検査を行う

● 一般的な血算・生化学検査に加え，血清中の 25-ヒドロキシビタミン D（25-OH ビタミン D），Ca，P，インタクト PTH の測定を行います．いずれかに明らかな異常がみられたら，小児科に紹介します．25-OH ビタミン D の測定は最近ようやく健保適応となりました．この正常値にはさまざまな意見がありますが，20 ng/mL 未満であれば骨代謝に異常をきたす状態と考えています（第 12 章 p.308）．

2 学童期以降の O 脚（内反膝）

思い浮かべる
べき疾患

青年型 Blount 病，プロテイン C・S 欠乏症，骨髄炎後遺症，骨端線損傷後遺症，くる病，骨系統疾患

学童期以降で新たにみられる内反膝の多くは進行性で，原因を明らかにしないまま矯正骨切り術を行うと変形の再発がみられることが少なくありません．特に骨端線における骨性架橋がないかどうか，明らかにしておくことが大切です．

診断へのプロセス

STEP 1　よく話を聞く〔いつから O 脚になったのか，骨折や骨髄炎の既往がないか〕

- 幼児期からの O 脚か，学童期以降で発症した O 脚かを確かめることが診断と予後予測に必要です．
- 幼児期に撮影された両下肢の形態がわかるスナップ写真を持参してもらうことが重要です．経験的には，ほとんどのケースでこのような写真を持ってきてもらうことができます（図 4-7）．
- O 脚を主訴としていても，よく見ると片側の内反膝の場合があります．このようなケースでは，骨折や骨髄炎の既往がないか，よく話を聞く必要があります．骨折と診断を受けていない外傷歴や，骨髄炎と診断を受けていない不明熱と下肢痛の既往が原因となっていることがあります．
- 下肢の骨折や骨髄炎の既往歴がなく両側性に内反膝がみられる場合，学童期以前からの O 脚であれば，前項「1 幼児の O 脚」と同様に考えます．学童期以降に進行性の O 脚がみられた場合は，青年型 Blount 病を考えます（図 4-7）．

STEP 1→STEP 2　膝の MRI 検査や 3D-CT 検査を行う

- 大腿骨遠位成長軟骨板・脛骨近位成長軟骨板に，炎症所見や骨性架橋がないかを確認します．プロテイン C・S 欠乏症による内反膝では，骨端線に生じた血栓や塞栓が原因と推察される骨性架橋がみられます（→私の流儀：成長軟骨板の骨性架橋とその治療 p.113，図 3-25）．骨髄炎や骨端線損傷の後遺症でも骨端線に骨性架橋がみられます．
- Blount 病の無治療例では，脛骨近位骨端線内側縁に骨性架橋がみられます．

STEP 1→STEP 2→STEP 3　血液検査を行う

- 栄養障害，プロテイン C・S 欠乏症などについて血液検査を行います．一般的な血算・生化学検査に加え，血清中の 25-OH ビタミン D，Ca，P，インタクト PTH，プロテイン C 活性，プロテイン S 活性を測定します．プロテイン C・S 活性は，一般的な正常値を参考にするのではなく，70% 以下であれば整形外科的に問題ありと判定します．

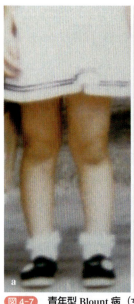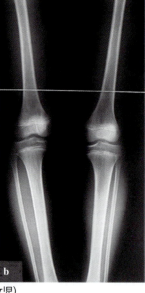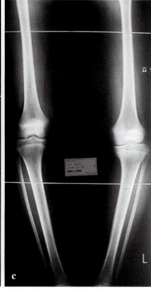

図 4-7 青年型 Blount 病（女児）
a. 4 歳時のスナップ写真：X 脚の傾向がみられていました．
b. 10 歳時 X 線像：わずかに O 脚の傾向がみられます．
c. 13 歳時 X 線像：O 脚は急速に進行しています．

3 X 脚（外反膝）

思い浮かべるべき疾患

生理的 X 脚，骨系統疾患，プロテイン C・S 欠乏症，骨髄炎後遺症，骨端線損傷後遺症

 X 脚のほとんどは生理的なものですが，稀に骨系統疾患の場合がありますので，一度は単純 X 線検査を行っておくと安心です．片側だけにみられる外反膝で進行性の場合は，骨端線に障害があるはずなので精査が必要です．

診断へのプロセス

 STEP 1　年齢と経過と程度から考える

- 3〜4 歳でみられる X 脚の多くは，生理的なものです．必ず自家矯正されるわけではありませんが，不利益をもたらすことはきわめて稀で，治療を要することはほとんどありません（→意外に知られていないこと：生理的 O 脚が自家矯正する過程で一時的に X 脚となる時期がある）．
- 学童期以降で新たにみられるようになった X 脚には病的なものが少なくありません．治療すべき疾患がないか調べる必要があります．
- 極端な X 脚がみられる場合は，骨系統疾患を第一に考えます（図 4-8）．

3 X脚（外反膝）

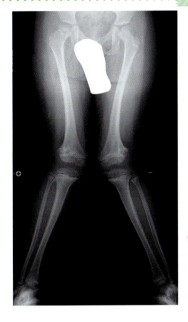

図 4-8 骨系統疾患によるX脚（5歳男児）
進行性のX脚を主訴に初診．単純X線検査上，骨端線周囲に明らかな形態異常がみられます．脊椎骨端骨幹端異形成症の診断で，矯正骨切り術や骨端線片側成長抑制術を行って治療しました．

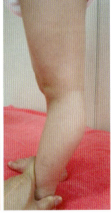

図 4-9 反張膝の幼児がつま先を外へ向けて立つためにX脚が目立ってしまうパターン（3歳男児）

意外に知られていないこと：生理的O脚が自家矯正する過程で一時的にX脚となる時期がある

幼児期の正常な発達では，始歩の時期より2歳くらいまでO脚傾向にありますが，3～4歳でX脚に変化し，5歳以降成人の正常な形態に近づいていきます（図 4-1）．3～4歳でみられるX脚の多くは，生理的なものです

STEP 1 STEP 2 反張膝がないか

- 幼児期にしばしばみられる生理的反張膝（図 3-2）のこどもが，つま先を外へ向けて立位をとると，外反膝が軽度でも見かけ上X脚が非常に目立つ場合があります（図 4-9）．このようなX脚の多くは，大腿部の筋肉の発達に伴い自然に目立たなくなりますので，治療を要することはほとんどありません．

STEP 3 左右差をみる

- X脚の多くは両側ほぼ対称に外反膝がみられますが，片側の外反膝の場合もあります．このようなケースでは，プロテインC・S欠乏症，骨髄炎後遺症，骨端線損傷後遺症などを考えます．

STEP 4 単純X線検査を行う

- 生理的X脚では，外反膝以外の異常所見がみられません．一方，骨系統疾患では骨端線周囲に異常がみられることが多く（図4-8），下肢に異常が見当たらない場合でも上肢に異常がみられたり，低身長がみられたり，他科疾患を数多く合併することがあります．診断の遅れが患児に不利益をもたらす可能性は少ないのですが，初診時X線像において正常と異なる印象を受けた場合，すみやかに小児整形外科専門医または遺伝科専門医に紹介することが望ましいと考えます．
- プロテインC・S欠乏症，骨髄炎後遺症，骨端線損傷後遺症などが原因の場合は，骨端線に骨性架橋がみられます．単純X線検査ではっきりしないときはCT検査を行うと骨性架橋の有無が明らかになります（図4-35）．

4 うちわ歩行（内旋歩行，内股歩行）

思い浮かべるべき疾患

過前捻症候群，下腿内捻，先天性内反足後遺症，先天性内転足

小児整形外科を受診する患児の主訴として最も多いのがうちわ歩行です．内反足という病名で紹介されることが多いのですが，これは内反足ではありません．

足先が内側を向く歩き方（図4-10）を「うちわ歩行」といいます．内股歩行や内旋歩行も同義語です．英語では「in-toeing gait」といいます．このような主訴で受診された患児に対しては，まず"どこで捻じれているのか？"を見極める必要があります．

図4-10 うちわ歩行の外観（過前捻症候群）

診断へのプロセス

STEP 1　どこで捻じれているのか，診察で見極める

- どこで捻じれているのかを調べるには，CT 検査が一番有用ではないかと考える方が多いと思います．しかし，実際に CT 検査を行ってみると，その評価は困難を極めます．CT では関節の運動方向や回旋可動域がわからないからです．また，うちわ歩行の大部分は両側性のため，左右の比較を行っても診断には役立ちません．一方，丁寧な診察を行うと，どこで捻じれているのか簡単に知ることができます．以下の 2 つの点について評価します．

1) 膝より下の回旋

　患児をうつぶせにして膝を 90°屈曲し，足関節を中間位（背屈も底屈もしない位置）にすると，大腿のラインに対して足部がどの程度内側を向いているかが容易にわかります（図 4-11）．このときの大腿のラインと足部のラインのなす角度を thigh-foot angle といいます．thigh-foot angle が 0°ならおおむね正常と考え，内側へ向いているときは下腿の内捻があると考えます．ただし，足底の形状を見たときに，バナナ型に内側に弯曲（図 4-12）していれば（このような変形を足部の内転変形といいます），足関節より下の部分で内側に向いていることになります．このような足の変形を「内転足」と呼び，その多くは先天性であるため先天性内転足と診断されます．内転足は先天性内反足の一症状としてもみられますが，先天性内反足は通常新生児期にすでに診断を受けているので，鑑別疾患として考える必要はありません．

2) 膝より上の回旋

　次にそのままうつ伏せの姿勢で，股関節を最大内旋位・外旋位にして可動域を測定します．内旋と外旋の角度がだいたい同じくらいなら正常と考えます（図 4-13）．外旋角と比べて内旋角が大きければ大腿骨の内捻があると考えます．

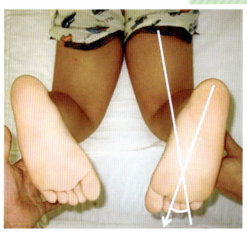

図 4-11　thigh-foot angle の測定

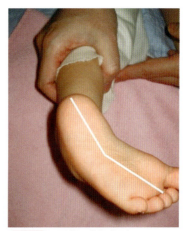

図 4-12　足部の内転変形

愁訴からの診断

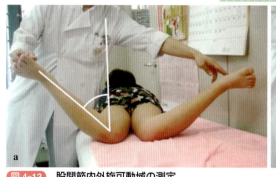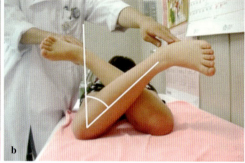

図 4-13　股関節内外旋可動域の測定
a. 内旋，b. 外旋

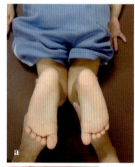

図 4-14　過前捻症候群（3 歳女児）
左先天性股関節脱臼で乳児期に装具治療を行い経過観察中の女児でしたが，3 歳時にうちわ歩行が目立つと両親が心配していました．thigh-foot angle は正常でしたが（a），股関節の内旋可動域が大きく（b），外旋可動域の制限がみられたため（c），過前捻症候群と診断しました．過前捻症候群では大腿骨頭が前方を向くため，股関節の求心性に影響を与える場合もあると考えられています．

STEP 1 → STEP 2　捻じれている部位から診断を考える

● 下肢がどこで内旋しているのかがわかるとおおむね診断がつきます．以下頻度の高いものから順に解説します．

1）thigh-foot angle が正常で，足部の内転変形がなく，股関節の内旋可動域が大きい場合
　→　大腿内捻（過前捻症候群 など）（図 4-14）

2）thigh-foot angle が内向きで，足部の内転変形がなく，股関節の可動域に問題がない場合
　→　下腿内捻（図 4-11）

3）thigh-foot angle が内向きで，足部の内転変形もあり，股関節の可動域に問題がない場合
　→　足部内転（先天性内転足，先天性内反足後遺症）（図 4-12）

5 そとわ歩行（外旋歩行, 外股歩行）

思い浮かべるべき疾患

外反扁平足, 下腿外捻, 大腿骨頭すべり症

　うちわ歩行の逆で, つま先が外側を向く歩き方を「そとわ歩行」といいます. 外股歩行（そとまたほこう）や外旋歩行も同義語です. 英語では「out-toeing gait」といいます. 急性経過で片側のそとわ歩行がみられる場合は, 数多くの原因疾患が考えられますが, ここでは先天性のものと後天性で慢性経過をとるものについて解説します.

診断へのプロセス

STEP 1　どこで外へ回旋しているのか見極める

- うちわ歩行と同じ診察手技を用いれば, 下腿外捻や大腿後捻がわかります. しかし, そとわ歩行の診断にあたっては, それだけでは十分とは言えません. 例えば, そとわ歩行の原因として頻度の高い外反扁平足は荷重させてみないと診断がつきません.

STEP 1 > STEP 2　裸足で歩かせてみる

- 外反扁平足（図2-7）の所見があれば, それがそとわ歩行の一因と考えます（→ポイント：幼児期のそとわ歩行の原因の大部分は外反扁平足）. その場合, 生理的な外反扁平足か, 下腿三頭筋の拘縮や痙縮による外反扁平足か鑑別が必要となります（→意外に知られていないこと：下腿三頭筋の拘縮があると外反扁平足になることがある p.18）.
- 歩行時に膝がどちらを向いているかも診断の参考になります. 膝が内側を向き, つま先が外を向いているとき（和製英語ですが knee-in, toe-out という言葉で表現されます）には, それだけ膝より遠位での外旋が強いことになります. 逆に膝が外を向いているときには, 膝より近位で外旋していることになり, 股関節疾患を疑います.

STEP 1 > STEP 2 > STEP 3　Drehmann 徴候をみる

- 学童期以降に生じた後天性のそとわ歩行では股関節疾患の可能性を考える必要があります. 股関節の回旋可動域のチェックに加えて, Drehmann 徴候（図5-52）の有無をみることも参考になります. Drehmann 徴候が陽性であれば大腿骨頭すべり症の可能性を考えます（→注意！：見逃してはいけない思春期のそとわ歩行）.

POINT! 幼児期のそとわ歩行の原因の大部分は外反扁平足

幼児期のそとわ歩行の原因として圧倒的に多いのが，外反扁平足（第2章 p.16）です．この場合，足関節より下の部分が外を向きます．扁平足を主訴に来院すればすぐにわかるのですが，「がに股で歩く」というような表現で異常を訴える保護者も少なくありません（筆者の経験ではがに股のイメージは人によって異なるようです）．このようなケースではとにかく診察室の中で裸足で何往復も歩かせてみることが診断への近道です．

⚠ 注意 見逃してはいけない思春期のそとわ歩行

注意が必要なそとわ歩行は，学童後期以降（おおむね10〜14歳）にみられるものです．大腿骨頭すべり症（第5章 p.162）では，股関節で下肢が外旋するため，大腿より下の部分全体が外を向きます．「歩くときに膝が外を向く」という訴えで来院する患児もいます．単なる肥満でもこれと似たような生理的変形（病的ではない変形）が成長に伴って徐々に起こり，そとわ歩行を呈することがあります．

❻ 脚長不等

思い浮かべるべき疾患

先天性股関節脱臼，片側肥大症（Klippel-Trenaunay-Weber症候群，Proteus症候群，Silver-Russell症候群など），片側萎縮症，麻痺性疾患（脊髄空洞症など），下肢形成不全（骨系統疾患を含む），骨腫瘍（Ollier病，多発性外骨腫，線維性骨異形成症など），骨端線早期閉鎖（骨髄炎，骨折，先天性股関節脱臼，Perthes病，大腿骨頭すべり症，プロテインC・S欠乏症などの後遺症）

脚長不等は，しばしば新生児期や乳児期に行われる健診で指摘され，整形外科へ紹介されます．その大部分は先天性股関節脱臼の可能性を心配されてのことです．極端な脚長差がある場合は，先天性疾患が原因です．幼児期以降で気づいて受診されるケースでは歩容異常が主訴で，成長障害や先天性疾患が原因です．

診断へのプロセス

STEP 1 肉眼的異常がないか確認する

● 下肢の長さ以外の異常がないか，ひととおり診察します．具体的には，①足趾の異常がないか（形成不全，欠損，多趾など），②足部変形がないか（可動域もみます），③膝関節の可動域制限や膝蓋骨脱臼がないか，④股関節の内外転制限はないか，⑤皮膚の異常がないか（カフェオレ斑

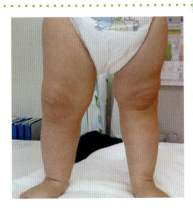

図 4-15　右片側肥大症（1 歳 7 ヵ月女児）

右下肢に明らかな肥大がみられ受診．右下肢が 9 mm 長く，大腿周径を測ると右が 1.5 cm 太い状態で，下腿周径には左右差がありませんでした．両下肢の MRI を撮影しましたが，血管腫はありませんでした．およそ 2 年おきに経過観察を行い，15 歳まで経過観察しましたが脚長差は 18 mm に留まり，手術治療を要していません．

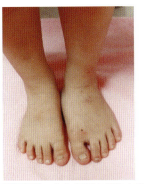

図 4-16　左片側肥大症による非対称な足部（3 歳男児）

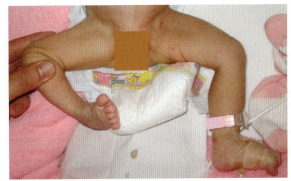

図 4-17　右先天性内反足を伴う右片側萎縮症（生後 1 ヵ月女児）

や血管腫による色調変化がないか全身を観察します），⑥太さに違いはないか（周径を測定します）について診察します．

- 明らかに片方の下肢が肥大していたら，片側肥大症と診断します（図 4-15, 16）．
- ①～③の異常がみられたら，異常がみられる側の片側萎縮症（図 4-17），麻痺性疾患（脊髄空洞症など），下肢形成不全が疑われます．片側萎縮症という疾患名の定義は筆者の知る限りあいまいで"全身のプロポーションからみてその下肢のサイズが小さく，関節拘縮，筋拘縮，皮膚拘縮，形成不全などを伴うことの多い病態"というイメージでとらえれば良いと考えます（→ポイント：片側肥大と片側萎縮，どうやって区別するのか？）．広義には麻痺性疾患や骨系統疾患を含めた疾患名と筆者は認識しています．
- 血管腫（第 12 章 p.317）がみられる場合は，血管腫による血流増加によって過成長が生じたり，逆に血流障害による成長抑制が生じて，脚長不等がもたらされた可能性を考えます．具体的な診断としては Klippel-Trenaunay-Weber 症候群を第一に考えます．血管腫が広範囲にみられるときは，Kasabach-Merritt 症候群（血管腫に合併して起こる血小板減少，貧血，凝固異常）を合併している可能性があるので，すぐに小児科専門医へ紹介する必要があります．
- カフェオレ斑がみられる場合は，神経線維腫症（第 12 章 p.341），Silver-Russell 症候群，McCune-Albright 症候群（第 12 章 p.326）の可能性を考えます．いずれも脚長不等をもたらす頻度の高い疾患です．

> **POINT!** 片側肥大と片側萎縮，どうやって区別するのか？
>
> 　一見両下肢とも異常はないがサイズが違う場合，大きいほうを異常とみなせば診断は片側肥大症になり，小さいほうを異常とみなせば片側萎縮症になります．全身のプロポーションからみて，片方が明らかに大きいか小さい場合は診断に迷うことはありませんが，実際にはそうでない場合がほとんどです．このようなケースでは，関節拘縮，筋拘縮，皮膚拘縮，局所の形成不全などがないか丁寧に診察し，短いほうに少しでもそのような所見がみられれば片側萎縮症と診断します．何も異常が見当たらない場合は，脚長不等としか診断できません．骨折後に過成長が起こって脚長差が生じたケースでは両下肢ともまったく異常がみられませんが，骨折の既往がなくとも，気づかぬうちに治癒した外傷や感染が過去にあれば，それと同じような状況が起こり得ると考えています．ただし成長に伴って異常が明らかになるケースもあるので，注意して経過観察を行います．

- 太さをみることは直接診断には結びつきませんが，病的な脚長不等なのかの見極めが難しいときに，経過観察すべきかどうかを判断する指標として有用です．太さに違いがあれば経過観察が必要です．
- <u>股関節に内転拘縮があると見かけ上脚長は短くなります．逆に外転拘縮があると見かけ上脚長は長くなります</u>（図5-22）．

STEP 2　股関節脱臼がないか確認する

- 新生児期・乳児期の健診で指摘されて来院されたケースでは，先天性股関節脱臼の除外診断が求められています．可能であれば，まず股関節の超音波検査を行います．超音波検査ができない状況では両下肢全長を含めた単純X線検査を行います．

STEP 3　単純X線検査を行う

- 両下肢全長を撮影します（立位可能なら立位で撮影）．これによって<u>骨腫瘍</u>，<u>下肢形成不全</u>，<u>骨端線早期閉鎖</u>はおおむね診断がつきます．
- 下肢形成不全の代表的なものとして，大腿骨近位形成不全症（proximal focal femoral deficiency：PFFD）（図4-18），先天性脛骨欠損症（congenital tibial deficiency），先天性腓骨列欠損症（fibular hemimelia）などが挙げられます．これらはいずれも多数回手術を要するため，小児整形外科専門医にとっては馴染みの深い疾患です．

STEP 4　神経学的評価を行う

- 麻痺性疾患による片側萎縮は小児整形外科専門医であっても診断が困難です．しかし，これをできるだけ見逃さないようにする努力が必要です．例えば<u>腹壁反射に左右差がみられる場合は，脊髄空洞症</u>を疑って脊髄のMRI検査を行う必要があります．

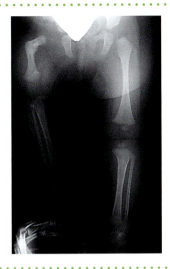

図 4-18　**右大腿骨近位形成不全症**（生後 3 ヵ月女児）
脚長補正のため大腿骨延長術の適応となりますが，延長術に伴う合併症の発生率が非常に高く，多数回手術を要します．本症例では右股関節脱臼も合併しています．

7 下肢の痛み，疼痛性跛行

思い浮かべるべき疾患

成長痛，よちよち歩き骨折（Toddler's fracture），関節炎，骨髄炎，壊血病（ビタミンC欠乏症），腫瘍性疾患（白血病，悪性リンパ腫など），身体症状症（身体表現性障害），詐病

こどもは，下肢に荷重をかけると痛いときには，痛みが出ないようにして歩きます．これが疼痛性跛行（antalgic gait）です．患肢への荷重時間が短いのが特徴です．ときには疼痛性跛行が唯一の症状で痛みの訴えがないこともあります．

診断へのプロセス

 STEP 1 診察室で症状があるか？〔痛み・跛行の出る時間帯，持続時間，頻度を詳しく聞く〕

- 下肢の痛みの原因として最も頻度が高いのは成長痛です．成長痛の特徴は，①診察室でまったく症状がみられないこと，②短時間で完全に軽快する一過性の痛みをくり返していること，③症状のない日のほうが多いこと，④跛行など運動時の他覚症状がみられないこと，などです．
- 関節症状がなく，疼痛性跛行がみられる場合は，いわゆる Toddler's fracture の可能性が最も考えられます（→解説：ケガをしていないのにいつのまにか？—幼児の骨折 p.97）．次に考えられるのは骨髄炎（第 12 章 p.319）です．
- 発熱があれば，骨髄炎，関節炎（第 12 章 p.314）を疑います．
- 発熱がなく，特に誘因なく跛行がみられ，次第に歩行しなくなった場合は，壊血病の可能性があります．食生活について問診することも必要です（第 12 章 p.307）．
- 学童後期以降では，身体症状症（身体表現性障害）も考慮する必要があります．新学期が始まる頃発症し，平日の朝の時間帯に痛みが強く出るケースが多いようです．このようなケースでは除外診断を確実に行う必要があります．

愁訴からの診断

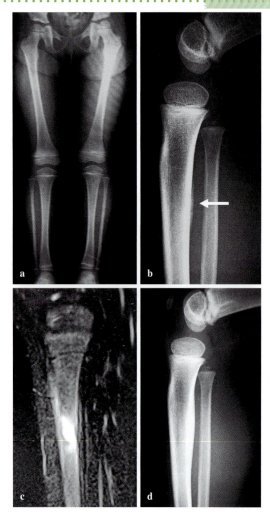

図 4-19 右脛骨 Toddler's fracture（3 歳女児）

1 ヵ月前から誘因なく跛行があり受診．痛みの訴えはありませんでした．X 線正面像では異常がなく（a），側面像では脛骨骨幹部後方に骨膜反応（b の矢印）がみられました．MRI 検査（STIR 法）では同部の骨髄内に高輝度変化がみられました（c）．発症後 2 ヵ月の再診時には症状はなく，脛骨側面像では骨皮質の肥厚がみられました（d）．

STEP 1 STEP 2　画像検査を行う

- 成長痛では単純 X 線検査で異常がみられません．

- Toddler's fracture では受傷後しばらくの間は単純 X 線検査で異常がみられません．だいたい 10 日以上経つと骨膜反応や仮骨形成がみられるようになります．正面像ではわからない場合が多く，側面像もみる必要があります（図 4-19）．MRI 検査では，明らかな輝度変化がみられるので病変部の特定は容易ですが，骨髄炎や腫瘍性疾患との鑑別は困難です．画像所見に比して症状が軽ければ，Toddler's fracture を疑って経過観察するのが良いと考えます．

- 壊血病では X 線所見上，Frankel の white line や骨幹端部の骨膜下出血による骨膜反応が特徴的です（第 12 章 p.307）．軽症例や発症初期には単純 X 線検査で異常がみられない場合もありますが，MRI 検査を行えば骨幹端部の骨膜下出血像がみられます．

- 単純 X 線検査で骨溶解像がみられたら，骨髄炎や腫瘍性疾患を疑います．全身麻酔下に骨髄穿刺を行い，細胞診と細菌検査を行います．細菌検査では必ず抗酸菌検査も行うようにします．悪性腫瘍が否定されたら生検も兼ねた病巣掻爬術を検討します（第 12 章 p.304）．

STEP 3 血液検査を行う

- 小児では成人と比較して血行性骨髄炎や白血病の頻度が高いため，骨髄病変が疑われたら血液検査を行います．項目として重要なのは，血液像（機械計測ではなく目視）と血沈です．小児に特有なBCG骨髄炎では，血沈亢進が唯一の異常所見であることが少なくありません．

STEP 4 精神面で問題がないか

- 上記ステップでまったく異常が見られない場合は，身体症状症（身体表現性障害）や詐病の可能性も考えます．特に夏休みなど長期休暇の終わりから新学期の初めに症状が悪化して不登校となったケースで考慮が必要です（→コラム：四肢の痛みと不登校）．

解説 ケガをしていないのにいつのまにか？—幼児の骨折

　Toddler's fractureという病名は欧米諸国では一般的に用いられていますが，わが国では適切な訳語もなく，一般に認識されるには至っていません．近年，「よちよち歩き骨折」という言葉が用いられるようになってきましたが，専門学会の定める正式な用語としては認められていません．Toddler's fractureは，海外の古い成書には，"脛骨を捻じったときに生じる螺旋骨折で，両親が外傷を認識していないことがある．患児は跛行を呈したり，患肢に荷重しなかったりする．最初に撮ったX線像では異常はないが，1～2週間後に撮影すると骨膜反応がみられる."などと記載されています．その後，腓骨にも同様な骨折が起こることが明らかとなり，特定の骨や骨折型に限らず，幼児の下肢に起こる転位のない不全骨折全般を意味する用語として認識されています．治療については，ギプス固定を推奨する論文もありますが，骨折が明らかになる頃にはすでに骨癒合が進んでいることから，骨折がわかった時点で転位がなければ無治療で自然に治るものと考えて差し支えありません．保護者からは，「この子は骨が折れやすいのですか？」としばしば質問を受けます．骨粗鬆症による「いつのまにか骨折」と異なり，骨が弱いから骨折したわけではないので誤解を受けないような説明が必要です．筆者は「元気よく遊びまわっているからこそ骨折したんですよ．」と説明しています．

コラム　四肢の痛みと不登校

　2010年頃から，原因不明の痛みを訴えて長期不登校となった学童がたびたび紹介されてくるようになりました．患児の多くは他覚的異常所見に乏しく，病気とは関係のない学校へ行けない理由を抱えています．このような患児には，2つのパターンがあります．ひとつは，いじめ，教師や友人との関係不良，勉強や部活動におけるストレスなどが原因で，ささいな痛みを耐え難いものと感じてしまっているケースで，身体症状症（身体表現性障害）と考えられます．もうひとつは，学校を休んで自宅でゲームやインターネット閲覧に興ずるために痛みを訴える詐病です．いずれのパターンも"疾病利得"が痛みを訴える根源にあります．前者では，凄惨ないじめを発見する手がかりとなることもあるので，登校を強要するのではなく，重大な疾患の除外診断を行った後に精神科へ紹介することが大切です．後者では，不登校が定着する前に除外診断を徹底的に行い，異常が見つからない場合は親と連携して欠席中の自宅での"疾病利得"を根絶することが大切です．

愁訴からの診断

8 下腿弯曲

思い浮かべるべき疾患

生理的下腿弯曲，先天性下腿弯曲症，先天性下腿偽関節症，先天性腓骨列欠損症，先天性脛骨欠損症，くる病

下腿弯曲は，自然に治るものと手術が必要なものとがあります．診断によって方針が大きく異なってくるので，正確な診断が必要です．

診断へのプロセス

STEP 1　両側か片側か，どこで弯曲しているのか

- 左右対称にみられる下腿骨全体の外弯のほとんどは生理的なものです．くる病（第12章 p.307）を除外診断できれば，経過観察として差し支えありません．
- 左右対称でも下腿近位部で内反している場合（内反膝）には，Blount病の可能性があります（図4-6）．
- 片側にみられる下腿弯曲は病的なものです．

STEP 1→STEP 2　下腿以外に奇形や欠損がないか？ → 先天性腓骨列欠損症と先天性脛骨欠損症を診断

- 足趾・足部の奇形や欠損，足関節の球関節化（ball-and-socket ankle deformity），大腿骨の短縮など，患側のほかの部位にも異常がみられれば，先天性腓骨列欠損症，先天性脛骨欠損症などの先天性下肢形成不全と考えられます．両下肢全長および足部全体の単純X線検査が必要です．先天性腓骨列欠損症と先天性脛骨欠損症のいずれに該当するかは，形成不全や欠損が腓側と脛側のどちらに偏っているかで判断します．

STEP 1→STEP 2→STEP 3　弯曲のパターンを見極める〔自然に治る弯曲と治らない弯曲の見分け方〕

- 後内方弯曲型：自家矯正が期待できる予後良好なタイプです．先天性下腿弯曲症と診断します（図4-20）．ただし，弯曲の自家矯正後に患側の短縮が残るため，将来的には脚長補正を考慮する必要があります．
- 前外方弯曲型：予後良好な先天性下腿弯曲症と予後不良な先天性下腿偽関節症のどちらの可能性もあります．

STEP 1→STEP 2→STEP 3→STEP 4　前外方弯曲型の予後を分ける2つのパターンを鑑別する

- 脛骨の重複（2本の脛骨がくっついたようなX線所見）（図4-21），余剰母趾，母趾の原基を思わせる足部内側の皮膚隆起（rudimentary great toe）などがみられれば，予後良好と考えます（予後良好の前外方弯曲型の先天性脛骨弯曲症）．
- 上記に該当しない場合は，おおむね予後不良と考えます（先天性下腿偽関節症）．

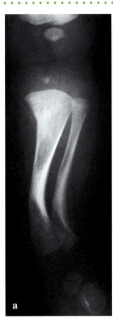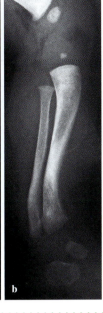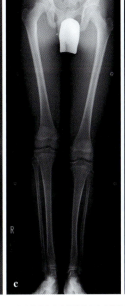

図 4-20 後内方弯曲型（タイプⅠ）（男児）
a. 生後1ヵ月の左下腿骨正面像
b. 生後1ヵ月の左下腿骨側面像
c. 13歳時の両下肢立位全長像：18mmの脚長差を認めました．
d. 13歳時の左下腿側面像

- 神経線維腫症があれば，予後不良でほぼ間違いありません（先天性下腿偽関節症）（図 4-22）．

私の流儀　筆者の考える先天性下腿弯曲症の3つのパターン

下腿の弯曲には，自然に矯正されるものがあるので，弯曲のパターンからそれを見極めなければなりません．必要のない矯正骨切り術は絶対にやってはいけません．筆者は下腿弯曲を以下の3つのタイプに分類して予後予測を行っています．

タイプ	腓骨	特徴	予後
Ⅰ．後内方弯曲型	腓骨も弯曲		弯曲は自家矯正するが，骨短縮が残る
Ⅱ．予後良好の前外方弯曲型	腓骨に弯曲はみられない	同側の母趾多指症または rudimentary great toe を伴うことが多い　CT検査で脛骨の重複がみられることが多い	
Ⅲ．予後不良の前外方弯曲型（先天性下腿偽関節症）	腓骨にはさまざまな異常がみられるが，ほぼ正常の場合もある	神経線維腫症1型の合併が多い	弯曲の自家矯正は起こらず，偽関節へ移行することが多い

愁訴からの診断

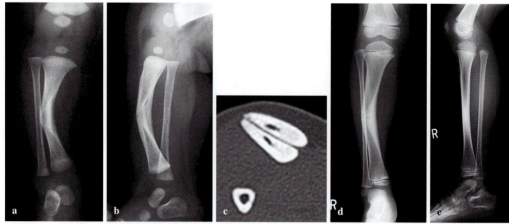

図 4-21　予後良好の前外方弯曲型（タイプⅡ）（男児）
a. 生後 3 ヵ月の右下腿正面像：脛骨の弯曲がみられますが，腓骨はストレートです．
b. 生後 3 ヵ月の右下腿側面像
c. 2 歳時の右下腿中央の CT 検査横断像：脛骨の重複（duplication）がみられます．
d. 13 歳時の右下腿正面像：脛骨の弯曲は改善し，外観上の問題はなくなりましたが，健側と比較して 26 mm の短縮がみられました．
e. 13 歳時の右下腿側面像

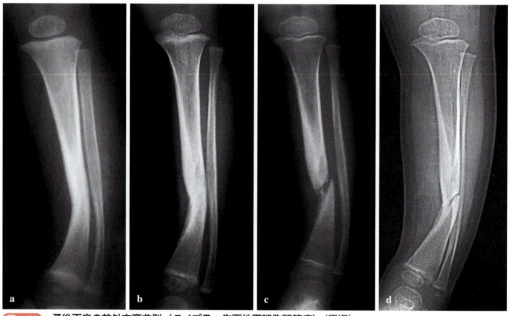

図 4-22　予後不良の前外方弯曲型（タイプⅢ：先天性下腿偽関節症）（男児）
左下腿，神経線維腫症 1 型．
a. 生後 6 ヵ月：脛腓骨の外方弯曲がみられました．
b. 1 歳 6 ヵ月：髄腔，骨皮質に不整がみられ，外方弯曲が増悪しました．予後不良の前外方弯曲型先天性下腿偽関節症と判明しました．
c. 1 歳 8 ヵ月：転倒後歩行不能となり単純 X 線検査を行った結果，弯曲部の骨折がみられました．
d. 1 歳 9 ヵ月：保存療法を行いましたが，骨癒合は得られずその後偽関節となりました．

9 その他の愁訴

1）両下肢が急速に腫脹した　→　IgA 血管炎（アレルギー性紫斑病，血管性紫斑病）

- 5 歳前後で足先から両下腿が数時間で腫脹し，皮膚に紫斑や紅斑がみられたら，IgA 血管炎を考えます（図 4-23）．紫斑や紅斑がほとんどみられず，腫脹だけの場合もあります．主病態は血管炎で，腸管壁の浮腫による腹痛がみられたり，紫斑病性腎炎を合併することもあるので，小児科医への紹介が必要です．

2）両下腿外側に皮膚のくぼみがある　→　低フォスファターゼ血症

- きわめて稀な疾患ですが，治療薬が開発され，見逃してはいけない疾患のひとつになったため本書で取り上げました．
- 本疾患にはさまざまなタイプがありますが，両腓骨骨幹部に左右対称の突起があり，この部位の皮膚に陥凹がみられたら，本疾患を疑う必要があります（図 4-24）．このほか，くる病様の長管骨弯曲や乳歯の早期脱落などが本疾患の特徴です．
- 本疾患では血清アルカリフォスファターゼ（ALP）低値がみられるので血液検査を行います．小児の血清 ALP 値は，年齢によって正常域が大きく変化するため，異常かどうかの判断に悩むことが多いと思いますが，10 歳以下で 300 IU/L 以下はおおむね異常と考え，小児科医または小児整形外科専門医に紹介したほうが良いと考えます．

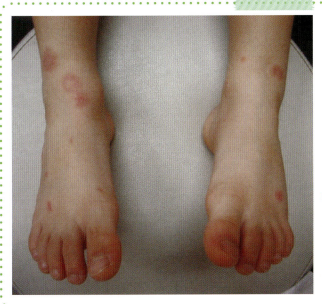

図 4-23　IgA 血管炎（5 歳男児）
午後 7 時頃から誘因なく両足部から下腿にかけて腫脹，紅斑，疼痛が出現し，急速に悪化して午後 9 時には歩行不能となり来院．アレルギー性紫斑病の診断となりました．翌日には腹痛も出現したため，ステロイド剤の投与が行われました．

愁訴からの診断

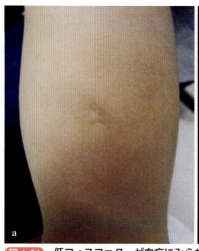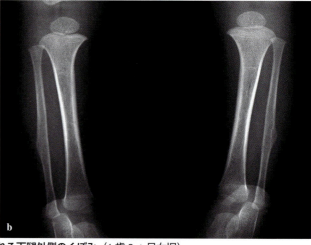

図 4-24 低フォスファターゼ血症にみられる下腿外側のくぼみ（1 歳 8 ヵ月女児）

O 脚と内旋歩行を主訴に初診．下腿外側に皮膚のくぼみがみられ，単純 X 線検査ではその部位に一致して腓骨の突起がみられました．血清 ALP は 175 IU/L と低値でした．遺伝子検査の結果，低フォスファターゼ血症周産期良性型の診断となりました．

コラム　親との会話の中で空気を読む

来院時，患者家族が医師に求めているものは，およそ以下の 4 つに分けられます．
1　不安を解消したい…将来悪化しないという一言をもらえれば，それだけで十分．
2　整容的に改善してほしい…小さいときは親の願い，思春期以降は本人の願い．
3　機能障害を治してほしい…習い事やスポーツを行ううえで支障がないようにしてほしい．
4　痛みをとってほしい…小児では比較的少ない．
　1 だけを望んでいる患者家族に，整容改善や機能改善を目的とした手術を説得しても，決して合意は得られません．患者家族が希望しない治療は，それを行わなかった場合の患児の不利益が明らかでない限り強要してはいけません．
　筆者が肩関節外科を専門としていたときに師匠であった森石丈二先生から教えていただいたことですが，診察終了後，家族が診察室を出るときにドアノブに手をかけてから医師のほうを振り向き，診察中には話さなかったことを尋ねてくることを「ドアノブ・クエスチョン」といい，それこそが患者家族にとって最も気がかりな点であるとのことです．待合室が多くの患者で込み合い，看護師からは早く次の患者を見てほしいという視線を受ける中，診察の済んだ患者家族の話をもう一度聞くのはとても勇気がいることですが，「ドアノブ・クエスチョン」に丁寧に対応することはとても大切なことだと感じています．ときには，診察中には話してくれなかった診断に直結する症状や生活環境の情報が得られることもあります．外来を支えてくれる医療スタッフには，このことを日頃から伝え，「ドアノブ・クエスチョン」に対する理解を得ておくことが大切です．

主な疾患について知っておくべき知識

生理的 O 脚

- 3 歳以下でみられる O 脚の 9 割は生理的なもので治療を要しません．これを「生理的 O 脚」と呼びます．一方，残り 1 割の O 脚は病的なもので，何らかの治療（くる病に対する薬物治療や Blount 病に対する手術治療）が必要になります．
- うちわ歩行を伴うことが多く，O 脚が自家矯正した後も，うちわ歩行だけ残ってしまうことが少なくありません（4 うちわ歩行 p.88）．
- 装具治療が有効と主張する小児整形外科専門医がいますが，筆者の経験では自然経過との差がみられません．

患者家族への説明　「O 脚の 9 割は自然に治ります．ビタミン不足や極端な肥満にならないように注意して経過をみましょう．」

Blount 病（ブラント）

- 自家矯正しない O 脚を Blount 病とすると，その最大の要因は肥満であることが海外の文献などで明らかとなっています．したがって，肥満傾向のあるケースにおいては，食事指導を行う必要があります．しかし，わが国では肥満と無関係の Blount 病が多いようです．
- 5 歳まで経過をみて自家矯正が十分に起こらないときには，Blount 病と診断して手術治療を行います．ただし変形が極端な場合には，5 歳まで様子をみると脛骨近位骨端線内側に骨性架橋ができてしまうことがあり，そうなると多数回の手術が避けられません．自家矯正が見込めない極端な重症例においては，5 歳以前で手術を考慮することもあります（図 4-25）．
- 手術は，矯正骨切り術を行うのが一般的でしたが，最近は「guided growth」と呼ばれる骨端線片側成長抑制術による矯正が主流となりつつあります．これは外科的手段で自家矯正を誘導する方法です．Blount 病に対しては，脛骨近位骨端線外側に 8（エイト）プレートを挿入して，骨端線内側の成長を促進することによって徐々に矯正を導きます（→解説：変形矯正を目的とした骨端線片側成長抑制術の考え方 p.105）．8 プレートの抜去後はリバウンド（成長抑制を受けていた骨端線外側が抜去後に急に伸びる現象）によって平均 5°程度の矯正ロスが起こるため，少し過矯正となってから 8 プレートを抜去します．
- 青年期にみられる進行性の O 脚は，「青年型 Blount 病」と呼ばれ，矯正骨切り術を行っても再発が多いことが知られています．手術にはさまざまな術式がありますが，どの術式を選択しても，術後に脛骨近位骨端線に内外側で不均等な成長がみられることを想定しなければなりません．具体的に選択肢となる術式を挙げると，①脛骨近位部での矯正骨切り術（プレート固定），②脛骨近位部での矯正骨切り術＋骨延長術（創外固定），③脛骨近位骨端線外側への 8 プレート挿入術，④脛骨近位骨端線内側の Langenskiöld 法（骨性架橋切除＋遊離脂肪移植術），⑤脛骨近位骨端線内側の Langenskiöld 変法（骨性架橋切除＋骨セメント充填術）などで，③については，ほかの術式と組み合わせて行われることもあります．年齢と成長軟骨板

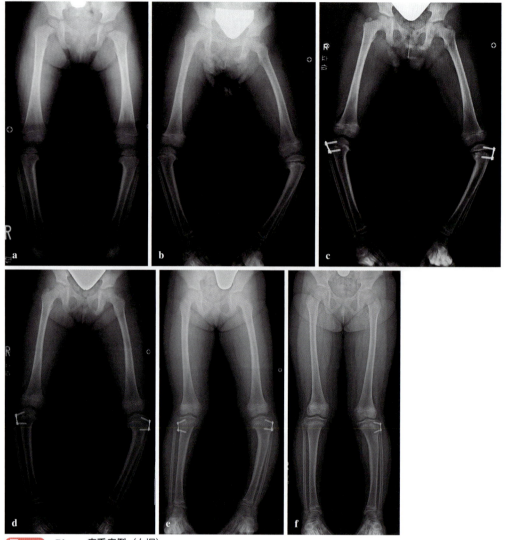

図4-25 Blount病重症例（女児）

O脚に対する手術治療は自家矯正が見込めないと判定できる5歳まで待つことが原則ですが，このケースでは本来徐々に改善するはずの2〜3歳で著明な悪化がみられました．こうした極端な重症例では，脛骨近位骨端線内側に骨性架橋が形成される前に手術治療を行う必要があります．このケースでは3歳10ヵ月で8プレートによる骨端線片側成長抑制術を行いました．術後徐々に内反変形は矯正されましたが，術後1年4ヵ月で左側プレートの遠位スクリューが折損し，再挿入しました．6歳8ヵ月で右はやや過矯正となり，左も初回8プレート挿入後3年近くなったので外側骨端線の早期閉鎖を防ぐため，両側プレート抜去しました．そして1年後に左だけプレートを再挿入し，9歳7ヵ月でようやく左も十分な矯正が得られ，プレート抜去となりました．

a. 2歳，b. 3歳9ヵ月，c. 3歳11ヵ月（術後）
d. 5歳3ヵ月（スクリュー折損時），e. 6歳8ヵ月（両側プレート抜去直前），f. 9歳7ヵ月（左プレート抜去直前）

の状態から想定される成長余力を考慮して術式を検討します（→私の流儀：成長軟骨板の骨性架橋とその治療 p.113）．

患者家族への説明　「残念ながら自然には治らないO脚のようです．このまま様子をみると，悪いほうへ向かうので，何回か手術を行う必要があります．たいへんですが最終的には治るのでがんばりましょう．」

> **解説　変形矯正を目的とした骨端線片側成長抑制術の考え方**
>
> 　成長抑制術にはさまざまな方法がありますが，その代表的なものとして ① スクリュー固定（percutaneous epiphysiodesis using transphyseal screws：PETS），② ステープル固定，③ 8プレート固定の3つの方法が挙げられます．① は簡便な方法ですが，不可逆的な成長停止を招くリスクが高いため，対象は成長終了が近い年齢や腫瘍が関与するケースに限られます．② は歴史的に変形矯正を目的とした骨端線片側成長抑制術にも用いられてきましたが，現在その適応は骨端線全体の成長抑制術に限られています．変形矯正を目的とした骨端線片側成長抑制術には専ら ③ が用いられています．その理由を示したのが図 4-26 です．8プレートには，成長軟骨板の反対側に対する成長促進効果がある点でステープルと異なります．
>
> 　8プレートでは2本のスクリューが開いた角度の分だけ変形が矯正されます．開く角度には限界があり，開ききった8プレートはステープルと同じ効果をもたらすので，手術時にはできるだけ2本のスクリューを平行に挿入することが大切です．（8プレートはなるべく開いた状態で挿入すべきと主張する小児整形外科専門医もいますが，これは骨端線全体の成長抑制術と変形矯正を目的とした骨端線片側成長抑制術を混同してしまった考え方です．）
>
> 　8プレートによる成長軟骨板の反対側に対する成長促進効果は若年齢で特に強くみられ，ときに成長軟骨板にできた骨性架橋を引きちぎるほどの効果をみせることもあります．筆者はこれを「traction fracture」と呼んでいます（図 4-27）．

局所性線維軟骨異形成症（focal fibrocartilaginous dysplasia）

- わが国ではあまり知られておらず，訳語も一定していない疾患です．罹患部位は脛骨近位内側部に多く，骨幹端部の骨皮質肥厚・骨透亮像を伴う片側の内反変形が特徴的です（図 4-5）．Blount病と混同されてしまうこともあるようです．ある程度自家矯正が期待できますが，わずかな内反変形や骨短縮が残ることもあります．より確実に自家矯正を誘導するため，骨透亮像がみられる部位の軟骨組織を切除する方法もあります．筆者は5歳くらいまで待っても十分な自家矯正がみられなければ手術治療を行っています．

患者家族への説明　「自然に治ることが多いので，まずは様子をみましょう．自然に治らないときは，手術を行って治しましょう．」

プロテインC欠乏症，プロテインS欠乏症

- 骨端線早期閉鎖との関連が推測されている遺伝性血栓症です．両親から受け継いだ遺伝子の両方に異常がある場合はきわめて重症です．筆者は1例しか診療経験がありませんが，新生児期から脳梗塞などさまざまな障害がみられ，整形外科的には多発性の骨端線早期閉鎖がみられます．両親から受け継いだ遺伝子の片方だけに異常がある症例が多く，無症候性の場合が多いようです．
- 青年期の骨端線に原因不明の骨性架橋が生じたときには，原因疾患として考慮します．特に膝周囲の骨端線に多いようです（図 3-25）．

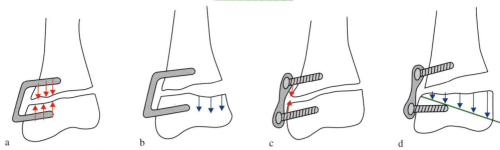

図 4-26 ステープルと 8 プレートの違い

ステープルでは，成長軟骨板の一定幅に成長抑制効果が加わるので（a），骨端線片側の単純な成長抑制効果に留まります（b）．一方，8 プレートでは，成長軟骨板辺縁の一点だけに成長抑制効果が加わるので（c），8 プレートに近い成長軟骨板の成長が反対側の成長を増幅する効果を発揮します．つまり 8 プレートには成長軟骨板の反対側に対する成長促進効果があるのです．

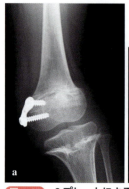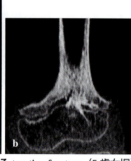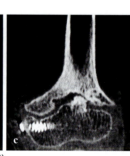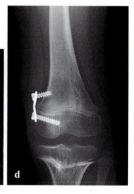

図 4-27 8 プレートによる traction fracture（5 歳女児）

骨髄炎後遺症で左大腿骨遠位部に外反変形がみられていたため 8 プレートを挿入しました（a）．術前の CT では大腿骨遠位成長軟骨板の中央やや外側に強固な骨性架橋がみられていました（b）．8 プレートを挿入した 6 ヵ月後，夜間に誘因なく左膝痛が出現し翌日から跛行がみられるようになりました．CT を再検したところ，骨性架橋が離断している所見がみられました（c）．1 年 9 ヵ月後には外反変形は完全に矯正されました（d）．

- 青年型 Blount 病とは異なり，片側性が多いようです．
- 10 歳以上では，骨性架橋を切除しても十分な成長再開は期待できませんので，8 プレートによる骨端線片側成長抑制術を併用する必要があります．それでも変形と短縮が進んだら，矯正骨切り術や骨延長術を考慮します．

患者家族への説明
「生まれつき血が固まりやすい体質で，そのために成長障害が起きています．成長軟骨板にできてしまった余分な骨を取り除く手術をすると成長が再開する場合もあるので，よく調べてみましょう．」

生理的 X 脚

- 単純 X 線検査において，外反膝以外に明らかな異常が見出せない場合，生理的 X 脚と診断します．骨系統疾患（図 4-8）や骨性架橋による片側外反膝（図 4-28）を除外診断した上で経過をみていきます．

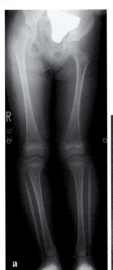
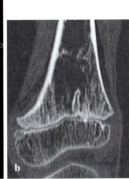
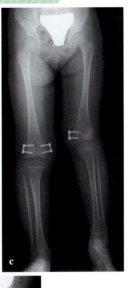
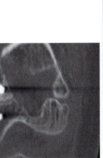
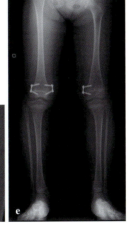

図 4-28 骨性架橋を伴う外反膝（6 歳女児）

2 歳発症の左大腿部横紋筋肉腫 Stage Ⅳで，化学療法と放射線治療によって寛解した後，脚長差と左外反膝の治療のため紹介．左大腿骨遠位部に放射線照射を受けたため，骨端線外側に骨性架橋が生じていたため大腿骨の短縮と外反膝変形が生じていると考えられました．骨性架橋を鏡視下に切除し（私の流儀 p.110），内側に 8 プレートを挿入しました．また，脚長補正のため健側の大腿骨遠位骨端線の内外両側に 8 プレートを挿入しました．

a. 6 歳時の X 線像
b. CT 冠状断像：放射線治療の影響で成長軟骨板は年齢に比して全体的に薄く，外側に骨性架橋を認めました．
c. 術直後の両下肢全長 X 線像
d. 術後 CT 冠状断像：骨性架橋の完全な切除と 8 プレートの適切な設置が確認されました．
e. 術後 1 年 7 ヵ月の X 線像：外反膝は十分に矯正されていたため，8 プレートを抜去しました．その後も外反膝再発時に同様な手術を行っています．

- 経過観察にあたっては，肥満が自家矯正を妨げることを患者家族によく説明しておきます．
- 4 歳までの X 脚は生理的なのものが多く，短期間で自家矯正が起こることが少なくありません（図 4-29）．
- 5 歳以降で残存する X 脚は，成長終了までの長期にわたり，少しずつ自家矯正が生じることが多く，軽症であれば手術適応はありません．重症例においては，確実ではない自家矯正を待つ間の家庭生活や学校生活が耐えがたいものと思われれば，手術治療について患者家族と相談します．しかし実際には，幼児期からみられる X 脚で，骨系統疾患以外に手術を行うことはほとんどありません．

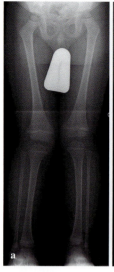
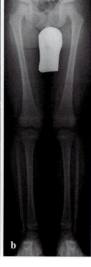

図 4-29　生理的 X 脚の自家矯正（3 歳男児）
a. 3 歳 11 ヵ月：X 脚を主訴に来院．
b. 5 歳 9 ヵ月：ほぼ正常化しました．

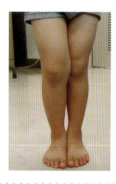

図 4-30　X 脚で困ること（4 歳男児）
踵を合わせて立位をとろうとすると，膝が重なり長時間姿勢を保てません．この点について教育現場で配慮がないと，朝礼のときに倒れてしまうこともあります．

図 4-31　とんび坐り（TV position）

- 生理的 X 脚で患児が困るのは，朝礼の時に両足のかかとを合わせるよう学校の先生に命じられた時で，両膝が重なるため長時間立位を保持するには相当な忍耐を要します（図 4-30）．両足の間隔を開けて立つことを許してもらえるよう学校の先生にお願いしておくことは意外に重要です．

患者家族への説明
「自然に治ることもありますが，そのままの X 脚が残る場合もあります．運動能力には問題ありませんので心配ありません．学校で足をそろえて立つことがつらい場合は，先生に伝えておきましょう．」

うちわ歩行（内旋歩行，内股歩行）

- わが国では幼児の 3 人のうち 1 人にみられるものです．
- 多くの場合は過前捻症候群（大腿骨が内捻している状態）で，この場合，10 歳くらいまでは少しずつ自家矯正していきます．過前捻症候群は，整容的な問題だけで運動能力に問題はないので，女児においては治療の必要性は考えなくて良いと考えます．
- とんび坐り（図 4-31）が，うちわ歩行の原因のひとつとして考えられています．屋内で幼児がテレビを観るときに，よくこの姿勢をとるため，欧米では「TV position」と呼ばれています．

この肢位では股関節が90°内旋するため，大腿骨に内捻する力が強く働きます．もともと乳幼児の大腿骨は成人と比べて内捻しており，成長とともに徐々に外捻していくのですが，毎日長時間この姿勢をとっていると内捻したまま成長していくことになります．あぐらの練習などで大腿骨の外捻を誘導するよう生活指導を行います．

- 生理的O脚が自家矯正した後に，下腿内捻に伴ううちわ歩行が残ることが多いようです．
- 下腿内捻によるうちわ歩行は自家矯正が起こりにくく，有効な装具治療もありません．程度の軽いものは，変形を受け入れてもらい，程度の強いものは小学校高学年以降で手術治療（→私の流儀：下腿内捻の手術治療）を行います．
- 足部内転によるうちわ歩行は，先天性内反足や先天性内転足の治療中にみられる変形ですが，軽症のものは乳児期の治療歴がなく，幼児期になって初診する場合もあります．足部内転によるうちわ歩行は，自家矯正が期待できないので，整容的に大きな問題となる場合は，足部外側支柱短縮術（立方骨の楔状骨切り術やEvans法：踵立方関節固定術）やこれと足部内側支柱延長術（第1楔状骨の延長術）の合併手術を行います．
- うちわ歩行につま先歩行を合併しているときは脳性麻痺の可能性があります．腱反射をみて，亢進していたら神経内科へ紹介します．
- うちわ歩行を主訴に来院した患者家族の多くは，患児の将来をかなり悲観的に考え心配しています．したがって十分な説明が必要で，筆者は次のような説明をしています．

患者家族への説明

① 「最近の日本の幼児では3人に1人が，同じような状態です．つまり病気ではありません．完全に治るかどうかはわかりませんが，成長に伴って徐々に改善していきます．」

② 「スポーツをするときには，内股のほうが横への移動が速く，有利になることが多いので，多くの球技や格闘技では内股の姿勢をとるのが基本です．内股が原因で転びやすいということもありませんので，悲観的に考える必要はありません．
　とんび坐りをなるべくさせないことが大切なので，屋外で遊ぶ時間を増やしたり，テレビを観せるときはなるべく椅子やソファに座らせるようにしましょう．」（→コラム：小児整形外科診療における意外な落とし穴）

③ 〔男の子に対して〕→「うちわ歩行が残ると，あぐらが苦手になります．あぐらの練習は，うちわ歩行の改善にもつながるので，幼児期からあぐらを練習させることは有意義です．床に座るときはなるべくあぐらをかかせるようにしましょう．」

④ 〔女の子に対して〕→「欧米ではうちわ歩行を醜い歩き方と認識する国が少なくありません．クラシックバレエでつま先を外側へ向けて踊ることが基本になっているのも，そのような認識があるからです．このため，うちわ歩行に対する手術治療が積極的に行われています．一方，日本では，女子はうちわ歩行が美しい歩き方とされています．したがって女子の場合は，極端なうちわ歩行でないかぎり積極的な治療を考える必要はありません．」

⑤ 「有効な装具治療や民間療法はありません．小学校の高学年になっても，うちわ歩行が目立ち，それが原因でいじめにあったり，自分に自信が持てなくなって，本人が手術を希望した場合は手術で治すこともできます．」

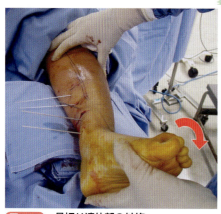

図 4-32　骨切り遠位部の外旋

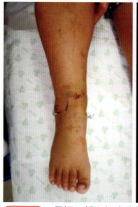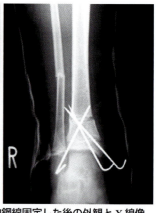

図 4-33　骨切り部を経皮的鋼線固定した後の外観とX線像

私の流儀　下腿内捻の手術治療

　下腿内捻は下腿骨外旋骨切り術で治療します．筆者は下腿遠位部で骨切りを行っています．まず，経皮的にキルシュナー鋼線を脛骨骨切り部の近位と遠位に2本ずつ脛骨の骨軸に垂直に挿入します．このとき計4本の鋼線が一平面上に平行になるように挿入します．この鋼線は後でどのくらい回旋したかの目印となります．次に下腿骨の遠位部に小さな皮膚切開を加え，ここから細いドリルまたはキルシュナー鋼線を挿入して経皮的骨切り術を行います．経皮的骨切り術による神経血管損傷のリスクに不安があれば，骨切り部を4〜5 cm縦切開して直視下に骨切りしても良いと思います．30°までの外旋なら脛骨の骨切りだけで十分ですが，30°を超える外旋を行うときは腓骨も骨切りします．回旋角が大きくなると，軟部組織に"タオルを絞る"ような侵襲が加わり，神経障害や血流障害をもたらすリスクが高くなります．40°が安全に矯正できる限界と筆者は考えています．骨切りが済んだらあらかじめ挿入したキルシュナー鋼線を目印にして遠位部を外旋します（図4-32）．最後に別のキルシュナー鋼線を3本用いて経皮的に骨切り部を固定すれば手術は終了です（図4-33）．手術時間は慣れるとおよそ1時間程度です．ギプス固定を約6週間行ってから，鋼線を抜去し，骨癒合の状態をみながら徐々に荷重訓練を進めていきます．術後およそ3ヵ月で通常歩行が可能となります．

コラム　小児整形外科診療における意外な落とし穴

　父方の祖父母が診察に同席しているときに，TV positionのことを詳しく説明すると，嫁が家で孫にテレビばかり観させていると祖父母が解釈し，家族関係に亀裂を入れてしまうことがあります．診察室での同席者によっては，正直な説明が必ずしも最適な説明とはならないことに注意しましょう．

● 脚長不等

- 脚長不等の治療が盛んに行われている現在，脚長差がどの程度あると何が困るか，という問題について改めてよく考える必要があります．極端に長さが違う場合は，それだけで整容的問題となりますが，そのようなケースはきわめて稀です．<u>一番問題になるのは，墜落性跛行（患肢を接地するときに患側の上体全体が下に落ちる歩容）</u>です．次に問題となるのは，骨盤傾斜がもたらす<u>脊柱の機能性側弯で，この状態が学童期以降まで続くと脚長補正をしても矯正されない構築性側弯に移行することがあります</u>．治療を考慮すべき脚長差については，おおむね2～3 cm以上といわれていますが，腰仙移行部で代償がなされた状態になると，骨盤が傾斜しているのに脊柱はほぼまっすぐで歩容も正常ということもあります．脚長差の大きさではなく，歩容と脊柱変形の程度に年齢を加味して，治療の適応を考慮するのが適切ではないかと筆者は考えています．

- 脚長不等に対する補高装具は，あくまで一時的なものです．多くの場合，構築性側弯への移行を抑制する目的で適用されます．踵の部分だけ補高する場合（heel up）は，尖足拘縮をもたらすリスクがあるので，定期的な診察を行い，必要に応じて尖足拘縮を防止する理学療法を併用します．

- 脚長不等の手術にはさまざまな方法があります．創外固定器を用いた仮骨延長術が普及してからは，これを標準的治療と考える小児整形外科専門医が増えていますが，創外固定器を長期にわたって装着する肉体的精神的苦痛を考えると，できるだけ避けるべき最終手段と筆者は考えています．

- 骨性架橋を伴う骨端線早期閉鎖に対しては，まず骨性架橋切除術を検討します（→私の流儀：成長軟骨板の骨性架橋とその治療）．

- 骨端線早期閉鎖のない脚長不等で長いほうの下肢が異常であれば，成長抑制術（スクリュー固定，ステープル固定，8プレート固定など）を行うか，成長終了後に骨短縮術（骨幹部を一部切除してプレート固定か髄内釘固定する方法）を行います．骨短縮術は3～4 cmが限界で，これ以上一期的に短縮するとコンパートメント症候群のリスクが高くなります．

- 骨端線早期閉鎖のない脚長不等で短いほうの下肢が異常と考えられる場合は，一般に骨延長術の適応とされていますが，<u>成長余力が十分に残っている年齢においては骨膜剥離切離術（periosteal stripping and periosteal division：PSPD）という奥の手もあります</u>（図4-34）．骨膜を剥離し，さらに剥離した骨膜を輪状に切離することによって過成長を誘導する方法で，長い皮膚切開を要する欠点がありますが，創外固定治療後の醜状痕と比べれば整容的問題に大差はないと考えます．ただし，この手術では何cm過成長するかが予測できません．若年齢では5 cm以上過成長することもあり，長くなりすぎる兆候がみられたら成長抑制術を追加する必要があります．

> **患者家族への説明**
> 「右脚（左脚）が長いようです．そのため，立っているときに骨盤が傾いて背骨が曲がっている状態です．ずっとこの状態が続くと，背骨の曲がり癖がついて側弯症になることもあります．経過をみながら，必要があれば装具治療や手術治療について相談しましょう．」

主な疾患について知っておくべき知識

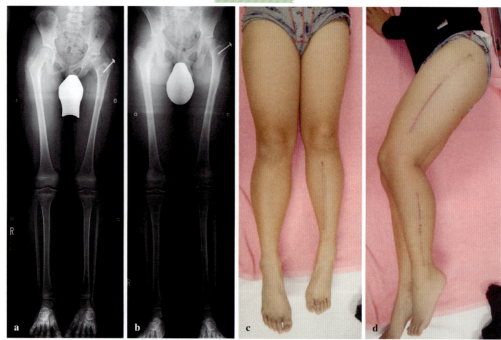

図 4-34 脚長不等に対する骨膜剥離切離術（PSPD）（12 歳男児，Perthes 病）
24 mm の脚長差に対して大腿骨，脛骨，腓骨の骨幹部骨膜を剥離し，それぞれの骨で 3 ヵ所ずつ輪状に骨膜切離を行いました．3 年後には脚長差が完全に補正されました．
a．術直後，b．術後 3 年，c，d．術後の創痕

コラム　温存と切断，どちらが幸せになれるか？

下肢の重度先天奇形や神経線維腫症を伴う先天性下腿偽関節症に対しては，多数回手術によって患肢を温存する治療が，わが国においては一般的に行われています．こうした患児の手術治療を行っている一方で，多くの小児整形外科医は，先天性に下肢の遠位部が欠損している患児に対する義肢処方などの診療を行っています．患児が成人となり，社会生活を営む年齢まで診療していくと，後者のほうがはるかに健常児に近い暮らしをしていることに気付きます．義肢の進化の恩恵もありますが，多数回手術によってストレスを受けた心の問題に加え，温存した患肢末梢部の醜状も少なからず影響を与えているように感じます．

患肢温存は，患者家族の初期の心情に配慮した治療方針ですが，医師の役割が患児が将来幸せな暮らしをすることであるとしたら，早期切断が正しい道ではないかと思うこともあります．多数回手術に正当性があるとしたら，温存することによって将来の医療技術の発展に託す意義でしょうか．こうした疾患においては，経済的な問題で多数回手術を受けることができず，切断術を余儀なくされている発展途上国の患児のほうが，幸せになりやすいのかもしれません．

私の流儀　成長軟骨板の骨性架橋とその治療

　骨端線早期閉鎖は，骨折，骨髄炎，腫瘍，血栓，放射線治療などさまざまな原因で起こります．成長終了後の骨のように完全に閉鎖している場合もありますが，成長軟骨板が残存している場合には手術によって成長を再開できる可能性があります．成長軟骨板をまたいでいる骨を「骨性架橋」と呼び，これが成長を止めている直接原因となっています．したがってこれを切除すれば，成長が再開する可能性が高いわけです．この手術を「骨性架橋切除術」と呼びます．本手術の適応は，成長軟骨板がその面積としておおむね50％以上残存している場合です．年齢が若いほど良い適応となります．

　骨性架橋切除術の標準的術式は「Langenskiöld法」と呼ばれるもので直視下で骨性架橋を切除し，切除後の死腔に遊離脂肪を移植します．骨の内部は視野が悪いため必要に応じてX線透視下に骨性架橋を切除します．遊離脂肪移植は，死腔に骨性架橋が再発することを防止する目的です．この術式では骨性架橋切除後の死腔へ確実に遊離脂肪を充填することが容易でなかったため，脂肪移植に代えて骨セメントを充填するLangenskiöld変法がその後普及しました．

　筆者もLangenskiöld法とその変法を経験していますが，視野が悪いため骨性架橋をとり残すことが多く，成長再開が不確実なことが大きな問題点でした．また，成長再開がみられても数年で骨性架橋は再発するのですが，再手術は容易でありません．再手術時には，癒着によるアプローチの苦労に加えて，成長軟骨板の同定が著しく困難となります．こうした問題を解決するため，筆者は内視鏡下骨性架橋切除術（図3-16，図4-35）を考案し，さまざまな長管骨にこの手術を行ってきました．この方法では，1cm程度の皮膚切開を2ヵ所行い，ドリルを用いて骨に2ヵ所骨孔を作成し，内視鏡と操作鉗子をそれぞれの骨孔から挿入します．そして生理食塩水を灌流して視野を確保し，骨性架橋を鏡視下に切除します．成長軟骨板と骨性架橋が非常によく見えるため，成長軟骨板を最大限温存したうえで確実に骨性架橋を切除することが可能です．骨性架橋切除後の死腔には，遊離脂肪を移植しようとすると，生理食塩水の灌流が止まって視野を失うため，当初はそのままとしていましたが，最近は筒状の器具を用いて骨蝋を充填しています．術後は，10歳未満であれば成長再開が確実にみられ，数年後に骨性架橋は再発しますが，再手術を初回手術とほぼ同様に行えることが最大の利点です．また，骨性架橋は術後骨内で露出した成長軟骨板の表面を覆うように再発するので，残存する成長軟骨板の近位側表面を覆う皮質骨を可能な限り切除しておくことによって，ある程度再発を抑制できることもわかってきました（図4-36）．10歳以上における成長再開は，残存する成長軟骨板の成長余力次第なので，状況に応じて8プレートの対側成長促進効果を利用します（図4-26）．

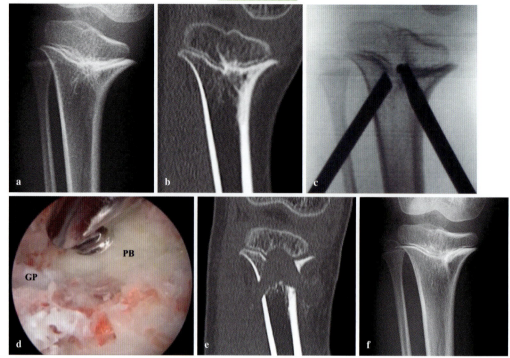

図 4-35　内視鏡下骨性架橋切除術（4 歳女児）

新生児期の骨髄炎が原因で右脛骨近位骨端線に骨性架橋が生じ，成長停止と内反変形がみられました．術後すみやかに成長再開がみられ，内反変形も徐々に改善しました．

a. 術前 X 線正面像
b. CT 像
c. 術中 X 線透視像：径 4 mm の 30°斜視鏡とアブレーダーが挿入されています．
d. 術中鏡視像：骨性架橋を関節鏡用アブレーダーで削っているところ．黄色く見えるのが骨性架橋で白く光沢があるのが成長軟骨板です．（PB：physeal bar，骨性架橋，GP：growth plate，成長軟骨板）
e. 術後 CT：術後明らかな成長再開がみられました．
f. 術後 2 年 6 ヵ月の X 線像：内反変形の改善がみられます．

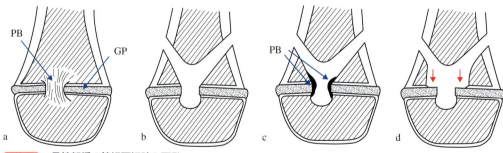

図 4-36　骨性架橋の鏡視下切除と再発

a. 術前の状態：成長軟骨板をまたぐようにして骨性架橋が形成されているため，骨成長がほぼ停止している状態にあります．（PB：physeal bar，骨性架橋，GP：growth plate，成長軟骨板）
b. 骨髄鏡視下骨性架橋切除術後：2 つの骨孔から完全に骨性架橋を切除すると成長軟骨板が露出します．
c. 骨性架橋再発のパターン：露出した成長軟骨板の表面に骨性架橋は再発します．
d. 骨性架橋再発を防ぐ方策：赤矢印の部位も骨切除しておくと再発を抑制できます．

● 先天性下腿弯曲症，先天性下腿偽関節症

（→私の流儀：筆者の考える先天性下腿弯曲症の3つのパターン p.99）

- この一群の疾患は，長い歴史の中で用語と分類の混乱が生じ，非専門医にとっては理解の難しい領域になっています．

- 先天的な下腿の弯曲は，「先天性下腿弯曲症」と呼ばれ，自然に弯曲が矯正されるケースがあることが知られていました．一方，原因のはっきりしない小児期からみられる難治性下腿偽関節が，「先天性下腿偽関節症」と呼ばれ，整形外科疾患の中では最も治療が困難な疾患のひとつと考えられてきました（→ポイント：小児の下腿偽関節は，きわめて難治性）．その後，偽関節の状態となる前に，先天性下腿弯曲症が存在し，自然経過または軽微な外傷で骨折が生じて難治性偽関節となるケースが多いことが明らかとなりました．このため現在は，難治性偽関節へ移行するタイプの先天性下腿弯曲症も含めて，「先天性下腿偽関節症」と呼ばれています．

- 英文では脛骨と腓骨を区別し，それぞれ「congenital pseudarthrosis of the tibia」，「congenital pseudarthrosis of the fibula」と呼称されていますが，わが国で呼称される先天性下腿偽関節症は，主にcongenital pseudarthrosis of the tibiaを意味するものとして用いられています．

- <u>後内方弯曲型，予後良好の前外方弯曲型では，弯曲変形は自家矯正されます</u>（図4-20, 21）．しかし骨短縮が残る場合が多く，必要に応じて創外固定を用いた仮骨延長術を行います．患者家族の希望によっては，健側脛骨の成長抑制術も選択肢のひとつとなります．

- 骨折が生じる前段階の先天性下腿偽関節症（予後不良の前外方弯曲型）では，歩行開始後から骨折予防のための装具（クラムシェル型など）の装着を行うのが一般的ですが，その骨折予防効果は明らかにされていません．弯曲に対しては，可能な限りプレートを用いた骨端線片側成長抑制術で弯曲の矯正を試みます．骨長については，過成長で長くなっていることもあり，この場合は骨端線成長抑制術でできるだけ補正します．8プレートではサイズが大きすぎる場合は，サイズの小さいほかの2穴のプレートを用います．ただし弯曲の矯正を目的とする場合は，ロッキングプレートを用いてはいけません．

- 骨折が生じた先天性下腿偽関節症に対しては，まずはPTB装具を装着して歩行させますが，骨癒合が得られることは稀で，やがて偽関節となります．完成された偽関節に対してはさまざまな手術治療が行われますが，その成功率は低く，多数回手術を要することが少なくありません．このため早期に下腿切断術を行うことも選択肢のひとつとなります．

- 偽関節が完成した先天性下腿偽関節症は，手術治療により骨癒合が得られても，再度骨折して偽関節となることが少なくありません．特に弯曲変形や骨幹部の狭小化が残存すると高率に偽関節を再発します．

- <u>手術を成功させるポイントは2つあります．ひとつは，① 骨を太く真っすぐにすること，もうひとつは，② 感染をコントロールすることです</u>．①を達成するために有効な手術法として「4 in 1手術」という方法があります．腓骨もひとまとめにして太くする方法です（図4-37）．しかしこの方法も必ず成功するわけではありません．神経線維腫症1型に合併する先天性下腿偽関節症では，感染のリスクが非常に高く，周術期に②を達成することが容易ではありません．本疾患の治療は確実に進歩していますが，今なお難治性疾患であることに変わりありません．

主な疾患について知っておくべき知識

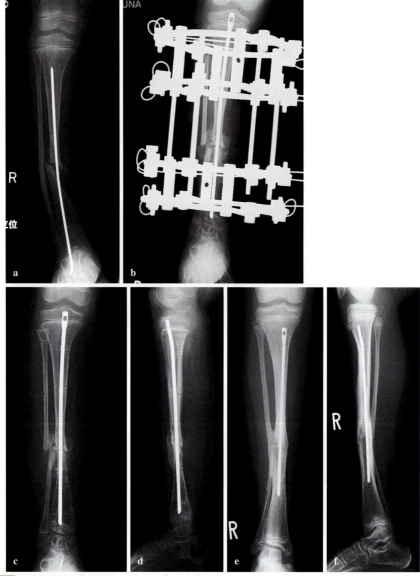

図4-37 先天性下腿偽関節症に対する「4in1手術」

神経線維腫症1型に合併した先天性下腿偽関節症の女児です．髄内釘と装具で経過観察し，5歳9ヵ月時に4in1手術を行いました．腸骨から採骨し，脛骨と腓骨をひとまとめに癒合させることができました．
a．術前，b．術直後
c, d．術後3ヵ月：おおむね骨癒合が得られたので，創外固定を除去しました．太くまっすぐな骨になりました．
e, f．術後4年：装具なしで制限なくスポーツ活動を行っています．脛骨遠位部に外反屈曲変形がみられたため，その後2穴プレートを用いた骨端線片側成長抑制術を行いました．

POINT! 小児の下腿偽関節は，きわめて難治性

骨癒合能が非常に高い小児で偽関節状態にあるということは，骨癒合を阻害する相当な悪条件があるということです．成人の偽関節と同様に考えて手術治療を行っても，なかなかうまくいきません．例外は先天性鎖骨偽関節症（図8-31, 32）で，比較的容易に骨癒合を得ることが可能です．下腿骨の場合は，きわめて難治性と考えて治療にあたる必要があります．

〔先天性下腿弯曲症に対して〕→「脛の骨が曲がっていますが，何年もかけて少しずつまっすぐになっていきます．ただし，脚の長さが最終的に短くなることもあるので，その場合は将来手術をして治すかどうか相談しましょう．」

〔先天性下腿偽関節症に対して〕→「脛の骨が曲がっていて，骨折すると骨がつかなくなってしまう難病です．治療には多数回の手術が必要で，それでも確実に治せる保証はできません．そのため，外国では切断術も行われています．手術治療を始めるにあたっては，長期に渡ってご家族の協力が必要になります．すぐに手術をする必要はありませんので，経過をみながら今後のことについて相談しましょう．」

● 成 長 痛

- 幼児や学童にみられる生理的な一過性の四肢の痛みです．3人に1人のこどもにみられるという報告もあります．10歳頃までに自然に軽快しますが，精神発達遅滞のあるこどもでは10歳以降まで続くこともあります．

- 骨成長に伴う痛みで，圧痛閾値の低いこどもに起こりやすいことがわかっていますが，病態は不明です．最近，成長痛のみられる患者の一部に遺伝子変異がみられることがわかり，この場合は小児四肢疼痛発作症（familial episodic limb pain）という診断になります．神経細胞の機能異常により，痛み発作が引き起こされると考えられています．

- 10歳以降でみられるOsgood-Schlatter病などの成長期の骨端症による痛みを成長痛と呼ぶ医療関係者がおりますが，これは間違った解釈です．

- 幼児や学童が寝床に入ってから下肢（膝や下腿の前面に多い）の激しい痛みを訴えて泣き，ほどなくしてすやすやと寝入るという症状が典型的です．翌朝は何事もなかったかのように元気になり，決して跛行はみられません．毎晩ではなく，これを時々くり返し，数ヵ月から数年にわたって同じような症状が続きます．夜に限らず起床時や日中休んでいるときにみられることもありますが，短時間で症状は消失します．

- 診断するためのポイントは，外来診察室で異常所見をとらえることができないこと，症状のまったくない日のほうが多いこと，画像検査で異常がみられないことです．

「この痛みは，病気ではありません．痛いときには薬を使うのではなく，痛いところを優しくさすってあげてください．別の病気で痛くなることもあるので，症状がいつもと違うときは，また整形外科を受診してください．」

第5章 股関節の診かた

　股関節は比較的診断をつけやすい部位で，診断に困ることは少ない一方，治療に困ることの多い関節です．手術成績は，術者または手術指導者の熟練度に依存するので，十分な経験のない医師が手術を行う際は，熟練した指導者のもとで行うことが大切です．

愁訴からの診断

1 新生児・乳児健診で股関節の異常を疑われた

思い浮かべるべき疾患
健常児，先天性股関節脱臼（発育性股関節形成不全），片側肥大症，片側萎縮症，さまざまな先天奇形（大腿骨近位形成不全症など）

 実際に指摘される異常は，開排制限，脚長差，大腿皮溝の非対称などです（図 5-1）．

診断へのプロセス

STEP 1 先天性股関節脱臼（発育性股関節形成不全）かどうか

［超音波検査ができる場合］　→　超音波で確定診断可能です．
- 側臥位での Graf 法（図 5-2 a, b）と開排位での前方法（図 5-2 c, d）を組み合わせると，脱臼の有無に加えて，重症度を評価することができます（→私の流儀：先天性股関節脱臼の重症度から考える治療法の選択　p.148）．

［超音波検査ができない場合］　→　両股関節正面の単純 X 線検査で診断します．

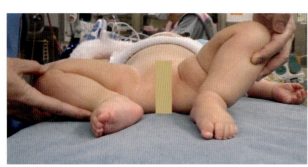
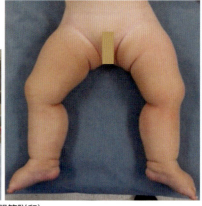

図 5-1　開排制限と大腿皮溝の非対称（生後 9 ヵ月，左先天性股関節脱臼）

- 新生児や乳児の骨頭は単純 X 線検査では描出されないことが多く，診断は容易でありません（図 5-2 e）．まだ骨端部が骨化しておらず，軟骨でできているためです．大腿骨頭骨端核の出現時期は平均して生後 4 ヵ月程度とされていますが，個人差が大きく，健常児でも生後 6 ヵ月以降まで出現しないことがあります．また，脱臼していると骨化が大きく遅延します．このため補助線を引いて診断するのが一般的です．筆者が用いているのは，ヒルゲンライナー線（Hilgenreiner line）とオンブレダンヌ線（Ombrédanne line）です．ラインの引き方は図 5-2 f を参照してください．大腿骨近位骨幹端全体がオンブレダンヌ線より外側にあれば脱臼と判定し，大腿骨近位骨幹端の 3/4 以上が外側にある場合は，グレーゾーンです．それ以外は正常と判定します．

　ほかにも Calve line, Shenton line などの補助線が用いられていますが，関節外の骨形態をなぞって描く補助線は，骨形態の異常を関節適合性の異常に置き換えてしまう可能性があるため，筆者は参考にしないようにしています．特に骨系統疾患では補助線による診断は無効です．

　筆者は，描出されない骨頭の位置をイメージして X 線診断しています（図 5-2 g）．骨幹端の位置から想定される骨頭の位置を円で描き，臼蓋の関節面に引いた線との位置関係で判定します．骨頭と臼蓋が向き合っていれば正常です．骨頭が外側へスライドしていれば脱臼です．このように関節に最も近い部位で脱臼を判定すれば，骨形態に異常があっても大きな影響を受けません．

- 単純 X 線検査による脱臼の診断には，グレーゾーンが存在します．単純 X 線検査と診察所見だけで診断していた時代は，担当医が主観的に脱臼を判定するしかありませんでした．そのため，不要な治療を受けていた患者も少なからず存在していたのではないかと思われます．超音波で確実に診断できる現在，グレーゾーンのケースは，超音波検査のできる病院へ紹介する必要があります．

STEP 1 STEP 2　先天性股関節脱臼以外の疾患がないか

- 脚長差や大腿皮溝の非対称が主訴の場合は，片側肥大症（図 4-15, 16），片側萎縮症（図 4-17），さまざまな先天奇形（大腿骨近位形成不全症など）（図 4-18）の可能性があります．よく視診を行い，可動域，足長（踵から趾先までの長さ），大腿・下腿周径，中足部の厚みなどの左右差をみれば，片側肥大症や片側萎縮症をみつけることができます．左右差があれば，両下肢全長の単純 X 線検査を行います（第 4 章 p.94）．

1 新生児・乳児健診で股関節の異常を疑われた

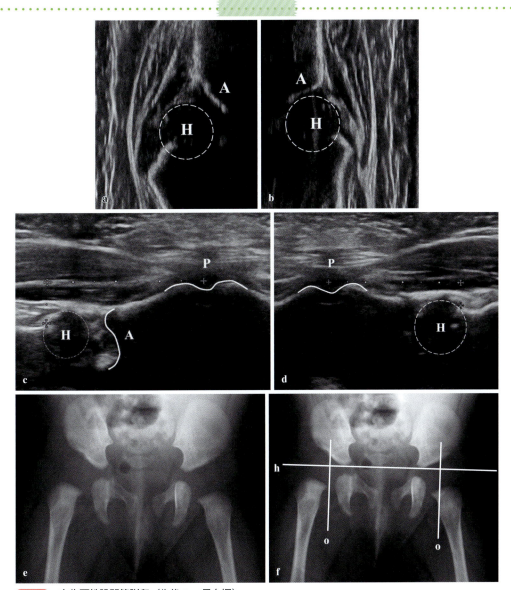

図 5-2 　**右先天性股関節脱臼（生後 3 ヵ月女児）**

右開排制限を主訴に来院．右股関節のクリックサイン陽性でした．本症例は開排すると亜脱臼位まで整復する
ケースで，リーメンビューゲル装具による治療の良い適応です．

a, b. 股関節超音波エコー冠状断像（Graf 法）（a は右，b は左，A：臼蓋，H：大腿骨頭）：この画像は股関
節の X 線正面像を見るイメージで読影します．
b では骨頭の上方に臼蓋があり，ほどよく被覆されています．これは正常所見です．
a では臼蓋が急峻で骨頭がしっかり被覆されていません．これは脱臼の所見です．

c, d. 股関節超音波エコー横断像（前方法）（c は右，d は左，P：恥骨）：右は臼蓋と大腿骨頭の間に高エコー
の介在物が存在しており，亜脱臼の状態です．左は正常所見です．脱臼していると大腿骨頭は臼蓋よ
りも深部にあるため，同定困難となります．

e. X 線正面像：右股関節（画像の向かって左）が脱臼しているのですが，漠然と眺めても診断できません．

f. 補助線による診断：左右の腸骨下端を結ぶヒルゲンライナー線（h）を引き，臼蓋外側縁を通り h 線に垂直
なオンブレダンヌ線（o）を左右それぞれの股関節で引きます．脱臼の判定は大腿骨近位骨幹端と o 線と
の位置関係によって行います．本症例において，右は大腿骨近位骨幹端全体が o 線より外側にあるため
脱臼と判定されます．左股関節は大腿骨近位骨幹端の約半分が o 線より内側にあります．これは正常です．

愁訴からの診断

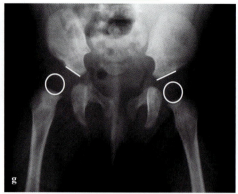

図 5-2 右先天性股関節脱臼（つづき）

g. 描出されない骨頭の位置をイメージして診断する方法：臼蓋の関節面に線を引き，骨幹端の位置から想定される骨頭の位置を円で描きます．左股関節は骨頭と臼蓋が向き合っているので正常です．右股関節では臼蓋に対して骨頭が外側へ明らかにスライドしているので脱臼と判定します．

コラム　患児の障害を母親が受容するプロセス

　小児整形外科では，治すことのできない疾患の診療に携わることが少なくありません．特に新生児期に予後の悪い疾患を診療するときには，両親に対する病状説明が難しいと感じます．一般的に予後の悪い疾患について説明を受けた患者は，ショック期→否認期→混乱期→努力期という過程を経て最終的に障害を受容していきます．これには長い時間を要しますが，心の健康を取り戻すためには必要なプロセスです．患者が乳幼児の場合，このプロセスは患児でなく，両親にもたらされます．見た目からわかる障害については，同じようなプロセスを経て，両親は障害を受容していきます．時に攻撃的な言葉を受けることもありますが，担当医はこれを温かく受け止めていきます．一方，見た目からはわからない障害や疾患もあります．これについては断定的な説明は避け，患児が成長していく中で母親が自ずとその予後を感じ取っていくのを見守っていきます．出産直後の母親に患児の予後が不良であること（将来歩けないことが予想される場合など）を説明して大きなショックを与えてしまうと，母親の健康状態に悪影響を及ぼすだけでなく，育児放棄や家庭崩壊を招く可能性もあります．訊かれたことに対して嘘をつくことはできませんが，できるだけオブラートに包んで説明していくことが，大切ではないかと筆者は考えています．

> **解説** 大腿骨頭が骨化する前の先天性股関節脱臼のX線画像診断
> －International Hip Dysplasia Institute（IHDI）分類－（図5-3）
>
> 　大腿骨頭が骨化する前の先天性股関節脱臼のX線画像診断は非常に難しく，判定者によって相違がでやすいものです．筆者が行っている診断法は，本書のp.120で解説した通りですが，判定者による診断の相違を減ずるため，2015年にInternational Hip Dysplasia Institute（IHDI）と呼ばれる国際機関が，わかりやすい診断基準を公表しました．この診断法ではグレーゾーンがないため，診察所見（クリックサイン）と超音波診断から得られる臨床診断と一致しないケースが避けられませんが，脱臼の重症度を再現性良く評価できる点では優れた評価法です．そのため最近はこの評価法が世界標準となりつつあります．実際の評価法は以下の通りです．

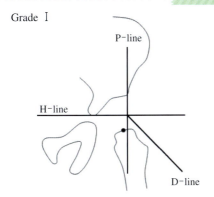
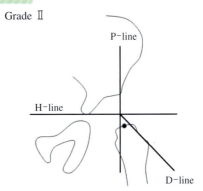
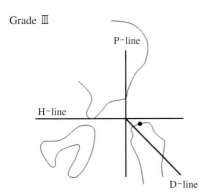
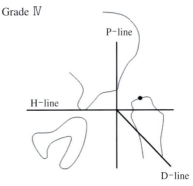

図5-3 先天性股関節脱臼のInternational Hip Dysplasia Institute（IHDI）分類

H-point（骨幹端の近位縁の中点）がどこにあるかで，脱臼の程度を決めます．D-lineを引くことによって，判定者による違いを少なくした点で評価されますが，治療の要否を決める臨床診断（p.148 私の流儀）とは，必ずしも一致しません．
H-line：ヒルゲンライナー線
P-line：Perkin線，オンブレダンヌ線と同義語
D-line：H-lineとP-lineの二等分線

2 股関節の痛み，疼痛性跛行

[乳幼児の場合]
単純性股関節炎，化膿性股関節炎，若年性特発性関節炎（若年性関節リウマチ），化膿性筋炎（腸腰筋，内閉鎖筋，外閉鎖筋，内転筋群，殿筋），Perthes 病，先天性股関節脱臼（発育性股関節形成不全），出血性関節障害

[青年期の場合]
腱付着部炎（骨端症），骨盤疲労骨折，単純性股関節炎，化膿性股関節炎，大腿骨頭すべり症，離断性骨軟骨炎，関節唇損傷，特発性股関節軟骨溶解症，骨系統疾患（Stickler 症候群など），大腿骨寛骨臼インピンジメント（FAI），AIIS impingement，類骨骨腫

「痛い」と言えない乳幼児では，おむつを換えるときに激しく泣くなどの愁訴も痛みと考えます．膝が痛いといっても，膝を固定した状態で股関節を他動的に動かしたときに，痛みの再現があれば股関節の痛みと判定します（→コラム：診察しにくい膝 p.134）．また幼児期には，運動時痛があっても安静時痛がなければ痛みを訴えず，痛みが出ないような歩き方をすることが唯一の愁訴となることが少なくありません．

診断へのプロセス

STEP 1　股関節炎かどうかを判断する

- まず FADIR test（図 5-4）を行います．陽性なら関節液の増加か大腿骨寛骨臼インピンジメント（FAI：femoroacetabular impingement）が考えられますが，乳幼児や学童初期では関節液の増加を疑います．このテストで大切なことは，強い痛みを出さないよう優しく行うことです．途中で強い痛みが出たらその時点で陽性と判定し，テストを終了します．激痛を伴うときに無理に屈曲すると，例えば大腿骨頭すべり症のときにはすべった骨頭が急激に整復され骨頭壊死を招く危険があります．
- FADIR test が陽性であれば，超音波検査で ultrasound joint space（UJS）（＝femoral neck capsular distance：FNCD）を測定します．超音波プローブを前方から大腿骨頚部軸に沿ってあてると簡単に測定できます．UJS が健側に比して明らかに大きい場合は，関節液の増加ありと判定します（図 5-5）．
- MRI 検査は最も確実に関節液の増加を判定できる方法ですが，乳幼児では睡眠薬の投与が必要になります．

STEP 1 → STEP 2　緊急手術が必要な化膿性股関節炎かどうかを判断する

- 急性発症の股関節炎で，単関節に限られている場合，そのほとんどは単純性股関節炎（図 5-5）か

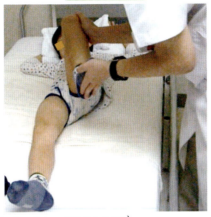

図 5-4 FADIR test（Flexion-Adduction-Internal Rotation test）
仰臥位で膝を 90°以上屈曲した状態で他動的に股関節を屈曲し，90°を超えたところで少し内旋と内転を加えてさらに屈曲します．屈曲できない場合や内旋や内転ができない場合，あるいはお尻が持ち上がってしまう場合は異常（陽性）と判定します．この手技は医師によって微妙にやり方が異なり，その手法にこだわりを持つ医師もおりますが，おおむねこのような手技で行えば十分評価可能です．テストの呼称もさまざまで，単に「adduction test」と呼ばれることもあれば，「flexion-adduction test」と呼ばれることもあります．FAI の診断に用いられる anterior impingement test とは内旋を加える点で異なるという解釈もありますが，手技もさまざまで FADIR test と同様の手技で行う医師もおります．このテストが陽性の場合，関節液が増加しているか，骨性にインピンジが起こっているかのいずれかを考えます（細かいことを言えば筋炎による筋痛，骨内病変による骨痛，関節唇損傷などでも陽性になることがあります）．単純 X 線検査で骨形態に異常がなければ関節液の増加を疑います．

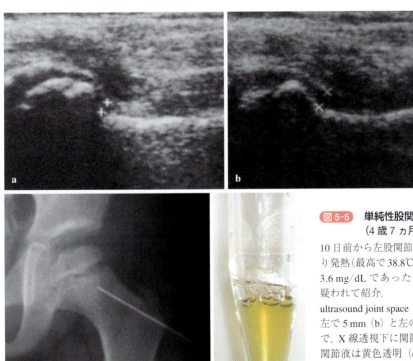

図 5-5 単純性股関節炎の関節液（4 歳 7 ヵ月男児）

10 日前から左股関節痛と跛行があり，2 日前より発熱（最高で 38.8℃），近医の血液検査で CRP 3.6 mg/dL であったため，化膿性股関節炎が疑われて紹介．
ultrasound joint space（UJS）は，右で 3 mm（a）左で 5 mm（b）と左の関節液増加がみられたので，X 線透視下に関節穿刺を行いました（c）．関節液は黄色透明（d）で粘稠度も正常と思われたため，単純性股関節炎の診断となりました．後日明らかとなった関節液培養の結果は陰性でした．可及的安静により自然治癒しました．

愁訴からの診断

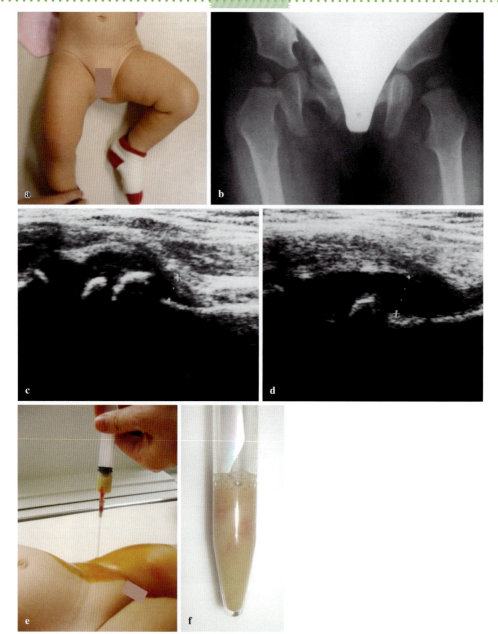

図 5-6　左化膿性股関節炎（生後 11 ヵ月女児）

39.0℃の発熱と左下肢を動かさないという愁訴で受診．典型的な化膿性股関節炎の肢位（a）をとり，この位置から少しでも動かそうとすると号泣しました．膝関節，足関節に腫脹はなく，単純 X 線検査では明らかな異常所見はありませんでした（b）．血液検査では CRP 4.1 mg/dL でした．UJS を測定すると右で 5 mm（c）左で 8 mm（d）と左の関節液増加がみられたので，X 線透視下に関節穿刺を行ったところ（e），灰黄色に混濁した関節液（f）が多量に吸引されました．化膿性股関節炎と診断し，緊急で鏡視下洗浄術・ドレーン留置を行いました．起因菌はインフルエンザ菌でした．

化膿性股関節炎（図 5-6）です．多発性関節炎の場合は，感染症関連関節炎（第 12 章 p.316）や若年性特発性関節炎（若年性関節リウマチ）（第 12 章 p.314）などの可能性が高くなります．
- 股関節炎をきたす疾患の中で緊急手術が必要なのは，化膿性股関節炎だけです．化膿性股関節炎が否定できるまでは緊急で検査を進めていく必要があります．

2 股関節の痛み，疼痛性跛行

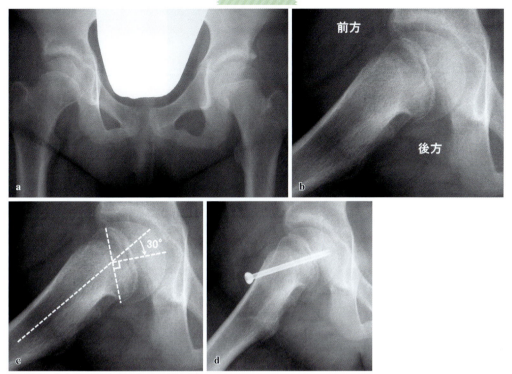

図 5-7　右大腿骨頭すべり症（10歳女児）
正面像（a）では一見正常に見えますが，Lauenstein像（b）では本来前方を向いているべき骨端部が後ろを向いていることがわかります．すべり角（後方傾斜角）を測ると30°でした（c）．そのままの位置でスクリュー固定し（d），順調な回復がみられました．

- 基本的には経過中の最高体温が38.5℃以上であれば血液検査を行い，血清CRPが2.0 mg/dL以上なら関節穿刺を行って膿の貯留があるかどうかを確認します（第12章 p.298）．稀に高熱を伴わない化膿性股関節炎もあるので，経過の長いケースや症状の強いケースでは経過中の最高体温38.5℃未満でも血液検査を行います．

STEP 3　画像診断する

- 股関節疾患の多くは単純X線検査による診断が可能です．
- 初診時に絶対に見逃してはいけないのは，大腿骨頭すべり症です．これを見逃さないためには，通常の股関節X線正面像に加えて側面像（Lauenstein像またはFrog leg像）の撮影が必要です（図5-7）．側面像で後方傾斜角（すべり角）を測定し，これが10°以上であれば大腿骨頭すべり症を疑い，骨端線が異常に開大している所見が同時にみられたら確定診断となります．緊急性はありませんが，Perthes病の診断においても側面像が必須で，初期には大腿骨頭前方の圧潰が唯一の異常所見です（図5-8）．筆者は撮影手技の違いによる画像の変化を最小限にするため，初診時にはLauenstein像を撮影するようにしています．
- 細菌感染が否定され，単純X線検査で明らかな異常がないときは，いわゆるobservation hip（観察股）として経過観察を行いますが，超音波検査やMRI検査で関節水腫（関節液の増加）があるときは，単純性股関節炎と暫定診断します．

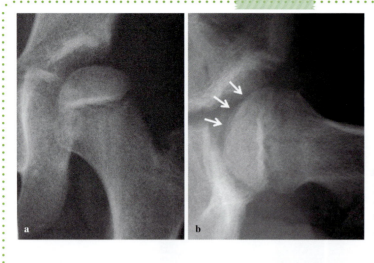

図 5-8　左 Perthes 病（7 歳男児）
正面像（a）では一見正常に見えますが，Lauenstein 像（b）では骨端部の前方が少しだけ潰れていることがわかります．Perthes 病と診断しました．

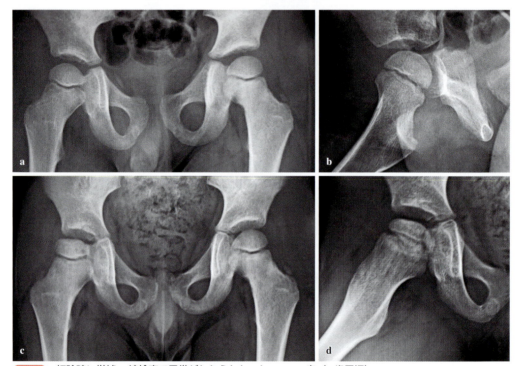

図 5-9　初診時に単純 X 線検査で異常がわからなかった Perthes 病（4 歳男児）
右膝の痛みと跛行を主訴に受診．初診時の単純 X 線検査（a, b）では異常がみられなかったため経過観察したところ，3 ヵ月後の単純 X 線検査（c, d）で右大腿骨頭の圧潰がみられ右 Perthes 病と診断しました．

- observation hip の中には，稀に Perthes 病初期の症例があります．経過とともに大腿骨頭の圧潰がみられるので（図 5-9），その時点で診断が明らかになります．
- Perthes 病の診断は，MRI を用いれば早期診断が可能ですが，単純 X 線検査で異常がみられる時期まで診断が遅れても問題はありません．
- 化膿性筋炎は比較的頻度の高い疾患です．これを診断するには MRI 検査が必要です．筆者の経験では，内閉鎖筋，外閉鎖筋，腸腰筋に好発し，そのほかすべての股関節周囲筋に起こりえます．

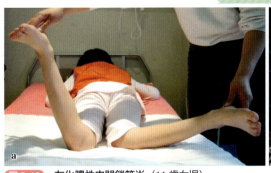
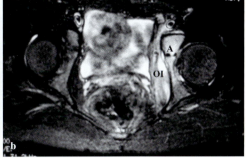

図 5-10　左化膿性内閉鎖筋炎（11歳女児）

10日間続く左股関節痛と39.0℃までの発熱があり紹介．血液検査ではCRP 11.0mg/dLでした．前医でのMRIから臼蓋底の骨髄炎を合併した化膿性内閉鎖筋炎と診断し，抗菌薬による治療を行いました．
a．最大内旋位：左の明らかな内旋制限を認めました．内閉鎖筋の伸長時痛と考えました．
b．MRI（STIR像）：左内閉鎖筋（OI）と寛骨臼底部（A）に高輝度変化を認めました．

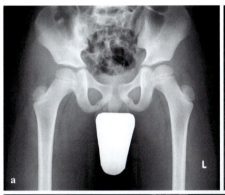
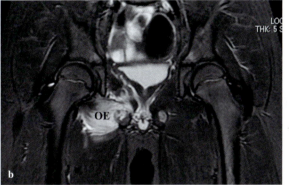
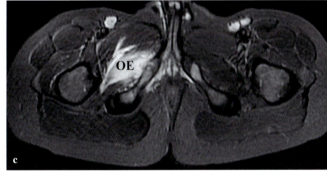

図 5-11　右化膿性外閉鎖筋炎（8歳男児）

右股関節痛と38.8℃の発熱で初診．血液検査では血清CRP 10.0mg/dLでした．MRI検査では，STIR法で右外閉鎖筋（OE）に高輝度変化を認めました．化膿性外閉鎖筋炎と診断し，抗菌薬による治療を行いました．

化膿性内閉鎖筋炎（図5-10）では，寛骨臼底部の骨髄炎の合併が多く，さらには寛骨臼底部の反対側（外側）にある股関節まで感染が波及して化膿性股関節炎を合併することもあります．化膿性外閉鎖筋炎（図5-11）や化膿性腸腰筋炎（図5-12）も，これらの筋に接する股関節に感染が波及して化膿性股関節炎を合併することがあります．

- おおむね10歳以降で，スポーツを活発に行っているケースでは，腱付着部炎（下前腸骨棘，上前腸骨棘（図5-43），坐骨結節（図5-45），腸骨稜（図5-44），大転子（図5-46））が多くみられます．軽症例ではMRI検査でも異常がないため，圧痛と付着する筋のストレッチ時の痛みで診断します．重症例ではMRIで骨髄浮腫がみられます．これが進行すると腱付着部が裂離骨折を起こ

愁訴からの診断

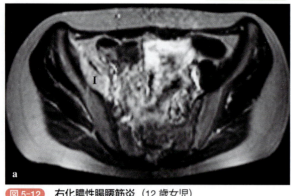
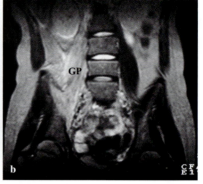

図 5-12 右化膿性腸腰筋炎（12 歳女児）
a. MRI SE 法 T2 強調像：右腸骨筋（I）に高輝度変化を認めました．
b. MRI SE 法 T2 強調像：右大腰筋（GP）に高輝度変化を認めました．

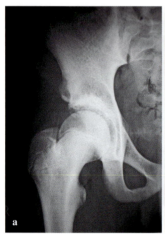
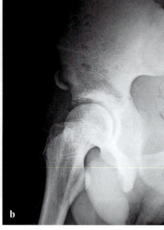

図 5-13 下前腸骨棘裂離骨折（13 歳男児）
右股関節痛を主訴に来院した陸上選手です．正面像（a）でも診断可能ですが，Lauenstein 像（b）でみると下前腸骨棘の裂離がより明確にわかります．この程度の転位であれば，通常は保存治療（2～3ヵ月間の運動制限）で十分な改善が得られますが，これ以上の転位が生じたら手術治療が必要です．

し，X 線診断が可能となります．下前腸骨棘の裂離骨折では，転位の小さい初期に診断されれば，安静を保持することによって，大きな問題なく治癒に至ります（図 5-13）．しかし転位の大きい場合は，手術治療（整復とスクリュー固定）が必要です．手術を行わずに転位した位置で癒合すると，「AIIS（anterior inferior iliac spine）impingement」と呼ばれる病態を招きます（図 5-14）．これは股関節の屈曲時に下前腸骨棘と大腿骨頸部が関節外で衝突し，痛みをもたらす病態で，症状の改善には手術治療（下前腸骨棘の切除）が必要となります．坐骨結節の裂離骨折も，転位の小さいものでは安静の保持によって問題を残さずに治癒しますが，転位した位置で骨癒合すると坐位における局所の痛みや運動時痛をもたらすことが多いので，手術治療（整復とスクリュー固定）が必要です（図 5-15）．

- スポーツ選手では，稀に疲労骨折（図 5-16）や離断性骨軟骨炎（図 5-17）の場合もあります．疲労骨折は単純 X 線検査では診断が困難なことが多く，MRI 検査によって診断します．離断性骨軟骨炎は X 線診断が可能ですが，重症度の判定のため MRI 検査も行います．運動制限で改善していく場合もありますが，難治例では病変部への力学的負荷を減らすための骨切り術を行います．

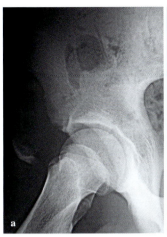
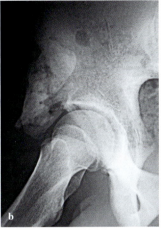

図 5-14 下前腸骨棘裂離骨折後の AIIS impingement（15 歳男子）

下前腸骨棘の腱付着部炎が続いていましたが陸上競技（ハードル）を続け，痛みが急性増悪しました．保存的治療により大きく転位した位置で骨癒合した結果，AIIS impingement が生じる状態となり，屈曲制限のため正座・和式トイレの使用が困難となりました．このように転位の大きい症例では，観血的整復固定術（スクリュー固定）を行う必要があります．
a. 症状急性増悪時の Lauenstein 像
b. 6 ヵ月後

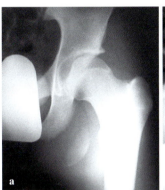
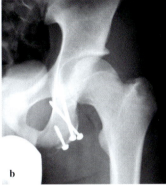
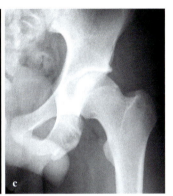

図 5-15 坐骨結節裂離骨折（14 歳男児）

転位の明らかな坐骨結節裂離骨折は，運動時痛に加え坐位での痛みが後遺症として残る場合が多いため，積極的に手術治療を行います．骨片から大腿二頭筋の付着部をできるだけ剥がさないよう注意して，スクリュー固定を行います．
a. 初診時，b. 術後，c. 術後 1 年

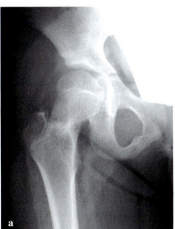
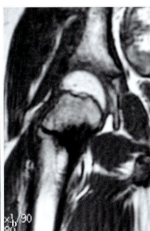
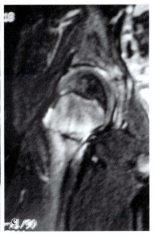

図 5-16 右大腿骨頚部疲労骨折（8 歳女児）

4 ヵ月間続く右膝痛を主訴に来院．跳び箱が原因の疲労骨折と考えられました．半年間のスポーツ休止により治癒しました．
a. 初診時 X 線像，b. MRI 像（SE 法 T1 強調像），c. MRI 像（STIR 像）

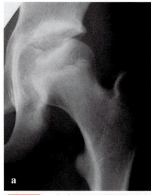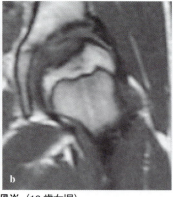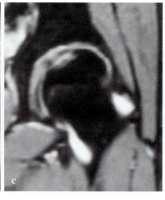

図 5-17　左大腿骨頭離断性骨軟骨炎（12 歳女児）
5 歳からモダンバレエを続けていました．12 歳になってから左股関節痛が生じ跛行もみられるようになり受診．画像所見と鏡視所見から離断性骨軟骨炎と診断し，大腿骨転子部内反骨切り術を行い，病変部の修復がみられました．
a．X 線正面像，b．MRI：SE 法 T1 強調像，c．MRI：GR 法 FA20°

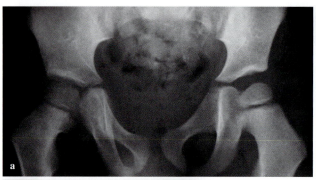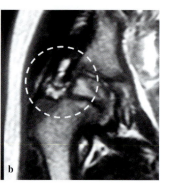

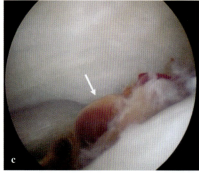

図 5-18　股関節内血管腫（4 歳男児）
反復する右股関節痛を主訴に来院．画像検査から血管腫による反復性股関節血症を疑い股関節鏡を行ったところ，関節内に明らかな血管腫が認められたため，血管腫の関節内の部分を電気凝固器を用いて可及的に蒸散しました．術後反復性の痛みは消失しました．血管腫は再発の多い腫瘍で根治は必ずしも望めませんが，反復性の関節内出血を止めることによって，破壊性の関節症性変化を防ぐことが可能です．
a．X 線像
b．MRI 像（SE 法 T2 強調像）：点線内が血管腫
c．関節鏡視像：矢印が血管腫

- 股関節近傍に血管腫があると，関節血症による反復性の痛みが出ることがあります．MRI で血管腫がないかよく確認します（図 5-18）（第 12 章 p.318）．
- 大腿骨転子部は類骨骨腫の好発部位です．安静時痛の強い股関節痛では類骨骨腫の可能性を考慮して画像診断を進めます．診断の決め手となるのは CT 検査で，骨硬化巣で囲まれた「nidus」と呼ばれる空洞の中に小さな石灰化巣がみられたら，本疾患とほぼ診断可能です（図 5-19）．アスピリンの内服テストで著効したら本疾患と暫定診断し，ラジオ波焼灼術や鏡視下腫瘍掻爬術を行います．
- 各種疾患と関連した骨変形によって 2 次的に大腿骨寛骨臼インピンジメント（FAI）が起こり，痛みの原因となることがあります．その代表格が大腿骨頭すべり症後の遺残変形です．

2 股関節の痛み，疼痛性跛行

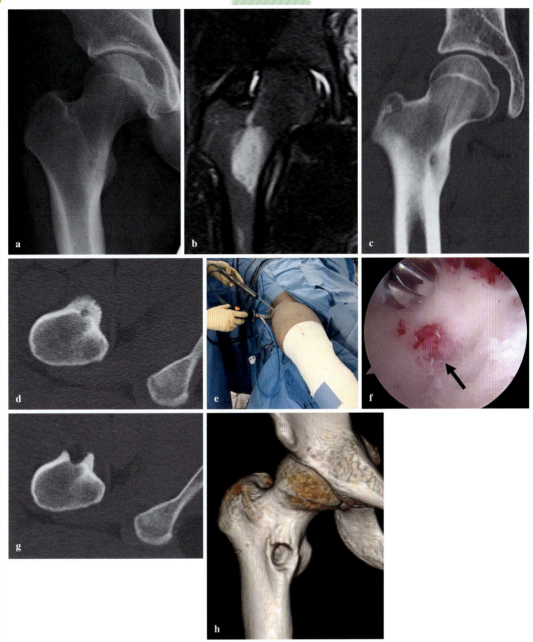

図 5-19 大腿骨転子部内側の類骨骨腫（16歳男子）

誘因なく右股関節痛が出現し，安静時痛が強い状態でした．アスピリンが著効するため，類骨骨腫の疑いで関節外から鏡視下で病変部を切除しました．術後，痛みは完全に消失しました．

a. X線像
b. MRI像（STIR法）
c. reconstruction CT像（冠状断）
d. CT像（横断像）
e. 関節外から内視鏡を挿入して手術しているところ．
f. 腫瘍の鏡視所見：アブレーダーで皮質骨を徐々に削っていくとnidusと思われる病変部がみられました（矢印）．
g．h．術後CT像

愁訴からの診断

STEP 4　さらなる精査を行う

- observation hip の中には，稀に若年性特発性関節炎（若年性関節リウマチ）の患者もいます（図5-20）．MRI 画像上，滑膜増殖を伴う関節液の増加がみられ，血清 MMP-3 の高値がみられれば JIA を疑い，ほかの関節にも関節炎がみられれば確定診断に至りますが，単関節炎（一関節に限られた関節炎）の場合は関節鏡による滑膜生検が必要です．
- 関節唇損傷は，MRI 関節造影による診断がある程度可能ですが，確定診断には関節鏡検査が必要です．
- 未診断の血友病やその類似疾患による関節血症で反復性の痛みが出ることもあります（図5-21）．反復性の関節液増加を伴う股関節痛がみられる場合は，こうした出血性関節障害の可能性も考慮します．凝固系の血液検査を行い，出血性関節障害が疑われる場合は，出血のエピソードがみられたときに関節穿刺（出血を最小限にするため 22 ゲージ程度の細い針で行う）を行って関節血症の有無を確認します（第 12 章 p.317）．

コラム　診察しにくい膝

大腿骨頭すべり症では，ときに膝の痛みだけを訴えて来院しますが，そのような場合なかなか診断に至らないことが多いようです（図 5-55）．大腿骨頭すべり症では，股関節が外旋位をとるため膝も外旋位となり，膝蓋骨を前方に向けることができず非常に膝を診察しにくい状況になります．また，膝を屈曲すると股関節がより外旋してしまうため，膝全体が外方へ移動してさらに診察しにくい状況になります（図 5-52）．このような状態は，ほかの股関節疾患でもみられることがあります．

筆者の恩師である守屋秀繁 千葉大学名誉教授は「膝を痛がるこどもの診察がしにくいときは，股関節疾患を疑え」と教えてくれましたが，まさにその通りです．膝を痛がるこどもの股関節疾患を見逃してはいけません．膝を動かさないように保持した状態で，股関節を他動的に動かしたときに痛みの再現があるかどうかをみれば，股関節疾患が膝の痛みの原因かどうか確認することができます．

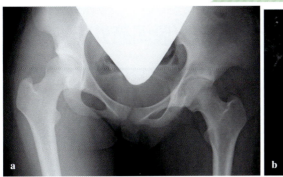
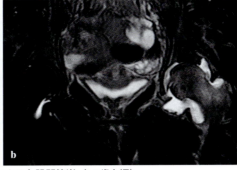

図 5-20 若年性特発性関節炎（若年性関節リウマチ）による左股関節炎（14 歳女児）

13 歳時に腰痛で発症．その後左股関節痛と跛行がみられ，14 歳時に前医受診．左股関節水腫がみられたため，鏡視下滑膜生検術が行われ，若年性特発性関節炎の診断となり当科紹介．単純 X 線検査では，左大腿骨頚部に骨増殖像を伴う骨浸食像がみられました（a）．MRI では著明な関節水腫を認めました（b）．メトトレキサート，生物学的製剤（インフリキシマブ，アダリムマブ）などを投与しましたが，十分な効果がなかったため，鏡視下滑膜切除術に加え，大腿骨頚部の鏡視下骨軟骨形成術を行い，症状の改善をみました．しかし，その後も大腿骨頚部の骨増殖性変化がみられ，股関節可動域制限と運動時痛が残存しています．

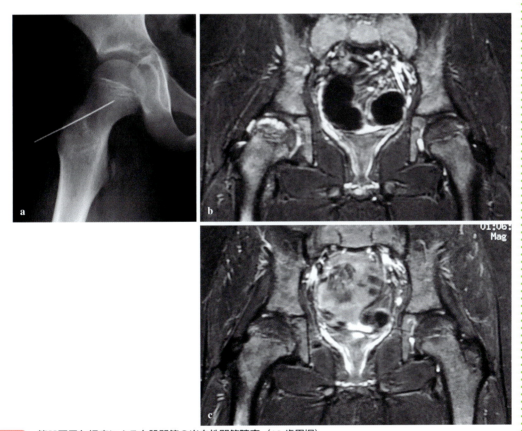

図 5-21 第 V 因子欠損症による右股関節の出血性関節障害（10 歳男児）

新生児期の止血困難な臍帯出血で第 V 因子欠損症と診断された男児です．10 歳になってから関節血症をくり返し，痛みの強いときには関節穿刺を行っていました（a）．MRI で大腿骨頭荷重部の軟骨下骨に輝度変化を認めたため（b），坐骨免荷装具を適用して 6 ヵ月間右股関節を完全免荷としたところ，軟骨下骨の輝度変化は完全に正常化しました（c）．その後 10 年以上経過をみていますが，関節症性変化はまったくみられません．出血性関節障害は，放置すると短期間で急速に関節の破壊性変化がみられることがあるので，早期に積極的保存療法や鏡視下滑膜切除術を考慮する必要があります．

3 股が閉じなくなってきた（股関節外転拘縮）

思い浮かべるべき疾患　特発性股関節軟骨溶解症，大腿骨頚部内側の外骨腫，殿筋内の血管腫

珍しい愁訴ですが，小児整形外科外来ではときどき遭遇します．股関節の内転制限（外転拘縮）による症状ですが，関節拘縮か，骨形態の異常によって内側でインピンジが起こっているか，股関節外転筋群の筋拘縮か，いずれかが原因と考えます．患側の脚長が見た目以上に長くなることが特徴です．

診断へのプロセス

STEP 1　画像診断する

- X線股関節正面像を撮影すると，患側への骨盤傾斜がみられます．
- 最大内転位の股関節正面像でも患側の股関節が外転していれば，内転制限が証明されます．
- 外骨腫は，X線像ですぐに診断できます（図5-22）．

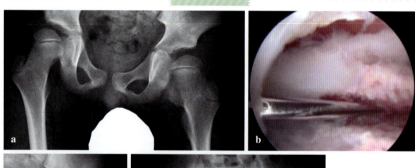
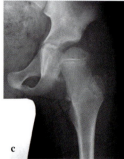
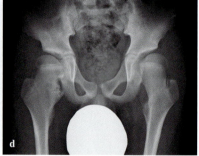

図5-22　メタコンドロマトーシスの大腿骨頚部外骨腫（6歳男児）
左下肢が急に長くなり，普通に歩けなくなったという主訴で来院．単純X線検査を行うと，左大腿骨頚部内側に大きな外骨腫があり，このために股関節が内転できない状態でした(a)．股関節を外旋すると腫瘍が前方へ移動するため，鏡視下切除が可能と判断しました．関節鏡視下にノミ（5mm幅）で腫瘍の基部を切離し(b)，パンチとアブレーダーを用いて腫瘍を切除しました(c)．術後すみやかに歩容は改善し，5年後の単純X線検査でも再発は認められませんでしたが，右大腿骨頚部内側に無症候性の内軟骨腫がみられました(d)．全身骨のX線所見からメタコンドロマトーシスと最終的に診断しました．

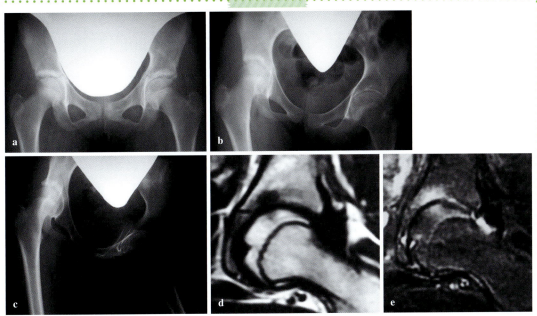

図 5-23　左特発性股関節軟骨溶解症（11 歳女児）

左股関節痛で近医を初診し，その後外転拘縮とそれによる跛行が著明となり紹介．単純 X 線検査では関節裂隙の狭小化が進行性にみられました．腫瘍性疾患ではないかという他医の指摘もあったため，生検を兼ねて関節授動術を行いましたが，十分な機能改善が得られなかったため，良肢位確保のため大腿骨転子部内反骨切り術を行いました．

a. 近医初診時 X 線正面像，b. 2 ヵ月後 X 線正面像，c. 5 ヵ月後 X 線正面像，d. 5 ヵ月後 MRI 像（SE 法 T1 強調）

e. 5 ヵ月後 MRI 像（STIR 法）：特発性股関節軟骨溶解症の MRI 像では臼蓋と骨頭の相対する部分に浮腫性変化がみられる mirror lesion が特徴的です．

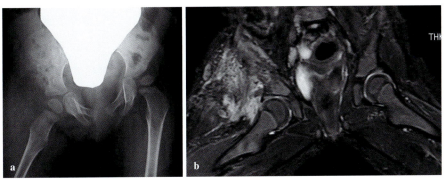

図 5-24　殿筋内血管腫による右股関節外転拘縮（生後 10 ヵ月女児）

右股関節外転筋群周囲に血管腫がみられた女児です．血管腫に占拠された筋肉は成長に伴って伸びていくことができないので，骨成長の分だけ相対的に短くなっていきます．すなわち進行性の筋拘縮がみられます．この例では進行性の外転拘縮がみられたため，1 歳 2 ヵ月時に外転筋群の解離術を行い，生検術も同時に行いました．病理診断は房状血管腫（tufted angioma）でした．術後，股関節の可動域は十分に改善し，股関節の内転位を保つ股装具を装着しました．術後 5 年で腫瘍はほぼ自然消退し，機能障害もありません．

a. 生後 10 ヵ月 X 線像（右股関節最大内転位）：右腸骨外側部に骨溶解像を認め，右股関節は外転位をとっています．

b. 1 歳 1 ヵ月時の MRI 像（STIR 法）：右殿筋内に高輝度の病変を認めます．

- 進行性の股関節外転拘縮に加え，関節裂隙の狭小化がみられれば，特発性股関節軟骨溶解症とほぼ診断できます（図 5-23）．
- MRI 検査で殿筋内に異常像がみられれば，殿筋の筋拘縮（筋肉が伸びない状態）による内転制限とわかります．小児で筋拘縮をきたす原因として最も多いのは血管腫です（図 5-24）．

愁訴からの診断

4 股が開かなくなってきた（股関節内転拘縮）

思い浮かべるべき疾患

痙性麻痺（脳性麻痺），Perthes病，発育性股関節形成不全（重度のペルテス様変形），骨系統疾患

もともと健常であった小児にこの症状が出現することはきわめて稀です．何らかの基礎疾患の合併を考えて診断します．幼児ではおむつを替えるときに母親が気づくことが多く，学童期以降では特定のスポーツを行ったときに本人が気づくことが多いようです．

診断へのプロセス

STEP 1 理学所見を診る

- 痙性麻痺（脳性麻痺）は既往歴を問診すればわかることが多いのですが，幼児期には未診断のケースにも遭遇します．腱反射亢進，下腿三頭筋やハムストリングスの筋拘縮がみられます．
- 重度のペルテス様変形（先天性股関節脱臼治療後の大腿骨頭壊死）では，股関節外転制限に加えて脚長不等（患側の下肢が短い）がみられます．

STEP 1→STEP 2 画像診断する

- 最大外転位の股関節正面像で外転制限が証明されます．
- 痙性麻痺（脳性麻痺）による外転制限は，下肢腱反射亢進などの神経学的評価で診断します（図5-25）．痙性麻痺（脳性麻痺）以外の疾患は，単純X線検査で診断します．
- ペルテス様変形では，大腿骨頭の骨端部の高さが減じ，巨大骨頭と大転子高位がみられます．Perthes病の治療後の変形と画像での鑑別診断は困難で，既往歴を参考にして診断します（図5-26）．
- 外転制限はさまざまな骨系統疾患にみられますが，骨変形（内反股）が直接原因の場合（先天性脊椎骨端異形成症（図5-27）など）と，軟骨溶解が直接原因の場合（Stickler症候群（図5-28），大理石骨病（図5-29）など）があります．いずれも単純X線検査で診断可能ですが，専門知識がない場合は骨系統疾患に詳しい小児整形外科専門医や放射線科医に画像診断を依頼します．

4 股が開かなくなってきた（股関節内転拘縮）

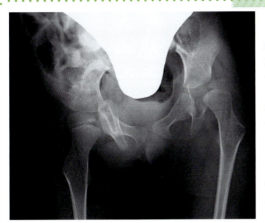

図 5-25 痙性対麻痺に伴う左股関節亜脱臼（5 歳女児）
染色体異常に伴う痙性対麻痺の女児です．歩行不能ですが，坐位はとれる状態でした．左股関節の内転拘縮が徐々にみられ，衛生管理が困難になっていたため，左股関節内転筋，腸腰筋，ハムストリングスの解離術を行い，左大腿骨頭の求心位が改善しました．痙性対麻痺による亜脱臼は，放置するとクリックを伴う位置性脱臼へ移行し，最終的には恒久性に完全脱臼位をとるようになります．歩行できない患児においては，内転拘縮による衛生管理の問題や痛みがなければ絶対的な手術適応はありませんが，はさみ足のような高度内転拘縮となってからでは手術が難しくなってきますので，早期手術も選択肢のひとつです．

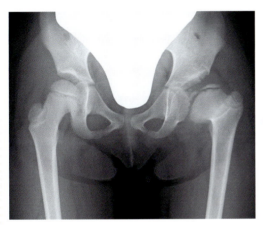

図 5-26 重度のペルテス様変形（5 歳女児）
開排制限を主訴に生後 4 ヵ月で左先天性股関節脱臼の診断を受け，他院でリーメンビューゲル装具による治療が行われましたが整復されず，1 歳半で股関節脱臼観血的整復術が行われました．硬性墜落性跛行と歩行時痛を主訴に 5 歳で初診．17 mm の脚長差と左股関節の外転制限がみられました．

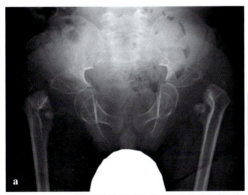
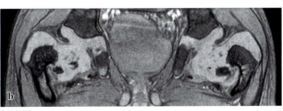

図 5-27 先天性脊椎骨端異形成症による内反股（4 歳男児）
単純 X 線検査（a）では，大腿骨頭が欠損しているかのように見えますが，MRI T2*像（b）では，まだ一部しか骨化していない軟骨性の大腿骨頭が臼蓋の中にあることがわかります．MRI 像からわかるように少しでも外転すると大転子が臼蓋とインピンジする状態で，最大外転角は両側とも 10°程度でした．両側の大腿骨外反骨切り術を行い，外転制限は改善しました．

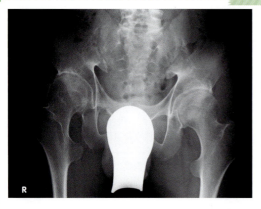

図 5-28 Stickler症候群（hereditary arthro-ophthalmopathy, 遺伝性 関節・眼症）による右股関節内転外旋拘縮（15歳男子）

5歳時に両膝，両側関節炎で発症し，以後対症療法を続けていましたが，その後右股関節炎がみられるようになり，内転外旋拘縮によるADL障害がみられました．大腿骨転子部外反内旋骨切り術を行い，著明な改善を得ることができました．

 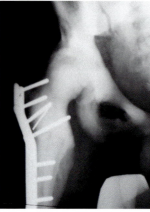

図 5-29 大理石骨病による内転拘縮（15歳男子）

大理石骨病で経過観察中，右股関節が内転拘縮となり著明な歩行障害がみられるようになりました．大腿骨転子部で外反骨切り術を行い，歩行障害は改善しました．

5 単純X線検査でみつかった股関節の骨形態異常

思い浮かべるべき疾患

発育性股関節形成不全（DDH），Charcot-Marie-Tooth病（CMT），骨系統疾患（軟骨無形成症，多発性骨端異形成症，先天性脊椎骨端異形成症，片肢性骨端異形成症など），股関節内腫瘍（血管腫など）

愁訴のない股関節の骨形態異常で受診される患児も少なくありません．一番多いのは脱臼歴のない臼蓋形成不全を含む発育性股関節形成不全（DDH）ですが，ほかにもさまざまな疾患がみつかります．

診断へのプロセス

STEP 1　病歴を聴取する

- 股関節の骨形態異常は，発育性股関節形成不全（DDH）に関連するものが多いので，既往歴と発育歴についての問診を行います．注意が必要なのは未診断の Charot-Marie-Tooth 病（CMT）です．
- CMT や骨系統疾患は家族性に発生することが多いので，入念に家族歴の聴取を行います．

STEP 2　四肢を診察する

- CMT（図 5-30）による臼蓋形成不全のケースでは，麻痺性の足部変形（特に凹足や内反尖足）がみられます（図 2-22）．ただし若年齢では症状が軽く，正常と区別がつきにくいこともあります．このような場合は両親や兄・姉の足部の診察も行います．
- 骨系統疾患では，四肢または体幹の短縮や関節可動域制限がみられることがあります．身長測定や全身のプロポーションの観察も参考になります．

STEP 3　画像診断する

- 骨系統疾患が疑われるときは，股関節のほか，脊椎・胸郭，両下肢，両上肢，手，頭蓋骨など全身の単純 X 線検査を行い，総合的に診断します．
- 不自然な骨頭肥大がみられるときは，片肢性骨端異形成症（図 5-31）を疑い，膝と足関節の単純 X 線検査を行います．片側下肢のいくつかの関節の関節軟骨面に増殖性の変化が生じる病態で，病理学的には外骨腫と同様の組織像がみられる骨系統疾患です．
- 不自然な亜脱臼がみられるときは，関節内に占拠病変（図 5-32）がないか MRI 検査を行います．

STEP 4　他科への診察を依頼する

- 骨系統疾患を疑う場合は，遺伝科への診察依頼か，骨系統疾患に詳しい小児整形外科専門医または放射線科医への画像診断依頼を行います．
- CMT を疑う場合は，神経内科への診察依頼を行います．

> ⚠️ **注意　Charcot-Marie-Tooth 病（CMT）の股関節**
>
> 　未診断の CMT 患児が股関節の症状で整形外科を受診し，CMT の診断がつかないまま亜脱臼を伴う臼蓋形成不全に対する手術が行われると，大きなトラブルになることがあります．CMT では，もともと股関節周囲の筋力が低下しており，神経の易損性があるため術中に末梢神経が牽引されると，さらに筋力が低下してしまいます．また，股関節の亜脱臼に対して大腿骨の内反骨切り術が行われると，殿筋が緩むために筋力が低下し，不可逆的なデュシェンヌ歩行（Duchenne gait）をもたらすことがあります．この問題を回避するためには，大腿骨内反骨切り術の分まで骨盤骨切り術で求心性を改善する必要があり，トリプル骨盤骨切り術（図 5-30）などの手術適応となります．術中はできるだけ筋肉への侵襲を避け，神経を牽引しないよう配慮する必要があります．何よりも CMT を見逃さないようにすることが大切です（疾患概要については第 2 章 p.33）．

愁訴からの診断

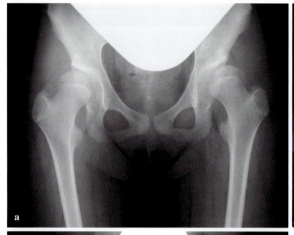
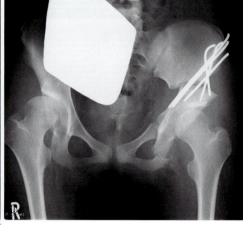
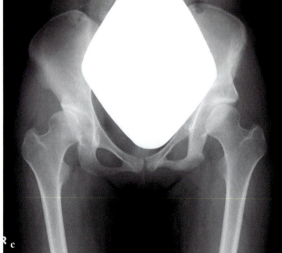

図 5-30　Charcot-Marie-Tooth 病（CMT）の股関節（初診時 11 歳女児）

左 Duchenne 歩行と腰痛を主訴に初診. すでに CMT の診断を受けており, これに伴う両股関節亜脱臼・臼蓋形成不全と診断しました. 左側にトリプル骨盤骨切り術（Sakalouski 法）を行い経過良好です. 右側も経過により手術を考慮する必要があります.

a. 初診時
b. 術後
c. 術後 5 年

5 単純X線検査でみつかった股関節の骨形態異常

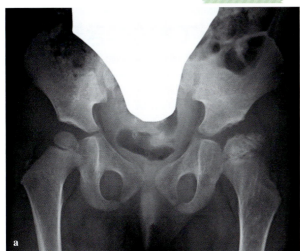
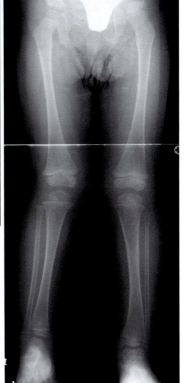

図 5-31 片肢性骨端異形成症（2歳女児）
X脚を主訴に来院．単純X線検査で左大腿骨頭の変形と肥大を認めたため紹介．著明な左片側肥大を認めたため，血管腫がないかMRI検査を行いましたが，血管腫は認められませんでした．左大腿骨遠位部と左距骨にも変形と肥大を認めたため，片肢性骨端異形成症と診断しました．左大腿骨遠位骨端線に8プレートを用いた成長抑制術を行い，徐々に脚長補正が得られました．
a. 股関節X線像，b. 両下肢全長

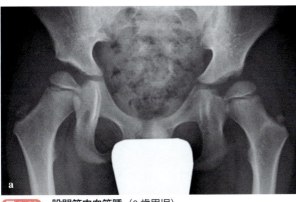
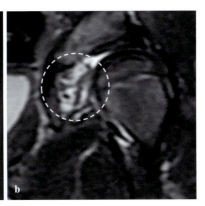

図 5-32 股関節内血管腫（6歳男児）
Proteus症候群による片側肥大で経過観察中でしたが，左股関節の亜脱臼がみられたためMRI検査を行ったところ，寛骨臼底部に腫瘤がみられました．鏡視下に腫瘤切除を行ったところ病理診断は血管腫でした．
a. X線像，b. MRI像（STIR法）

主な疾患について知っておくべき知識

● 先天性股関節脱臼
（発育性股関節形成不全，developmental dysplasia of the hip：DDH）

- 先天性のケースもありますが，生後の環境によって脱臼するケースもあります．下肢を伸展した状態で育てるとハムストリングスと腸腰筋の過緊張によって脱臼すると考えられています．M字型に開脚した状態でおむつをあてることやコアラ抱っこを推奨することが，後天的な脱臼の予防には重要です．

- 単純X線検査でもある程度診断可能ですが，グレーゾーンの症例に対しては，超音波検査で診断するのが確実です（図5-2）．

- 女児に多く，明らかに遺伝性があります．予後不良の家族歴があるケースでは，より積極的な治療方針をとります．

- 下肢の動きが十分にみられないときは，麻痺性脱臼の可能性があります．このようなケースでは，早期に整復しても再脱臼することが多いので治療を急がず，運動発達について経過観察してから，治療すべきかどうか検討します．

- 全身の関節弛緩がみられる場合や先天性内反足や先天性膝関節脱臼を合併するケースでは，全身性疾患との関わりについて検討する必要があります．特に注意が必要なのは，Marfan症候群，Ehlers-Danlos症候群血管型（図12-29）（大血管破裂の危険性），Larsen症候群（頸椎病変）です．

- 脱臼の整復法についてはさまざまな意見がありますが，リーメンビューゲル装具（図5-33）による治療（リーメンビューゲル法：RB法）が最も普及しています．RB法の適応についてはさまざまな考え方がありますが，筆者は生後3ヵ月以降で体重が6kg前後になった時点で，両下肢の活発な動きが確認できたら，屈曲70°程度で装着しています．整復されるまでは数日おきに超音波検査前方法で整復の有無を確認し，整復されない場合は少しずつ屈曲を強くし，最大100°程度まで屈曲しても整復しない場合はこの治療を断念し，オーバーヘッド・トラクション（over head traction：OHT）法（図5-34）へと移行します．家庭環境の問題でどうしても入院治療を避けたい場合は，1ヵ月くらい間をおいてからもう一度RB法を試みる選択肢もあります．

- RB法には，整復後の大腿骨頭壊死（ペルテス様変形）のリスクがあります（→解説：ペルテス様変形）．近年，わが国においてはOHT法の適応が拡大され，ペルテス様変形のリスクが高いケース（→解説：リーメンビューゲル法を避けるべきケース p.150）に対する初期治療としてもOHT法が行われるようになってきました．この方法の最大の利点はペルテス様変形のリスクがきわめて低いことです．

- 整復後の後遺症として，遺残性亜脱臼，臼蓋形成不全（→解説：遺残性亜脱臼と臼蓋形成不全 p.150），ペルテス様変形のほか，脚長不等とそれに伴う脊柱側弯症があります．

- RB法やOHT法で整復できないケースや3歳以上の脱臼例には，手術治療を行います．手術にはさまざまな方法がありますが，前方アプローチによる観血的整復術が一般的です．2歳

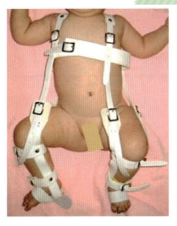

図 5-33　リーメンビューゲル装具

股関節と膝関節を屈曲位に保つことによって，股関節脱臼の自己整復を促す装具です．実際には肌着の上から装用します．適応や装着方法を誤るとペルテス様変形（大腿骨頭壊死）をもたらすので，安易に装着してはなりません．

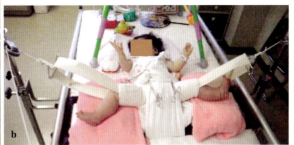

図 5-34　オーバーヘッド・トラクション法（OHT 法）

水平牽引を約 1 ヵ月間行った後，両下肢を頭上へ介達牽引し（a），2 週くらいかけて徐々に外方へ牽引方向を変え，開脚した状態となったら大腿部のみの牽引として膝を屈曲できるようにします（b）．これによってほとんどのケースで整復が得られます．整復の確認は超音波検査前方法で行います．整復位で安定したら全身麻酔下に開排位のギプス固定を行います．

以降ではソルター Z 法（腸骨の骨切り術）による臼蓋形成術（図 5-39）を同時に行います．ソルター法で十分な臼蓋の被覆が得られない場合は，ダブル骨盤骨切り術（腸骨・恥骨の骨切り術）やトリプル骨盤骨切り術（腸骨・恥骨・坐骨の骨切り術）（図 5-40, 41）を行います．

● 術中，整復が困難なケースでは大腿骨転子部減捻内反短縮骨切り術を行います（図 5-35, 36）．経験的には 5 歳以上では必須で，3 歳以下ではほとんど不要です．この際，減捻と内反を最小限にすることが大切です．大腿骨の後捻は術後再脱臼の原因となり，過剰な内反は骨癒合遅延や術後内転拘縮の原因となります．後捻と頚体角 100° 以下は禁忌とされており，確実な安全ラインは前捻角 30° 以上，頚体角 120° 以上です．短縮については，過剰な短縮を行うと関節が緩くなり，整復位の保持が困難となる場合があります．少しずつ短縮して無理なく整復できたら，それ以上短縮しないことが大切です．

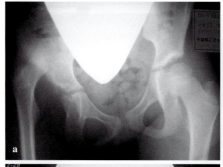
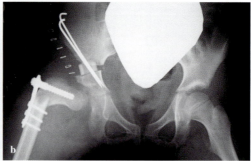
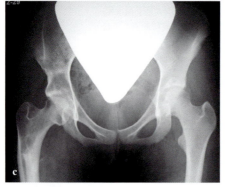

図 5-35 年長児の先天性股関節脱臼に対する手術（6 歳女児）

歩容異常を主訴に 6 歳時に右先天性股関節脱臼が発見された女児です．初診時殿筋内脱臼が認められました（a）．筆者の師匠の亀ヶ谷真琴 先生の執刀で，前方法による観血的股関節脱臼整復術が行われましたが，それだけでは整復できず，大腿骨転子部減捻内反短縮骨切り術を行い軟部組織の緊張を緩和してから整復することができました．臼蓋形成不全に対しては大腿骨を短縮した際に余った骨を骨移植に用いてソルター法が行われました（b）．15 歳時には正常に近い股関節形態が得られました（c）．

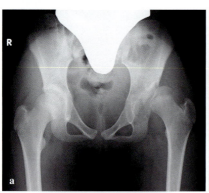
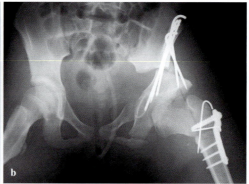
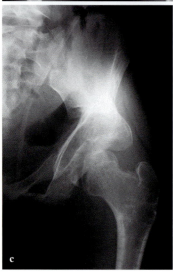

図 5-36 観血的整復術＋大腿骨転子部減捻内反短縮骨切り術＋トリプル骨盤骨切り術（12 歳女児）

側弯を主訴に近医を受診し発見された左先天性股関節脱臼です（a）．二次性臼蓋を形成しているため，臼蓋形成不全が著しく，ソルター法では不十分と考え，トリプル骨盤骨切り術（Sakalouski 法）を併用しました（b）．術後 1 年で良好な整復位と臼蓋被覆が確認できました（c）．

> **患者家族への説明**
> 「股関節がはずれた状態にありますが，急いで整復する必要はありません．大切なのは後遺症ができるだけ残らないような治療法を選ぶことと，後遺症が明らかとなったときには，それに対して適切な時期に治療を行うことです．」

> **解説 ペルテス様変形**
>
> 　先天性股関節脱臼の整復後にみられる大腿骨頭壊死のことをわが国では「ペルテス様変形」と呼びます．小児整形外科専門医の間では「ペ変」と呼ばれており，先天性股関節脱臼の治療法を選択するうえで最も考慮が必要な合併症です．Perthes 病とは関係ありませんが，Perthes 病後にみられる変形と類似した変形なので，このように呼ばれています．成人の大腿骨頭壊死と異なり，圧潰よりも大腿骨近位成長軟骨板の壊死による成長障害が問題となります．わかりやすく言うと，骨頭の部分で骨が伸びない状態です．大転子の部分は伸びていくので，重症例では著明な大転子高位となります．
>
> 　さまざまな分類法がありますが，筆者は Kalamchi 分類を用いています．
>
> Ⅰ型（軽症）：壊死が回復して成長障害は起こらず，最終的に骨の輪郭は正常となります．
>
> Ⅱ型：成長軟骨板の外側に早期閉鎖が起こり，内側だけ成長するので外反股となります．遺残性亜脱臼の原因となる場合は手術治療を行います．
>
> Ⅲ型：成長軟骨板の中央に早期閉鎖が起こり，骨頭が十分縦に伸びていくことができないため楕円骨頭，頚部短縮，大転子高位，患側下肢短縮がみられます．
>
> Ⅳ型：骨頭が広範囲に壊死し，成長軟骨板の広域に早期閉鎖が起こります．骨変形はⅢ型以上に高度で，扁平骨頭，頚部短縮，大転子高位，患側下肢短縮がみられます（図 5-37）．可動域制限，脚長不等による跛行，将来の二次性変形性股関節症などが避けられません．

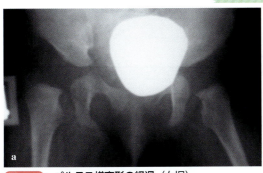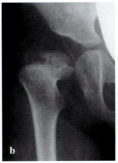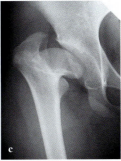

図 5-37 ペルテス様変形の経過（女児）
生後 3 ヵ月時に右先天性股関節脱臼と診断され（a），近医でリーメンビューゲル装具による治療を受けました．2 歳時には骨頭の不正像がみられています（b）．11 歳時には扁平骨頭，頚部短縮，著明な大転子高位がみられました（c）．

解説 先天性股関節脱臼の呼称変更
－専門医には発育性股関節形成不全，一般の方には乳児股関節脱臼

「先天性股関節脱臼」は，欧米でも congenital dislocation of the hip：CDH と呼称されてきましたが，実際には先天性ではない場合が多いこと，予防活動を否定する名称であること，保険加入後に脱臼が発見されたときに問題となることなどの理由から，developmental dislocation of the hip：DDH という呼称も用いられるようになりました．さらには脱臼が整復されても治療を要する骨変形が残ることが少なくないため，それも含めてひとつの病名にしたほうが良いという考えから，現在欧米では developmental dysplasia of the hip：DDH という呼称が一般的に用いられています．これに合わせて，わが国でも「発育性股関節形成不全」という呼称を用いることが関連学会で決まりました．しかし，その後も官公庁やマスメディアがこの新しい呼称を用いることはなく，「先天性股関節脱臼」という呼称が引き続き用いられていました．

この間違った用語の問題を解決するため，関連学会が審議と調査を重ね，最終的には 2019 年日本小児整形外科学会が一般向けの病名としては「乳児股関節脱臼」を推奨することを決定しました．その後少しずつこの呼称が乳児健診などで用いられるようになり，育児雑誌でも用いられるようになってきました．一方「発育性股関節形成不全」という呼称は，脱臼している状態か脱臼整復後の後遺症なのか伝わらないため，整形外科医にとっても使いにくい言葉となっています．本書では，脱臼しているかどうかを明確に伝えるべきところでは先天性股関節脱臼という言葉を用い，それ以外のところでは発育性股関節形成不全（DDH）と記述しています．

私の流儀 先天性股関節脱臼の重症度から考える治療法の選択

ひとえに「脱臼」といっても，はずれっぱなしのケースもあれば，はずれていない状態のほうが多いケースまでさまざまです．特定の肢位で詳しく評価して治療方針を決めるよりも，肢位による脱臼状態の違いから重症度を評価したほうが，治療方針を決めるうえで合理的と考えます．この観点で先天性股関節脱臼の重症度を分類したのが次頁の表です．単純 X 線検査で脱臼と診断されるのは重症度Ⅱ～Ⅳで，ⅢとⅣはクリックテストで鑑別します．ⅡとⅢの鑑別には超音波検査（開排位での前方法）が必要です．正常とⅠの違いは Barlow test（股関節屈曲位で大腿骨を後方へ押して股関節脱臼を誘発するテスト）で判別しますが，このテストで正常股を脱臼させることがないよう，弱い力で紳士的に行うことが大切です．

先天性股関節脱臼の治療法として最も普及しているのはリーメンビューゲル装具による治療（RB 法）です．RB 法の効果は，重症度Ⅱのようなケースで整復位を長くとらせるイメージです．長く整復位をとっているうちに次第にその位置で安定してきます．重症度ⅢやⅣに対しても整復効果がありますが，これには一定のリスクを伴います．RB 法において，最も注意すべき合併症は，急な整復で大腿骨頭に強い圧力が加わることによって起こる大腿骨頭壊死（ペルテス様変形）です．重症度Ⅱでは日常生活の中でもときどき整復位をとっているので，大腿骨頭壊死のリスクが非常に小さいものと考えています．

重症度Ⅲでは日常生活の中で整復位をとっていることがないので，RB 法によって整復を誘導す

ると大腿骨頭に強い圧力が加わり，ペルテス様変形のリスクが生じます．このリスクを最小限とするためには2つの注意点があります．ひとつは，装具装着中には完全な開排位をとらせず，仰臥位で寝ているときは大腿部の下にタオルをはさみ，床面から15°以上浮くようにさせることです．もうひとつは，患児が激しく泣いたときには，大腿骨頭に強い圧力が加わっている可能性があるので，コアラ抱っこをしてその圧力が減ずるよう試みることです．それでも泣き止まないときは，リーメンビューゲル装具をはずす必要があります．このような注意の下でRB法を適応するのが標準的治療とされていますが，ペルテス様変形をより確実に避けるため，オーバーヘッド・トラクション法などの牽引治療を行う選択肢もあります．

　重症度Ⅳでは，RB法によって整復される確率が比較的低く，整復されたとしてもペルテス様変形のリスクが重症度Ⅲ以上に高いことが推測されます．それでも整復される可能性は十分あり，少なくとも半数以上のケースでペルテス様変形が生じないため，RB法が一般に適用されています．筆者もRB法を第一選択として適用してきましたが，少子化により病床に余裕のある現在，より安全な牽引治療を第一選択としても良いのではないかと日々悩んでおります．

　通常，整復位にある重症度Ⅰは「不安定股」と呼ばれますが，これに対する装具治療は必要なく，脱臼位をとらないような生活指導で十分と考えています．

筆者がイメージする先天性股関節脱臼の重症度と治療法

重症度	日常の状態	診察所見	治療
Ⅳ	常に脱臼位	徒手整復不能 (Ortolani click test 陰性)	装具　△ 牽引　◎ 手術　☆
Ⅲ		徒手整復可能 (Ortolani click test 陽性)	装具　○ 牽引　◎
Ⅱ	開排すると整復位 それ以外は脱臼位		装具
Ⅰ	通常は整復位	脱臼の誘発が可能 (Barlow test 陽性)	生活指導

装具：リーメンビューゲル装具による治療
牽引：オーバーヘッド・トラクション法
手術：観血的脱臼整復術
生活指導：下肢の動きを妨げない着衣とコアラ抱っこの推奨
◎最も安全，○選択肢のひとつ，△選択肢のひとつであるが注意を要する，
☆最終手段

解説　リーメンビューゲル法（RB法）を避けるべきケース

　30°以上の開排制限があるケースや山室a値（股関節正面X線像における大腿骨近位骨幹端縁の中央とヒルゲンライナー線との距離）が6 mm未満の症例では，RB法による整復後の大腿骨頭壊死（ペルテス様変形）の頻度が高いことが報告されています．このようなケースでは，筆者は患者家族にRB法とオーバーヘッド・トラクション法（OHT法）の利点と欠点を説明し，長期入院が可能であればOHT法を勧めるようにしています．

　また，RB法を入院治療として行うと，高率にペルテス様変形が生じることがわかっています．整復されて骨頭に高い圧力が加わって痛みが生じ，患児が激しく泣いたときに，この圧を下げるべく抱っこをする人がそばにいないためではないかと考えられています．この事実から，装具装着中，ほかに明らかな原因がないのに激しく泣いたときには，抱っこ（実際にはコアラ抱っこ）をしたほうが良いという考え方が一般的になっており，筆者もそれを信じて診療しています．ほかの疾患で入院中の患者には，保護者が常時付き添いをしていない限りRB法は禁忌と考えられます．

解説　遺残性亜脱臼と臼蓋形成不全

　脱臼整復後に臼蓋の奥まで骨頭が入っていない状態を「遺残性亜脱臼」といいます．骨頭が奥まで入っていなければ，当然骨頭の上方にある臼蓋による被覆も十分ではありませんので，「臼蓋形成不全」と呼ばれる状態になります．一方，臼蓋の発育が十分でない場合は，骨頭が臼蓋の奥まで入っていても，十分な被覆はありません．これも「臼蓋形成不全」と呼ばれます．前者を評価するのがacetabular head index（AHI）やCE角で，後者を評価するのが臼蓋角（α角＝acetabular index）です（図5-38）．CE角は乳幼児では測定の再現性に乏しいため，筆者は治療方針を決める判断材料として用いていません．したがって亜脱臼はAHIで評価します．保存的に整復した後にみられる亜脱臼は，特別な治療をしなくても経時的に改善することが多いのですが，観血的整復術後の亜脱臼が自然に改善することは稀です．このため保存的に整復した後にみられる亜脱臼（subluxation）は，骨頭の側方化（lateralization）という言葉で婉曲表現されることがわが国では多いようです（実際には歴史的背景が理由にあります）．脱臼整復後の臼蓋形成不全の長期予後については，臼蓋角によってある程度予測可能であることがわかっており，おおむね5歳頃30°以上，7歳頃28°以上が予後不良の目安となるため，このようなケースに対しては，家族の希望があれば，将来の変形性股関節症を予防する目的で手術治療を行っています．

　術式は基本的にソルター法が適用されます．筆者はより手術成績が安定したソルターZ法（図5-39）を考案し，数多くの症例に行ってきました．AHI 30％未満の亜脱臼が高度のケースには，ソルター法では十分な治療成績が得られないので，骨頭の求心性を改善する大腿骨内反骨切り術をソルター法と併用するか，トリプル骨盤骨切り術を行う必要があります．筆者は，ひとつの皮切で手術できるSakalouski法を改良したダブル・トリプル骨盤骨切り術（図5-40，41）を行い安定した手術成績を得ています．また，AHI 30〜50％のソルター法で好成績が得られるかどうかグレーゾーンのケースにも，ダブル・トリプル骨盤骨切り術を行っています．

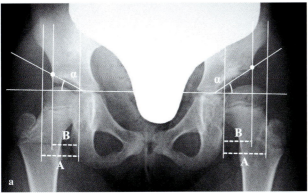

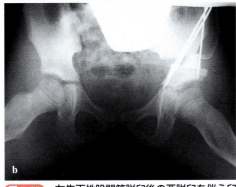
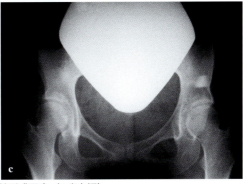

図 5-38　左先天性股関節脱臼後の亜脱臼を伴う臼蓋形成不全（5 歳女児）

両親ともに先天性股関節脱臼後の変形性股関節症があるケースです．リーメンビューゲル法で整復後に亜脱臼を伴う臼蓋形成不全を認めました．臼蓋角（α）は右が 28°で左が 33°，AHI は右が 72％で左が 66％でした．5 歳では臼蓋角 30°以上が手術適応の目安です．人工骨を用いたソルター変法が行われ，20 歳時には CE 角 28°まで回復しました．

骨頭被覆率（acetabular head index）は次のように算出します．

AHI（％）＝B/A×100，A は骨頭の幅，B は臼蓋被覆のある骨頭の幅

a．5 歳時，b．ソルター変法術後，c．20 歳時

解説　脱臼の既往がない臼蓋形成不全

「primary acetabular dysplasia：PAD」と呼ばれ，成人期に発症する変形性股関節症との関連について議論されています．12 歳以前での予後予測は難しく，自然に治るケースも多いため，先天性股関節脱臼整復後の臼蓋形成不全とは区別して考える必要があります．

PAD に対して，就学前にソルター法などの臼蓋形成術を行うべきかどうかについては，さまざまな意見があります．予後を予測するデータが存在しない中，主治医の主観的予測で手術を行うには，変形性股関節症の家族歴など予後不良を予測させる十分な根拠がある場合に限るべきではないかと筆者は考えています．

主な疾患について知っておくべき知識

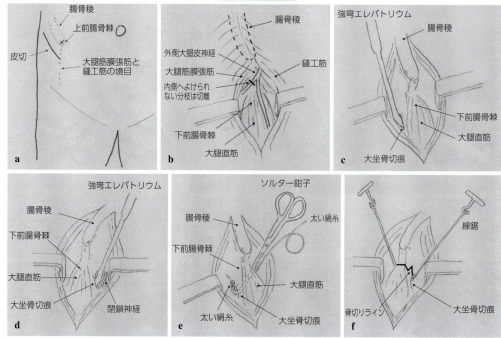

図 5-39 ソルター Z 法

ソルター原法では，移動骨片の術後矯正ロスが最大の問題点でした．この問題を解決するため，筆者は図のような手術（ソルター Z 法）を行っています．術後の骨切り線を Z 状にしたことによって骨移植が必要なくなり，ソルター原法よりも移動骨片が安定し骨癒合も早くなりました．

a. 皮切：約 6 cm の Bikini 皮切を行います．
b. 大腿筋膜張下前腸骨棘までの展開：筋と縫工筋の間を下前腸骨棘まで鈍的に展開します．外側大腿皮神経は術野の内側へよけますが，大腿筋膜張筋と縫工筋の間を内側から外側へ横切る分枝があれば，これは温存できないので切離します．
c. 外側から大坐骨切痕へ：腸骨陵の外側に付着する筋群を電気メスで切離し，深部に付着する筋群を指で腸骨骨膜から剥離し，指先を大坐骨切痕まで進めたら，大坐骨切痕へ強弯エレバトリウムを挿入します．
d. 内側から大坐骨切痕へ：腸骨陵の内側に付着する筋群を電気メスで切離し，深部に付着する腸腰筋を指で腸骨骨膜から剥離し，指を大坐骨切痕まで進めたら強弯エレバトリウムを挿入します．大坐骨切痕の後内側の脂肪組織内には閉鎖神経があるので，これを損傷しないよう注意します．
e. 線鋸を誘導する糸を通す：大坐骨切痕が内外側から展開できたら，ソルター鉗子（田中医科器械製作所）の先端で太い絹糸を把持した状態でこれを大坐骨切痕の骨膜に沿わせるようにして内側から外側へ出します．この糸の先端をコッヘル鉗子で把持して外側へ引き出すと，線鋸を挿入するルートが確保されます．
f. 線鋸で Z 形に骨切り：図のように Z 型に骨切りします．慣れないうちはなかなかきれいな Z 型に切れませんが，だいたいこのような形になれば問題ありません．

単純性股関節炎

- 原因不明の一過性の関節炎で，関節液は黄色透明です（図 5-5）．
- ウイルス感染説が有力とされていますが，原因ウイルスは同定されていません．
- 微熱や CRP の軽度上昇がみられることがあります．
- 運動制限を行っても強い痛みが続く場合は，入院として持続介達牽引を行います．
- FADIR test（図 5-4）で病状評価し，これが陰性となり痛みも消失していれば運動制限を解除します．
- くり返し罹患することがあり，そのようなケースでは骨頭肥大が生じることがあります．

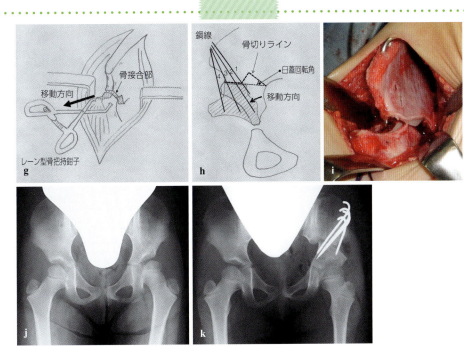

図 5-39 ソルター Z 法（つづき）

g. 骨鉗子で臼蓋を前外方へ移動：移動骨片にレーン型骨把持鉗子をかけ，前外側に引き出します．骨片が噛み合ったら鋼線固定を行います．臼蓋外側の被覆が特に悪い場合は，移動骨片を外側に引き出すこともあります．この場合，上下骨片の接触面積が小さくなりますが，強固な鋼線固定を行えば骨癒合は遅延なく得られるので問題ありません．
h. 骨切りラインと鋼線の刺入方法：原法の骨切りラインから，臼蓋を回転する角度分だけ上外側方向へ角度をつけて内側を骨切りし，外側は原法の骨切りラインに合流させます．骨切り部の固定は通常径 2.4 mm（8 歳以上の体格なら 3.0 mm を用います）のキルシュナー鋼線を用いて後方から順に図の 1～4 の順に行っていきます．重要なのは 1 本目で，腸骨稜から挿入し，下方骨片の腸骨後柱を抜くと強固な固定が得られます．ほかの 3 本については，だいたい図のような方向で挿入しています（斜線は移動後の下方骨片）．
i. 術中写真（鋼線固定した直後の状態）
j. 実例術前（5 歳女児），k. 実例術後

> **患者家族への説明**
>
> 「股関節に一時的に炎症が起こって水がたまる"股関節の風邪"のような病気です．安静をとっていれば数週間で自然に治りますが，安静が足りないとなかなか回復しません．ペルテス病などの重大な病気でないことを確認する必要がありますので，完全に治るまでは通院が必要です．」

化膿性股関節炎

- 関節内の細菌感染で，関節液は膿性です（図 5-6）．
- 大腿骨の骨幹端部の骨髄炎や，臼底部の骨髄炎を合併することがあります．
- 進行すると周囲に骨溶解が生じ，股関節脱臼に至ることもあります．
- <u>早期に排膿，関節洗浄，ドレーン留置，抗菌薬の投与を行う必要があります</u>．筆者は診断がついた時点で緊急手術（鏡視下関節清掃術）を行っています．

主な疾患について知っておくべき知識

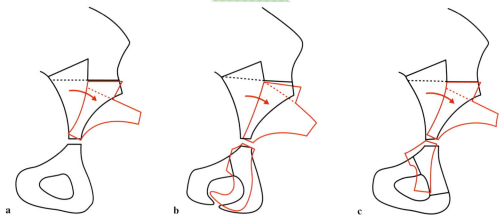

図5-40 ソルター・ダブル・トリプル骨盤骨切り術（Z型骨切り）

ソルター法で十分に被覆できない重度の臼蓋形成不全に対しては，腸骨に加えて恥骨と坐骨の骨切りも行い，臼蓋をより大きく回転させて十分な被覆を得るようにします．これをトリプル骨盤骨切り術（c）と呼びます．若年齢では，ischiopubic synchondrosis（坐骨恥骨軟骨結合）が開存するケースがあり，この場合は坐骨を骨切りしなくても，腸骨と恥骨を骨切りして臼蓋骨片をしっかり把持し，骨頭を被覆する方向へ回転させると坐骨恥骨軟骨結合が折れてトリプル骨盤骨切り術に近い結果が得られます．これをダブル骨盤骨切り術（b）と呼びます．

a. ソルター：腸骨の骨切り術
b. ダブル：腸骨と恥骨の骨切り術
c. トリプル：腸骨と恥骨と坐骨の骨切り術

- 治療が遅れたために生じる大腿骨頭壊死（図5-42）や大腿骨頭溶解に対する治療は非常に困難です．

患者家族への説明「股関節に細菌が感染して膿（うみ）がたまっています．治療が遅れると，関節が変形したり，脚が短くなってしまうこともありますので，早期に手術をしたほうが安心です．」

化膿性筋炎

- MRIで診断（横断面脂肪抑制T2強調像で評価）します（図5-10〜12）．
- 膿瘍形成があれば，CT（造影CTのほうが診断能が高い）でも診断可能です．
- 化膿性腸腰筋炎にみられる股関節屈曲位は「腸腰筋肢位（いわゆるPsoas position）」と呼ばれ，股関節痛と発熱のみられる患者にこの肢位がみられたら化膿性腸腰筋炎を疑います．ただし，化膿性股関節炎や腸腰筋内出血でも同様の肢位をとる場合があるので，あくまで参考所見です．
- 膿瘍がなければ，抗菌薬投与による保存的治療を第一選択とします．
- 膿瘍があり，薬物治療に抵抗性の場合は手術（排膿・洗浄・ドレーン留置）を行います．

患者家族への説明「筋肉に細菌が感染しています．治療が遅れると周囲の骨や関節に感染が広がって手術が必要になることもあります．入院して抗菌薬による治療を行いましょう．」

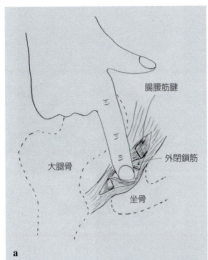
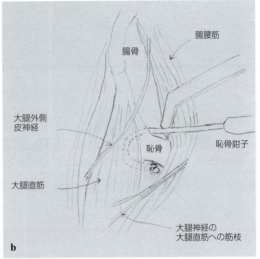

図 5-41 Sakalouski 法での坐骨，恥骨へのアプローチ方法と手術に必要な 2 つの特殊器具

骨切りのためのアプローチにはさまざまな方法がありますが，筆者は前方一皮切（10〜12 cm の縦切開）ですべての骨切りが可能な Sakalouski 法を行っています．

a. 坐骨へのアプローチ：腸腰筋の筋内腱を坐骨の直上で切離し，その奥へ指を進め，外閉鎖筋を指で貫くと坐骨に触れることができます．指で触れた坐骨の内外側にエレバトリウムを挿入してノミで骨切りします．大きく展開しようとすると大腿内側回旋動脈など重要な血管を損傷してしまうので，指 1 本分だけの視野で骨切りすることが大切です．また，ノミは内側半分は安全なので完全に貫きますが，外側半分は坐骨神経を損傷しないよう 2/3 ほどノミが入ったところでノミの柄を頭側へ倒し，骨切り部を粉砕して離断します．

b. 恥骨へのアプローチ：腸腰筋と大腿直筋の間から恥骨へアプローチします．腸骨筋を広範囲に展開して内側へ牽引すると，閉鎖孔を骨盤内から覗くことができます．骨盤内から閉鎖孔の前方やや外側をエレバトリウムで穿破し，その穴から先端に太い絹糸をつけた c の恥骨鉗子（筆者が考案したもので，製作・販売は田中医科器械製作所）を挿入し，恥骨の裏面の骨膜上をなでるようにして閉鎖孔から骨盤外へ出します．そして恥骨鉗子の先端に付いた太い絹糸を引き抜き，これを線鋸に置き換えて骨切りします．

　回転骨片の把持は d のトリプル鉗子（田中医科器械製作所）を用います．向かい合った 2 つの鉤を恥骨骨切り部と腸骨骨切り部にかけるとがっちり把持することができます．

主な疾患について知っておくべき知識

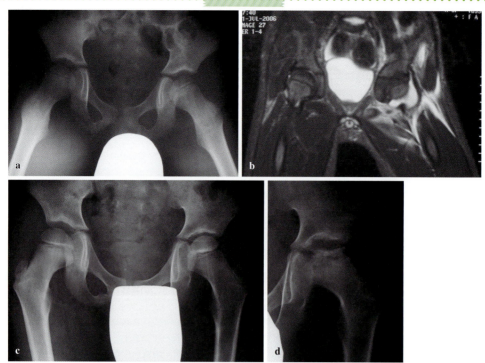

図 5-42　化膿性股関節炎後の大腿骨頭壊死（6 歳男児）

38℃台の発熱と左股関節痛で発症し，2 日後から近医で抗菌薬の投与が行われましたが，体温 39.0℃，CRP 23.4mg/dL まで悪化し第 7 病日に紹介されました．関節穿刺を行い A 群溶連菌が検出されたため緊急手術を行いましたが，大腿骨頭壊死に至りました．坐骨免荷装具（トーマス型）を適用しましたが，発症後 1 年で骨頭の圧潰がみられました．その後，扁平骨頭となりましたが，11 歳時に大腿骨転子部伸展骨切り術を行い，最終的に球形骨頭となりました．

a. 初診時 X 線像：明らかな異常所見を認めません．
b. 初診時 MRI 像：左股関節液の増加と周囲筋の浮腫，筋間の液体貯留がみられます．
c. 2 ヵ月後：左大腿骨に廃用性骨萎縮が起こっていますが，骨端核には起こっていません．これは血流がないために骨吸収が起こらないことを示すもので，骨壊死に特徴的な所見です．
d. 1 年後：左大腿骨頭に圧潰がみられました．

腱付着部炎と関連する骨端症

- 小児股関節周囲にはさまざまな骨端症が発生します．ペルテス病も骨端症のひとつです．
- 腱付着部炎と関連する骨端症は，下前腸骨棘（大腿直筋が牽引），上前腸骨棘（図 5-43）（縫工筋・大腿筋膜張筋が牽引），腸骨稜（図 5-44）（主に腹筋群の牽引），坐骨結節（図 5-45）（ハムストリングスが牽引），大転子（図 5-46）（中殿筋が牽引）などに起こります．これらは英語では apophysitis と呼ばれる病態です．
- 軽症例は MRI でも異常を見出せません．圧痛点や病変部を牽引する筋を他動的にストレッチした時に痛みが誘発されるかどうかで診断します．
- いずれの骨端症も治療の基本は，運動休止を指示することです．それによって徐々に痛みと画像上の改善がみられますが，完治まで数ヵ月を要することもあります．
- 下前腸骨棘の骨端症は，運動制限をしないと裂離骨折（図 5-13, 14）をきたします．転位の大きい場合は，保存治療を選択すると骨癒合後も股関節屈曲時の関節外インピンジメント（AIIS impingement）が後遺症として残ることがあるので，観血的整復固定術を行います．

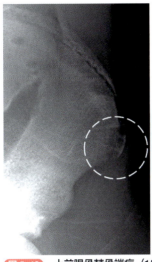
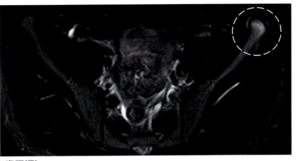

図 5-43　上前腸骨棘骨端症（15 歳男児）

サッカー選手．1ヵ月前の左股関節痛を主訴として初診．左上前腸骨棘に圧痛を認め，単純 X 線検査では上前腸骨棘における骨端線の開大がみられました．MRI 検査では骨端核周囲の骨髄浮腫を認めました．上前腸骨棘骨端症の診断で運動休止を指示したところ，1ヵ月後には症状軽快し，スポーツに復帰しました．

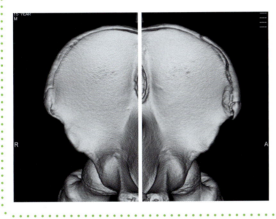

図 5-44　腸骨稜骨端症（16 歳男性）

サッカーのトップアスリート．1ヵ月前からボールを蹴ると左股関節が痛いという訴えで近医受診．CT 検査にて腸骨稜の骨端核剥離が疑われたため紹介初診．CT で骨端線開大がみられる部位に一致して強い圧痛を認め，同部位に MRI で骨髄浮腫像を認めたため，腸骨稜骨端症の診断で 1ヵ月間の運動休止を指示し，近医に経過観察を依頼しました．

- 坐骨結節の骨端症も，運動制限をしないと裂離骨折をきたします．転位の大きい場合は，保存治療を選択すると骨癒合後も運動時痛や座位での痛みが後遺症として残ることが多いので，観血的整復固定術を積極的に考慮します（図 5-15）が，転位したまま骨癒合が得られなかった症例でも，愁訴が残らないケースもあります．
- 上前腸骨棘や大転子でも裂離の報告がありますが，筆者は経験がありません．

患者家族への説明　「スポーツが原因で筋肉と骨のつなぎ目に炎症が起こっています．無理を重ねると骨が剥がれて骨折になってしまうこともありますので，痛みがとれるまではスポーツ活動を休みましょう．」

主な疾患について知っておくべき知識

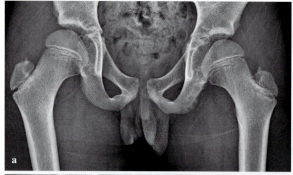
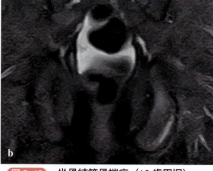
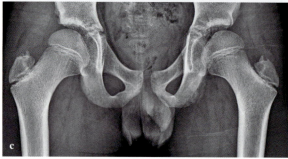

図 5-45 坐骨結節骨端症（10歳男児）

野球選手．誘因なく左股関節痛発症．近医で単純X線検査とMRI検査が行われ，左坐骨結節の坐骨結節剥離骨折の診断で2ヵ月間運動休止となりました．早期スポーツ復帰を求めて他院を受診後，当院へ紹介されました．X線検査所見では，病変部に十分な骨再生がみられたため，痛みのでない範囲でのスポーツ再開を指示しました．
a. 近医初診時X線像：坐骨結節周囲に骨溶解像と骨片剥離様の異常像を認めました．
b. 近医初診時MRI：坐骨結節に骨端線閉鎖遅延と思われる所見を認めました．
c. 近医初診後2ヵ月時X線像：骨溶解部に仮骨様の骨再生がみられました．痛みは消失していました．

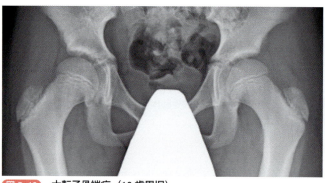
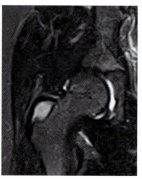

図 5-46 大転子骨端症（10歳男児）

サッカー選手．長期に渡って続く右股関節の痛みを訴えて受診．右大転子部に圧痛を認め，単純X線検査では明らかな異常を認めませんでしたが，MRIにて大転子部に限局した骨髄浮腫を認めました．スポーツ休止を指示しましたが，完全な休止はなされず痛みは長期に渡り続きました．初診後1年4ヵ月で痛みは消失し，MRI所見の正常化も確認されました．

● Perthes 病（図 5-8, 9）

- 原因不明の小児の大腿骨頭壊死で，圧潰してから修復が起こり，最終的に球形の骨頭になれば予後良好ですが，楕円形になったり，荷重部が平らの扁平骨頭（図 5-47）になったりすると，徐々に変形性股関節症となり痛みを生じます．
- 暦年齢（実際の年齢）と比べて骨年齢が若いために，十分な強度がない骨頭が何かの拍子で少し潰れてしまった結果，骨内の栄養血管の血流障害が起きて骨頭壊死に至るという学説が

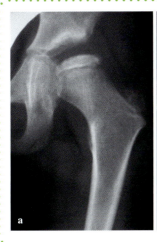 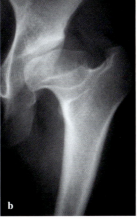

図 5-47 Perthes 病に対する保存療法の限界（4 歳女児）

4 歳時に発症し，初診した女児です．初診時の X 線写真からは骨端部全域の壊死が疑われました（a）．保存的治療を行いましたが，18 歳時には完全な扁平骨頭となりました（b）．このような骨頭形態になると変形性股関節症は避けられません．

最も有力だと筆者は考えています．

- 圧潰から修復が完了するまでの期間は 2 年くらいです．この間に球形の骨頭に導くことが治療目標です．最悪でも扁平骨頭ではなく楕円骨頭に導き，変形性股関節症を発症する年齢を少しでも遅くするように治療します．
- 壊死した骨頭は関節鏡視下に押してみると，軟式テニスボールのようにふかふかです．これを球形にするためには次の 3 つの方法があります．
  ① 血流が再開するまで体重をかけないこと（免荷療法）
  ② 骨頭を臼蓋の中に深く入れて，それを鋳型として球形に導くこと（containment 療法）
  ③ 壊死していない血流のある部分を，骨切り術によって荷重面に移動すること（viable bone の荷重面への移動）
- 免荷療法は，Thomas 型装具（図 5-48 a）で歩行してもらう方法と，装具歩行は許可せず車椅子で移動してもらう方法とがあります．
- containment 療法は，お茶碗にご飯を入れてポンポンとご飯を跳ね上げながら回していくと，ご飯が球形のおにぎりになっていくイメージです．臼蓋の中に入れる実際の方法としては，Tachdjian 型装具（図 5-48 b）などの装具を適用して股関節を外転内旋位に保つ方法と，骨切り術による方法の 2 通りあります．
- 股関節外転制限の強い場合（外転可動域 30°未満），それを放置すると圧潰した骨頭がリモデリングしません（お茶碗が動かないとおにぎりが丸くならない）．また，この状態では containment 療法を目的とした装具も機能しません．筆者は 30°未満の外転制限に対しては，入院治療を行っています．免荷とベッド上介達牽引（2 kg 程度）を行うとほとんどのケースで 2 週間以内に可動域が改善します．外転可動域が 30°以上となったら，股関節をさまざまな方向に運動させるペルテス体操を自宅で行うよう指導したうえで退院とします．
- Perthes 病は急性期の症状が軽いため，患児に病識がないことが少なくありません．そのため，装具治療のコンプライアンスが悪い（装具をつけてくれない）ケースもみられます．こうしたケースには，理学療法を目的として一度入院させると，患児に病識を持たせることができます．

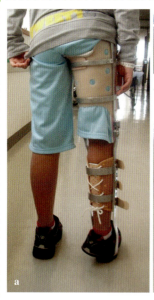

図 5-48 　股関節の免荷装具
a は坐骨で体重を受けることによって股関節を完全免荷する Thomas 型装具です．b は坐骨で体重を受けることによる完全免荷に加え，股関節を外転内旋位に保ち containment 療法を行うための Tachdjian 型装具です．同じコンセプトの装具が数多く存在します．a のほうが歩行は容易で幼児にも適用できます．

- 5 歳未満の発症で壊死範囲の狭い症例の大部分は，可及的運動制限のみで経過をみる supervised neglect で十分な改善がみられます．装具治療といえども患児に多大な精神的・肉体的負担を強いることを忘れてはなりません．
- 筆者の経験では，手術が必要なのは 3 人に 1 人です．手術をしなくても十分な改善が得られる軽症例に対して手術を行えば確実に良い治療成績が得られますが，そうすると手術を必要としない患者を多数手術してしまうことになります．
- 装具や手術が必要かどうかの重症度判定は以下の点を複合して判定します．通常は 1 ヵ月おきに単純 X 線検査を行って経過をみながら，治療方針を決めていきます．
    ① 壊死範囲が広いほど重症（骨端部の全域が壊死していれば手術を考慮）
    ② 発症年齢が高いほど重症（8 歳以上では手術を考慮）
    ③ 圧潰が進んでいるほど重症（骨端部外側が半分以上圧潰していれば手術を考慮）
    ④ 亜脱臼が高度なほど重症（高度な亜脱臼がみられたら手術を考慮）
- 骨切り術による containment 療法としては，大腿骨転子部内反骨切り術（図 5-49）が最も一般的ですが，臼蓋形成不全や大転子高位が残存することが多いので，この問題を解決すべくソルター骨盤骨切り術も行われています．Perthes 病の長期予後を中期成績から予測する Stulberg 分類で評価すると，この 2 つの術式の中期成績は同等です．重症例には，大腿骨転子部内反骨切り術とソルター骨盤骨切り術またはペンバートン骨盤骨切り術の合併手術（図 5-50）やトリプル骨盤骨切り術が行われており，その治療成績はおおむね良好ですが，成績不良例も少数存在します．それでも骨切り術による containment 療法を行うと求心位の極端な悪化を防ぐことができるので，最低限の歩容を維持することができます．
- 骨切り術による viable bone（生きた骨）の荷重面への移動は，成人の大腿骨頭壊死に対して行われている治療と同じコンセプトです．特に年長児（8 歳以上で発症した例）に良い適応

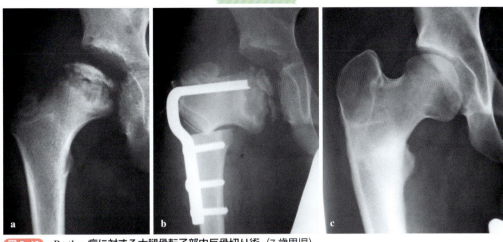

図 5-49　Perthes病に対する大腿骨転子部内反骨切り術（7歳男児）

骨端部全域の壊死で総崩れを起こしたケースです（a）．大腿骨転子部内反骨切り術を行い（b），22歳時には球形骨頭が得られました（c）．大転子高位が遺残しましたが，それによる機能障害はありませんでした．現在は大転子高位を抑制するため，大転子部骨端線をスクリュー固定していますが，それでもこの術式ではある程度の大転子高位は避けられません．

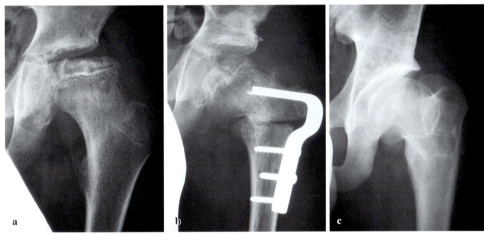

図 5-50　Perthes病に対する大腿骨転子部内反骨切り術とペンバートン骨盤骨切り術の合併手術（11歳男児）

壊死範囲が広く発症年齢の高い重症例です（a）．大腿骨転子部内反骨切り術とペンバートン骨盤骨切り術の合併手術を行い（b），17歳時の単純X線検査では球形骨頭が得られています（c）．大転子高位が遺残しこれによる股関節外転制限が残りましたが，日常生活やスポーツ活動には支障のない状態でした．

と考えられます．最近は大腿骨頭回転骨切り術が普及しつつありますが，筆者は大腿骨転子部屈曲骨切り術（図 5-51）を行っています．ただし後方にviable boneが残されていることがこの手術を行うための絶対条件です．

- さまざまな小児整形外科疾患の中で，治療方針の選択が一番難しいのがPerthes病です．この疾患だけは，多数の治療経験なしに適切な治療法を決めることができません．Perthes病の治療自体は難しくありませんので，十分な経験のない医師は，経験豊富な医師に個々の患者の治療方針の相談をすれば，適切な診療を行うことが可能だと考えています．

主な疾患について知っておくべき知識

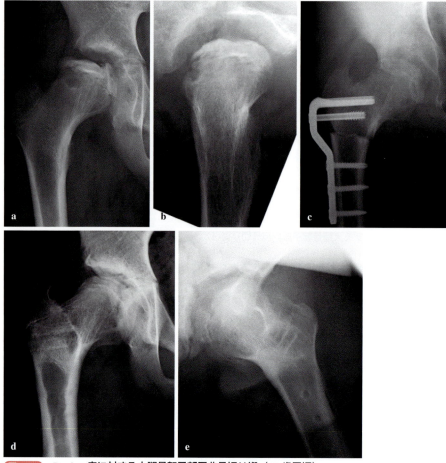

図 5-51　Perthes 病に対する大腿骨転子部屈曲骨切り術（12 歳男児）
壊死範囲が広く発症年齢の高い重症例です（a：正面像，b：側面像）．しかし骨端部の後方に圧潰を免れている領域があったので，この部分を荷重部に移動する目的で大腿骨転子部屈曲骨切り術を行いました（c）．14 歳時の単純 X 線検査では球形骨頭が得られています（d：正面像，e：側面像）．

> **患者家族への説明**
> 「大腿骨の頭の部分に血液循環障害があり，骨が崩れてきています．2 年くらいで骨は再生してきますが，少しでも本来の丸い形にしてあげないと将来痛みが出るようになりますので，必要に応じて装具や手術による治療を行いましょう．」

● 大腿骨頭すべり症（図 5-7）

- その名の通り大腿骨頭がすべってしまう疾患です．正確に述べると大腿骨近位骨端部が徐々にまたは急激に転位する病態で，思春期に好発します．
- 股関節を屈曲していくと股関節が外転・外旋していく所見（Drehmann 徴候）が本疾患を疑う第一歩となります（図 5-52）．ただし，Drehmann 徴候は本疾患に特異的なものではなく，さまざまな股関節疾患にみられる所見です．
- 大腿骨頭すべり症には次の 3 つのタイプがあります（図 5-53）．

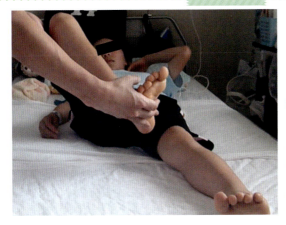

図 5-52 大腿骨頭すべり症でみられる Drehmann 徴候（11歳女児）

仰臥位で股関節を屈曲していくと股関節が外転・外旋して胡坐の肢位に近づいていく所見を「Drehmann 徴候」と呼びます．大腿骨頭すべり症を疑う所見として知られています．

a　　　　　　b　　　　　　c　　　　　　d

図 5-53 大腿骨頭すべり症のイメージ（右大腿骨近位部の側面像）

a. 正常な形態
b. 急性型（acute type）：a の状態から骨端部が急に後方へすべった状態です．骨端部が後方にすべっていますが，骨幹端部は正常な形態です．
c. 慢性型（chronic type）：a の状態から骨端部が徐々に後方にすべった状態です．すべった骨端部を追うように骨幹端部がリモデリングしています．
d. 慢性の急性すべり型（acute on chronic type）：c の状態から急にすべった状態です．骨幹端は慢性型のようにリモデリングした形態ですが，骨端部はそれよりさらに後方へ転位しています．

　　acute type：前兆となる症状が 3 週間以内続いた後，軽微な外傷で突然骨折様に発症．大腿骨頸部にリモデリングの所見がないか乏しい（前兆なく大きな外傷により発症したケースはすべり症でなく Salter-Harris type 1 の骨端線損傷と診断します）．

　　chronic type：関連する軽い症状が続き，大腿骨頸部にリモデリングがみられる．

　　acute on chronic type：前兆となる症状が 3 週間以上続いた後，急激に症状悪化．大腿骨頸部にリモデリングがあるが，そこからの転位がみられる．

● 原因は以下の 2 群に分けられます．肥満と密接な関係のある疾患と認識されていましたが，最近わが国では過度のスポーツ活動が原因となったケースが増えています．

　　骨端線への過度の力学的負荷：肥満，過度のスポーツ活動

　　骨端線の脆弱性：成長ホルモンの分泌亢進，性ホルモンの分泌低下，くる病，過去の放射線治療など

● 大腿骨頭すべり症には，もうひとつ Loder 分類と呼ばれる初診時の状態を示す分類法があります．初診時に，杖を用いれば歩けるケースを安定型，杖を用いても歩けないケースを不安定型と呼びます．不安定型は acute type や acute on chronic type の一部にみられ，骨頭壊死の発生率がきわめて高いことが知られています．

● 大腿骨頭すべり症に対する手術法は以下の通りです．実際にはこれらの手術を組み合わせて行ったり，時期をずらして行います．

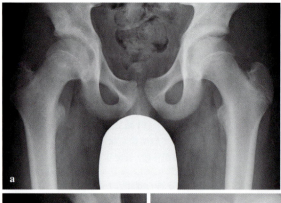
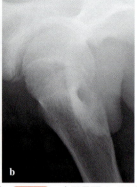
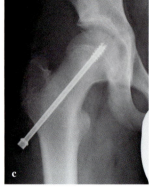
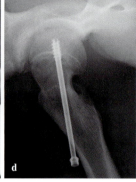

図 5-54　大腿骨頭すべり症に対する *in situ* pinning（13 歳男児）

誘因なく右股関節痛を発症した野球選手です．捻挫や上前腸骨棘腱付着部炎の診断で半年間保存治療が行われた後に紹介．すべり角 33°の chronic type で安定型の右大腿骨頭すべり症と診断し *in situ* pinning を行いました．
a. 初診時正面像：よくみると右は骨端部の縦の幅が狭くなっていますが，異常ははっきりしません．
b. 初診時右 Lauenstein 像：骨端部が後方へすべり，骨幹端はそれに合わせてリモデリングしています．慢性型大腿骨頭すべり症の所見です．
c. 術後正面像
d. 術後右 Lauenstein 像

① *in situ* pinning（図 5-54）：すべった部位をそのままの位置でスクリュー，ハンソンピン，鋼線などを用いて固定する方法で，手術時の体位により少しだけ整復されることは許容します．骨頭壊死のリスクが小さいことが知られています．

② 徒手整復して固定：関節を切開せずに整復してから，スクリューなどで固定します．骨頭壊死のリスクが高いことが知られていますが，急激に症状が悪化してから 24 時間以降 7 日以内の「unsafe window」と呼ばれる時期を避けて行えば，骨頭壊死のリスクが低いのではないかという説がトピックスになっています．

③ 関節を小切開してから整復して固定：関節を小さく開けて指を入れて整復位を確かめられる状況で整復してから，スクリューなどで固定します．指で整復位を確かめている分，骨頭の栄養血管に緊張がかからない位置に整復されている可能性と関節切開したために出血による関節内圧の上昇を防止できることから，②と比較して骨頭壊死のリスクが低いと考えられています．

④ 関節を大きく開けて骨頭の栄養血管の状態を確認しながら整復して固定（図 5-55）：さまざまな手技がありますが，「Dunn 変法」と呼ばれる方法が代表的です．大転子を切離して関節包を大きく切開し，骨頭の栄養血管を含む大腿骨頚部の retinaculum の状態と骨端部の血流状態を見ながら骨端部を整復し，鋼線やスクリューで固定します．長期間すべっていた影響で retinaculum が拘縮して短くなっている場合は，大腿骨頚部を少し短縮して retinaculum に過剰な緊張がかからない位置で固定します．この方法では，骨端部の回旋転位

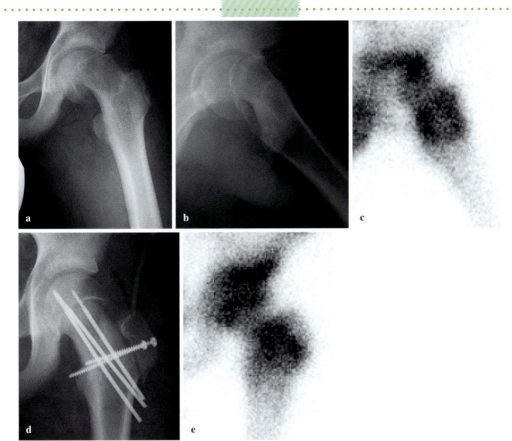

図 5-55 大腿骨頭すべり症に対する Dunn 変法（12 歳男児）

運動会の練習が始まってから左大腿部痛が出現し，その1週間後に左膝の激痛が生じ，歩行困難となり近医を受診．左膝の単純 X 線検査を受けましたが，異常所見なく経過観察となりました．翌日も激痛が続き左膝の MRI が撮像されましたが，異常所見はありませんでした．翌々日も激痛が続いたためほかの病院を受診し，膝痛の原因となりうる脊椎と股関節の単純 X 線検査が行われ，ようやく大腿骨頭すべり症の診断となりました．紹介を受けた当科で行った骨シンチグラム（股関節側面像）では，骨端部に一致した部位に cold spot（放射線同位元素が取り込まれていない部位）が認められ，骨端部の血流不全と考えられました．Dunn 変法によるすべりの整復術を行い，骨シンチグラムでは血流の明らかな改善がみられましたが，部分的な骨頭壊死が生じました．

a. 診断時の左股関節 X 線正面像
b. 診断時の左股関節 X 線側面像（Lauenstein 像）：すべり角は 54°でした．
c. 当科初診時の骨シンチグラム（Lauenstein 像と同じ方向）：X 線 Lauenstein 像と重ね合わせてみると，ちょうど骨端部に一致して cold spot があることがよくわかります．
d. Dunn 変法の術後正面像
e. 術後の骨シンチグラム（正面像）

による retinaculum の過緊張を防ぐこともできます．骨頭の栄養血管がすでに破綻しているケースでは，すべりの部位の骨端部側にある成長軟骨板とその近位の皮質骨のドリリングや掻爬を行って早期血流再開を誘導する処置を行います．

⑤ **鏡視下骨軟骨形成術**（図 5-56）：すべった骨端部をそのままの位置でスクリュー固定すると骨幹端部前方の突出（bump）が残る場合があります．これが股関節屈曲時に臼蓋と衝突し関節を徐々に壊していきます（FAI：femoroacetabular impingement，大腿骨寛骨臼インピンジメントと呼ばれる病態です）．これを防ぐため，骨幹端部前方の突出部を関節鏡視下

主な疾患について知っておくべき知識

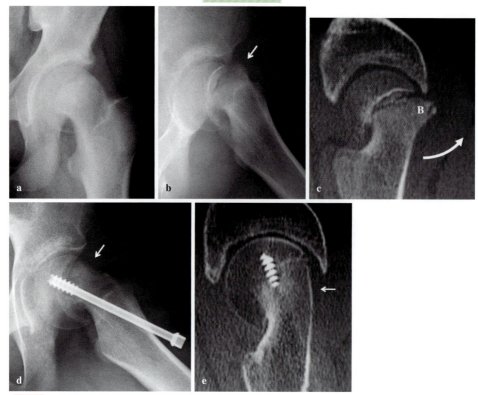

図 5-56 大腿骨頭すべり症に対する鏡視下骨軟骨形成術（12 歳女児）

4 ヵ月前から左股関節痛のあったバレーボール選手です．4 日前から急性増悪し，歩行不能となって受診．すべり角 50°の acute on chronic type で不安定型の大腿骨頭すべり症と診断しました．このままの位置で固定すると屈曲時に骨幹端部が臼蓋と衝突する状態であったため，*in situ* pinning と鏡視下骨軟骨形成術（arthroscopic osteochondroplasty，通称 bumpectomy）を行いました．
a. 初診時正面像：骨端部が落ちている状態がわかります．
b. 初診時左 Lauenstein 像：骨端部が後方へすべり，骨端部前方（矢印）が突出している状態が確認できました．慢性の急性すべり型大腿骨頭すべり症の所見です．
c. 術前 reconstruction CT 像（sagittal 面）：股関節を屈曲する（矢印の方向）と bump（B）が臼蓋縁と衝突する状況が容易に想像できます．
d. 術後左 Lauenstein 像：*in situ* pinning と鏡視下骨軟骨形成術を行いました．bump が十分切除されている様子がわかります（矢印）．
e. 術後 5 ヵ月の reconstruction CT 像（sagittal 面）：術前の c とほぼ同じ断面です．骨端線は閉鎖し，bump があった部位に良好なリモデリングがみられます（矢印）．

に削るのがこの手術です．通称「bumpectomy」と呼ばれています．

⑥ **大腿骨転子部の骨切り術**（図 5-57）：すべった部位は整復せず，大腿骨転子部で骨切りして後方へすべった骨頭を前方へ移動することによって，整復と同等の効果を得ようとする手術です．手術による骨頭壊死誘発のリスクが低いことがこの手術の利点ですが，軟骨溶解のリスクをわずかに伴う点が欠点です．古くより Southwick 法，Imhäuser 法などが行われてきましたが，筆者は師匠の亀ヶ谷先生が考案した POTOF（**p**re**o**perative computed **to**mography-assisting intertrochanteric **f**lexion osteotomy）という大腿骨転子部屈曲骨切り術を行っています．手術時間が短く侵襲の少ない優れた方法です．

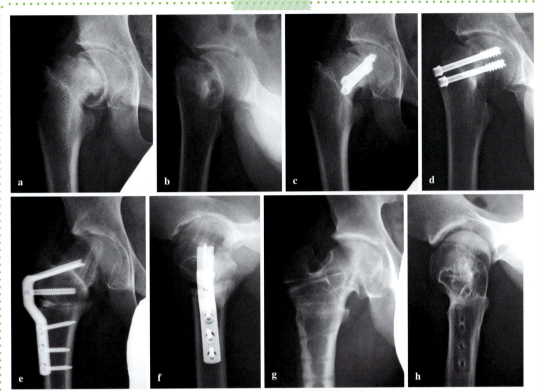

図 5-57 大腿骨頭すべり症に対する *in situ* pinning 後の POTOF（12 歳男児）

すべり角 80°の acute on chronic type で不安定型の大腿骨頭すべり症としては最重症例です（a, b）．12 歳時に 2 本のスクリューを用いて *in situ* pinning を行い（c, d），14 歳時に大腿骨転子部屈曲骨切り術（POTOF）を行いました（e, f）．16 歳時の X 線像ではわずかに楕円骨頭となっていましたが（g, h），機能障害の訴えはありませんでした．このような高度すべり症例に初回手術で *in situ* pinning を選択すると，その後骨切り術を行ってもこの程度の治療結果が限界です．初回手術で関節を大きく開けて，骨頭の栄養血管の状態を確認しながら整復して固定する方法を考慮すべきであったかもしれません．

a．初診時正面像，b．初診時 Lauenstein 像，c．*in situ* pinning 術後正面像，d．*in situ* pinning 術後 Lauenstein 像
e．POTOF 術後正面像，f．POTOF 術後 Lauenstein 像，g．16 歳時正面像，h．16 歳時 Lauenstein 像

- 治療目標は，① 病状悪化の防止，② 合併症の防止，③ 変形性股関節症の防止の 3 つに分けて考えます．①のみを目標として，すべての症例に対して *in situ* pinning（すべったままの位置でスクリュー固定すること）をすれば良いとする消極的治療方針が長く尊重されてきました．しかし，この方針では②の解決に向かうことはなく，③も達成できないことが次第に明らかとなってきました．*in situ* pinning だけでは，将来的な変形性股関節症の原因となる cam type の FAI（大腿骨頚部がその形態異常のために股関節屈曲時に臼蓋縁と衝突する病態）を放置することになるため，より積極的な治療をすべきであるという意見が主流となりつつあります．

- *in situ* pinning だけでも十分なリモデリングが起こるという意見がありますが，FAI が生じない状態までリモデリングを期待してよいのはすべり角 40°までのケースです．最終的にリモデリングした場合でも，リモデリングが完了するまでの間に関節唇の損傷が進んでいることを考慮すべきだと考えます．

- 筆者の治療方針は以下の通りです．

  ▶安定型と血流障害が疑われない不安定型に対しては，*in situ* pinning を行い，骨幹端部前方

の突出が残った場合は，同時に鏡視下骨軟骨形成術も行います．両方行っても1 cm程度の皮膚切開が3ヵ所程度です．
- ▶血流障害の疑われる不安定型に対しては，関節を大きく開けて骨頭の栄養血管の状態を確認しながら整復して固定します．
- ▶ in situ pinning後の経過観察中に，股関節の機能障害（内旋制限や屈曲制限）が強くみられたら，患者家族と話し合いのうえ，希望があれば大腿骨転子部屈曲骨切り術（POTOF）を行います．
- ▶骨頭壊死が生じたら，血流が回復するまで，Thomas型装具を用いた完全免荷を行います（図5-48）．

患者家族への説明

「大腿骨の頭の部分がすべってしまう重大な病気です．きちんと治療しないと歩くのに不自由する状態になる可能性もあります．手術治療と長期間の運動制限が必要です．多くの場合，肥満や過剰なスポーツ活動が原因なので，これまでの生活スタイルに問題がなかったか見直してみましょう．」

● 特発性股関節軟骨溶解症（idiopathic chondrolysis of the hip）

- ●股関節に軟骨溶解が生じる原因不明の疾患です．股関節痛で発症し，進行性の股関節外転拘縮がみられ，単純X線検査では次第に関節裂隙の狭小化が明らかとなります．MRI像では臼蓋と骨頭の相対する部分に浮腫性変化がみられるmirror lesionが特徴的です（図5-23）．
- ●関節切開，関節包切除，股関節周囲筋解離術などの治療によって短期的には機能改善することもありますが，最終的には線維性関節強直（fibrous ankylosis）に至ります．
- ●強直肢位がわかった時点で，良肢位を確保するための大腿骨転子部骨切り術を行うのが，最も現実的な治療方針です．
- ●リウマチの治療で用いられる生物学的製剤のひとつ（エタネルセプト）が本症に有効とする報告があり，筆者も1例に試みたところ，軟骨溶解が改善し可動域の悪化もみられなくなりました．こうした薬物治療が本症に対する最善の治療と思われますが，現時点で健保適応はありません．

患者家族への説明

「股関節の軟骨が少しずつ溶けて関節が動かなくなってしまう原因不明の病気です．リハビリテーションには一時的効果しかないことがわかっており，歩くのに支障のない位置で関節が固まるように治療していくのが一般的です．未認可ですが，リウマチの治療に使われる注射薬が有効な場合もあります．」

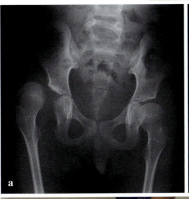
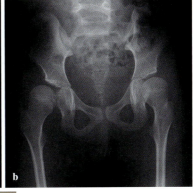

図5-58 Down症にみられる位置性の股関節脱臼（9歳男児）

右股関節にときどきポコッと音が鳴るという症状で近医を受診し、単純X線検査で右股関節脱臼が認められたため紹介となりました。下肢の肢位によって脱臼しているときと(a)、自然に整復されているときがありました(b)。睡眠中に特有の肢位をとっていることが確認されました(c)。

● Down症の股関節脱臼

- Down症においては、先天性の股関節脱臼もみられますが、脱臼のなかった股関節が学童期以降徐々に脱臼していくことがあります（図5-58 a）。
- この原因として考えられるのが、睡眠時にとる特有の肢位（図5-58 c）です。これはDown症以外のこどもにはほぼみられない不思議な睡眠時肢位で、関節弛緩がなければ決してとれない肢位です。
- 脱臼するようになってからの治療には骨盤骨切り術などの大きな手術が必要なので、乳幼児期からこのような肢位をとらせないように注意していくことが大切です。
- 骨盤骨切り術は、通常の骨切り術では改善しないことが知られており、後外方に臼蓋を回転させる特殊なトリプル骨盤骨切り術（Sakalouski法は無効）を行うか、Y軟骨閉鎖後（臼蓋の骨成長終了後）に寛骨臼回転骨切り術を行うか、いずれかの治療が必要となりますが、筆者は手術希望例を経験していません。

患者家族への説明

「Down症で関節がゆるいため、股関節が脱臼しています。壮年期以降で歩行困難となる可能性があるので、手術治療という選択肢もありますが、成人後の生活スタイルによってはあまり支障がないこともあります。将来どのように過ごしていくかも含めて、よく考えましょう。」

第6章 手の診かた（先天奇形を除く）

筆者は手外科専門医ではありませんが，小児整形外科専門医でもこどもの手を診療する機会は少なくありません．本章では，手外科専門医でなくとも知っておくべきことについて解説します．

愁訴からの診断

1 指が伸びない・屈伸時にひっかかる

思い浮かべるべき疾患

強剛母指・弾発指（ばね指），先天性握り母指症，先天性多発性関節拘縮症，先天性拘縮性くも状指趾症（Beals症候群），屈指症，Charcot-Marie-Tooth病（CMT）

 先天奇形を除くこどもの手の愁訴で最も多いものです．自然に良くなるものから難治性のものまでさまざまです．

診断へのプロセス

 STEP 1 診察所見でほぼ診断可能

● 母指だけに症状があり，MP（中手指節）関節掌側に固い腫瘤を触れる場合は，強剛母指と診断します．長母指屈筋腱がこの部位で腫大し，屈筋腱腱鞘にひっかかる状態となっています．腫大部が腱鞘の近位にあって遠位に移動できない状態のときは，伸展制限がみられます（図6-1）．この場合，MP関節を伸展するとIP（指節間）関節の伸展制限がより強くなることで，腱のロッキングが証明できます．腫大部が腱鞘にひっかかりながらも遠位へ移動できる状態のときは，成人の弾発指と同様のスナッピング（snapping）がみられます．母指以外にも同様の病態がみられ，

― 171 ―

愁訴からの診断

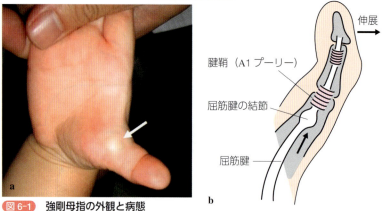

図 6-1 強剛母指の外観と病態

強剛母指は基本的に成人の弾発指と同様の病態ですが，腱鞘の肥厚はなく屈筋腱が MP 関節部の腱鞘（A1 プーリー）の近位部で結節上に肥大し，母指を伸展しようとすると結節が腱鞘にひっかかって伸展できない状態にあります．母指の MP 関節掌側に腫瘤を触れることで診断に至ります．
a. 強剛母指の外観：矢印の部位に腫瘤を触れます．
b. 強剛母指の病態

図 6-2 中指の弾発指（2 歳男児）

強剛母指と類似した病態は母指の次に中指に多いようです．しかし「強剛中指」とは呼びません．スナッピングがなく，屈曲拘縮のパターンをはじめからとっており，痛みを伴わない点で成人の狭窄性腱鞘炎とは異なる症状です．

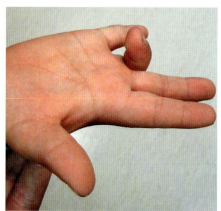

図 6-3 屈曲位でロックした環指の弾発指（6 歳男児）

4 歳時に痛みを伴うスナッピングを主訴に来院．その後，6 歳時にロッキングを生じ，手術が必要となりました．このようにスナッピングからロッキングへと移行するケースは稀で，成人の弾発指と類似した病態と考えられます．

弾発指（ばね指）と診断します（図 6-2, 3）．

- 腫瘤を触れない場合は，強剛母指以外の疾患です．片側または両側の母指に限って症状がみられ，母指の屈曲拘縮がみられる場合の多くは，先天性握り母指症（図 6-4）です．先天性の伸筋腱欠損や機能不全が病因で，通常，軽度の皮膚拘縮を伴っています．

- 母指の内転屈曲拘縮に加えて，「風車翼状手」（図 6-5）と呼ばれる第 2〜5 指および手関節の尺屈偏位がみられれば，先天性多発性関節拘縮症です．手以外の部位にも関節拘縮がみられれば，間違いありません．眉間の皮膚に血管腫がみられるケースでは特に重症です．

1 指が伸びない・屈伸時にひっかかる

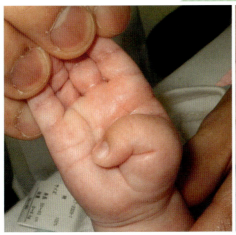
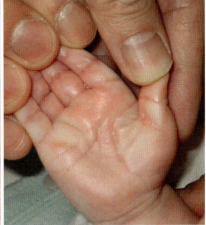

図 6-4　先天性握り母指症（生後1ヵ月男児）
3歳までにほぼ正常な機能にまで回復しました．

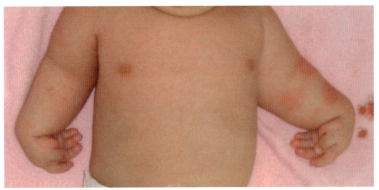

図 6-5　先天性多発性関節拘縮症にみられる風車翼状手（生後1ヵ月男児）

- 長く細い屈指と屈趾がみられる場合は，先天性拘縮性くも状指趾症（Beals 症候群）（図 6-6）の可能性があるので，遺伝科などの専門家に診察を依頼します．外耳の耳輪上部が折れ曲がった耳（crumpled ears）が特徴のひとつとされていますが，このような耳は健常児でもよくみられます．Beals 症候群は，学童期以降急速に進行する側弯症がみられることが多く，手術時期を逸すると呼吸機能障害にまで至ることがあるので，早期診断の意義は大きいと考えます（図 12-30）．
- 上記のどれにも当てはまらないときは，屈指症と診断します．複数の指に屈指症がみられる場合，これを先天性多発性関節拘縮症と診断するかどうかの明確な線引きはありません．
- 乳児期にほとんど症状がみられず，幼児期や学童期以降で複数の指に自動伸展障害が徐々にみられたときは，Charcot-Marie-Tooth 病（CMT）（図 6-7）を第一に考えます．手の固有筋の麻痺が伸展制限の直接原因となっており，MP 関節を他動的に軽度屈曲位にすると自動伸展できるのが特徴的です．

愁訴からの診断

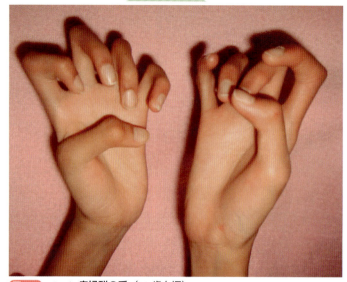

図 6-6　Beals 症候群の手（10 歳女児）
生下時よりみられる屈曲拘縮を伴うくも状指症で，診察上は関節がとても固いイメージです．

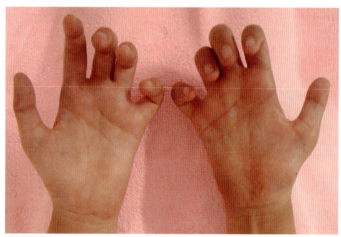

図 6-7　Charcot-Marie-Tooth 病（CMT）の手（5 歳女児）
本疾患では成長に伴って指が伸びなくなってくるタイプがあります．

STEP 1 STEP 2　自然に良くなるかどうか経過観察

- 強剛母指でない母指の伸展障害で，1 歳までに明らかな改善傾向がみられる場合は，伸筋腱の欠損または機能不全による先天性握り母指症とほぼ診断できます．典型例では短母指伸筋が欠損か形成不全によって機能しないため，完全に伸展するまでは回復しませんが，ほとんどの場合，長母指伸筋と長母指外転筋の代償によって，就学前に日常生活上支障のない程度まで回復します．
- 強剛母指・弾発指以外で，1 歳までに改善傾向がまったくみられない場合は，先天性多発性関節拘縮症，屈指症，Beals 症候群などの難治性疾患です．手外科専門医への紹介が必要です．

2 指が曲がらない

思い浮かべるべき疾患

指節骨癒合症，強剛母指・弾発指（ばね指）

先天性に指が曲がらない場合の多くは，指節骨癒合症です．

診断へのプロセス

STEP 1　診察所見でほぼ診断可能

- 生下時より一貫して指が曲がらない場合は，曲がらない関節に皺がありません（図6-8）．このような場合は，指節骨癒合症と考えます．強剛母指・弾発指（ばね指）で，屈筋腱の結節が腱鞘より遠位でロックしたとき，指が曲がらなくなることがありますが，これは一時的な症状なので，診断に迷うことはありません．

　指節骨癒合症には，関節面が平坦な形状のため曲がらないタイプと骨癒合しているタイプがあります．前者では乳幼児期には他動的にある程度屈曲しますが，次第に伸展位で拘縮してきます．しかし根気よく可動域訓練を行うことによって，機能回復がみられたケースもあります（図6-9）．

STEP 1 → STEP 2　単純X線検査で骨癒合がないか確認

- 骨癒合があれば改善の余地はありませんので，確認が必要です．

図6-8　指節骨癒合症の外観（生後6ヵ月女児）
左示指DIP関節，中指DIP・PIP関節，環指DIP関節の指節骨癒合症．この月齢では，指節関節周囲の骨が未骨化のためX線診断ができません．曲がらない関節には皺がみられないことが特徴です．

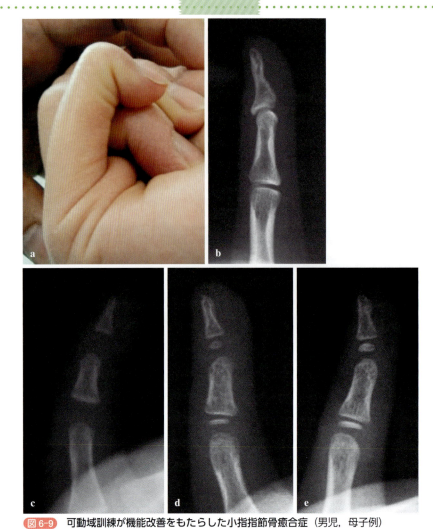

図 6-9 可動域訓練が機能改善をもたらした小指指節骨癒合症（男児，母子例）

生後 2 ヵ月で初診．右小指 PIP 関節の自動屈曲はほとんどできない状態でした．しかし他動的にはある程度屈曲可能でした．母親の左小指も先天的にまったく屈曲できない状態（a）だったため，自分と同じような障害は持たせたくないと，毎日 20 分以上の他動的可動域訓練を根気よく続けていました．2 歳時には 20°程度自動屈曲可能となり，これ以降は自動的屈曲訓練も毎日行っていました．5 歳時には 90°自動屈曲可能となり，ほぼ正常な機能を獲得しました．X 線側面像でも基節骨の骨頭は，母親の X 線像（b）にみられる平坦な形状とは異なる丸みのある形状になりました（c：1 歳，d：3 歳，e：5 歳）．母親と同じ病態であったとすると，親子の 5 年間にわたる可動域訓練が関節機能の運命を変えたものと思われます．

3 指の痛み

思い浮かべるべき疾患

若年性特発性関節炎（JIA, 若年性関節リウマチ），混合性結合組織病（MCTD），皮膚筋炎，マイクロジオディク病（凍傷），骨髄炎，骨腫瘍

乳幼児では指の痛みを愁訴として受診されるケースはほとんどありません．学童期以降では，何らかの疾患がみつかります．

診断へのプロセス

STEP 1 全身症状の経過と診察所見

- 発熱がある場合は，骨髄炎，若年性特発性関節炎（JIA），皮膚筋炎などの可能性があります．
- 全身の筋肉痛に加えて，Gottron 徴候（図 6-10）がみられれば，皮膚筋炎を疑います．
- 寒冷刺激によって指が蒼白化し，その後暗紫色を経て元の色調に戻るレイノー現象がみられ，「ソーセージ様手指」（図 6-11）と呼ばれる皺が浅くなった皮膚の状態がみられたら，混合性結合組織病（mixed connective tissue disease：MCTD）を疑います．
- 手指以外の関節痛，関節腫脹，微熱などの症状がみられれば，JIA を疑います．手指に関節炎のみられる JIA のほとんどのケースで手関節炎の合併がみられるので，手関節の掌背屈可動域の制限がないか，最大掌屈時・背屈時に痛みがないか，よく確認することが重要です．

STEP 2 単純 X 線検査を行う

- JIA など膠原病の初期には単純 X 線検査で異常はみられません．進行期になると，主に手根骨に骨侵食像や破壊像がみられます．
- マイクロジオディク病の典型例では，単純 X 線検査において骨吸収像とその後に生じた骨形成像が同時にみられます（図 6-12, 13）．
- マイクロジオディク病に相当しない骨溶解像や骨膜反応がみられたときには，骨腫瘍や骨髄炎を疑います．

STEP 3 血液検査を行う

- JIA では，血清 MMP-3 の高値がみられます．10 歳未満の小児においては成人の正常値は参考にならず，おおむね 50 ng/mL 以上は異常高値と考えて良いと思います（第 12 章 p.299）．
- MCTD や皮膚筋炎などの最終的な診断は，膠原病や神経筋疾患を専門とする小児科医に委ねる必要があります．

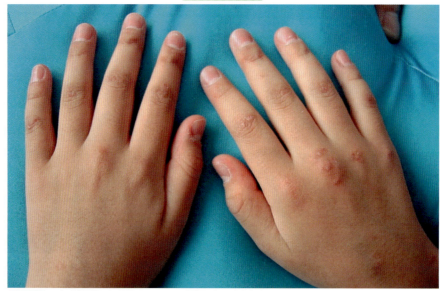

図 6-10 皮膚筋炎にみられる Gottron 徴候（10 歳女児）
手指の関節背側の表面にガサガサとして盛り上がった紅斑がみられます．

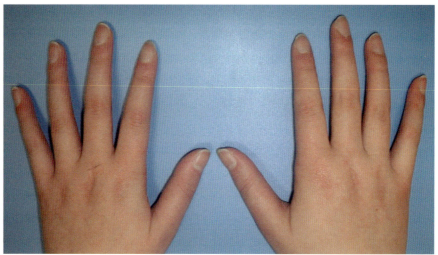

図 6-11 混合性結合組織病（MCTD）にみられるソーセージ様手指（13 歳女児）
指全体が腫脹し皺が浅くなり，ソーセージに似た見かけになっています．

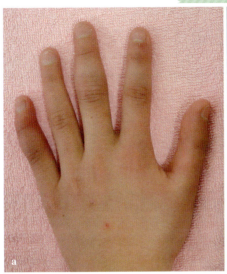
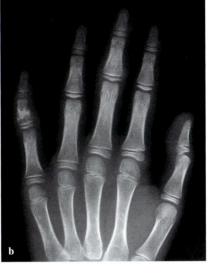

図 6-12 マイクロジオディク病（11 歳男児）

前年の春，左環指の痛みと腫脹がみられ，この年の冬，左示指と小指の PIP 関節の痛みと腫脹がみられ（a），手外科専門医を経て，若年性関節リウマチの疑いで紹介．小指中節骨に特有な骨溶解像（b）がみられたためマイクロジオディク病を考え，生活指導（保温）とビタミン E の投与を行った結果，症状は改善し，画像上も正常化が確認されました．

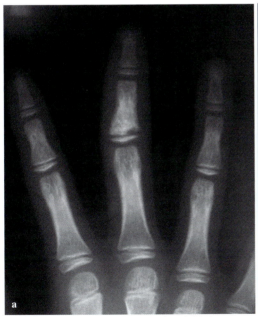
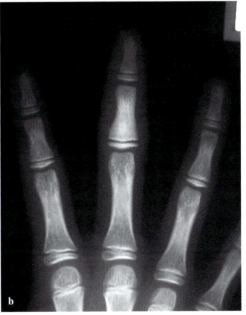

図 6-13 マイクロジオディク病（10 歳女児）

右中指の痛みと腫脹で初診．X 線所見上，中節骨に骨吸収像と硬化像がみられたため（a），マイクロジオディク病と診断し経過観察したところ，すみやかに痛みは消失しました．6 ヵ月後には骨吸収部の修復がみられました（b）．

4 指が短くなってきた

思い浮かべるべき疾患: 中手骨短縮症，Hajdu-Cheney 症候群，濃化異骨症，脊髄空洞症

先天的に短いものは「短指症」と呼ばれますが，ここで解説するのは学童期以降で指が短くなってくる病態です．

診断へのプロセス

STEP 1 どこが短くなってきたのか

- 指の根元が短くなってきた場合は中手骨短縮症を考えます（図 6-14）．指先が短くなってきた場合は，Hajdu-Cheney 症候群，濃化異骨症，脊髄空洞症を考えます．

STEP 2 感覚障害がないか

- 脊髄空洞症では無知覚によって，指先を噛んだり食べたり，熱傷をくり返したりして，指先が短くなってしまうことがあります．皮膚潰瘍やそれが治癒した跡がみられるため，見た目でも見当はつきますが，神経学的評価や脊髄の MRI 検査を行うことによって確定診断します．

STEP 3 骨系統疾患を X 線診断する

- 単純 X 線検査を行うと，Hajdu-Cheney 症候群ではすべての末節骨先端部の欠損がみられます（図 6-15）．これは進行性の骨溶解によるものです．濃化異骨症では，いくつかの末節骨に同様の所見がみられます（図 6-16）．下肢の単純 X 線検査を行うと，濃化異骨症では大理石骨病に類似した著明な骨皮質の肥厚と骨髄腔の狭小化がみられるので，診断は容易です．

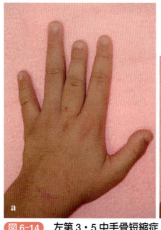 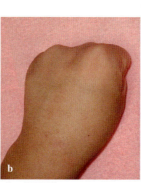 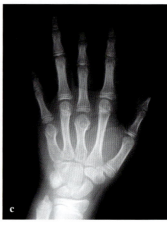

図 6-14 左第 3・5 中手骨短縮症（11 歳男児）
徐々に目立ってきた左中指の短縮を主訴に来院（a）．グーにして MP 関節を背側から見ると中手骨が短縮していることがよくわかります（b）．画像上，第 3・5 中手骨に骨端線早期閉鎖の所見がみられます（c）．

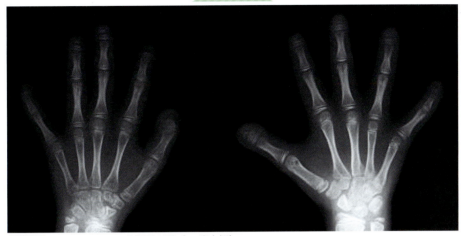

図 6-15　Hajdu-Cheney 症候群の手（10 歳女児）
この疾患では，末節骨遠位部に進行性の骨溶解がみられます．

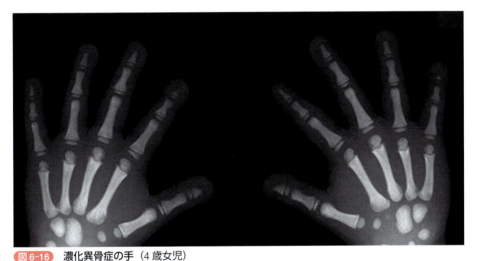

図 6-16　濃化異骨症の手（4 歳女児）
この疾患では，末節骨遠位部の骨溶解に加え，大理石骨病に似た骨髄腔の狭小化がみられます．

5 指が太くなってきた

思い浮かべるべき疾患

指噛み・指しゃぶりによる腫大，蜂窩織炎，マイクロジオディク病（凍傷），florid reactive periostitis（開花性反応性骨膜炎），若年性特発性関節炎（JIA，若年性関節リウマチ），混合性結合組織病（MCTD），内軟骨腫（多発性の場合は Ollier 病），外骨腫（多発性の場合は多発性外骨腫またはメタコンドロマトーシス），骨軟部腫瘍（腱鞘巨細胞腫など），骨系統疾患

幼児では，指噛み・指しゃぶりによる腫大や蜂窩織炎が多く，学童では，しもやけ（マイクロジオディク病）が多いのですが，膠原病，腫瘍，骨系統疾患などさまざまな希少疾患の場合もあります．

診断へのプロセス

STEP 1 見た目で見当をつける

- 指・爪噛み癖，指しゃぶり癖があれば，それによる軟部組織の肥大（図6-17）や蜂窩織炎を考えます．学童でもこうした性癖が残っている場合がありますので，皮膚に異常がみられたら問診を行います．
- 知っていないと診断できないのは，florid reactive periostitis です．この疾患では指一本が著明に腫大することが特徴です（図6-18）．
- 複数の指がソーセージのように腫脹して皺がなくなっているときは混合性結合組織病（図6-11）が疑われ，複数の指の関節部分が腫脹している場合は若年性特発性関節炎が疑われます．このようなケースでは小児科（膠原病科）に紹介します．
- 指が部分的に太くなっているときは，マイクロジオディク病（図6-12, 13）や骨軟部腫瘍を考えます．

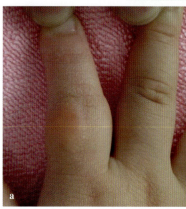
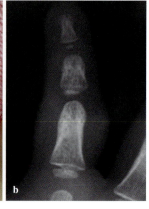

図6-17 指しゃぶりによる示指の肥大（3歳女児）
乳児期から右示指に集中した指しゃぶりが続いていました．次第に指が腫大し，斜指となってきたため受診．右示指に限局した皮膚かぶれがみられ，基節骨部の橈側には胼胝形成までみられました（a）．単純X線検査では明らかな異常はみられません（b）．このような腫大・変形を治すには，性癖を直すよう根気よく保護者に努力してもらうほかありません．

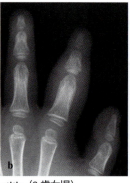

図6-18 florid reactive periostitis（2歳女児）
誘因なく指が腫れてきて，8ヵ月間改善がない状態でした（a）．単純X線検査では，骨膜反応様の骨皮質の肥厚がみられました（b）．自然治癒例の報告もあるため，経過観察を行いました．2年後には腫大の改善傾向がみられました（c）．

STEP 1 STEP 2　画像診断する

- florid reactive periostitis では，単純 X 線検査上，指骨が太く，骨膜反応様の骨皮質の肥厚がみられます（図 6-18）．MRI では骨膜に沿った浮腫像がみられます．
- 骨形成と骨吸収が混在する異常所見は，マイクロジオディク病に特徴的です（図 6-12, 13）．
- 膠原病（JIA, MCTD など）では，かなり病状が進行しないかぎり単純 X 線検査上の異常は認められません．
- 骨腫瘍では，それぞれの疾患で特徴的な X 線像がみられるため，診断は比較的容易です．Ollier 病では，虫食い状の骨溶解像がみられ周辺に骨膨隆を伴う骨皮質の菲薄化がみられます（図 6-19）．ほかの骨系統疾患で画像所見が類似するものがあるので，診断を間違えないよう注意が必要です（図 6-20）．外骨腫やメタコンドロマトーシス（図 6-21）では，骨幹端部に骨膨隆がみられます．
- 腱鞘巨細胞腫（図 6-22）などの軟部腫瘍が疑われるときは MRI を撮影しますが，最終的な診断には生検術が必要です．

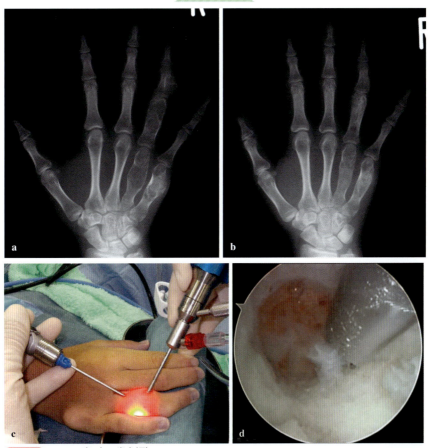

図 6-19　Ollier 病（14 歳女児）
環指の膨隆などを主訴に初診．単純 X 線検査にて多発性の内軟骨腫を認め，Ollier 病の診断となりました．骨髄鏡にて腫瘍を掻爬し，術後骨再生がみられました．
a. 初診時，b. 術後 1 年 5 ヵ月，c. 骨髄鏡手術の術中外観，d. 骨髄鏡手術の鏡視像

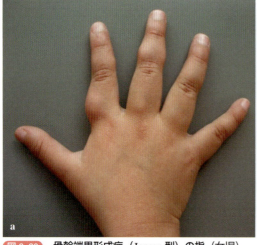
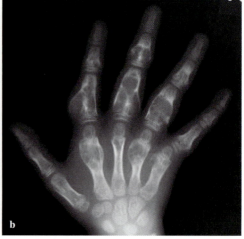

図 6-20　骨幹端異形成症（Jansen 型）の指（女児）

Ollier 病と間違えやすい骨系統疾患です．
a．3 歳時の外観
b．6 歳時の X 線像

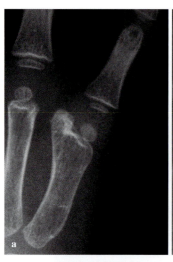
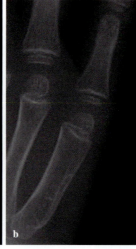

図 6-21　メタコンドロマトーシス（2 歳 10 ヵ月男児）

手部の隆起を主訴に受診．第 5 中手骨の骨幹端部に骨端部方向へ伸びる骨腫瘍を認め（a），メタコンドロマトーシスと診断しました．3 年後の 5 歳時には自然消失がみられました（b）．その後さまざまな部位に骨軟骨腫が出現しました．本疾患では，このような腫瘍の自然消退が特徴的ですが，縮小しないことのほうが多いため，必要に応じて切除術を行います．

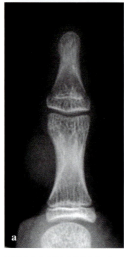
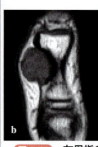
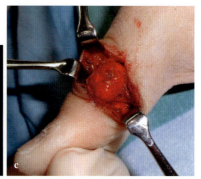

図 6-22　左母指の腱鞘巨細胞腫（11 歳女児）

左母指の腫瘤を主訴として来院．単純 X 線検査では，基節骨尺側に腫瘍を疑わせる軟部陰影を認め（a），MRI で腫瘍が確認されました（b）．切除生検目的で手術を行い，腫瘍（c）とこれに接する伸筋腱と骨膜を部分切除しました．病理診断は腱鞘巨細胞腫でした．

6 その他の愁訴

1）指先が曲がってきた → カーナー変形（Kirner's deformity）

- カーナー変形は，特徴的なX線所見で診断は容易です（図6-23）．知っていないと診断できない疾患のひとつです．
- 本疾患では，明らかな誘因なく少しずつ変形が生じます（図6-24）．骨折，骨髄炎を除外診断するため，症状経過をよく確かめる必要があります．
- 希望により手術治療（矯正骨切り術）が行われます．

2）中指と環指の間が広がっている → 三尖手（さんせんしゅ）（trident hand）

- 軟骨無形成症など長管骨が太くなる疾患にみられる特徴的な手の形態です（図6-25）．四肢・脊椎の単純X線検査を行い，原疾患を診断します．

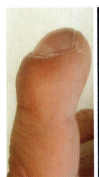

図6-23 **カーナー変形（13歳男児）**
両小指に同様な変化を認めました．

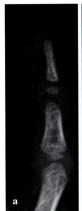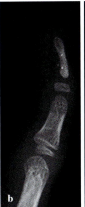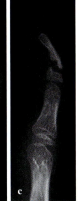

図6-24 **カーナー変形に至るX線経過（5歳男児）**
偶然，X線経過を知り得たケースです．5歳時（a）には正常でしたが，8歳時（b）に末節骨骨端線以遠にわずかな細小化がみられ，11歳時（c）には明らかなカーナー変形の所見がみられています．特に誘因はなく，両小指に同様の変化が認められました．

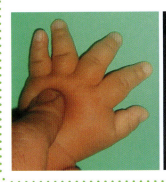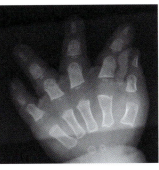

図6-25 **軟骨無形成症の三尖手（1歳女児）**
すでに軟骨無形成症と診断されていた女児です．中指と環指の間が広がっていることについて相談を受けました．成長に伴って，この特徴は目立たなくなりますが，正常な形態にはなりません．

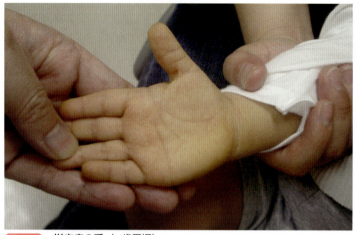

図 6-26　柑皮症の手（1 歳男児）
他の疾患で通院中「急に手が黄色くなったのですが，大丈夫ですか」という相談を受けました．写真をみると，著者の手（左端）や母親の手（右端）と比べて，明らかに色が違うことがわかります．

3）手が黄色くなってきた　→　柑皮症（図6-26）

- みかんをたくさん食べるとみかんの皮のように手の平が黄色くなるので，「柑皮症」と呼ばれます．
- 黄疸では眼球結膜も黄色くなりますが，柑皮症では眼球結膜は黄色くなりません．
- 整形外科疾患ではなく治療の必要性もありませんが，小児整形外科ではときどき受ける質問なので，知っておいたほうがよい知識と思います．

4）小指が短い　→　小指中節骨短縮症

- 末節骨より短ければ中節骨短縮症です．
- 小指中節骨短縮症（brachymesophalangia）は健常児でも10％以上にみられます．
- 骨端線早期閉鎖が関与しています（図6-27）．
- 短いだけの場合は何も困らないので治療する必要はありません．
- 三角指節骨（delta phalanx）と呼ばれる骨端線の奇形を合併する場合は，斜指症に対して手術治療を考慮することもあります．

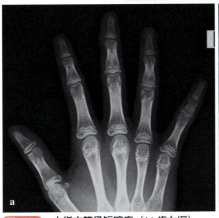

図6-27 小指中節骨短縮症（11歳女児）

11歳時に両小指の異常を主訴に来院されました．単純X線検査では両小指中節骨の骨端線早期閉鎖がみられました(a)．8歳時に母指の外傷で受診時に撮影されていた右小指中節骨の骨端線では正常の所見でした．8歳以降で骨端線早期閉鎖が起こったことがわかります．

解説　こどもの不登校とゲーム障害

こどもの不登校は小児整形外科医にとって徐々に身近なものとなっています．そして不登校の原因のひとつにゲーム障害があります．整形外科疾患のため学校を休んだこどもが，自宅で一日中ゲームに興じられる体験をすると，些細な四肢の痛みでも学校を休みゲームを楽しむ時間を確保しようとする場合があります．このようなこどもの四肢の痛みは，検査をしても異常がみられず，治療に難渋します．例外として挙げられるのが，手の傷害です．腱鞘炎のほか，母指CM関節障害（図1）やナックル・パッド（video game induced knuckle pad と呼ばれる指の胼胝）などがみられ，ゲームの禁止によってすみやかに改善します．ゲームの禁止は，多くの場合不登校の解決にも有効ですが，ゲームを取り上げることのできない家族が多く，その実現は容易でありません．

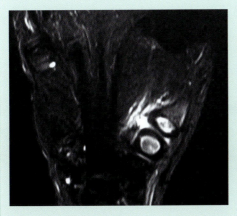

図1 ゲームによる母指CM関節障害（10歳男児）

半年前から続く左母指CM関節痛を主訴に受診．週1～2回しか登校せず，ほぼ毎日自宅でゲームに興じていました．単純X線検査では異常を認めませんでしたが，MRIでは母指CM関節の水腫と周囲の骨髄浮腫を認めました．血液検査では炎症性疾患を示唆するような異常をまったく認めず，唯一25-OHビタミンD値が16 ng/mLと低値でした（日光浴不足によるビタミンD欠乏症）．ゲーム以外に原因が考えられなかったため，ゲームを禁止したところ3ヵ月後に痛みは消失しました．

主な疾患について知っておくべき知識

⬤ 強剛母指・弾発指（ばね指）（図 6-1〜3）

- 自然治癒が多いにもかかわらず，早期手術が行われている疾患です．筆者らの調査では，就学するまでに約 2 割，小学校を卒業するまでに約 7 割のケースで自然治癒がみられています．
- 症状の改善には 2 つのパターンがあります．屈筋腱の腫大部より遠位の腱が伸びて伸展可能となるパターンと屈筋腱の腫大部が退縮して伸展可能となるパターンです．前者では，伸展可能となっても腫瘤は触れ，過伸展はできません．後者では，腫大部が退縮する過程でロッキングやスナッピングがみられ，そのまま成人となる場合もありますが，多くの場合はさらに退縮して完全に症状は消失します．
- 家族性に発症するケースが少なくありません．親の実体験も尊重して治療方針を立てる必要があります．
- 成長に伴って IP 関節の橈骨変形が生じる場合があります．このような場合は，積極的に早期手術を勧めます．変形が強くなると，変形矯正を兼ねた手術治療が必要となるからです．

患者家族への説明　「自然に良くなることが多いので，できるだけ手術をしないで経過をみましょう．どうしても治らないときは簡単な手術で治すことができます．」

⬤ 先天性握り母指症（図 6-4）

- 先天性にみられる握り母指症にはさまざまな病態があり，先天性多発性関節拘縮症や母指の屈指症も，広義には握り母指症に含まれますが，一般的に「先天性握り母指症」と呼ばれるのは，伸筋腱（短母指伸筋，長母指伸筋，長母指外転筋）の欠損や機能不全が原因のものです．最も多いのは短母指伸筋の欠損です．
- 屈指症との確実な鑑別は困難ですが，母指以外の手指がまったく正常で，ほかの四肢の先天異常がみられなければ，本疾患の可能性が高いと判断します．
- 屈曲拘縮は多くのケースで，成長に伴って改善し，ほかの伸筋腱の代償によって徐々に伸展可能となり，就学時期には日常生活上の支障もほとんどなくなります．このようなケースの多くは，成長終了まで経過観察してもわずかな伸展制限は残存していますが，手術を希望するほどの症状ではありません．
- 就学時期が近くなっても，屈曲拘縮が改善しない場合や十分な伸展筋力がない場合は，腱移行術を考慮します．

患者家族への説明　「おそらく親指を伸ばす腱が一部ないか働いていないのが原因です．親指を伸ばす腱は 3 本あるので，ほかの腱が代わりの役目を果たすようになってくると日常生活に支障がないところまで回復します．どうしても良くならないときは手術の相談をしましょう．」

屈指症

- 皮膚の強い拘縮と屈筋腱の拘縮が主病態です．先天性多発性関節拘縮症，Beals 症候群，先天性上肢形成不全などの疾患に伴う場合と，まったく原因不明のものがあります．
- 手術をしてもなかなか良くならない難治性の病態です．初診時に弾発指などの予後良好な疾患と間違えて説明しないよう注意が必要です．
- 手外科専門医に治療を委ねるべき疾患です．

患者家族への説明：「治療の難しい変形です．手の手術を専門とする医師に治療を委ねましょう．」

マイクロジオディク病（microgeodic disease）（図6-12, 13）

- 小児では，しもやけ（凍傷）によって骨溶解が起こることが珍しくありません．骨溶解部には数ヵ月で骨再生がみられますが，これをくり返すと，骨溶解像と骨再生像が混在する複雑なX線所見がみられるようになり，骨腫瘍や骨髄炎が心配されるという理由で小児病院まで紹介されることがあります．このような病態を「マイクロジオディク病」と呼びます．
- 急性期には痛痒さを主訴としますが，紹介を受けたときには無症状で単純X線検査上の異常だけが心配というケースが多くみられます．
- しもやけがくり返されないよう保温に努めることや，末梢循環障害の改善のためビタミンEの内服薬および外用剤の使用によって，症状はすみやかに改善し，多くの場合X線所見も1年以内に正常化します．
- 筆者は経験がありませんが，「風棘（spina ventosa）」と呼ばれる指・趾の結核性病変とX線所見が類似するようです．鑑別すべき疾患として留意する必要があります．

患者家族への説明：「こどもの骨はしもやけで部分的に溶けてしまうことがあります．その結果，このようなレントゲンの異常がみられる場合があります．溶けてしまった骨は自然に元通りになるので心配ありません．骨が溶けるようなしもやけは，本人にとってはとてもつらいことなので，寒い日には手袋を持たせてあげてください．」

中手骨短縮症（図6-14）

- 先端異骨症（偽性副甲状腺機能低下症，偽性偽性副甲状腺機能低下症），Turner 症候群，先端短肢異形成症，遠位中間肢異形成症などさまざまな先天疾患に合併しますが，明らかな先天疾患を合併しない局所的な異常の場合もあります．
- 中手骨の成長軟骨板が早期閉鎖を起こし，ほかの中手骨が成長するにつれて，患指の短縮が目立つようになります．学童後期になってから目立ってきます．
- 治療法としては，骨移植を行って一期的に骨延長する方法と，骨延長器を装着して徐々に延長する方法（仮骨延長術）があります（図6-28）．手術を1回で済ませるためには，手術時期は遅いほうが良く，できるだけ12歳以降で行っています．

主な疾患について知っておくべき知識

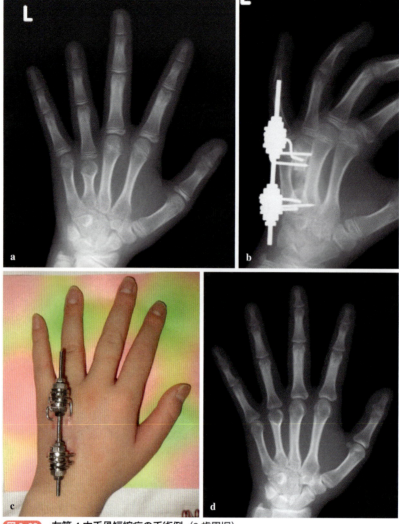

図6-28　左第4中手骨短縮症の手術例（9歳男児）
a. 9歳初診時のX線像
b. 10歳時にイリザロフミニと呼ばれる創外固定器を用いて，1日0.5mm程度のペースで仮骨延長を行いました．
c. 延長中の外観
d. 術後5年時のX線像

患者家族への説明「指の付け根の骨が成長障害を起こしたため，指が短くなったように見えています．12歳以降で骨を伸ばす手術をすれば治りますので，それまで待ちましょう．」

先天性多発性関節拘縮症，多発性外骨腫，Beals症候群，Ollier病，メタコンドロマトーシス
→第12章（p.323，324，335，337）を参照

第7章 肘と前腕の診かた

　学童期以降では，野球肘の患児が圧倒的に多い一方，幼児期では難治性疾患の多い部位です．骨折の多い部位なので，骨折の後遺症があとになって表れることもあります．

愁訴からの診断

❶ 乳幼児の「肩がはずれた」・「腕を動かさない」

思い浮かべるべき疾患　　肘内障，上腕骨不全骨折（上腕骨顆上骨折が多い），鎖骨骨折

　肘と前腕の章でいきなり肩の愁訴となりましたが，実際，乳幼児の肘疾患で一番多い愁訴は「肩がはずれた」です．乳幼児の肩は，交通事故や高所転落などの高エネルギー外傷がない限り脱臼しません．「肩がはずれた」といって来院する乳幼児のほとんどは，「上肢を動かさなくなった」という症状をみた保護者が「肩がはずれた」と推測しているに過ぎません．そのほとんどは肘内障です．しかし，ときに単純X線検査ではすぐに診断できない上腕骨顆上骨折（不全骨折）が，こうした患児の中に紛れていることを知っておく必要があります．

診断へのプロセス

STEP 1　肘内障の整復操作を行う

- 来院時，すでに治っていると言われることが少なくありません．その場合は，そのまま様子をみてもらいます．

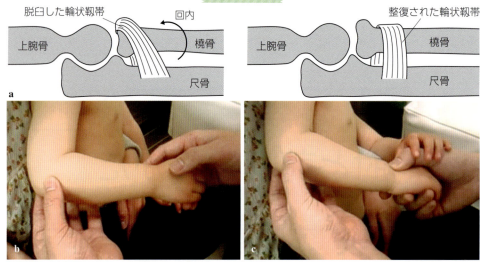

図 7-1 肘内障のイメージと整復法（回内法，2歳女児）
肘内障は肘関節内にある輪状靱帯の脱臼です（a）．前腕を回内外させると橈骨が回転して輪状靱帯が整復されます．写真は右腕を動かさないという愁訴で来院した2歳女児です．まず，鎖骨に圧痛がないことを確認してから，母親が抱っこした状態で，ゆっくり服を脱がせて肘と手を保持しました（b）．整復音がわかるようにするため術者の左母指を腕橈関節外側におきます（整復そのものには必要ありません）．患児の右手を把持している検者の右手ですばやく回内する（c）と脱臼した輪状靱帯が整復され，コクッという整復音が検者の左母指に伝わってきました．肘内障の整復法にはほかにもさまざまな方法がありますが，最も成功率が高いのは回内法です．

- 超音波検査が可能であれば，これを行います（→解説：肘内障のエコー診断 p.212）．
- 患肢を動かさない状態があれば，肘内障の整復操作（図 7-1）を行い，明らかな整復感があれば，肘内障と診断できます（→私の流儀：肘内障の電話整復）．
- 明らかな整復感のないまま整復されたような状態，つまり上肢を動かすようになった場合は，1時間程度外来の待合室で保護者に経過を観てもらい，治っている様子があるか確認してもらいますが，治ったようだと保護者からのコメントがあっても，治っていないことがしばしばあります．具体的には整復されていない肘内障の場合と上腕骨不全骨折の場合があります．
- 上記の状況を少しでも避けるため，自然整復をできるだけ避ける必要があります．すなわち，肘内障だった場合に自然整復されないよう，慎重にゆっくりと服を脱がせることが大切です．まず健側の腕から袖を抜いて首を抜き，最後に肢位を変えないように注意して患肢から袖を抜くという操作を，主治医が自ら行います．服を脱がせたら，患肢に腫脹がないか，さらに可能なら（泣き叫んでいる幼児において実際ほとんど無理ですが）どのあたりに圧痛があるか確認し，肘内障より骨折が疑われたら整復操作は行わずに単純X線検査を行います．
- 稀に鎖骨骨折の場合があるので，鎖骨部の腫脹や圧痛も必ず確認します．

> **私の流儀** 肘内障の電話整復
>
> 夜間当直で肘内障と思われる患児の相談を母親から受けることがあります．筆者はこのようなとき，「肘内障という肘の靱帯の脱臼の可能性が高いと思います．この電話で私の言うとおりに腕を動かしてくれれば整復できるかもしれませんが，試してみますか？ ただしうまくいかなかったときは，病院に来ていただかなければいけません．」と尋ね，母親の希望があれば電話整復を始めます．「まずお子様を座らせて向き合ってください．そして右（右腕を動かさないとき）の腕を三角巾で吊るすような位置にしてください．肘を直角に曲げておなかにつけるような位置です．次にお母さんの左の手のひらを上にしてお子様の右肘を下から支えてください．そしてお子様の右手をパーに開いてお母さんの右手で支えてください．ここまでで整復の準備は完了です．」ここまできたら，本当に準備ができているか母親によく確認します．「ではこれから整復です．お子様の肘から先の部分を回転させます．回転させる方向は，親指がおなかのほうを向く方向です．そうすると手のひらが下を向きます．そして親指がおなかより少し下の方を向くまで回転させると，たいがい整復します．そのとき，右肘を支えている左手にコクッと鳴る感じが伝わってくれば完璧です．ではやってみてください．」この電話整復で成功例が続いたので，英語で論文を書いてみようと思い，念のため過去の論文を調べてみました．しかし世の中は広いもので，すでに英文での報告があって，がっかりしたことが忘れられません．ここで述べた整復法は「回内法」と呼ばれるもので，筆者の経験では9割近くがこれで整復されます．

STEP 1 STEP 2　単純X線検査と経過観察を行う

- 骨折が疑われたため肘内障整復操作を行わなかった場合，肘内障整復操作で改善がみられない場合，改善はみられたが整復感が確認できず症状が残っている場合は，単純X線検査を行います．実際，単純X線検査で骨折が判明することはほとんどありませんが，この検査を怠り，のちに骨折が判明すると問題となる場合があります．
- 単純X線検査で骨折が明らかとなれば，それに対する治療を行います．<u>骨折が明らかでない場合は，ギプスシーネ固定して経過観察を行います．毎日入浴時に固定をはずしてもらい，痛みが消失していたら固定をはずすように指示しておきます．肘内障であれば2週間以内に痛みは消失します．</u>
- 経過観察中，腫脹がなく，圧痛がはっきりしないか腕橈関節周囲に限局している場合は，再度肘内障の整復操作を試みます．それでも整復しなければ，それ以上の整復は試みません．上腕骨外側顆骨折であれば，整復操作によって転位し，手術が必要となる危険があるからです．
- <u>上腕骨不全骨折</u>であれば10日以上経過をおいて単純X線検査を行うと，骨膜反応や仮骨がみられて骨折がはっきりします（図7-2）．頻度が高い骨折は<u>上腕骨顆上骨折</u>で，ときに肘頭骨折の場合もあります．

愁訴からの診断

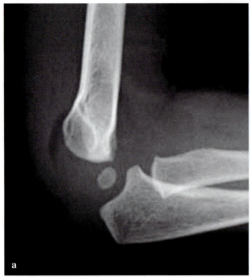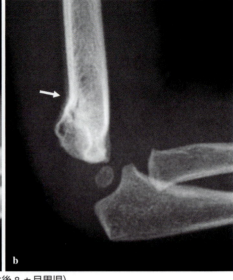

図7-2 肘内障と初期診断された上腕骨顆上骨折（生後8ヵ月男児）

椅子から転落してから左腕を動かさなくなったという愁訴で近医を救急受診しました．単純X線検査で異常がなく，肘内障の整復操作により整復感があったため肘内障が整復されたと説明を受けて帰宅しました．しかし翌日左腕を激しく痛がる様子があったため，別の病院を受診し単純X線検査が行われましたが，明らかな骨折がないため当科紹介．単純X線検査（a）で上腕骨顆上骨折が疑われますが，一度だけ回内法で肘内障の整復操作が行われました．しかし整復感がなかったため，ギプスシーネ固定が行われ経過観察となりました．発症後13日目の単純X線検査で明らかな骨折と仮骨形成が認められたため（bの矢印），上腕骨顆上骨折（不全骨折）の確定診断となりました．このケースではよくみると初期の単純X線検査でも診断可能ですが，小児整形外科専門医が診ても初期には診断できないケースもありますので，肘内障かどうかよくわからないケースに対しては外固定と経過観察が必要です．

コラム　被虐待児症候群

　歩けないこどもが自然に骨折することはありません．外傷機転を保護者が説明できない乳幼児の骨折のほとんどは，虐待が原因です．しかし，虐待の疑いを診療の場で安易に口にすると，当然のことながら大変な騒動となります．医療従事者が持つ唯一の権限は，虐待の疑いを児童相談所へ通告することです．そして診療の現場で問題となるのは，通告に際して保護者に通告する旨を伝えなければならないことです．

　筆者の病院では，主治医は「原因不明の骨折なので病院の規則で院内委員会に報告します」とだけ保護者に伝え，児童相談所への通告の要否を院内委員会などで審議します．病院の全体意思として必要と判断されたら，院内委員会にそれを保護者に伝える役割を担ってもらうことによって，主治医個人が保護者から深い恨みを買う事態を防ぐことができるわけです．委員会のない診療所では，たとえ治療が可能なケースでも何らかの理由をつけて，委員会を持つ規模の病院へ紹介することが，尊い命を救う道につながると思います．

2 肘が伸びない・曲がらない

思い浮かべるべき疾患

〔乳幼児の場合〕
若年性特発性関節炎，（先天性）橈骨頭脱臼・亜脱臼，化膿性肘関節炎（とその後遺症），Pannar 病，骨折後遺症（上腕骨顆上骨折後の変形癒合，上腕骨遠位骨端離開後の変形癒合），筋内血管腫，多発性関節拘縮症，肘関節強直（Apert 症候群，Antley-Bixler 症候群など）

〔学童期以降の場合〕
若年性特発性関節炎，橈骨頭脱臼・亜脱臼，化膿性肘関節炎（とその後遺症），離断性骨軟骨炎，肘関節内遊離体（関節ねずみ），Pannar 病，骨折後遺症（上腕骨顆上骨折後の変形癒合，上腕骨遠位骨端離開後の変形癒合，上腕骨遠位部骨折後のフィッシュテール変形など），筋内血管腫

幼児では稀な愁訴ですが，外傷歴がなくこのような愁訴が続いている場合は，重大な疾患も考えられます．診断には画像診断が必要です．

診断へのプロセス

STEP 1 単純 X 線検査を行う

- 単純 X 線検査で大部分の疾患は診断可能です．10 歳以降では離断性骨軟骨炎の可能性もあるので通常の 2 方向に加えて tangential view も撮影します（図 7-3）．
- 見逃してはならないのは，橈骨頭脱臼です．橈骨近位部の骨軸が上腕骨小頭の中心を通らない場合は，橈骨頭脱臼または亜脱臼と診断します（図 7-4）．
- 上腕骨小頭に広範囲の不整像・圧潰像がみられたら，Pannar 病（図 7-5）を考えます．関節液検査で化膿性肘関節炎（図 7-15）を除外できれば確定診断となります．
- 肘関節強直は，Antley-Bixler 症候群にみられる腕頭関節の強直（図 7-6）や Apert 症候群にみられる腕尺関節強直などがありますが，いずれも全身疾患に伴うもので，初診時にはすでに診断がついている場合がほとんどです．単純 X 線検査では骨性に完全に癒合している場合と，関節可動性が望めない骨形態の場合とがあります．
- 上腕骨遠位部に魚の尾のような変形（fishtail deformity：フィッシュテール変形）がみられた場合は，上腕骨滑車の骨壊死を考えます．骨折歴があれば骨折後の滑車部骨壊死（図 7-7），骨折歴がなければ特発性の滑車部骨壊死（Hegemann disease）と診断します．骨折後の fishtail deformity は，骨折して 5 年以上経ってから判明することもあるので（平均 4 年という報告もあります），古い骨折歴についても丁寧に問診します．
- 肘関節内遊離体による可動域制限は，単純 X 線検査でわかる場合（図 7-8, 18）が多いのですが，わからない場合でも，軟骨性の遊離体が存在する可能性がありますので必要に応じて MRI ア ルト

愁訴からの診断

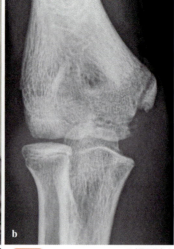
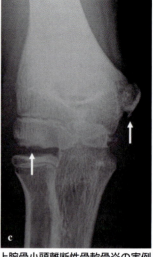
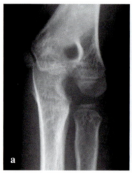

図7-3 tangential view の撮影法と上腕骨小頭離断性骨軟骨炎の実例（11歳男児）

肘を45°屈曲位で前腕をフィルムの上に置き，フィルムに垂直にX線を入射して撮影します（a）．b〜dは競技ドッジボール選手で右肘痛を主訴に来院したケースです．X線正面像（b）ではわかりにくい病変でしたが，tangential view（c）だと上腕骨小頭の離断性骨軟骨炎と内側上顆の骨片が明瞭でした（矢印）．側面像（d）で見える上腕骨小頭の病変部（実線矢印）は下端ではなく前方にあるため，tangential view の方向（破線矢印）で入射したほうが病変部を描出しやすいのです．関節鏡視下に遊離体を摘出し，痛みは消失しました．

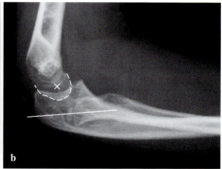

図7-4 （先天性）左橈骨頭後方脱臼（7歳女児）

先天性足部疾患で通院中，左肘の伸展制限に気づき単純X線検査で橈骨頭脱臼が判明したケースです．正面像（a）では一見異常がありませんが，側面像では橈骨近位部の骨軸（bの実線）が上腕骨小頭（bの破線）の中心（bの×印のあたり）から大きく逸脱しています．尺骨の伸展・延長骨切り術で整復しました．

ログラフィー（造影剤を入れたMRI検査）を行って診断します．

- 骨折後の異所性骨化による肘関節可動域制限（図7-9）の診断は容易ですが，どの部分の異所性骨化が可動域制限と関係しているのかは，3D-CT検査で評価します．
- 単純X線検査上，高度な異常所見がある場合は，外傷や不明熱の既往について詳しく問診することが重要です．遅発性の骨折後遺症（図7-7, 9）や化膿性肘関節炎後遺症（図7-8）の可能性もあるからです．

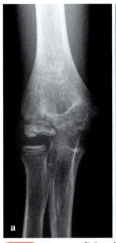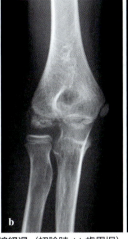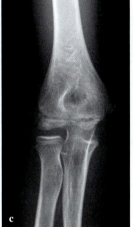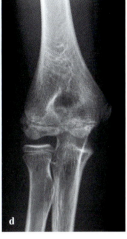

図7-5 Pannar病のX線経過（初診時11歳男児）

右投げの競技ドッジボール選手で，右肘の痛みを主訴に来院．上腕骨小頭の広範囲に圧潰がみられ，Pannar病と診断しました．初診時，屈曲制限（最大120°）がみられましたが投球禁止により自然修復がみられ，1年6ヵ月後にはほぼ完治しました．
a. 初診時，b. 6ヵ月後，c. 1年後，d. 1年6ヵ月後

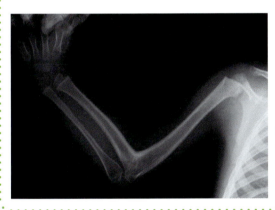

図7-6 先天性腕橈関節強直（3歳男児）

両肘が動かないという症状で単純X線検査を行い，上記診断に至りました．全身の精査を行い，Antley-Bixler症候群の診断となりました．良肢位で強直していたため，意外に日常生活動作に不自由はありませんでした．

- 突然屈曲位でロッキングして伸展しなくなったケースは，橈骨頭前方脱臼が原因です（図7-10, 17）．橈骨頭前方の肥厚した関節包や輪状靱帯の脱臼が直接原因となっていますが，画像検査でこれを確認することはほぼ不可能です．手術を行って術中診断するしかありません．
- きわめて稀な疾患ですが，乳幼児の後天性肘関節拘縮で異所性骨化がみられたら，進行性骨化性線維異形成症（FOP）（図7-11）の可能性を考える必要があります．採血などの注射によって骨化巣が拡大することもあるので，まず母趾の形態に異常がないか確認する習慣をもつことが大切です（第12章 p.341）．実際には異所性骨化の原因の大部分は血管腫に伴う静脈石です．血管腫は肘周辺に比較的多いのですが，可動域制限をもたらすことは稀です．

STEP1 STEP2　MRI検査を行う

- 単純X線検査で異常がなく先天性の場合は，多発性関節拘縮症（第12章 p.335）を考えます．ほかの関節の状態から診断します．

愁訴からの診断

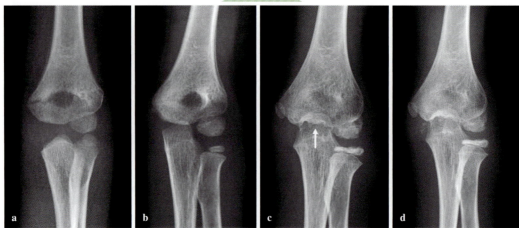

図 7-7　上腕骨顆上骨折後の fishtail deformity（上腕骨滑車の骨壊死）（初診時 7 歳男児）

5 歳時に雲梯から転落し左上腕骨顆上骨折（通顆骨折）を受傷しました（a）．近医でギプス固定を受け順調に骨癒合し（b），受傷後 4 ヵ月で可動域も回復し（屈曲 135°）終診となりました．しかし受傷から 1 年 6 ヵ月後の学校健診で左肘の可動域制限を指摘されたため，近医を再診し当科紹介．最大屈曲 110°と明らかな屈曲制限を認め，単純 X 線検査では上腕骨滑車部に陥凹（c の矢印）が認められ，骨折後の滑車部骨壊死と診断しました．上腕骨小頭と橈骨頭にも不整像がみられました．運動制限を行って経過観察しましたが，その後滑車部の陥凹はより顕著となり典型的な fishtail deformity となりました（d）．治療は骨性インピンジメントや関節内遊離体があれば，圧潰が止まってから手術を行います．
a. 受傷後 16 日（5 歳），b. 受傷後 2 ヵ月，骨癒合時，c. 受傷後 1 年 6 ヵ月（7 歳，当科初診時），d. 受傷後 2 年

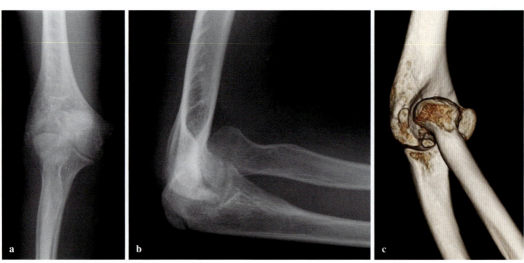

図 7-8　化膿性肘関節炎後遺症（12 歳男児）

生後 6 日で右化膿性肘関節炎を発症し近医で保存的に治療されたという既往歴がありました．11 歳から右肘痛があり，引っかかり感が続いていました．12 歳で初診し，伸展-30°の可動域制限を認めました．単純 X 線検査では肘関節の著明な変形と橈骨頭前方脱臼を認めました．CT 検査で関節内遊離体を 2 個認め，これを摘出したところ，痛みと引っかかり感は消失し，可動域は伸展-15°まで改善しました．
a. 単純 X 線正面像，b. 単純 X 線側面像，c. 3D-CT 像

2 肘が伸びない・曲がらない

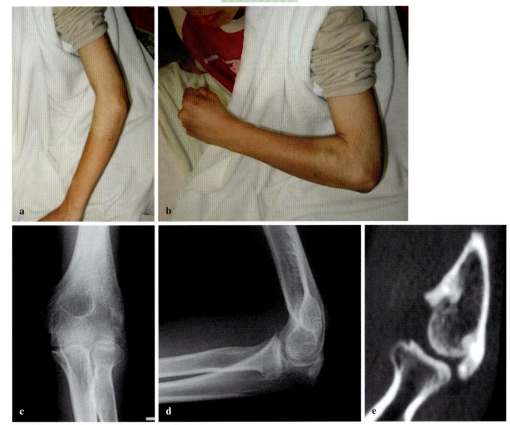

図7-9　骨折後の異所性骨化（14歳男児）

13歳時に上腕骨内側上顆脱臼骨折を受傷し観血的整復固定術を受けましたが，術後1年の時点で著明な可動域制限が残っていました（a, b）．単純X線検査およびCT検査で腕頭関節周囲に異所性骨化を認め（c, d, e），屈伸時にインピンジしていました．津下法による授動術を行い，可動域はほぼ正常まで回復しました．

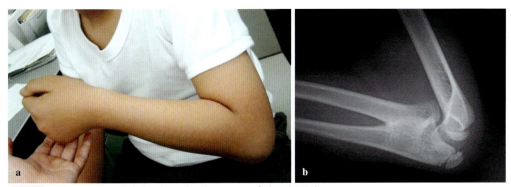

図7-10　先天性橈尺骨癒合症に伴う肘関節ロッキング（11歳男児）

テレビゲームをしていたら突然肘関節が屈曲位で動かなくなり受診（a）．単純X線検査では橈骨頭前方脱臼を伴う先天性橈尺骨癒合症の所見で屈曲位でロックしている状態でした（b）．
全身麻酔下ではスナッピングの所見でした．関節包・輪状靱帯を含む橈骨頭前方の軟部組織を解離することによって治癒しました．肘関節のロッキングは先天性橈尺骨癒合症に限らず，橈骨頭前方脱臼の存在する肘には生じ得る病態です．

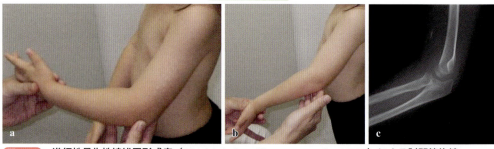

図 7-11 進行性骨化性線維異形成症（fibrodysplasia ossificans progressiva：FOP）による肘関節拘縮（5 歳女児）

肩が挙がらないことを主訴に来院しましたが、肘にも著明な可動域制限を認めていました．単純 X 線検査上，上腕骨前方にわずかな異所性骨化を認めました（c）．精査の結果，FOP と診断されました．
a. 最大屈曲位，b. 最大伸展位，c. X 線側面像

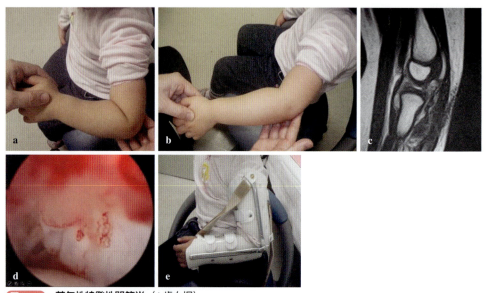

図 7-12 若年性特発性関節炎（4 歳女児）

肘が伸ばせないことを主訴として初診．MRI 上著明な滑膜増殖を認め，血清 MMP-3 値は最高で 98 ng/mL まで上昇していました．鏡視下滑膜生検と滑膜切除術を行い，若年性特発性関節炎少関節型と診断しました．術後，抗リウマチ薬の投与と夜間スプリント（最大伸展位と最大屈曲位を隔日）で可動域の改善を図り，徐々に改善がみられました．
a. 初診時肘最大屈曲位
b. 初診時最大伸展位
c. 初診時 MRI（SE 法 T2 強調像）
d. 肘関節前方鏡視像：著明な滑膜炎を認めました．
e. 夜間スプリント：ゴムで他動的に屈曲，伸展力がかかるように作製しました．

- 後天性の場合は，肘関節か周辺の筋肉疾患が原因です．確実に診断するには，上腕部と前腕部を広く含めて MRI 検査を行うことが重要です．この場合，Sagittal 面で見たほうがよくわかります．撮像条件は，STIR 法が最も有用で，関節炎や筋内血管腫を確実に診断することができます．脂肪抑制 T2 強調像でも診断可能ですが，身体の小さい乳幼児では脂肪抑制にムラがでる場合もあり，浅い部位の血管腫の診断には向かないようです．

2 肘が伸びない・曲がらない

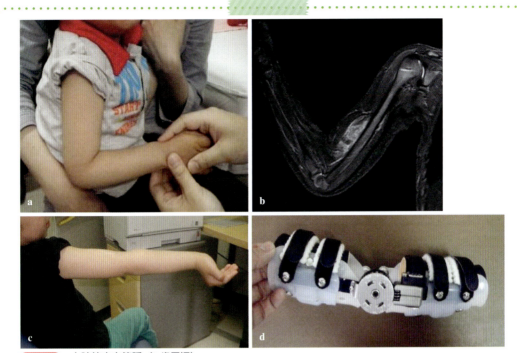

図 7-13　上腕筋内血管腫（2 歳男児）

生後 7 ヵ月でハイハイのときに肘が曲がったままであることに気づき，複数の医療機関を受診しましたが診断はつかず，伸展制限が徐々に悪化しました．2 歳 5 ヵ月時に当科を初診し，MRI にて上腕筋内血管腫が疑われたため，生検術と筋解離術を行いました．病理診断は，毛細血管型の筋内血管腫でした．術後すみやかに完全伸展可能となり，これを維持するため完全伸展位の夜間スプリントを適用しました．術後 4 年の現在も正常な可動域が維持できています．筋内血管腫では，骨成長に見合う筋長の増大がみられないことが多いため，骨成長に伴って相対的な筋拘縮（長さが足りない状態）が生じ，これによる進行性の関節可動域制限がみられます．筋解離術を行って筋長を伸ばし，夜間，筋長が最大となるよう装具で維持すれば，骨成長に見合う筋長の増大を誘導することができます．経験的には数年間夜間スプリントを適用し，筋成長が軌道に乗れば，装具フリーとしても筋拘縮の再発は起こらないことが多いようです．

a．初診時の肘最大伸展位
b．初診時 MRI サジタール像（STIR 法）
c．術後 1 年の最大伸展位
d．夜間スプリント（ダイアルロック式）

- MRI で関節炎がみられたら，化膿性肘関節炎（図 7-15）か若年性特発性関節炎（図 7-12）を考えます．高熱があれば前者，平熱か微熱であれば後者を考えます．
- MRI で筋内病変がみられたら筋拘縮による可動域制限と考えます．屈筋内病変では伸展制限，伸筋内病変では屈曲制限がみられます．原因として比較的多いのは血管腫です（図 7-13）．血管腫は自然消失することもあり，残った瘢痕による筋拘縮が関節可動域制限の原因となることもあります．
- 骨折や感染の後遺症で，関節内で軟骨が伸展時にインピンジしている可能性のあるときは，関節軟骨の輪郭がよくわかる T2*法で撮像します．

STEP 3　関節液検査を行う

- 画像検査で診断が確定しないときは，関節液検査を行います（第 12 章 p.298）．化膿性肘関節炎と若年性特発性関節炎を鑑別診断するときには必須の検査です．

3 手のひらを反せない（前腕回内外制限）

思い浮かべる
べき疾患

先天性橈尺骨癒合症，外骨腫，（先天性）橈骨頭脱臼，腕橈関節強直

前腕回内外制限は生下時からあったものでも，両親が気づかないことが多く，幼児期になり日常生活動作が自立してくると，その異常に気づくようです（→解説：回外しないとできない日常生活動作）．このため，幼児期以降に初診したケースでも先天性疾患を考えなければなりません．単純 X 線検査で原因のわかるものが大部分ですが，単純 X 線検査で異常が特定できない場合もあります．本項では，前腕回内外制限をきたす数多くの疾患のなかで頻度の高いものについて解説します．

診断へのプロセス

STEP 1　橈尺関節は強直か拘縮か，肘関節（腕尺関節）の動きはどうか

- 小児においては回内外がまったくできなくても，手関節である程度回旋運動が可能です．橈尺関節の可動性をみるには，前腕遠位部で橈骨と尺骨を触知した状態で丁寧に診察します．
- まったく回内外しない状態（橈尺関節の強直）で，肘（腕尺関節）が屈伸できれば先天性橈尺骨癒合症（図 7-14）とほぼ診断できます．肘関節の動きがまったくなければ腕橈関節強直（図 7-6）を考えます．
- ある程度回内外の可動性がある状態であれば，さまざまな疾患が考えられます．その中で比較的頻度が高いのは，外骨腫（図 7-23）と橈骨頭脱臼（図 7-4）です．

STEP 1 > STEP 2　単純 X 線検査を行う

- 先天性橈尺骨癒合症（図 7-14），外骨腫（図 7-23），橈骨頭脱臼（図 7-4），腕橈関節強直（図 7-6）などは，単純 X 線検査で診断可能です．ただし，若年齢の先天性橈尺骨癒合症では，単純 X 線検査で骨性の癒合が確認できないこともあります．骨性の癒合がなくても橈尺骨近位部に形態異常があり，診察上橈尺関節の動きがまったくなければ，先天性橈尺骨癒合症と診断します．このようなケースでは経過をみれば，いずれ骨性の癒合が確認できます．

3 手のひらを反せない（前腕回内外制限）

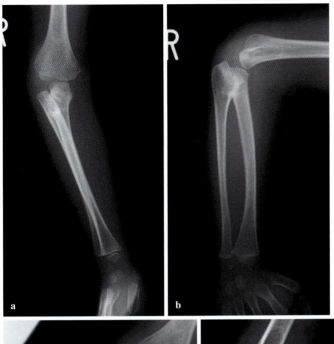
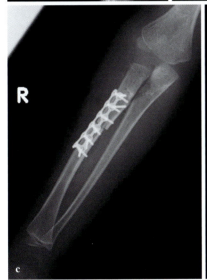
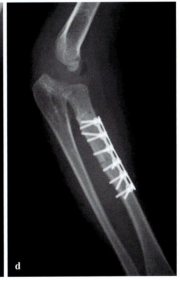

図 7-14　先天性橈尺骨癒合症（6歳男児）

回内外制限を主訴に来院し，先天性橈尺骨癒合症の診断となりました．手術は当科の手外科医が担当し，癒合部の分離，有茎脂肪弁移植，橈骨骨切り術が行われ，回内外可動域の改善をみました．本疾患は手術をしても分離部の再癒合の頻度が高いため，難治性疾患であることを認識しておく必要があります．
a．術前正面像
b．術前側面像
c．術後正面像
d．術後側面像

> **解説　回外しないとできない日常生活動作**
>
> 　肘が回外しないと，顔に手のひらをあてることができないので，顔をうまく拭けません．コップをうまく持てません．箸を返すことができないので，食べ物をつまんでもそれをうまく口に入れることができません．さらには携帯電話が使えません．小児整形外科診療においては，何ができずに困っているかをなるべく具体的に確認し，それに共感することによって，患者家族との信頼関係は深まっていきます．

4 肘の痛み，肘が腫れている

思い浮かべるべき疾患

化膿性肘関節炎，若年性特発性関節炎（若年性関節リウマチ），肘のリンパ節炎，Pannar 病，離断性骨軟骨炎，内側型野球肘，肘関節内遊離体，肘頭疲労骨折

緊急性のあるのは，化膿性肘関節炎です．発熱があるときは，関節液検査を行います．球児であれば野球肘を疑いますが，それ以外の疾患の除外診断が必要です．

診断へのプロセス

STEP 1 感染症やリウマチの可能性について考える

- 経過中発熱があれば，化膿性肘関節炎（図 7-15）や若年性特発性関節炎（図 7-12）の可能性があります．稀に肘のリンパ節炎（図 7-16）のこともあります．関節液の貯留があれば，血液検査と関節液検査を行います（第 12 章 p.298）．

STEP 1 → STEP 2 スポーツ障害は圧痛点でおおむね診断をつける

- 学童期以降ではスポーツ障害の可能性について考えます．特に野球，体操，競技ドッジボールなど，肘に障害の起こりやすい競技をしていないか，問診で把握します．
- 内側上顆付近（尺側側副靱帯付着部）に圧痛があれば，内側型野球肘（体操やドッジボールも同様）を考えます．単純 X 線検査で内側上顆の遠位部に骨片（図 7-3）がみられることが多いのですが，単純 X 線検査で異常が確認できないものは，圧痛と外反ストレス時の痛みで診断します．
- 肘を屈曲して上腕骨小頭下端のやや前方を押してみて圧痛があれば，外側型野球肘すなわち上腕骨小頭の離断性骨軟骨炎（図 7-3）か Pannar 病（図 7-5）を考えます．主に tangential view で撮影した X 線所見から診断します．X 線所見に異常がみられない病初期の場合は，MRI の T1 強調像や超音波エコーで診断します．進行期には骨軟骨片が離断し，肘関節内遊離体（関節ねずみ）が生じます（図 7-18）．
- 肘頭付近に圧痛がみられる場合は，肘頭疲労骨折を考えます．投球動作による肘頭疲労骨折にはさまざまなタイプがありますが，小児期にみられるものの多くは Physeal type と分類されている肘頭成長軟骨板周囲の疲労骨折です．単純 X 線検査では骨端線の開大がみられます．左右差をみれば明確に異常がわかります．

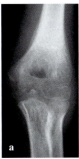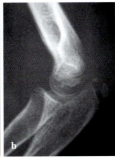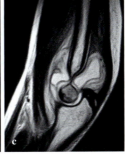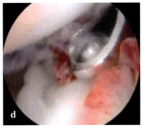

図 7-15　化膿性肘関節炎（11 歳男児）

軽微な外傷後，肘の痛みが出現し，骨折の疑いで近医で経過観察されていましたが改善なく，1ヵ月後に当科初診．経過中最高 38.1℃の発熱がみられ，血液検査では血清 CRP 1.1 mg/dL と軽度高値を認めました．単純 X 線検査で骨溶解像を認めたため（a, b），MRI を撮像したところ，関節液の増加と著明な滑膜肥厚を認めました（c）．関節穿刺を行うと膿性関節液が吸引されました．鏡検でグラム陽性球菌（後日，黄色ブドウ球菌と判明）がみられたため関節鏡手術を行いました．関節内には前方・後方ともに著明な滑膜増殖所見がみられ（d），これらを鏡視下で徹底的に切除しました．術後すみやかに症状の改善がみられました．

a. 単純 X 線正面像：上腕骨滑車部と小頭に骨溶解がみられ，上腕骨顆上部には骨膜反応がみられます．
b. 単純 X 線側面像：側面像でも上腕骨小頭の骨溶解と上腕骨顆上部の骨膜反応がみられます．
c. MRI サジタール像（SE 法 T2 強調像）：著明な滑膜増殖を伴う関節液の増加を認めます．
d. 肘関節前方鏡視像：異常増殖した滑膜をシェーバーを用いて切除しているところです．

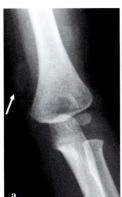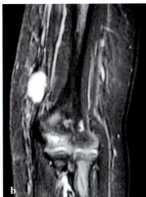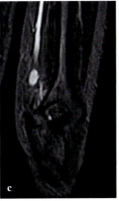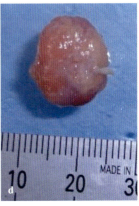

図 7-16　肘のリンパ節炎（2 歳女児）

生後 3 ヵ月健診で左上肢の肥大を指摘され，近医で経過をみていました．2 歳になり肘のしこりにも気づき当科受診．左肘 X 線正面像でしこりの部位にリンパ節と思われる陰影像が通常よりも明瞭にみられ（a 矢印），持参した生後 6 ヵ月時の両腕の X 線写真でも左側のみに同様の所見がみられていました．MRI 検査でも同部のリンパ節の腫大を認めました．以後 10 年間，毎月のように 39.0℃程度の不明熱があり，そのうち年に 1 回程度は左上肢の著しい腫脹・発赤を伴っていました．抗菌薬の投与も何度か行われましたが，症状は続きました．ペット飼育歴はなく，血清猫ひっかき病抗体も陰性でした．12 歳時にリンパ節摘出術を行ったところ，病理診断は慢性リンパ節炎で組織培養で黄色ブドウ球菌が検出されました．

a. 初診時左肘 X 線正面像，b. 初診時 MRI（STIR 法），c. 12 歳時 MRI（STIR 法），d. 摘出したリンパ節

5 音が鳴る，引っかかる感じがある

思い浮かべる
べき疾患

弾発肘，滑膜ひだ障害，橈骨頭前方脱臼，肘関節内遊離体（離断性骨軟骨炎後，滑膜性骨軟骨腫症，化膿性肘関節炎後遺症など），生理的尺骨神経脱臼，反復性腕尺関節脱臼

痛みのない音は放置しても大丈夫ですが，痛みを伴うクリックや引っかかり感があれば，診断をつける必要があります．一定の肢位で弾発現象がみられる場合は，弾発肘と診断しますが，これにはさまざまな病態があります．

診断へのプロセス

STEP 1　本人にクリックや引っかかり感を再現してもらう

- 再現性があれば，肘のどの部位に異常があるのか，診察によって突き止め，その肢位と部位を把握し，あとに行う画像検査と合わせて診断します．
- 再現性がなければ，他動的に再現を試みます．回内・回外位でそれぞれ肘の屈伸を行うとクリックを再現できることがあります．一定の角度で再現性のあるクリックがあれば弾発肘と診断します．痛みを伴う大きなクリックがあるときは肘内障と類似した病態で，伸展時に輪状靱帯が腕橈関節内に嵌頓し，屈曲時に輪状靱帯が橈骨頚部のほうへ戻る状態です．痛みを伴わない小さなクリックがある場合，筆者は滑膜ひだ障害と診断していますが，明確な根拠はありません．
- 橈骨頭前方脱臼では，深屈曲で引っかかることがあります（図 7-10, 17）．肘関節内遊離体の場合（図 7-18）は，クリックの再現は意外に困難です．
- 肘屈曲時の尺骨神経前方脱臼・亜脱臼は健常小児の過半数にみられます．これを筆者は「生理的尺骨神経脱臼」と呼んでいます．完全脱臼は 5 歳以下で 18%，10 歳以下で 8% の健常児にみられるという報告もあります．尺骨神経の脱臼が愁訴になっている場合は，皮下に触れる尺骨神経の動きをみれば容易に診断可能です．麻痺がないかぎり治療は必要ありません．

STEP 1 → STEP 2　画像検査を行う

- 橈骨頭前方脱臼は単純 X 線検査で診断できます．
- 肘関節内遊離体は，骨片があってもそれが動いているかどうか確認する必要があります．X 線透視下に関節を動かし，それを確認します．この方法で骨片が動かない場合も，日を変えて単純 X 線検査を行うと，骨片の移動が確認できることがあります．骨片の移動があれば肘関節内遊離体と確定診断します．
- 軟骨性の肘関節内遊離体は，単純 X 線検査ではわかりません．関節内に造影剤を注入した MRI アルトログラフィーが診断に有用です．
- 反復性腕尺関節脱臼は脱臼時に単純 X 線検査を行えば診断可能です．側面像では尺骨鉤状突起の低形成がみられます．このため尺骨が上腕骨滑車を乗り越えて後方へ脱臼します（図 7-19）．

5 音が鳴る，引っかかる感じがある

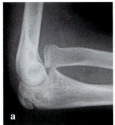
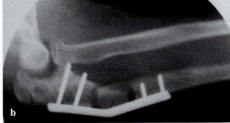
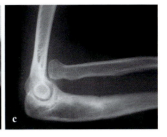

図7-17 脳性麻痺に伴う左橈骨頭前方脱臼（13歳男児）

左肘のスナッピングや屈曲位でのロッキングが度々みられるため紹介．単純X線検査では橈骨頭前方脱臼の所見を認めました（a）．橈骨頭前方の関節包と輪状靱帯を縦切し，橈骨頭脱臼の整復術（尺骨の屈曲骨切り術など）も行いました（b）．術後橈骨頭は再脱臼しましたが（c），ロッキングはみられなくなりました．脳性麻痺に伴う橈骨頭前方脱臼は整復術の成功例がないため，弾発肘に対する治療だけ行うのが良いと考えます．

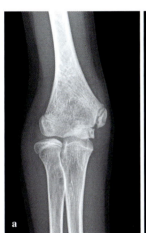
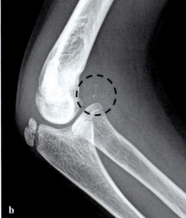
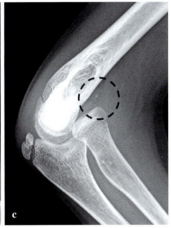

図7-18 肘関節内遊離体（12歳男児）

爪・膝蓋骨症候群で経過観察中，右肘の引っかかり感と痛みを訴えて受診．単純X線検査で上腕骨小頭の低形成（a），回外時の橈骨頭前方亜脱臼（b），回内時の橈骨頭前方脱臼（c）を認め，関節前方に遊離体を疑う骨片を認めました（b, cの点線内）．鏡視下に骨片を摘出しました（dは腕頭関節前方で遊離体を鉗子で把持し摘出するところ）．上腕骨小頭の低形成があったため，橈骨頭脱臼の整復は行いませんでした（経験的に手術成績が不良のため）．

STEP 3 肘関節鏡で診断する

- 滑膜ひだ障害は橈骨頭に関節内の軟部組織が引っかかる病態で，画像診断は難しく関節鏡診断が必要です．しかし小児例においては保存的に経過をみても，ほとんどの症例で症状は軽快します．
- 輪状靱帯が肘伸展時に腕橈関節内にはさまり，肘屈曲時に整復されるタイプの弾発肘も画像診断は困難です．この病態では，強い痛みが長く続くことがあり，ときに肘関節鏡診断が必要になります．診断がついたら鏡視下で輪状靱帯切離術を行います．

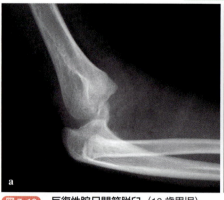 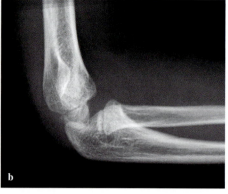

図 7-19　反復性腕尺関節脱臼（13 歳男児）

11 歳時より両肘の脱臼をくり返しており，その都度近医で徒手整復されていました．13 歳になってから当科へ相談に来られました．画像は脱臼時（a）と整復時（b）の左肘 X 線側面像です．尺骨鉤状突起の著明な形成不全を認めています．一般的には手術適応となる疾患ですが，精神発達遅滞があったため，ご家族の手術希望はありませんでした．度重なる救急受診の大変さが家族の悩みでしたが，整復法（後方脱臼に対する牽引法）を母親に教えることによって，この問題は解決されました．15 歳からは随意性脱臼となりましたが，ときに自己整復不能な内方脱臼が生じていました．これに対しては牽引法では整復できなかったため，回内法を母親に教えることによって解決しました．

❻ 肘の肉眼上の変形（先天性を除く）

思い浮かべるべき疾患

骨折後遺症〔上腕骨顆上骨折（図 7-20），上腕骨外側顆骨折（図 7-21），上腕骨遠位骨端離開（図 7-22）など〕，化膿性肘関節炎後遺症（図 7-8），外骨腫（図 7-23），内軟骨腫による骨成長障害

 骨折の後遺症が多いのですが，治療歴のはっきりしないものもあります．稀に感染症の後遺症の場合もあります．

診断へのプロセス

STEP 1　原因診断より病態診断

- 活動性のある感染症さえ否定できれば，必ずしも原因を特定する必要はありません．
- 三次元的な骨変形の状態と可動域が把握できたら，治療について検討します．<u>可動域の広さが重要で，十分な可動範囲さえあれば骨切り術で治すことができます</u>．

STEP 1 → STEP 2　前医での画像を取り寄せる

- 関節軟骨面の形態異常があるときや関節可動範囲が狭いときは，手術法に悩むことが少なくありません．このようなときは前医での画像所見が参考になることがありますので，患者家族を通じて丁重に依頼します．

6 肘の肉眼上の変形（先天性を除く）

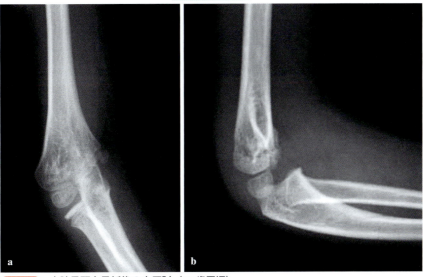

図 7-20 上腕骨顆上骨折後の内反肘（10 歳男児）

8歳時に上腕骨顆上骨折を受傷し，近医で保存的治療を受けました．その後肘の変形が残り，10歳で当科を初診．単純 X 線検査で内反・伸展変形を認めました．この変形は上腕骨顆上骨折後の変形としては最もよくあるパターンです．矯正骨切り術（外反・屈曲）を行いました．
a．X 線正面像．上腕骨遠位部で内反変形を認めます．
b．X 線側面像．上腕骨遠位部で伸展変形を認めます．

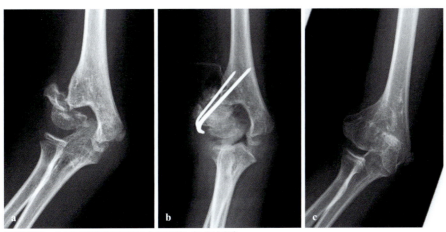

図 7-21 上腕骨外側顆骨折後の偽関節（5 歳女児）

肘の外反変形を主訴に来院．3歳時に骨折しギプス治療を受けたことがありました．単純 X 線検査で上腕骨外側顆骨折後偽関節の診断となりました（a）．外反変形は顆上部で内反骨切りをすれば矯正できますが，上腕骨外側顆骨折後の偽関節は十数年経ってから遅発性尺骨神経麻痺を生じる可能性が高いので骨接合術が必要です．手術は当科の手外科医が担当しました．まず偽関節部に腸骨を移植して骨接合し（b），骨癒合を得ました（c）．その後内反骨切り術が行われました．

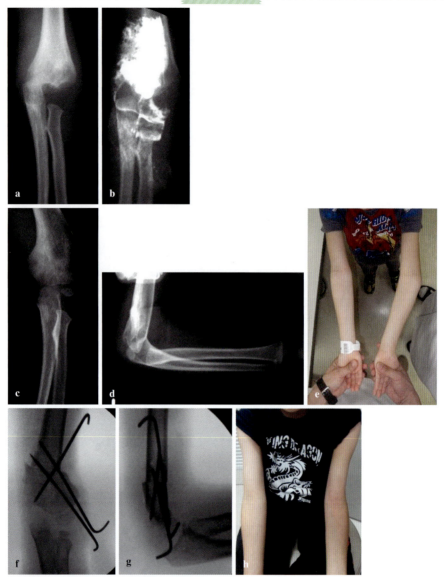

図7-22 上腕骨遠位骨端離開後の内反肘（1歳男児）

1歳9ヵ月時に受傷．近医で診断のはっきりしないまま外固定を受けましたが，その後同院の上級医が上腕骨遠位骨端離開に気づき当科紹介．すでに変形癒合しており，内反肘に加えて著明な可動域制限がみられました．その後通院は途切れましたが，再来した8歳時には，屈曲115°伸展20°と正常に近い可動範囲（115°＋20°＝135°）が得られていたため，矯正骨切り術（外反30°・屈曲15°・外旋20°）を行い，ほぼ正常な外観と可動域が得られました．上腕骨遠位骨端離開は，腕尺関節のアライメント異常で診断しますが，整復位に近い状態でX線撮影すると診断できません．腫脹が強く骨折が疑われるにも関わらず骨折線がみられないときは，X線透視下に少し内外反してみると，腕尺関節のアライメント異常がわかるので，上腕骨遠位骨端離開を確実に診断することができます．関節造影は最も確実な診断法です．

a．受傷後単純X線正面像：腕尺関節のアライメント異常がみられます．腕尺関節脱臼か上腕骨遠位骨端離開を疑う所見です．
b．受傷後10日に前医で行われた関節造影像：上腕骨遠位骨端線での転位が明瞭にわかります．
c．受傷3ヵ月の単純X線正面像：変形癒合の結果，上腕骨遠位部で内反変形を認めました．
d．受傷3ヵ月の単純X線側面像：変形癒合の結果，上腕骨遠位部で伸展変形を認めました．
e．8歳時の外観
f．術直後の正面像，g．術直後の側面像，h．術後の外観

6 肘の肉眼上の変形（先天性を除く）

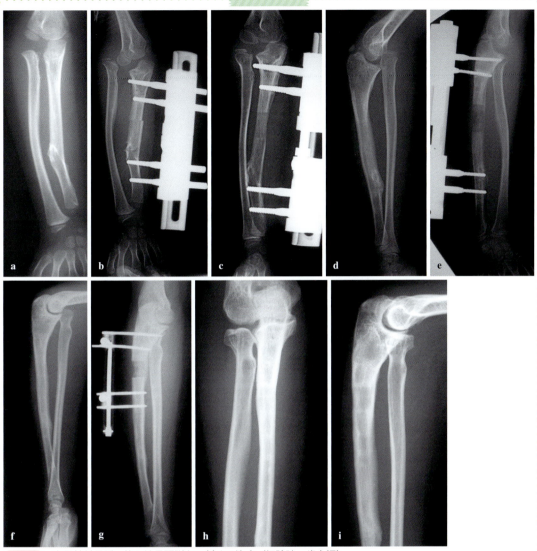

図 7-23　多発性外骨腫に伴う橈骨頭脱臼に対する治療（初診時 6 歳女児）

四肢に多数の外骨腫を認め，父親が多発性外骨腫と診断を受けていたため，遺伝性の多発性外骨腫と診断しました．尺骨の成長障害により，相対的に橈骨が長くなり，内反肘の所見を認めました（a）．その後 8 歳時に橈骨頭外方脱臼（b）がみられたため，創外固定を用いた尺骨延長術を行い整復位を得ました（c）．しかし 10 歳時に再脱臼（前方脱臼）がみられたため（d），再度尺骨の延長術を行って整復しました（e）．13 歳時に再び前方脱臼がみられ（f），3 回目の尺骨延長術を行って整復しました（g）．完全に成長が終了した 16 歳時には脱臼はなく，機能障害もない肘関節が得られていました（h, i）．

解説 肘内障のエコー診断

　肘内障は，X線診断ができず，整復術による診断的治療も整復不能例が存在するためできません．皆川洋至先生が報告したエコー診断は，この問題を解決できる可能性のある唯一の方法と思われます．ただし，肘内障のエコー診断は容易でありません．筆者は日々経験を重ねていますが，いまだに診断に迷う症例もあります．この検査を行うようになってからわかったことは，整復不能例は輪状靱帯が脱臼したままでも1～2週間で症状がなくなることです．そしてこのようなケースに対して数ヵ月後エコー検査を再度行うと自然整復されている場合と脱臼したままの場合があります．肘内障は非常に奥の深い疾患だと感じています．

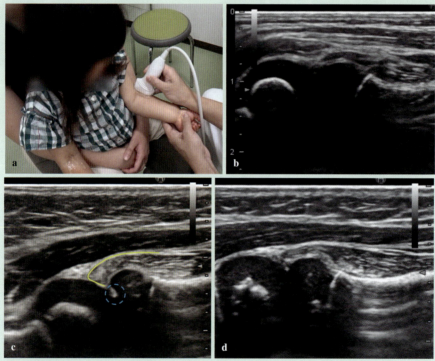

🔴 **図** 肘内障のエコー像（2歳女児）
a. エコー検査中の様子：保護者に抱っこしてもらった状態で肘関節を可及的伸展位とし，腕橈関節前方から縦にプローブを当てます．
b. 健側のエコー像
c. 患側：Jサイン陽性（黄線で示した回外筋の輪郭がJ字型に弯曲）で輪状靱帯（青の点線）が腕橈関節に嵌頓した状態でした．
d. 患側整復後のエコー像：健側と同じにはなっていませんが，Jサインが目立たなくなり，輪状靱帯の嵌頓が改善しています．

主な疾患について知っておくべき知識

◉ 橈骨頭脱臼

- 前方脱臼（図7-10, 17, 18, 23）では屈曲制限，後方脱臼（図7-4）では伸展制限がみられます．
- 先天性の場合もありますが，外骨腫（図7-23），先天性橈尺骨癒合症（図7-10），脳性麻痺（図7-17），爪・膝蓋骨症候群（図7-18）などに合併することがあります．爪の診察と骨盤の単純X線検査も行います（第12章 p.343）．
- 橈骨頭脱臼を見逃されたモンテジア骨折の治療後にみられるものも少なくありません．診断にあたっては，外傷歴についての問診が必要です．
- 外骨腫によるものでは，尺骨遠位部の外骨腫によって相対的尺骨の短縮が生じてまず内反肘となり，その後橈骨頭が脱臼します（図7-23）．
- 爪・膝蓋骨症候群によるものは，学童期以降で徐々に回内時の前方脱臼がみられるようになります（図7-18）．
- <u>整復困難な外傷性脱臼という診断で紹介された患者でも，先天性脱臼や陳旧性脱臼の可能性を考慮して治療にあたる必要性があります．</u>
- 新鮮外傷例を除けば，治療は手術治療に限られます．前方脱臼に対しては尺骨屈曲骨切り術，後方脱臼に対しては尺骨伸展骨切り術，外方脱臼に対しては尺骨外反骨切り術を行うのが基本で，必要に応じて尺骨の延長術や橈骨の短縮術を併用します．関節を開けて輪状靱帯の切除や整復を行う観血的脱臼整復術をするべきかどうかについては賛否両論ありますが，尺骨の骨切り術で安定した整復位が得られた場合は，必要ないと筆者は考えています．
- 爪・膝蓋骨症候群では，上腕骨小頭の低形成があるため，尺骨骨切り術などを行って整復しても手術成績は不良です．よほど困っていない限り，整復術は行わないほうが良いと考えます．
- <u>尺骨骨切り術で，過剰な屈曲を行うと術後後方へ脱臼し，過剰な伸展を行うと術後前方へ脱臼します．</u>適切な屈曲・伸展角については，術中に整復位の安定性をよく確かめるほかありません．
- 手術成績は，再脱臼がなければ良いというものではなく，十分な回内外可動域が得られるかどうかが患児にとっては重要なことです．

患者家族への説明

「肘の関節の一部が脱臼しています．放置すると関節の動きが少しずつ悪くなりますが，長い年月をかけて少しずつ悪化するので，それに慣れてしまうことが多く，日常生活に大きな支障が出ることは少ないようです．整復するための手術を行うこともできますので，よく相談しましょう．」

◉ 野球肘

- 内側型，外側型，後方型の3つのタイプがあります．
- 原因は投球フォームが悪いか，練習量が過剰かのいずれかです．<u>どんなに適切な治療を行っても，原因が解除されなければ再発します．</u>復帰にあたっては投球フォームの改善と適切な

練習量の指導が不可欠です．

- 内側型は，内側上顆に付着する尺側側副靱帯や前腕の筋群の付着部炎で，tangential view（図7-3）で単純X線検査を行うと，小骨片が内側上顆骨片から剥がれたような状態がよくみられます．投球の休止により改善します．<u>運動時痛と圧痛の消失を待って，復帰を許可します</u>．難治性の場合は，小骨片を摘出することにより痛みが改善することがありますが，手術を契機に投球を完全に休止した効果かもしれません．本疾患は保存治療が原則です．

- 外側型は，上腕骨小頭の離断性骨軟骨炎です．MRI画像上，上腕骨小頭と骨軟骨片の間に関節液が入り込んでいない場合は，投球の休止により改善することもありますが，1年以上の休止を要することが多く，いくら待っても癒合しないケースもあります．関節液が入り込んでいる場合は，投球を休止しても治ることはほとんどありません．さらに，骨軟骨片が遊離しているケースでは，投球を休止しても治ることは絶対にありません．したがって<u>早期復帰を望む場合や重症例では積極的に手術を考慮します</u>．手術は，骨軟骨片が遊離している場合は，鏡視下遊離体摘出術を行い，上腕骨小頭の欠損部が大きければ骨軟骨柱移植術を行います．しかし，実際にはほとんどの患児が何よりも早期復帰を望んでいるので，遊離体摘出術のみ行うことになります（図7-18）．遊離していない場合は，関節を開けて直視下に上腕骨小頭表面の関節軟骨を観察し，連続性が保たれていればドリリングと吸収性素材によるピンニングを行います．関節軟骨も含めて分離している場合は，骨軟骨片を摘出して，十分な休養がとれるケースでは骨軟骨柱移植術を行います．術式についてはさまざまな意見があり，いまだ統一された見解はありません（→私の流儀：投球を休んでくれない球児に対する治療方針）．

- 外側型野球肘にみられる上腕骨小頭の離断性骨軟骨炎は，競技ドッジボール選手（図7-3）や器械体操選手にもみられます．器械体操選手では，肘伸展位で荷重するため，野球肘よりも上腕骨小頭の下方（遠位側）に病変がみられます．

- 後方型は，肘頭の疲労骨折が主病態です．さまざまなタイプがありますが，中学生以下では，Physeal typeに分類されるものが多く，単純X線検査上は骨端線が開大しています．早期復帰を強く望むケースでは手術（スクリュー固定など）が行われることもありますが，筆者は，投球休止による自然治癒を待つ方針で診療しています．

患者家族への説明

「投げすぎか，投げ方が悪いか，いずれかの原因で肘に痛みが出ている状態です．」

〔A 内側型に対して〕→「1ヵ月以上，投球を完全に休むことによって治ることが多いので，まずは休むことから治療を始めましょう．」

〔B 外側型に対して〕→「この肘は簡単には治りません．これ以上無理を続けると骨が剥がれてしまいます．1年以上投球を休止して自然治癒を待つか，手術するか，よく相談しましょう．」

〔C 後方型に対して〕→「数ヵ月間，投球を完全に休むことによって治ることが多いので，まずは休むことから治療を始めましょう．」

〔A，B，C 共通〕→「復帰する前に，投球フォームと適切な練習量の指導を行います．同じように投げると，また同じように故障します．」

> **私の流儀** 投球を休んでくれない球児に対する治療方針
>
> 外側型で，投球を休むように指示しても従わないケースでは，手術をしても後療法が適切に行えず，十分な術後成績が得られません．筆者はこのようなケースに対しては，投球フォームと練習量の指導だけ行って骨軟骨片が遊離するまで投げさせ，遊離したら鏡視下に摘出するという現実的な方針をとっています．いろいろご批判を受けることもありますが，それが現実的な方策ではないかと考えています．ただしこの方針は，患児の将来を考えると決して良い治療ではないので，患者家族に将来予測される関節症性変化について十分説明し，それに対する同意があってはじめて成立するものです．

● Pannar（パンナー）病

- 原因不明の上腕骨小頭の骨壊死です．受動喫煙との関連が指摘されてきましたが，筆者の経験では，受動喫煙よりも肘に負荷のかかるスポーツや，ステロイド剤内服との関連が深いようです．Perthes 病同様，暦年齢（実際の年齢）に比して骨年齢が若いのが特徴です．
- 発症年齢は 3〜12 歳くらいで，外側型野球肘よりも若年齢に多く，小学校 1〜3 年生に好発します．
- 離断性骨軟骨炎よりも広範囲に骨壊死がみられ，骨幹端部まで壊死領域が拡がっていることもあります．
- 化膿性肘関節炎との鑑別が重要で，関節水腫のある例では一度関節穿刺を行い，関節液培養を行っておく必要性があります．
- 肘に力学的負荷のかかる運動を制限して経過観察します．外側型野球肘より明らかに予後は良好で，1〜2 年で壊死領域の修復がみられます（図 7-5）．手術治療を行った報告もありますが，保存治療が原則です．

> **患者家族への説明**
> 「肘の外側の骨に血液循環障害が起こり，骨が潰れてくる原因不明の病気です．2 年くらいの経過で自然に治ってくるので，その間，腕に体重のかかるスポーツや悪いほうの腕でボールを投げるスポーツは休むようにしましょう．」

● 骨折後遺症

- 上腕骨顆上骨折・上腕骨遠位骨端離開後の変形癒合（図 7-20, 22），上腕骨遠位部骨折後のフィッシュテール変形（図 7-7），上腕骨外側顆骨折後の偽関節（図 7-21），モンテジア骨折後の陳旧性橈骨頭脱臼などがあります．
- 上腕骨顆上骨折後の変形癒合（図 7-20）に対しては，上腕骨顆上部での骨切り術で変形を矯正します．通常，骨折部は内反・伸展・内旋方向に転位して変形癒合しているので，手術は外反・屈曲・外旋骨切り術を行います．
- 上腕骨遠位骨端離開後の変形癒合は治療困難です．若年齢の場合や転位の小さい場合は，可動範囲の回復を待ってから上腕骨顆上部での骨切り術を行えば十分な回復がみられますが（図 7-22），筆者の経験では 5 歳以降で転位が大きいと可動域の十分な回復が得られないよう

です．その場合，骨端離開部で骨切りを行って整復するか，関節内で骨性にインピンジする部位を削るか，いずれかの手術を行うことになります．骨端離開部での骨切りは，遠位骨片の血流を維持した状態で十分に術野を展開することが難しく，上腕三頭筋の付着部を横切して展開したケースでは20°程度の伸展制限が最終的に残ってしまいます．関節内で骨性にインピンジする部位を削る手術は理論上有効なはずですが，筆者の経験では屈曲で20°程度の改善が限界で，それ以上の可動域の改善は難しいようです．

- 上腕骨遠位部骨折後のフィッシュテール変形（図7-7）は，意外に知られていない骨折後遺症で，転位のほとんどない不全骨折も含めたすべての上腕骨遠位部骨折後に，治療法と関係なく起こりえる合併症です．骨折後1〜7年後に発症し予後不良の場合が多いようです．
- モンテジア骨折後の陳旧性橈骨頭脱臼は，現在もなお頻度の高い骨折後遺症です．受傷後3ヵ月以内であれば，手術成績はおおむね良好ですが，半年以上経過したものでは，整復ができても回内外可動域制限の十分な回復は難しいと感じています．

患者家族への説明　「骨折が治った後の変形が残っています．残念ながら，自然に治ることはほとんどありません．治したいという希望があれば，手術治療について相談しましょう．」

◉ 先天性橈尺骨癒合症

- 肘の先天性疾患としては比較的頻度の高いものです．
- 前腕が回内外しないことを主訴としますが，前方・後方橈骨頭脱臼の合併が多く，前方脱臼では屈曲制限，後方脱臼では伸展制限もみられます．
- 単純に癒合部の骨切除を行っても再癒合は必至で，骨切除部に有茎脂肪弁移植術（図7-14）が行われていますが，それでも再癒合を確実に避けることはできません．手術成功の鍵は，橈骨を骨切りして，回内外したときに橈骨頭が骨軸上にとどまった状態にできるかどうかのようです．
- 日常生活で最も困るのは，回外できないことです（→解説：回外しないとできない日常生活動作 p.203）．したがって，比較的回内位で癒合しているケースでは日常生活上の不便さが顕著です．こうした症例には，回内外の可動性を得ることは諦め，橈尺骨を骨切りして回外位で固定する手術法があります．海外ではこうした手術法が主流となっています．

患者家族への説明　「肘から先の2本の骨が生まれつきくっついてしまっているために，手のひらを返すことができない状態です．手術をしても治すことは難しい状態ですが，今より少しでも手を使いやすくしたいという希望があれば，手術について相談しましょう．」

◉ 肘関節強直

- Apert症候群，Antley-Bixler症候群など，症候性のものにほぼ限られるようです．
- 肘関節の役割は，（前腕回内外を除いて簡潔に考えると）肩と手の間の距離を変えて手を使いたい位置へ移動することです．（肩と手の間の距離が）手が顔に触れることができる距離であれば，多くの日常生活動作がほとんど不自由なく行えます．したがって肘関節が強直して

いても，肩と手の間を最適の距離とすべく肘屈曲角を調節すれば，機能改善が得られます．両側例では排便の自立のため，一方の上肢が殿部に届くことも重要です．
- 幸いなことに筆者が経験した強直例では，すべての例でほぼ良肢位で強直しており，日常生活動作は自立しています．そのため手術経験がありませんが，治療をするのであれば，回外位で顔に手を触れることができるような肢位に骨切り術を行うのが良いと考えています．
- 切除関節形成術（resection arthroplasty）という関節授動術も行われていますが，安定した関節をつくることは難しいようです．

患者家族への説明

「骨がくっついて肘が動かず，治療が難しい状態です．日常生活が自立できないほど困るようなら，より使いやすい位置に関節の角度を変える手術を行うのが良いと思います．関節が動くようにする手術方法もありますが，関節が不安定になって重いものを持ちにくくなる欠点があります．成長に伴ってどの程度不便な状態となるか，経過をみながらよく相談しましょう．」

● 弾発肘と肘関節ロッキング

- 肘の屈伸に伴って一定の角度で再現性のあるクリックがあれば弾発肘と診断します．回内位と回外位の両方の肢位で他動的に屈伸して，このクリックを確かめます．
- 痛みを伴う大きなクリックがあるときは，輪状靱帯の腕橈関節内への嵌頓の可能性が高く，長く続くケースには手術治療を考慮します．手術は鏡視下輪状靱帯切離術を行います．
- 屈曲時に痛みが出るため，屈曲時に嵌頓していると思われがちですが，実際には伸展時に嵌頓しており，屈曲時に輪状靱帯が橈骨頚部のほうへ戻ります．この戻るときに痛みが出ることが多いようで，これを警戒して伸展位のまま動かせないという愁訴で来院する患児もいます．
- 橈骨頭前方脱臼では，クリックに加えてロッキングすることもありますが，類似した病態です（図 7-10, 17）．ただし，この場合は橈骨頭前方の関節包も含めて伸展時に腕橈関節内に嵌頓していることがあります．この関節包の前方には後骨間神経が接しているため，鏡視下での関節包の解離は危険を伴います．輪状靱帯の解離までは鏡視下で行っても問題ありませんが，クリックが残る場合は前方アプローチで後骨間神経を保護してから関節包を縦切するのが安全な方法だと筆者は考えています（これについてはさまざまな意見があります）．
- 痛みを伴わない小さなクリックがある場合，筆者は滑膜ひだ障害と診断していますが，患児は困っていないので手術する機会もなく確かめるすべがありません．

患者家族への説明

「肘の中で靱帯などの柔らかい組織がひっかかってしまう状態です．痛みがつらかったり，日常生活で支障をきたすようなら手術をしましょう．」

第8章 肩と肩甲帯の診かた

　肩と肩甲帯は身体の中で最も可動範囲の大きい部位です．それだけに全身疾患の兆候がいち早くみられる部位でもあります．こどもの肩の愁訴は稀ですが，その愁訴にはさまざまな希少疾患が潜んでいるため，いたずらに経過観察としてはいけません．

　本章での解説を理解するためには，肩甲骨の動きを表現する用語の理解が必須ですので，あらかじめ次頁の図 8-1 をご覧ください．「上方回旋」が「外転」という言葉で誤表記された論文もあり，専門家の間でも混乱があります．

愁訴からの診断

1 肩が上がっている

思い浮かべるべき疾患

Sprengel 変形，筋性斜頸，脊柱側弯症，側方からの開胸術後

　肩が上がっているということは，肩甲骨や鎖骨が上がっているということです．単に患児がそうした肢位をとることが多いというだけで，病的ではないケースもあります．先天性の多くは Sprengel 変形ですが，それをどう確定診断するのかについては成書でもなかなか記載がみつかりません．画像検査はあくまで補助診断と考え，肩甲骨の可動性と可動範囲を入念に診察することが大切です．

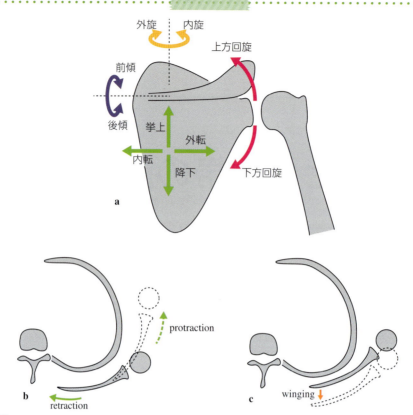

図 8-1　肩甲骨の動き（肩甲胸郭関節の運動方向）を示す用語と翼状肩甲（winging scapula）

肩甲骨の動きを示す用語は十分に統一されていませんが，本書では a に示した用語で解説します．用語を混同しやすいのは，上方回旋/下方回旋と外転/内転です．肩甲上腕関節（肩関節）の「外転」は側方へ挙上する動きを意味しますが，肩甲胸郭関節ではこの方向の動きは「上方回旋」と呼ばれます．一方，肩甲胸郭関節の外転/内転は，横方向の動きを意味します．立体的には b に示した胸郭に沿った肩甲骨の動きです．肩をすぼめるような動きが「protraction（突き出すこと）」，胸を張るような動きが「retraction（引き戻すこと）」と呼ばれます．つまり，外転＝protraction，内転＝retraction ということになります．翼状肩甲（winging scapula）にみられる winging は病態を示す言葉で，原因によりさまざまなパターンがありますが，おおむね c のイメージです．

診断へのプロセス

肩甲胸郭関節の動きをみる（乳幼児では他動的に動かしてみる）

- 肩甲骨は胸郭（肋骨）の上で上下・内外側に大きく動くのが正常です．この動きに制限があれば，何らかの疾患があると考えます．肩甲骨が挙上した位置から自動的にも他動的にも正常な位置まで降下せず，肩甲骨の外転（protraction）ができない状態であれば，Sprengel 変形（図 8-2, 3）と診断します．ただし，他疾患の確実な除外診断も必要です．

- Sprengel 変形の典型例では肩甲骨と頚椎棘突起の間に「肩甲脊椎骨（omovertebral bone）」と呼ばれる余剰骨を触れることができます（図 8-2）．

- 診断が難しいのは，肩甲脊椎骨のない Sprengel 変形です．この場合，画像診断はできません．肩甲骨の上角や内側が頚椎棘突起と軟骨性または線維性に連結しているので，連結している部分を支点としてある程度肩甲骨に可動性がありますが，決して外転（protraction）することはありません．

1 肩が上がっている

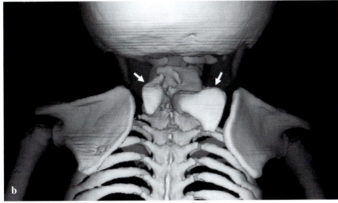

図 8-2　両側 Sprengel 変形（5 歳女児）
翼状頚と両肩挙上制限(a)を主訴に受診．両側に頚椎棘突起と連続する扁平型の肩甲脊椎骨（bの矢印）があり，術中所見では肩甲骨と軟骨性に繋がっていました．このような形態から，肩甲脊椎骨は「angel wing：天使の羽」とも呼ばれます．両側とも肩甲脊椎骨の切除と肩甲骨骨切り術（Wilkinson 法）を行い，著明な機能改善を認めましたが，翼状頚の改善は十分でなかったため，思春期になってから皮膚形成術を追加で行いました．

これが診断の決め手になります．
- 側方からの開胸術の既往があれば，肩甲胸郭関節の癒着（図 8-4）を考えます．この場合は前鋸筋の拘縮があるので，肩甲骨の下角が胸郭に固定され，ここを軸に回旋運動します．
- 肩甲骨の動きに明らかな制限がないときは，正常の場合が多いのですが，脊柱側弯症や筋性斜頚（第 10 章 p.265）の除外診断が必要です．筋性斜頚で肩が上がることは多くはありませんが，胸鎖乳突筋鎖骨頭の緊張の強い例では鎖骨が上方に牽引された結果，肩が上がることがあります．

STEP 1 STEP 2　画像検査を行う

- 単純 X 線検査は，両上肢下垂位と両上肢最大挙上位の立位正面像を撮影します．左右の肩甲胸郭関節の動きをみるため，両肩関節・肩甲骨・鎖骨全体を含む範囲を大きなフィルムで撮影します（図 8-3）．
- 両上肢下垂位で明らかな片側の肩甲骨高位があり，両上肢最大挙上位で同じ側の肩甲骨上方回旋が小さければ，Sprengel 変形を疑います．
- 肩甲脊椎骨の有無をみるため，頚椎から上位胸椎の側面像も撮影します（図 8-3）．肩甲脊椎骨があれば，肩甲脊椎骨を伴う Sprengel 変形と診断します．若年例では，肩甲脊椎骨があってもまだ骨化しておらず，軟骨だけの状態で単純 X 線検査で写らないこともあります．
- 単純 X 線検査で肩甲脊椎骨がはっきりしないときは，3D-CT 検査を行うと明瞭に描出されます（図 8-2, 3）．

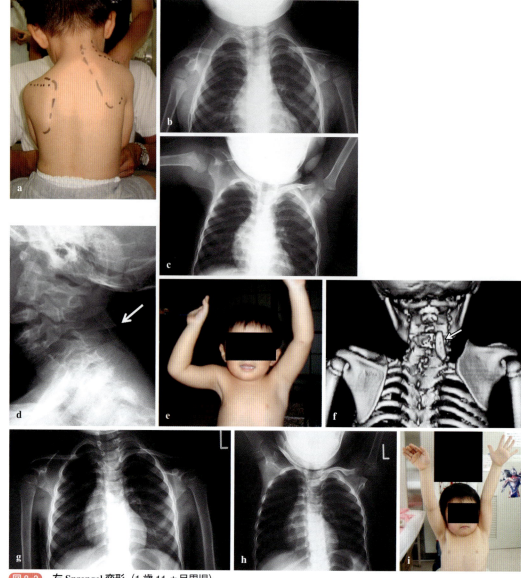

図8-3 右Sprengel変形（1歳11ヵ月男児）

右肩が上がっていることと右肩の挙上制限を主訴に1歳11ヵ月で初診（a）．単純X線検査では，下方回旋を伴う右肩甲骨高位（b）と最大外転時の右肩甲骨上方回旋制限を認めました（c：一見，上方回旋しているようですが，脊椎の代償があり，健側のように肩甲骨関節窩が上方を向いていないことがわかります）．頸椎X線写真では肩甲脊椎骨を認めました（d：矢印が肩甲脊椎骨）．術前の肩関節可動域は外転90°程度（e）で，3D-CTでは棒状の肩甲脊椎骨を認めました（f：矢印が肩甲脊椎骨）．3歳3ヵ月時に肩甲脊椎骨の切除と肩甲骨切り術（Wilkinson法）を行いました．術中所見では，棒状の肩甲脊椎骨は頸椎棘突起と軟骨性に連続し肩甲骨とも軟骨性に繋がっていました．術後，肩甲骨高位の改善（g），肩甲骨上方回旋の改善（h），可動域の改善（i）が得られました．

a. 初診時（1歳11ヵ月）の背部外観：点線は肩甲骨の輪郭を示しています．
b. 初診時両上肢下垂位正面像
c. 初診時両肩最大外転位正面像
d. 初診時頸椎X線側面像
e. 術前両肩最大外転位
f. 術前3D-CT
g. 術後8ヵ月両上肢下垂位正面像
h. 術後8ヵ月両肩最大外転位正面像
i. 術後1年3ヵ月両肩最大外転位

1 肩が上がっている

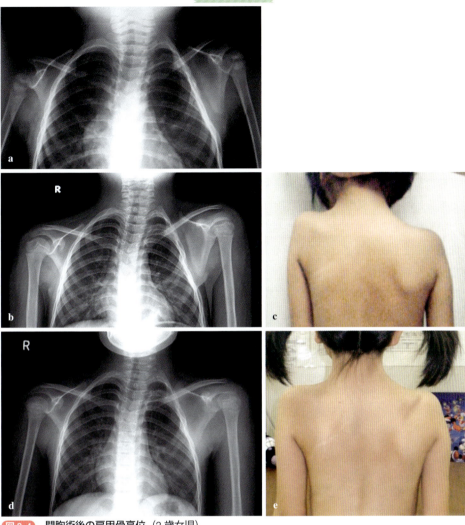

図 8-4　開胸術後の肩甲骨高位（2 歳女児）

新生児期に動脈管開存症に対して後外側アプローチで開胸手術が行われ，2 歳になって左肩が上がっている（a）ことを主訴に受診．前鋸筋が萎縮して左肩甲骨下角が胸壁側面と癒着し，肩甲骨は外転・挙上・上方回旋位でほとんど動かない状態でした．8 歳まで経過をみましたが，肩甲骨高位が目立ってきたことと二次性側弯が生じたことから（b, c），肩甲胸郭関節授動術（前鋸筋切離と肩甲胸郭関節の癒着剥離術）を行いました．術後，整容面での著明な改善がみられました（d, e）．

愁訴からの診断

2 肩が下がっている

思い浮かべるべき疾患

三角筋拘縮症，外反肩

この愁訴をイメージしやすい言葉に置き換えると，腋を閉めると肩が下がるという状態です．さらに具体的に言えば，上肢を下垂すると肩甲骨が下方回旋する状態です．それはすなわち，肩関節（肩甲上腕関節）の内転制限があるため，その制限を超えて内転しようとすると代わりに肩甲骨が下方回旋してしまうということです．重症例では腋が閉まらないという愁訴もみられます．成人女性ではブラジャーの紐が肩から落ちてしまうという愁訴を聞くこともあります．この愁訴をみたら，三角筋拘縮症と外反肩（上腕骨近位部の外反変形）を考えます（図 8-5）．

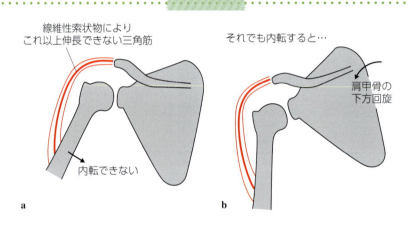

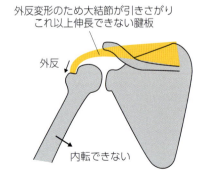

図 8-5 肩が下がる 2 つの原因疾患
a, b．三角筋拘縮症．c, d．外反肩

2 肩が下がっている

診断へのプロセス

STEP 1 肩甲上腕関節の内転制限を確認する

- 上肢を下垂していくときに肩甲骨が下方回旋し，肩峰が下がっていくことを確認します．乳幼児では検者の一方の手を肩峰にあて，もう一方の手で上肢を把持して他動的に肩を内転していくと，肩峰が異常に下がっていく動きが確認できます．

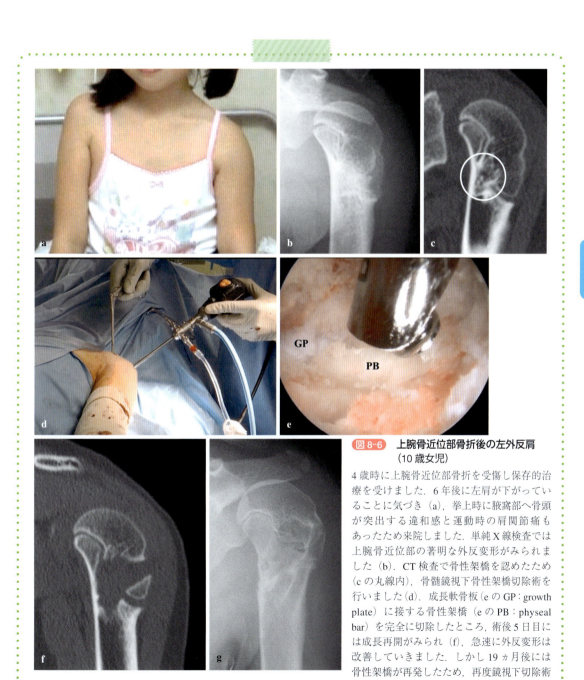

図8-6 上腕骨近位部骨折後の左外反肩（10歳女児）

4歳時に上腕骨近位部骨折を受傷し保存的治療を受けました．6年後に左肩が下がっていることに気づき（a），挙上時に腋窩部へ骨頭が突出する違和感と運動時の肩関節痛もあったため来院しました．単純X線検査では上腕骨近位部の著明な外反変形がみられました（b）．CT検査で骨性架橋を認めたため（cの丸線内），骨髄鏡視下骨性架橋切除術を行いました（d）．成長軟骨板（eのGP：growth plate）に接する骨性架橋（eのPB：physeal bar）を完全に切除したところ，術後5日目には成長再開がみられ（f），急速に外反変形は改善していきました．しかし19ヵ月後には骨性架橋が再発したため，再度鏡視下切除術を行い，1年後（13歳）にはさらに改善がみられました（g）．

愁訴からの診断

STEP 1 STEP 2 画像診断する

- **外反肩**は単純 X 線検査で診断できます（図 8-6, 7）．
- **三角筋拘縮症**では，MRI で三角筋内の線維性索状物が認められます（図 8-8）．

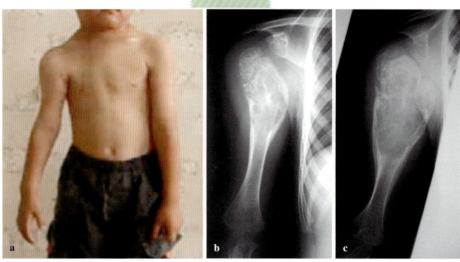

図 8-7 骨腫瘍による右外反肩（3 歳男児）

腋が閉まらない状態（a）で来院．単純 X 線検査で内軟骨腫を疑い（b），針生検術を行って内軟骨腫の確定診断となりました．しかしその 5 ヵ月後に撮影した単純 X 線検査では，急速な腫瘍の増大がみられ（c），切開生検術で軟骨肉腫の最終診断となりました．悪性腫瘍の専門病院へ紹介し，広範囲切除術と血管柄付き腓骨移植術が行われました．

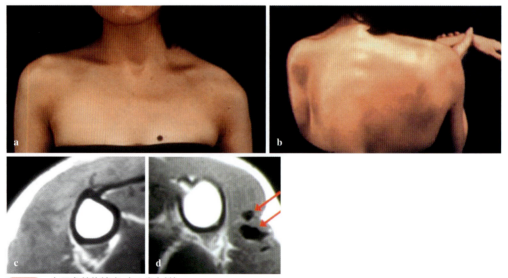

図 8-8 左三角筋拘縮症（28 歳女性）

筆者には小児例の経験がないので，唯一経験した成人例を示します．小児期の肩への筋肉注射が原因と考えられるケースです．症状は小児期からみられていましたが，左肩が下がっている整容的な問題（a）や腋を閉めるとブラジャーの紐が落ちてしまう症状などを改善したいため，成人になってから受診されました．背部から視診すると，肩甲骨の protraction と下方回旋がみられ，特に肩を水平内転したときに翼状肩甲が顕著にみられました（b）．MRI 横断面 T1 強調像では患側（d）の三角筋内に健側（c）にはみられない低輝度領域（矢印）がみられ，T2 強調像でも低輝度であったことから線維性の索状物と考え，三角筋拘縮症と診断しました．この索状物を切離することにより症状は改善しました．

3 腕が挙がらない（痛みを伴わない場合）

思い浮かべるべき疾患

先天性上肢形成不全，先天性多発性関節拘縮症，分娩麻痺，顔面肩甲上腕型筋ジストロフィー，進行性骨化性線維異形成症（FOP），先天性筋欠損症，先天性骨欠損，先天性鎖骨肩甲骨癒合症，内反肩（骨系統疾患，骨折後遺症，化膿性肩関節炎後遺症，上腕骨頭壊死），骨軟部腫瘍，Sprengel変形，屈曲肢異形成症（肩甲骨形成不全）

　腕が挙がらない（肩関節の挙上制限）という愁訴は，乳幼児ではその確認すら容易でありません．また，画像診断できない疾患が多く，診断は容易でありません．年長児においては，さまざまな希少疾患の可能性があるため，肩に関するあらゆる専門知識を動員して診断します．

診断へのプロセス

STEP 1　筋力低下と拘縮のどちらが主原因なのか，おおむねあたりをつけておく

- 自動的に挙がらないのか，他動的にも挙がらないのか，患児の様子をみれば容易にわかりそうなものだと思われがちですが，検者の指示になかなか従ってくれない乳幼児においては簡単にはいきません．さまざまな工夫をして挙上運動への誘導を試みます（図8-9）．
- 学童期以降では，他動運動で肩甲上腕関節が過剰に動けば肩甲胸郭関節の拘縮があると考え，肩甲胸郭関節が過剰に動けば肩甲上腕関節の拘縮があると考えます．しかし，このような評価は，乳幼児では非常に困難です．
- 他動運動で肩甲上腕関節と肩甲胸郭関節のいずれにも運動制限がなければ，筋力低下が原因と考えます．
- 肩甲胸郭関節の拘縮がある場合は，Sprengel変形（図8-2, 3）や進行性骨化性線維異形成症（FOP）（図8-13）が考えられます．側方からの開胸術の既往があれば，医原性の拘縮も含めて考えます（図8-4）．
- 肩の外旋制限があれば，上位型分娩麻痺（図8-11）を疑います．分娩麻痺は，新生児期により高度な麻痺がみられるので，幼児期以降の患児で分娩麻痺が疑われた既往がなければ考える必要はありません．

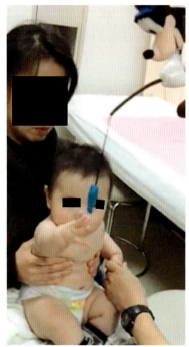

図 8-9 乳児の自動可動域評価の実際（生後 5 ヵ月男児）

玩具やぬいぐるみを利用して手を誘導することによって，自動可動域を評価します．

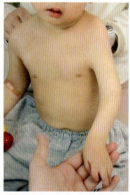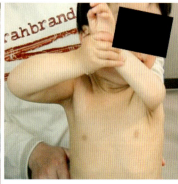

図 8-10 左上肢形成不全の肩（2 歳男児）

左上肢全体の萎縮に伴い，左肩に高度の拘縮があり，腋窩部に web 形成がみられます．腕を挙げるように指示すると反対側の腕で補助して挙げようとします．このような症状が両側にみられれば，先天性多発性関節拘縮症と診断します．

STEP 1 STEP 2　視 診

- 生下時からの麻痺であれば，先天性上肢形成不全，先天性多発性関節拘縮症（Escobar 症候群など），分娩麻痺を考えます．分娩麻痺の診断は，家族と産科医との関係に影響を及ぼすため慎重に行う必要があります．特に片側の先天性上肢形成不全（図 8-10）は，新生児期には一見分娩麻痺のような症状で来院するため，注意が必要です．関節周囲の皮膚に crease（皺）がなく，腋窩部に web（水かきのような皮膚の状態）がみられれば，分娩麻痺ではありません．関節拘縮が多関節に及んでいれば，先天性多発性関節拘縮症と診断します．
- 分娩麻痺では，ほとんどのケースで麻痺は徐々に回復していきますが，学童期以降も挙上制限や外旋制限が残ってしまうケースが少なくありません（図 8-11）．
- 幼児期以降で腕が挙がらなくなってきた場合は，顔の表情を見ることも大切です．眠そうな表情（眼瞼下垂）があれば，顔面肩甲上腕型筋ジストロフィー（図 8-12）を疑います．血液検査を行って，クレアチニンキナーゼ（CK）の上昇があれば，神経内科へ紹介します．

3 腕が挙がらない（痛みを伴わない場合）

図 8-11 **分娩麻痺にみられるトランペット肢位（8歳女児）**
上位型分娩麻痺では，肩の外旋筋群が麻痺しているため，両手を顔の前で合わせるように指示すると肘が上がり，トランペット奏者のような肢位をとります．この徴候は「Hornblower's sign」とも呼ばれます．このほか，成人の腱板断裂の診断で用いられる dropping sign も診断に有用な徴候です．肩下垂位，肘 90° 屈曲位，肩外旋 45° で検者が肘と前腕を保持し，そのまま動かさないように患児に指示してから，検者が前腕から手を放したときに，肩の外旋角が保持できなければ，dropping sign 陽性として，外旋筋群の麻痺と診断します．小児では腱板断裂を考える必要がないため，外旋筋群の機能不全は麻痺によるものと診断できるのです．本患児では，鏡視下肩甲下筋腱切離術と広背筋移行術を行って，外旋機能の再建を行いました．

図 8-12 **顔面肩甲上腕型筋ジストロフィー（8歳女児）**
右腕が挙がらなくなってきたことを主訴に初診．挙上時，著明な翼状肩甲（a の矢印）を両側に認めました．壁押しテストでも翼状肩甲は顕著でした（b）．まぶたが下がって眠そうな表情に加えて，口で「イーッ」とできないという訴え（顔面筋の麻痺症状）もあったため，筋疾患を疑って血液検査を行ったところ，クレアチニンキナーゼ（CK）3,555 IU/L（正常は 180 以下）と明らかな高値を認めました．神経内科へ紹介し，顔面肩甲上腕型筋ジストロフィーの確定診断となりました．

- 幼児期以降で腕が挙がらなくなってきたケースにおいては，足趾を見ることも大切です．第 1 章足趾の項でも述べましたが，進行性骨化性線維異形成症（FOP）では，母趾の短縮や変形がみられます（図 8-13）．頚椎の運動制限があることも特徴で，頚椎の X 線側面像で癒合がみられれば，ほぼ確定診断できます．

STEP 3 筋欠損を診る

- 乳幼児期には挙上できたのに，学童期以降で挙上困難となってきた場合には，筋欠損症を疑う必要があります．
- 肩周辺ではさまざまな先天性筋欠損症がありますが，腕が挙がらない場合に考える必要があるのは，僧帽筋欠損症（図 8-14）と三角筋欠損症（図 8-30）です．

愁訴からの診断

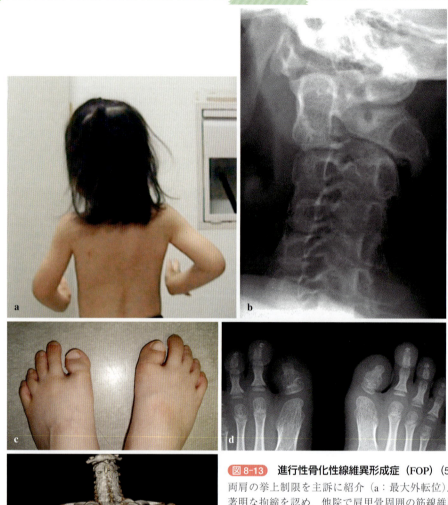

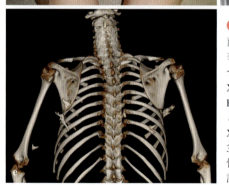

図 8-13　進行性骨化性線維異形成症（FOP）（5歳女児）

両肩の挙上制限を主訴に紹介（a：最大外転位）．肩甲胸郭関節の著明な拘縮を認め，他院で肩甲骨周囲の筋線維腫症の病理診断がついていたため，肩甲胸郭関節授動術を予定しました．患児の帰宅後，X線所見を見直していたところ，頚椎の多椎間癒合（b）に気づき，FOPの可能性を考え自宅へ電話し，母趾に異常がないか確認したところ，短縮があるとのことでした（c）．再度来院してもらい単純X線検査を行ったところ，趾骨の癒合と変形が認められました（d）．3D-CTでは，頚椎の癒合に加えて，肩甲骨周囲と肘関節周囲に異所性骨化を認め（e），FOPの疑いで専門医へ紹介し遺伝子検査で確定診断となりました．

- 欠損を疑う筋肉が収縮するように力を入れさせることができれば，視診・触診によって診断が可能です．しかし，本人の協力が得られない乳幼児においては，MRI検査を行うほかありません．診断を急ぐ必要がない状況では，経過観察のみ行います．

3 腕が挙がらない（痛みを伴わない場合）

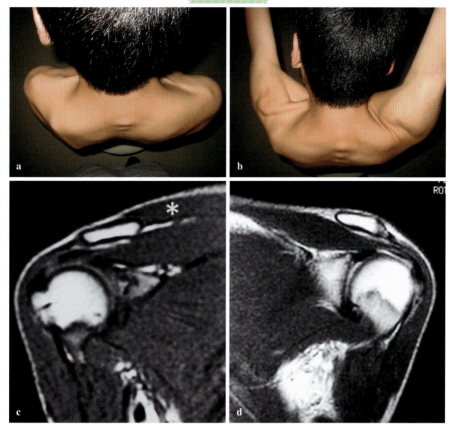

図 8-14　左先天性僧帽筋欠損症（13歳男児）

左腕が挙がらなくなってきたことを主訴に来院．背部を視診すると患側の翼状肩甲がみられ（a），挙上時に上方から視診すると，患側で肩峰と鎖骨の輪郭がはっきりみえることがわかりました（b）．左僧帽筋の欠損を疑い，MRIを撮像すると，健側にみられる僧帽筋（cの＊）が患側ではみられないことが確認されました（d）．成長に伴って腕の重さが増し，肩の挙上をほかの筋肉で代償することが困難になったようです．

STEP 4　画像診断する

- 内反肩（上腕骨近位部の内反変形）や先天性骨欠損・形成不全は，単純X線検査で診断します．
- 内反肩の原因には，骨系統疾患（図 8-15），骨折後遺症（図 8-16），化膿性肩関節炎後遺症（図 8-17），上腕骨頭壊死（図 8-18）があります．
- 先天性骨欠損・形成不全で筆者が経験したことがあるのは，鎖骨欠損と肩甲骨形成不全です．鎖骨欠損には，近位部欠損，遠位部欠損（図 8-37），ほぼ全体の欠損（図 8-36）とさまざまなタイプがあり，全身疾患と関係のあるものも少なくありません．筆者の経験では，骨欠損症による挙上制限は，成長とともに改善がみられることが多いようです（→解説：成長とともに挙上が良くなる骨欠損と悪くなる筋欠損 p.251）．

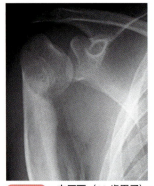

図8-15 内反肩（16歳男子）

軟骨低形成症に伴う上腕骨近位部の内反変形がみられ，8歳から経過観察していましたが，徐々に内反変形と挙上制限が悪化し，16歳時には90°まで挙上できない状態となったため，外反骨切り術を行いました．

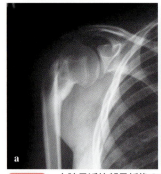
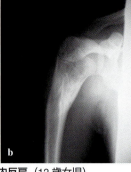

図8-16 上腕骨近位部骨折後の内反肩（12歳女児）

骨折の変形癒合による内反肩（a）とそれに伴う挙上制限がみられました．自然経過をみたところ2年後には著明なリモデリングがみられ（b），ほぼ正常な機能まで回復しました．

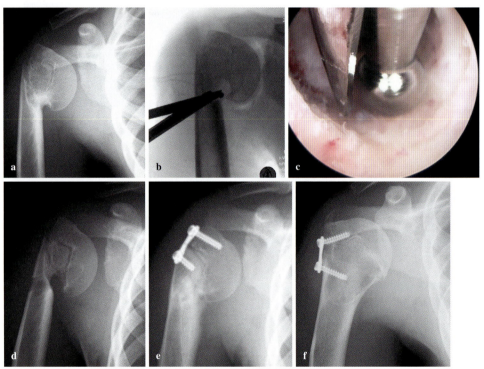

図8-17 化膿性肩関節炎後遺症と推測された内反肩（11歳男児）

腕立て伏せをしているときに，左右の高さが違うことを指摘され，近医を受診．右肩の挙上制限と内反肩（a）を認めたため紹介．上腕骨長は健側より約4cm短く，病巣不明の新生児感染症の既往があったため，新生児期の化膿性肩関節炎を原因とする上腕骨近位骨端線早期閉鎖と推測されました．成長軟骨板内側に骨性架橋を認めたため，骨髄鏡手術を行いました．2つの骨孔を作成して内視鏡とアブレーダーを挿入し（b），骨性架橋を鏡視下に切除しました（c）．術後単純X線検査では骨性架橋の完全な切除が確認されました（d）．しかし残存成長軟骨板が骨形態を保持できず，骨端部の内側へのすべりがみられたため，術後3ヵ月で8プレートを挿入しました（e）．その後，急速に内反変形は改善していきました．初回手術の14ヵ月後に，8プレートが限界まで開き，骨性架橋の再発もみられたため，再度骨髄鏡視下骨性架橋切除術と8プレート再挿入を行いました．その1年後（14歳）にはさらに内反肩の改善がみられました（f）．

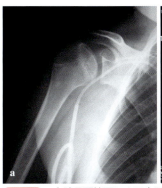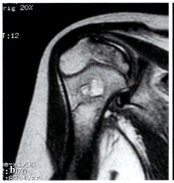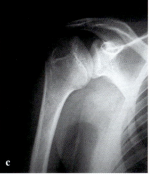

図 8-18　上腕骨頭壊死による内反肩（14 歳男児）

肩の挙上制限を主訴に初診．白血病の治療歴がありました．単純 X 線検査で上腕骨頭の圧潰（a），MRI で上腕骨頭壊死の所見（b）がみられました．3 年後，内反肩の所見が残っていましたが（c），機能障害は改善し，可動域制限は認めませんでした．当面問題はありませんが，30〜40 歳代以降で再び肩の機能障害が心配される状態です．

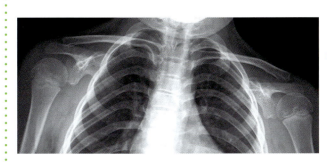

図 8-19　屈曲肢異形成症（7 歳女児）

精神発達遅滞のある女児で，両肩の挙上制限（120°程度）を認めました．単純 X 線検査で肩甲骨の極端な低形成を認めたため，屈曲肢異形成症（campomelic dysplasia）を疑って精査し，その診断に至りました．残念ながら有効な治療法はありません．

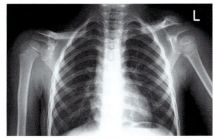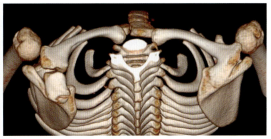

図 8-20　両先天性鎖骨肩甲骨癒合症（3 歳男児）

左肩甲部の腫瘤を主訴に来院．診察上，両肩の挙上制限を認めました．単純 X 線検査で両鎖骨遠位部に形態異常を認めたため，3D-CT を撮影したところ，右で鎖骨と肩甲骨の完全な癒合，左は不完全な癒合を認めました．

- 肩甲骨体部の極端な低形成があれば，屈曲肢異形成症（campomelic dysplasia）を考えます（図 8-19）．肩甲骨体部が，縦に極端に短いのが特徴です．
- 先天性骨癒合症は，足部や肘では頻度が高いのですが，肩においてはきわめて稀です．筆者は，先天性鎖骨肩甲骨癒合症（congenital cleidoscapular synostosis）による挙上制限を 1 例だけ経験しています（図 8-20）．単純 X 線写真での診断は困難で，3D-CT によって診断しました．

4 乳幼児の「肩がはずれた」

乳幼児の肩は，交通事故や高所転落などの高エネルギー外傷がない限り脱臼しません．「肩がはずれた」といって来院する乳幼児のほとんどは，「上肢を動かさなくなった」という症状をみた保護者が「肩がはずれた」と推測しているに過ぎません．そのほとんどは肘内障か上腕骨や鎖骨の骨折です．診断については第7章 肘と前腕（p.191）をご参照ください．

5 肩の痛み

思い浮かべるべき疾患

化膿性肩関節炎，骨髄炎，リトルリーグ肩，肩関節不安定症，リウマチ性疾患（若年性特発性関節炎，SAPHO症候群），腫瘍性疾患（肩甲骨外骨腫，上腕骨近位部の単発性骨嚢胞，Langerhans細胞組織球症）

乳幼児に肩の痛み（または痛そうにみえる症状）がみられることは滅多にありません．乳幼児に肩の痛み症状があるときは，重大な疾患の可能性が高いので，すみやかに精査を行う必要があります．

一方，学童期以降では珍しくありません．最も多いのは，学童後期の球児にみられるリトルリーグ肩で，次に多いのは学童後期から中学生の女児に多い肩関節不安定症です．

診断へのプロセス

STEP 1 感染や腫瘍の可能性を考える

- 小児において，肩周辺は比較的感染症の起こりやすい部位です．
- 化膿性肩関節炎（図8-21）は，緊急手術を要する疾患です．まずこれを見逃してはいけません．痛み症状があり，発熱と腫脹がみられるときは，関節穿刺を行うことが重要です（第12章 p.298）．
- 骨髄炎（図8-22）もできるだけ早急に治療すべき疾患です．皮下の腫脹がみられる場合は切開排膿を考え，腫脹が深部に限局する場合は針生検などを行い，早期に確定診断を得るようにします．
- 肩に限ったことではありませんが，強い持続性の痛みがあり，食欲低下や不眠が続いている場合は，白血病（図8-23），悪性リンパ腫，神経芽細胞腫などの悪性疾患の可能性があります．このような状態であれば，血液腫瘍を専門とする小児科医へ紹介する必要があります．

STEP 1 STEP 2 肩がゆるくないか

- 肩がゆるいときに耐え難い痛みを誘発することがあります．乳幼児にこのような症状がみられることはなく，10歳以降の女児に多いようです．骨の形態異常がなければ，数年以内には自然に

5 肩の痛み

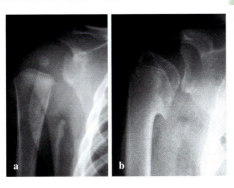

図 8-21 化膿性肩関節炎（生後 5 ヵ月男児）

原因不明の発熱（最高 39.0℃）が続き，小児科に入院して抗菌薬投与を受けていました．血清 CRP は最高で 17.2 mg/dL でした．発症 12 日目に右肩を痛がっている様子がわかり，整形外科紹介となりました．単純 X 線検査（a）では診断がつかず，関節穿刺を行ったところ多量の排膿がみられたため，切開排膿，関節洗浄，ドレーン留置を行いました．その後順調に回復しましたが，12 年後に右肩挙上制限がみられ，その後徐々に悪化しました．単純 X 線検査では内反肩と下方亜脱臼がみられました（b）．外反骨切り術を行い機能改善がみられましたが，将来の変形性肩関節症は避けられません．

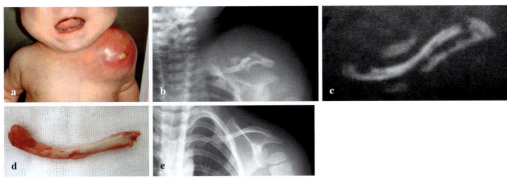

図 8-22 左鎖骨骨髄炎（生後 29 日男児）

鎖骨の腫脹があり，骨折の疑いで近医で 2 週間経過観察されましたが，腫脹が悪化したため当科紹介．経過中，発熱は最高で 37.5℃ でした．左鎖骨部に著しい腫脹を認め（a），単純 X 線検査では鎖骨に bone in bone と呼ばれる広範な骨膜反応を認めました（b）．切開排膿を行い，黄色ブドウ球菌が同定され，抗菌薬の投与を 10 日間行いましたが，臨床症状の改善がないため CT 検査を行いました（c）．骨幹部全体が腐骨と推測されたため，骨膜を温存して腐骨を摘出しました（d）．術後すみやかに臨床症状は改善し，鎖骨も再生しましたが，術後 3 年で鎖骨長は健側と比べて 10 mm 短縮していました（e）．

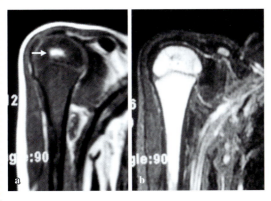

図 8-23 白血病の肩（9 歳男児）

肩の強い痛みを訴えて来院．単純 X 線検査では異常がなく，MRI では上腕骨近位部の骨髄は SE 法 T1 強調像（a）で低輝度，STIR 法（b）で高輝度の所見で，脂肪髄の消失を示す所見でした．a の矢印の部分だけ脂肪髄が残っており，唯一の健常部と考えられました．骨髄穿刺を行い急性リンパ性白血病の診断となりました．

良くなってくるのですが，原因を特定してあげないと学校における患者の信用問題に関わってくることもあるので，診断をつけること自体に大きな意義があります．肩関節不安定症の症状と診察法については，「6 肩がたびたびはずれる」の項で解説します．確定診断するためには，次のステップで炎症性疾患と腫瘍性疾患を除外しておく必要性があります．

愁訴からの診断

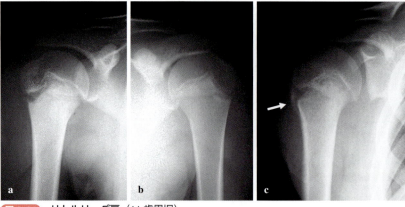

図 8-24　リトルリーグ肩（11 歳男児）
右肩の痛みを訴えて来院した球児（右投げ）です．単純 X 線検査で左右差の明らかな上腕骨近位骨端線の開大を認め，リトルリーグ肩と診断しました．運動休止によりすみやかに痛みは消失し，2 週後の単純 X 線検査では同部に仮骨形成がみられました．発症後 1 ヵ月でスポーツ復帰しました．

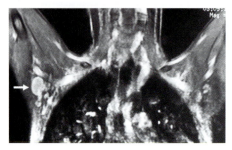

図 8-25　猫ひっかき病の腋窩腫瘤（11 歳男児）
右腋窩部の腫瘤の痛みで受診．MRI 検査でリンパ節の著明な腫脹がみられました．血液検査では血清猫ひっかき病抗体陽性でした．本疾患は，*Bartonella henselae* 菌の感染です．抗菌薬の投与を行い治癒しました．

STEP 3　画像診断する

- 野球などのオーバーヘッドスローイングを伴うスポーツを行っている小児の投球側の肩の痛みは，ほとんどの場合リトルリーグ肩の診断となります．両肩の単純 X 線検査を行い，健側と比べて骨端線が開大していれば確定診断となります（図 8-24）．
- こどもの肩の痛みの原因となる腫瘍性疾患で頻度が高いのは，肩甲骨外骨腫（図 8-39, 40），上腕骨近位部の単発性骨囊胞，Langerhans 細胞組織球症（図 8-34, 35）です．いずれも単純 X 線検査で異常がみられたら，CT，MRI などの検査を行い，必要性があれば生検術を行って確定診断します．
- 肩周辺に症状が限局するリウマチ性疾患（若年性特発性関節炎，SAPHO 症候群）の診断は困難です．
- 若年性特発性関節炎が，肩の愁訴で発症することはきわめて稀で，筆者は 13 歳女児の 1 例しか経験がありません（第 12 章 p.314）．
- SAPHO 症候群は，学童後期以降で稀にみられます．肩鎖関節，胸鎖関節，胸骨柄体結合部に圧痛がみられるのが特徴です．確定診断は非常に困難で，除外診断を重ねていくことによって診断に至ります．診断の決め手となる検査はありません．
- 腋窩部に痛みがあり，腫瘤が触れる場合は，猫ひっかき病によるリンパ節炎を疑います．血清猫ひっかき病抗体が陽性であれば，確定診断となります（図 8-25）．

6 肩がたびたびはずれる

思い浮かべるべき疾患

習慣性肩関節後方（または前方）脱臼，随意性肩関節前方脱臼，結合織性疾患（Marfan症候群，Ehlers-Danlos症候群，Loeys-Dietz症候群など），先天性三角筋欠損症，Sprengel変形

「肩関節不安定症」と総称される疾患です．ほとんどのケースで治療を要しませんが，患者家族に病名を伝え，予後についてよく説明し，安心感を与えることが担当医の使命です．成人でこの愁訴に該当するものの多くは外傷後の反復性肩関節脱臼ですが，中学生以下の小児ではまず考えなくても良いと思います．

診断へのプロセス

STEP 1 本人に脱臼させてみる

- 小児では外傷後の反復性肩関節脱臼は稀で，診察室で脱臼を再現できるケースがほとんどです．主に下記の4つのパターンがあります．
  ① 挙上する途中で「バコッ」と鳴るパターン（図8-26）
  ② 挙上する途中で「バコッ」と鳴る（図8-26），または最大挙上してから降ろす途中で「バコッ」と鳴るパターン（図8-27, 28）
  ③ 肩を軽度前方挙上した位置で本人が力を入れて「バコッ」と鳴らすパターン（図8-29）
  ④ 肩を外転・外旋させたときに「ヌルッ」と上腕骨頭が前方へはずれるパターン

①と②は習慣性肩関節後方脱臼で，①のほうがより重症です．「バコッ」と鳴るときに脱臼するのではなく，整復されていることが意外な点です．③は，随意性肩関節前方脱臼です．上肢全体を動かさずに肩だけを自在にはずしたりいれたりできる点で，習慣性肩関節後方脱臼と異なります．主に大胸筋に力を入れて脱臼させているものと推測されます．④は次に解説する全身性の関節弛緩や先天性筋欠損（図8-30）と関係しています．自己整復がうまくできませんが，時間がたつと自然に整復されます．習慣性肩関節前方脱臼と診断します．

STEP 1 → STEP 2 全身性の関節弛緩がないかチェックする

- Carter & Wilkinson hypermobilityスコアやこれを改変したBeightonスコアで全身性の関節弛緩がないかチェックします（第12章 p.312）．結合織性疾患を見逃すと，将来の大血管破裂（図12-29）を防止するチャンスを失う可能性があるので，その責任は重大です．直接的な診断に不要であっても必ずチェックし，全身性の関節弛緩があれば循環器内科へ紹介します．整形外科的には脊柱側弯症についてもチェックします．

愁訴からの診断

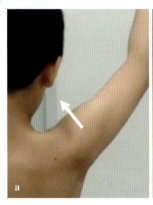

図 8-26 習慣性肩関節後方亜脱臼の「はずれる」直前（a）と直後（b）の外観（7歳男児）

右肩を外転させていくと図の肢位で突然「バコッ」と肩がはずれるような動き（矢印）がみられます．実はこのときは脱臼しているのではなく，整復されているのです．肩を外転していくときに，上腕骨頭が肩甲骨関節窩に対して相対的に後下方へ少しずつ亜脱臼し，この角度になったときに自分で前上方（矢印）へ整復してからさらに挙上していきます．

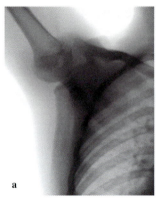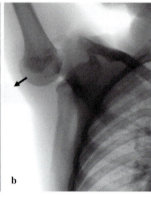

図 8-27 習慣性肩関節脱臼における slipping（15歳男児）

挙上時の右肩の痛みを主訴に11歳時に初診し，右習慣性肩関節脱臼の診断．症状が軽いので経過観察のみ行いました．15歳時にまだ症状が残っており，挙上時に slipping と呼ばれる上腕骨頭の外方移動がみられました．この状態から肩関節を内転していくと「バコッ」と鳴って整復されることが確認されました．
a. 挙上していく途中（X線イメージのビデオからキャプチャーした画像）
b. 挙上していく途中で矢印の方向へ slipping が起こった直後

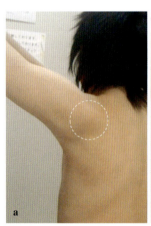

図 8-28 習慣性肩関節後方亜脱臼の「はずれる」直前（a）と直後（b）の外観（14歳男児）

左肩をたびたび自分ではずすことを主訴に来院．随意性肩関節脱臼かと思いましたが，特定の位置で肩関節が後方亜脱臼する習慣性肩関節後方亜脱臼と診断しました．左肩を前方挙上位から水平外転していくと，図の肢位で突然「バコッ」と肩がはずれるような動きがみられます．よく見ると上腕骨頭（点線で囲んだところ）が"はずれる"直前は後方に出っ張っており，これが瞬間的に前方へ移動していることがわかります．実際には，"はずれる"ときに脱臼しているのではなく，整復されているのです．肩を前方挙上していくときに，上腕骨頭が肩甲骨関節窩に対して相対的に後下方へ少しずつ亜脱臼し，この位置から水平外転していくと，上腕骨頭が上前方へ移動して整復されます．

STEP 3 肩関節の不安定性や筋欠損の有無について診察する

● 直接診断に結びつくことではありませんが，病態を明確にするため肩関節の不安定性についてチェックします．さまざまな評価法がありますが，筆者は最も簡便な Sulcus sign，前方引き出しテスト，後方引き出しテストについて評価しています（図 8-30）．ただし，肩関節不安定性を示す

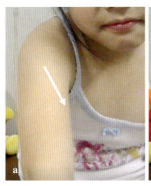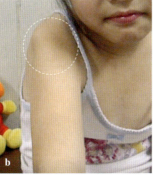

図 8-29 随意性肩関節前方脱臼（7 歳女児）

上肢の肢位を変えずに肩を前下方（矢印）へ随意に脱臼させます．脱臼位では，本来上腕骨頭があるべき位置に陥凹が生じています（点線で囲んだところ）．

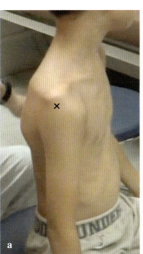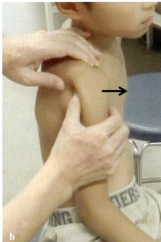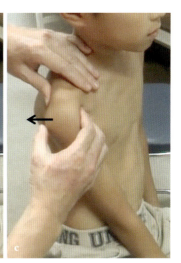

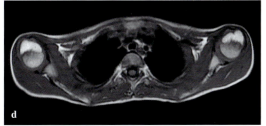

図 8-30 両先天性三角筋部分欠損症（7 歳男児）

両肩挙上時の痛みを主訴に紹介．また，たびたび脱臼感の自覚があると訴えていました．肉眼上，両肩とも上肢下垂位で負荷をかけない状態で Sulcus sign 陽性でした（a の×の部分，すなわち肩峰と上腕骨頭の間に陥凹を認めます）．通常は上肢を下方やや前方へ牽引してこの陥凹がみられるかどうかを評価します．このほか，前方引き出しテスト（b：左手で肩峰前縁と後縁を把持し，右手で上腕骨頭を前方へ押したときに，本人および検者が脱臼感を感じれば陽性です）および後方引き出しテスト（c：左手で肩峰前縁と後縁を把持し，右手で上腕骨頭を後方へ引き出したときに，本人および検者が脱臼感を感じれば陽性です）で異常な不安定性を認めました．診察上，両側三角筋前方線維の欠損が疑われ，MRI でそれが確認されました（d）．無治療で経過観察したところ，徐々に痛みは軽減し，11 歳時には雲梯や登り棒以外では痛みがみられなくなりました．

このような徴候は健常児にもみられるため，陽性であるから異常と考えてはいけません．あくまで参考所見です．

- 先天性の筋欠損が原因で肩関節不安定症になることもあるので（図 8-30），肩関節周囲筋の欠損がないか，ひとつずつ確認していきます．必要に応じて MRI 検査を行います．

愁訴からの診断

骨形態や骨動態に異常がないか，画像診断する

- Sprengel変形などの肩甲胸郭関節に運動制限がある疾患では，肩甲胸郭関節の動きを補うために肩甲上腕関節の動きが大きくなり，このために習慣性脱臼が起こる場合があります．特に肩甲骨の上方回旋が妨げられる病態でこの現象がみられます（図8-43）．「1 肩が上がっている」の項でも述べましたが，両上肢下垂位と両上肢最大挙上位の単純X線検査を立位で撮影します．左右の肩甲胸郭関節の動きを見るため，両肩関節・肩甲骨・鎖骨全体を含む範囲を大きなフィルムで撮影して評価します（図8-3）．

> **解説　小児における非外傷性肩関節脱臼・亜脱臼の用語について**
>
> 非外傷性肩関節脱臼・亜脱臼については，わが国において最も古くから病態の研究がなされている疾患です．歴史的にさまざまな呼称が用いられており，こだわりをもって用語を用いる肩関節専門医が多いようです．ほかの関節で用いられる用語も含めて考えると，小児整形外科領域においては一般に，特定の位置で必ず起こる位置性脱臼を「習慣性脱臼」，脱臼したままの状態が続いている状態を「恒久性脱臼」，偶発性の要素のある脱臼を「反復性脱臼」，特定の肢位で本人が故意に力を入れたときに起こる脱臼を「随意性脱臼」と呼んでいます．脱臼と亜脱臼の違いについては，関節面が線か点で接した状態が残っていれば「亜脱臼」，まったく接していなければ「脱臼」と呼んでいます．筆者が成人の肩関節を専門としていた頃，「自己整復できるものを亜脱臼と呼んで脱臼とは区別する」と教えを受けたことがありましたが，小児整形外科領域ではこの考え方は一般的ではないようです．本書では肩関節脱臼・亜脱臼においても，小児整形外科領域で一般に用いられている用語で解説しています．

> **コラム　整容的問題に対する整形外科診療**
>
> 先天奇形の診療において，見た目の問題（整容的問題）は治療上重要な課題のひとつです．乳幼児期においては主に母親が心配します．しかし学童期に入るとこの問題を受容するようになってきます．患児は，乳幼児期から学童中期までまったく気にせず明るく過ごしていますが，思春期に入ると，不意にこの問題を認識するようになり，心に重くのしかかってきます．その様子をみた両親の切ない気持ちが，やがて主治医に伝わってきます．
>
> 私はこのような気持ちに応えようとして，手術治療を試みてきましたが，整容目的の手術はどんなにうまくいっても患者家族は満足しません．どんなに事前説明を行っても医師のイメージする成功像と患者家族のイメージする成功像の間に大きな乖離があるからです．それでも，手術前よりはよくなるので，再手術を希望されるケースが少なくありません．この点で美容整形手術と似ています．道を間違えて無限手術の道へと進んでしまわないよう，強い意志を持って術後フォローをしていくことが大切です．

7 肩が前に出ている，鎖骨が出っ張っている

思い浮かべるべき疾患

先天性鎖骨偽関節症，先天性鎖骨欠損症，鎖骨遠位端骨溶解症，鎖骨短縮症，胸鎖関節脱臼，小胸筋拘縮症，Scheuermann 病

肩の前方にみられる"出っ張り"は，さまざまな疾患の徴候です．

診断へのプロセス

STEP 1 どこがいつから出っ張っているか

- 鎖骨が生下時より出っ張っているときは，先天性鎖骨偽関節症を考えます（図 8-31, 32）．特徴的な X 線像により診断は容易です．
- 鎖骨が後天的に出っ張ってきたときは，骨髄炎（図 8-22），鎖骨遠位端骨溶解症（図 8-33），腫瘍などを考えます．腫瘍で頻度が高いのは，Langerhans 細胞組織球症です（図 8-34, 35）．治療を兼ねて生検術を行い，確定診断します．
- 肩甲骨が protraction（図 8-1）しているために，肩が前方に出っ張っているときはさまざまな病態が考えられます．次のステップで診断します．

STEP 1 → STEP 2 画像診断する（肩甲骨が protraction しているとき）

- 肩甲骨が protraction しているときは，鎖骨の欠損（図 8-36, 37），鎖骨短縮症，胸鎖関節脱臼（図 8-38），Scheuermann 病（両側例の場合）などを考えます．単純 X 線検査を行って診断します．
- 鎖骨の欠損は，鎖骨頭蓋異形成症のほか，早老症，Goltz 症候群など全身疾患の一症状の場合があります．
- 両側性の場合は，Scheuermann 病の可能性があるので，脊椎の単純 X 線検査を行って後弯変形がないかどうかチェックする必要があります．
- 小胸筋拘縮症（図 8-38）は，一般に認識された疾患ではありませんが，そのような病態が確かにあるようです．肩甲骨が，烏口突起と前方の肋軟骨を結ぶ短い腱様の小胸筋によって係留されているため，retraction することができず，鎖骨が成長すると近位端が脱臼するほかない状況になります．

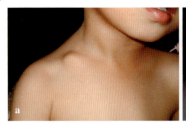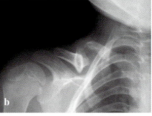

図 8-31 先天性鎖骨偽関節症（3歳男児）

右鎖骨中央部の膨隆（a）を主訴に来院．単純X線検査（b）で先天性鎖骨偽関節症の診断となりました．7歳まで経過観察しましたが，機能障害はなく，手術希望もないため終診としました．

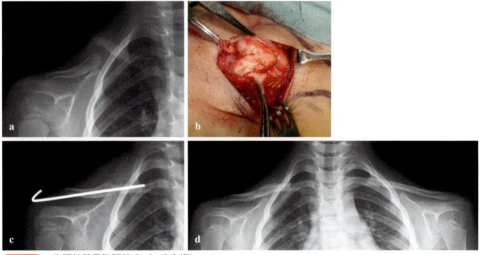

図 8-32 先天性鎖骨偽関節症（5歳女児）

乳児期から経過観察し，5歳時（a）に手術を行いました．偽関節部は軟骨性に連続しており（b），これを切除して鋼線固定を行い自家長骨移植を行いました（c）．術後速やかに骨癒合が得られました（d）．

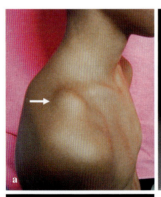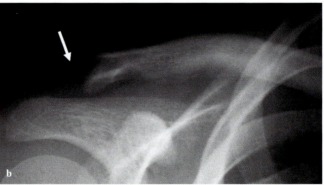

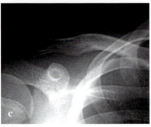

図 8-33 鎖骨遠位端骨溶解症（10歳男児）

漏斗胸に対する Nuss 法の術後 6ヵ月で右鎖骨遠位部に痛みと膨隆（a）がみられました．単純X線検査では鎖骨遠位端に骨溶解（b）がみられ，鎖骨遠位端骨溶解症の診断となりました．成人例に対しては鎖骨遠位端切除術が有効とされていますが，そのまま経過観察したところ，徐々に痛みは軽減し，2年後には完全な骨再生が確認されました（c）．

7 肩が前に出ている，鎖骨が出っ張っている

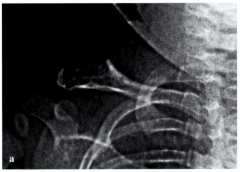
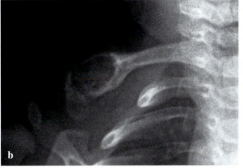
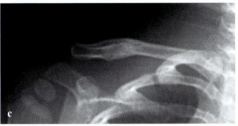

図 8-34　Langerhans 細胞組織球症（5 ヵ月女児）
右肩を虫に刺されたようで腫れているという主訴で来院．単純 X 線検査では，鎖骨遠位端が嚢胞状に膨隆していました（a, b）．3 日後に腫脹していたところが自壊し，膿汁の排出がみられました．念のため膿汁を病理診断に提出すると，Langerhans 細胞組織球症の診断でした．6 ヵ月後には骨溶解部は自然修復しました（c）．

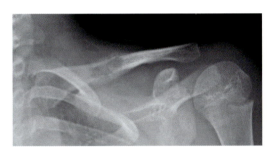

図 8-35　Langerhans 細胞組織球症（7 歳男児）
転んで左鎖骨部の痛みが出現し，近医で病的骨折の診断となり紹介．生検術を行い，Langerhans 細胞組織球症の診断となりました．

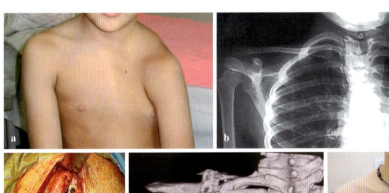
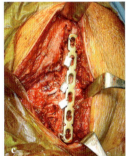
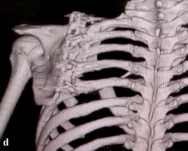
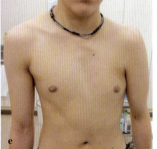

図 8-36　先天性鎖骨欠損症（9 歳男児）
左肩が前に出ている（a）ことを主訴に来院．単純 X 線検査（b）で左鎖骨の欠損を認めました．成長に伴って左肩を挙上位で保持することが困難となり，整容的改善も希望したため，18 歳時に左肩甲胸郭関節固定術（c, d）を行い，機能改善と整容的改善が得られました（e）．（執刀は千葉大学 落合信靖先生）

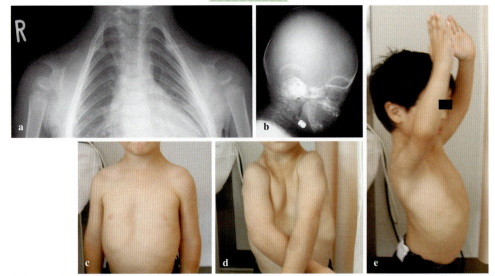

図 8-37 鎖骨頭蓋異形成症（4歳男児）

両鎖骨の遠位 2/3 を欠損していました（a）．頭蓋骨の著明な骨化遅延を認め（b），鎖骨頭蓋異形成症と診断しました．外観は胸を張ると正常に見えましたが（c），肩を極端に寄せることができました（d）．前方挙上が困難で体幹を反らせて手を挙げていましたが（e），7歳を過ぎると自動可動域は正常となりました．

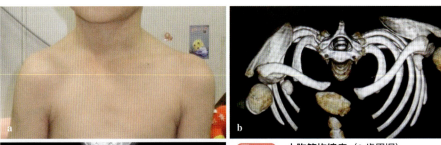

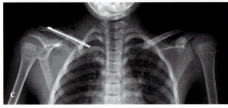

図 8-38 小胸筋拘縮症（6歳男児）

右肩が前に出てきたという主訴で3歳時に初診．鎖骨短縮症の診断で経過観察しましたが，右肩甲骨の protraction が徐々に顕著になり（a），6歳時の CT 検査で右鎖骨の短縮と右胸鎖関節後方脱臼の所見を認めたため手術を行いました（b）．胸郭前方を観察すると小胸筋の線維化と著明な拘縮を認め，これを切離すると肩甲骨の retraction が可能となりました．胸鎖関節後方脱臼を整復し，大腿筋膜を用いて関節形成術を行いました．鎖骨の延長は胸鎖関節後方脱臼の再発因子になると考え，胸鎖関節が安定化した4年後の10歳時に行いました．鎖骨中央を骨切りしても肩甲骨が retraction しないため，拘縮した小胸筋を再度切離し腓骨骨幹部から採骨した管状の骨を移植し，エンダー釘で内固定しました（c）．

8 肩甲骨が浮き上がっている（翼状肩甲）

思い浮かべる
べき疾患

顔面肩甲上腕型筋ジストロフィー，三角筋拘縮症，先天性筋欠損症，
長胸神経麻痺，肩甲骨外骨腫，肩甲骨骨折後の変形癒合，肩甲胸郭関節の滑液包炎

「翼状肩甲」と呼ばれる状態です．成人では長胸神経麻痺（前鋸筋麻痺）が多いと思いますが，小児ではさまざまな疾患が考えられます．意外に多いのが肩甲骨の外骨腫ですが，画像検査を適切に行わないと見逃してしまう可能性があります．

診断へのプロセス

STEP 1　大部分は診察によって診断可能

- 翼状肩甲の多くは，壁押しテストで確認できます．壁に向かって両上肢を前方に挙上し，肘を軽度屈曲して手の平で壁を押すように力を入れると，翼状肩甲が顕著になることを確認するテストです（図 8-12 b）．愁訴の確認に有効な手段です．
- 両側性の場合は，まず顔面肩甲上腕型筋ジストロフィー（図 8-12）を考えます．先にも述べましたが，眠そうな表情（眼瞼下垂）が特徴的で，血液検査で CK の上昇がみられます．
- 三角筋拘縮症では，患側の肩甲骨は拘縮した三角筋に牽引されて protraction して下方回旋します．肩を水平内転すると，さらに protraction して翼状肩甲が顕著になります（図 8-8）．
- 肩甲骨係留筋（肩甲骨に付着する筋群）の先天性筋欠損症（僧帽筋欠損症（図 8-14）など）でも翼状肩甲がみられます．一つひとつの筋に力を入れさせて，筋腹の欠損を確認して診断します．
- 長胸神経麻痺による翼状肩甲は，小児では側方からの開胸術後にみられる医原性のものしか筆者には経験がありません（図 8-4）．神経麻痺に加えて前鋸筋の直接侵襲による筋拘縮や癒着があり，肩甲骨下端が胸郭側壁に固定されたようになるので，診断は難しくありません．
- 肩甲骨腹側の外骨腫（図 8-39，40）や肩甲骨骨折後の変形癒合（体部の下方が腹側へ，くの字に曲がって癒合した場合）では，肩甲骨がそのまま後方へ浮き上がった位置にあります．典型例では，肩甲骨が挙上・降下するときに，肩甲骨がカクカクと揺れる動きがみられます．これは，腫瘍や変形癒合した肩甲骨下端が肋骨一本一本に衝突するためにみられる「grinding」と呼ばれる現象です．

STEP 1 > STEP 2　画像診断する

- 単純 X 線検査で欠かせないのは，スカプラ Y 撮影（図 8-40 a）です．肩甲骨の体部を手で触り，これに平行に入射すると，肩甲骨体部の腹側や背側にある骨腫瘍を診断することができます．
- まったく原因のわからない急性の翼状肩甲では，肩甲胸郭関節の滑液包炎の可能性があります．わかりやすく述べると，肩甲胸郭関節で出血が起こり，大きな血腫によって肩甲骨が持ち上がった病態です．MRI による診断が必要です（図 8-41）．

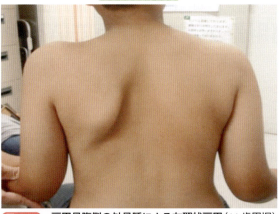

図 8-39 肩甲骨腹側の外骨腫による左翼状肩甲（11 歳男児）

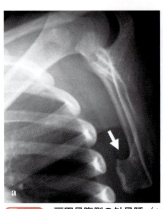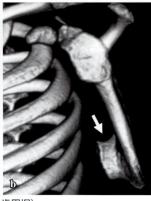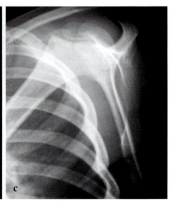

図 8-40 肩甲骨腹側の外骨腫 （4 歳男児）

左肩甲骨が浮き上がっていることを主訴に来院．左肩を上げ下げするときに肩甲骨の grinding がみられました．スカプラ Y 撮影で肩甲骨腹側に骨隆起がみられ（a の矢印），CT 検査でも骨隆起が確認されました（b の矢印）．外骨腫の診断で切除術を行いました（c：切除後）．

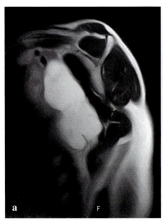

図 8-41 肩甲胸郭関節の滑液包炎 （8 歳女児）

誘因なく，左肩の痛みが出現し挙上困難となりました．近医で MRI を撮像したところ肩甲胸郭関節に巨大な囊胞がみられたため，当科紹介．挙上時に腋窩部に突出する腫瘤と翼状肩甲がみられました．その後に撮影された MRI ではニボー（neveau）が観察され，輝度変化の経過から滑液包内に出血があったものと推測されました．症状は徐々に改善し，1 年後の MRI では自然治癒が確認されました．

a. 発症後 3 週の MRI（SE 法 T2 強調像，オブリークサジタール像）
b. 発症後 10 週の MRI（STIR 法，オブリークサジタール像）

主な疾患について知っておくべき知識

● Sprengel 変形（スプレンゲル）

- 肩甲骨は胎児期に脊椎から分離し，尾側へ移動していくのですが，その途中で移動がとまったまま産まれてくると Sprengel 変形になります．そのため，肩甲骨は頭側にとどまった位置で脊椎と連結しています．肩甲骨と脊椎との連結部には，骨・軟骨・線維性組織などが介在しています．
- 肩甲骨と脊椎が骨でつながっている場合，その骨を「肩甲脊椎骨」（図 8-2, 3）と呼びます．その外観から「天使の羽（angel wing）」と呼ばれることもあります．
- 患者家族が治してほしいのは，肩が上がっていて翼状頸になっていること（整容的問題）と腕が挙がらないこと（機能的問題）の二点です．
- 唯一の治療法が手術です．肩甲骨が脊椎と連結しているため，肩甲骨の可動性が悪く，肩甲胸郭関節が拘縮した状態となっています．治療するには，まずこの連結を断つことが最重要です．
- 歴史的には，まず肩甲脊椎骨の切除術が試みられましたが，再発が多くうまくいきませんでした．しかしその後，肩甲脊椎骨を骨膜ごと切除することによって再発が起こらないことがわかりました（Green 法）．この手術手技の確立によって，肩甲骨と脊椎の連結を確実に断つことが可能となり，手術による機能改善がある程度達成できるようになりました．
- もうひとつの問題は，肩甲骨高位とそれに伴う翼状頸です．Green 法では術後肩甲骨を尾側へ鋼線牽引することによってこの問題を解決しようとしましたが，この方法では十分な効果が得られませんでした．そこで肩甲骨の内側に付着する係留筋の脊椎付着部を尾側に移動する Woodward 法が考案され，これによってある程度，肩甲骨高位は改善されるようになりました．しかし，Woodward 法にはさまざまな問題がありました．最大の問題は，肩甲骨が retraction したまま降下することによって胸郭出口症候群となり，腕神経叢麻痺を起こすリスクが高いことです．さらに僧帽筋上部線維の切離と移行によって肩甲骨上方回旋筋力が低下し，肩の挙上筋力が低下することです．腕神経叢麻痺に対しては，鎖骨粉砕術を併用することによって防止できることがその後報告されましたが，鎖骨を粉砕すると鎖骨の短縮が起こり，これが新たな整容的問題となります．
- さまざまな Green 変法が報告されています．その中でも肩甲骨の下方にある広背筋ポケットに肩甲骨下部を挿入して肩甲骨の挙上を抑制する Leibovic 法は，現在なおその手技が取り入れられている有効な手技です．
- 肩甲骨をより確実に降下するために考案されたのが，Wilkinson 法（図 8-42 a）という肩甲骨骨切り術です．これは肩甲骨を縦切し外側骨片を降下する術式です．この手術では，肩甲骨が protraction できる状態で降下するため，腕神経叢麻痺のリスクがありません．筆者はこの方法を基にして，術式の改良を重ねてきました．

主な疾患について知っておくべき知識

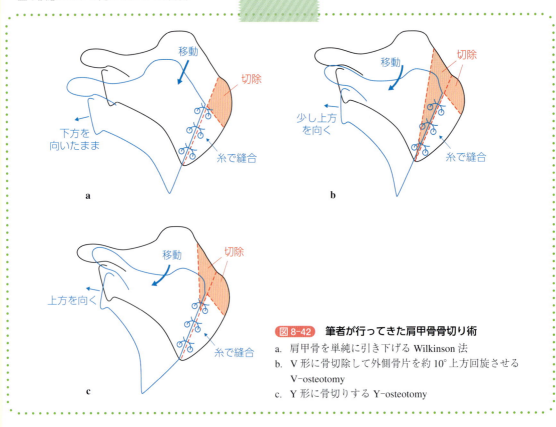

図 8-42　筆者が行ってきた肩甲骨骨切り術
a. 肩甲骨を単純に引き下げる Wilkinson 法
b. V 形に骨切除して外側骨片を約 10° 上方回旋させる V-osteotomy
c. Y 形に骨切りする Y-osteotomy

- 筆者の経験では Wilkinson 法の術後には，健側に比して平均約 10° の下方回旋が残っており，このため術後 3 年以上経ってから，習慣性肩関節脱臼が生じるケースが少なくありませんでした（全例 2～3 年で自然治癒しましたが，その間肩の痛みがありました）．また術後正常に近い挙上可動域が得られたケースでも，10 年以上経ってから可動域が低下してくるケースがありました．

- この問題を解決するため，骨切り部で V 形に骨切除して外側骨片を約 10° 上方回旋させる V-osteotomy（図 8-42 b）を考案しました．しかし，V-osteotomy の術後経過をみると 10° の上方回旋では十分ではありませんでした．そこで 10° 以上の上方回旋を考えましたが，V-osteotomy で 10° 以上上方回旋しようとすると肩甲骨体部が小さくなり，腱板の筋腹が短縮してしまう問題がありました．最終的にたどり着いた術式が，Y 形に骨切りする Y-osteotomy（図 8-42 c）です．この方法では比較的少ない骨切除量で十分な上方回旋を得ることが可能でした．

- 肩甲骨骨切り術では，下げる部分（外側骨片）を上方に係留する筋群を十分にリリースして，動かさない部分（内側骨片）を下方に係留する筋群をリリースしないことが，最大のポイントです．動かさない内側骨片は船で例えると碇（いかり）の役目を果たしており，この周囲を不要にリリースすると，骨切り後の肩甲骨を良肢位に固定する力源がなくなってしまうからです．

- 骨切り後は Leibovic 法（広背筋ポケットに肩甲骨下部を挿入）も併用して，矯正位をできるだけ保持するようにします．術後内側骨片が皮膚表面に突出して整容的な問題となることを防止する効果もあります．

- 頚部の web に対しては，web の内部にある僧帽筋を移行するほか，解決策はありません（→私の流儀：翼状頚に対する治療）．

患者家族への説明

「胎児期に脊椎から分離して下がってくるはずの肩甲骨が，脊椎から分離しきれていない状態です．肩が十分動くようにするには，この連結を切り離す手術が必要です．肩が上がっていて，見た目が良くない点については，肩甲骨を引き下げる手術や，首の輪郭を整える皮膚の手術が必要です．手術は2歳以降で行います．手術にはさまざまな方法があるので，よく相談しましょう．」

私の流儀　翼状頸に対する治療

Sprengel 変形の重症例では，初回手術でどんなに手を尽くしてもある程度の翼状頸が残存します．幼児期には気にも留めなかったこの整容的問題ですが，思春期になるとこれに気づき，深刻な問題と受け止めるようになります．これに対しては，本人の希望があれば追加手術を行っています．後頭骨の僧帽筋起始部を切離して下方の頸椎棘突起へ移行し，web の中にある筋肉を空虚にしてから web の皮膚を Z 形成すると翼状頸は改善します．ただし，この手術を行うと僧帽筋上部線維の機能が低下するため，挙上筋力は少し低下します．また，翼状頸は改善しても正常にまではなりません．筆者はこのような説明を十分行ったうえでも患者の希望があれば，機能低下を前提とした手術を行っています．成人となった患者からさまざまな話を聞くにつけ，翼状頸がもたらす整容的問題による不利益は，想像以上に大きいと感じているからです．

◉ 肩関節不安定症

- 習慣性肩関節（亜）脱臼，随意性肩関節脱臼などの肩関節の不安定性が痛みや脱臼不安感などをもたらす疾患の総称です．
- 上腕骨の動きに肩甲骨の動きがついてこないために，肩甲骨の関節窩が上腕骨頭を支持できなくなって，肩甲上腕関節が脱臼または亜脱臼する病態（図 8-27，図 8-43）と筆者は考えています．ただし，肩関節不安定症の病態はきわめて複雑で，さまざまな議論があります．
- 筆者の経験では，肩関節不安定症の原因は以下の4つのパターンに分けられます．
    ① Marfan 症候群，Ehlers-Danlos 症候群，Loeys-Dietz 症候群などの結合織性疾患（第 12 章 p.333）によって，肩甲上腕関節が極端に弛緩しているケース．
    ② Sprengel 変形などの疾患によって肩甲胸郭関節の拘縮があり，上腕骨の動きに肩甲骨の動きがついてこないために，肩甲骨の関節窩が上腕骨頭を支持できなくなって，肩甲上腕関節が脱臼または亜脱臼するケース．
    ③ 肩甲胸郭関節の拘縮はないが，肩甲上腕リズム（上腕骨の動きに対する肩甲骨の動き）が破綻しているために，肩甲上腕関節が脱臼または亜脱臼するケース．
    ④ 肩甲上腕関節の弛緩がベースにあり，肩甲上腕関節を意図的に脱臼させる運動プログラム（さまざまな筋肉に脳から命令が下される一連のプログラム）を会得し，これを随意的にくり返し行ってしまうケース．
- 愁訴となるのは，脱臼・亜脱臼，脱臼しそうな不安感と肩周辺の痛みです．ときに急な激痛を訴えて来院するケースもあります．精神疾患と関係するケースも稀にありますが，ほとんどの

主な疾患について知っておくべき知識

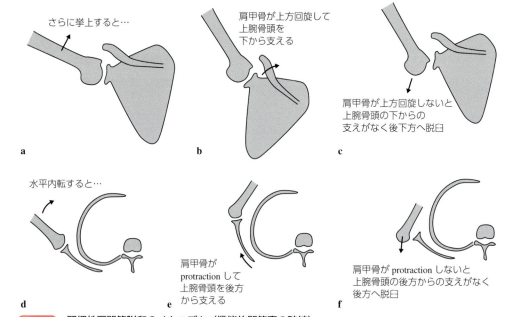

図 8-43 習慣性肩関節脱臼のメカニズム（機能的関節窩の破綻）

肩甲骨の関節窩は，上腕骨頭を支えるように移動します．この機能が破綻すると亜脱臼・脱臼が起こります．図は挙上時（a, b, c）と水平内転時（d, e, f）の肩甲骨の動きをわかりやすく示したものです．bとeは健常児の場合，cとfは上腕骨の動きに対する肩甲骨の動き（肩甲上腕リズム）が十分でない場合です．cの状態をX線画像でとらえたのが図 8-27 です．

ケースで肩関節の明らかな器質的異常や機能障害を認めます．

- どのパターンでも5年以上経過をみると，ほとんどのケースで痛みは軽減し，脱臼の頻度も減少します．この間，痛みがない場合は経過観察だけでも問題ありませんが，痛みがあればこれに対する対症療法（消炎鎮痛剤の頓用や三角巾などの一時的適用）に徹します．また，両親に以下の点について説明することが肝要です．
  ① ほとんどの場合，何年もかけて自然に良くなっていくこと．
  ② 他者の理解が得られにくい病態なので患児の受けるストレスは大きく，それが痛みを増幅している場合が多いので，両親が痛みをわかってあげること，学校に病名を明確に伝えること，によって増幅している分の痛みを軽減することができること．
  ③ 理学療法を行っても目に見えた効果が出ることは滅多にないが，脱臼しないで肩を挙上する運動パターンを経験することによって希望を持つことができたり，痛みをわかってもらえる場が増えることによって，痛みが軽減するケースが多いこと．
- 筆者の経験では，Loeys-Dietz症候群だけは関節弛緩が極端に高度で有効な治療法はありません．身体障害者手帳の取得，特別児童福祉手当・障害者年金受給のための助力，生活環境構築のアドバイス，など社会的なサポートをするのが精一杯です．

> **患者家族への説明**
> 「肩が緩いために，いろいろな症状が出ていますが，ほとんどの場合，数年の経過で自然に良くなっていきます．その間，痛みが出てつらいこともありますが，周囲の人々の理解があれば，乗り越えられるものです．心が折れないよう，医師とご家族とで精神的なサポートもしていきましょう．」

肩周辺の先天性筋欠損症

- 意外にありふれた疾患です．どこまでを normal variant（正常変異）と考えてよいのか，文献を調べても明確にわかりません．

- 肩甲帯周囲の筋欠損で一番多いのは，大・小胸筋の欠損で「Poland 症候群」と呼ばれるものですが，この疾患では機能障害はほとんどみられません（図 9-2）．次に多いのは僧帽筋欠損症（図 8-14）で，完全欠損と部分欠損があり，両側例も片側例もあります．ほかに三角筋部分欠損（図 8-30），胸鎖乳突筋欠損，大・小菱形筋の欠損などもあります．Sprengel 変形でもさまざまな筋欠損を合併します．

- 僧帽筋欠損症（図 8-14）では，学童期以降で腕が挙がらないという愁訴がみられ，徐々に悪化します（→解説：成長とともに挙上が良くなる骨欠損と悪くなる筋欠損）．大胸筋によって挙上機能を代償できるようになると，若干の機能改善がみられます．男女ともにみられ，兄弟・姉妹例はありますが親子例はなく，常染色体劣性遺伝のようです．

患者家族への説明

〔Poland 症候群に対して〕→「胸の筋肉が生まれつき欠けている状態です．機能的な問題はありませんので，仕事や生活で支障が出る心配はありません．将来，見た目が気になってくるようなら，形成外科で治療を相談してください．」

〔Poland 症候群以外の筋欠損に対して〕→「肩の周囲の筋肉が生まれつき欠けている状態です．成長に伴って腕が重くなってくると，腕が挙がりにくくなることがあります．日常生活では，引っ越しのときなどごく限られた場面で不自由を感じることがあると思いますが，重いものを持つ肉体労働に就かない限り心配ありません．」

解説　成長とともに挙上が良くなる骨欠損と悪くなる筋欠損

　筋欠損の代表格である僧帽筋欠損症の上部線維の完全欠損例では，成長とともに肩の機能が低下し，学童期以降に挙上障害がみられるようになります．成長に伴って腕の重みが増してきても，代償機能が働きにくいために機能低下が起こってくるものと推測されます．一方，骨欠損の代表格である鎖骨部分欠損症では，成長とともにさまざまな筋肉の代償機能が働くようになり，肩の機能改善がみられます．ただし，鎖骨が 2/3 以上欠損しているケースでは機能改善はみられません．鎖骨がその機能を果たすためには，最低でも 1/3 は必要と考えています．

　僧帽筋欠損症では，挙上障害がみられるようになると，体幹を反らせて大胸筋の代償機能で挙上するようになります．そうすると通常の日常生活において大きな支障はみられません．しかし成人例を診療した経験では，重いものを持つ肉体労働に就いていると 40 歳を過ぎた頃から持久力が落ち，代償する筋肉の痛みが強くなってきます．僧帽筋欠損症に限らず，小児期の診療において，将来の職業選択のアドバイスを行うことはとても大切なことだと感じています．

三角筋拘縮症

- 1970 年代には，医原性疾患として集団訴訟まで行われた疾患です．先天性，外傷性，特発性の報告例もありますが，鑑別は困難です．かつては数多くの患者が存在しましたが，予防策

- 三角筋への筋肉注射が原因で，三角筋内に線維性索状物（わかりやすく言うと「硬いスジ」です）ができる病態です．頻回の注射，1回の注入量の多い注射，毒性の強い注射液などがリスクファクターと考えられています．
- 三角筋が十分に伸長しないため，肩甲上腕関節の内転制限および水平内転制限が生じます．腋を閉じると肩甲骨が下方回旋して肩が下がります（図 8-5a, b）．また，水平内転すると翼状肩甲が顕著になります（図 8-8）．
- 治療は手術しかありません．筋内の索状物を切離し，それでも十分に筋肉が伸長しないときは，三角筋の起始部または停止部を切離する手術が行われています．

患者家族への説明
「三角筋の中に硬いスジができているため，腕を動かすと肩甲骨が過剰に動いてしまう状態です．治すには手術が必要です．」

先天性鎖骨偽関節症

- その名の通り，生下時からみられる鎖骨の偽関節です．
- 先天性下腿偽関節症のような難治性疾患ではなく，比較的容易に治すことができます．
- 愁訴となるのは痛みではなく，局所の骨性隆起です（図 8-31）．したがって，治療するかどうかは患者家族の希望次第です．
- 偽関節部の接合術を行う場合は，早期手術が推奨されています．大切なのは，プレートではなく髄内釘で固定することです（図 8-32）．

患者家族への説明
「鎖骨が部分的につながっていない状態で，そのつなぎ目に異常な骨や軟骨ができて，出っ張っている状態です．見た目の問題だけですが，手術で治すこともできます．経過をみながら相談していきましょう．」

先天性鎖骨欠損症

- 孤発性の片側例と，先天疾患（鎖骨頭蓋異形成症（図 8-37），Goltz 症候群，先天性早老症様症候群など）に合併する両側例とがあります．
- 幼児期に肩の挙上制限があっても，鎖骨が正常の 1/3 以上あれば成長に伴って機能改善がみられます．
- 鎖骨が大部分欠損しているための機能障害や整容的問題が大きい場合は，手術治療を考えます．鎖骨の延長によって解決が期待できる場合は，腓骨遊離移植による鎖骨延長術（図 8-38）を行います．鎖骨延長術が困難なときは，成長終了を待って肩甲胸郭関節固定術（図 8-36）を行います．

患者家族への説明
「鎖骨（の一部）が欠損している状態です．成長とともに腕は挙がるようになってくることが多いのですが，どうしても挙がらない場合や，見た目の問題が目立ってくるようなら，手術の相談をしましょう．」

● リトルリーグ肩

- オーバーヘッドスローイングを伴うスポーツによる上腕骨近位骨端線障害です．学童後期の男児に多くみられます．
- 典型例では単純 X 線検査上，上腕骨近位骨端線が開大します（図 8-24）．これより早期の症例では，単純 X 線検査では正常で MRI 検査で骨端線周囲の骨髄浮腫がみられます．
- 放置すると，大腿骨頭すべり症のように骨端部が内側へすべってしまうことがあるので，この疾患を軽視してはいけません．
- 患肢を使う運動を完全休止することにより，比較的短期間で骨端線の開大は正常化してきます．この際，仮骨形成がみられることもあります（図 8-24）．
- 骨端線の開大が改善したら投球再開を許可しますが，約 1～2 ヵ月かかります．

> **患者家族への説明**
> 「ボールの投げ過ぎか，投球フォームが悪いために，肩の成長軟骨に問題が起こっています．これ以上無理をすると，骨折のような状態になることもありますので，腕を使う運動を完全に休止しましょう．しっかり休めば，通常は 1～2 ヵ月で治ります．」

● 顔面肩甲上腕型筋ジストロフィー

- 肩周囲筋と顔面筋の筋力低下がみられる疾患です．
- 顔面筋の症状は，口を閉じにくい，そのためにマ行が発音しにくい，眠そうな表情をしている，眼を閉じにくい，眼を開けたまま寝るなどさまざまです．
- 肩の症状としては，肩甲骨係留筋群の筋力低下による翼状肩甲と挙上制限がみられます（図 8-12）．
- 片腕だけの挙上なら，脊椎の代償によって両腕同時の挙上よりも高く挙げることができます．
- 肩甲骨を徒手的に保持したときに挙上が改善する場合は，肩甲胸郭関節固定術（図 8-36）を行うと機能改善します．ただし，この手術を行うと「肩こりがひどい」「息をする度に肩が上がる」など別な愁訴が出ることがあるので，十分な事前説明が必要です．

> **患者家族への説明**
> 「主に上半身の筋力が成長とともに落ちてくる病気です．命に関わる疾患ではなく，通常は普通の家庭生活を送ることができます．腕が挙がらないことについては手術治療の選択肢もありますが，術後，別な面でつらいことが生じてきますので，なるべく生活スタイルを工夫することで乗り切っていきましょう．」

第9章 胸郭の診かた

　胸郭変形は比較的頻度の高い愁訴です．整容的問題に加え，胸部臓器への影響を心配して病院を訪れます．手術治療は形成外科や胸部外科で行われることが多いと思いますが，整形外科や小児科が窓口となることもあるので，ある程度の知識をもっておく必要があります．

愁訴からの診断

1 胸壁が凹んでいる

思い浮かべるべき疾患
漏斗胸，Poland症候群，肋骨・肋軟骨部分欠損，骨系統疾患，骨脆弱性のある疾患（骨形成不全症など）

 漏斗胸は低侵襲手術で治るようになりました．治療の機会を奪うような説明をしないよう注意しましょう．

診断へのプロセス

STEP 1　診察所見でほぼ診断可能

- 前胸部が骨性に凹んでいれば漏斗胸です（図9-1）．
- 大・小胸筋の欠損があればPoland症候群です．腋を開いて合掌させ，胸筋に力を入れさせると胸筋の欠損がよくわかります（図9-2）．
- 肋骨・肋軟骨部分欠損による陥没も頻度の高い病態です．肋骨を1本ずつ丁寧に触診すれば診断は難しくありません．Poland症候群に合併することもあります（図9-3）．

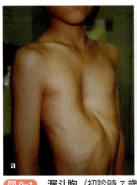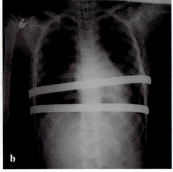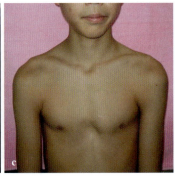

図 9-1　漏斗胸（初診時 7 歳男児）

当院形成外科にて Nuss 法を行い，十分な整容的改善がみられたケースです．術後に右鎖骨遠位端骨溶解症を合併したため整形外科でも治療に関わることとなりましたが，これは自然治癒しました．
a. 術前（7 歳）
b. 術直後の X 線写真：「Pectus bar」と呼ばれる強大な金属バーを挿入して前胸壁を持ち上げて裏打ちする手術です．
c. 術後（12 歳）

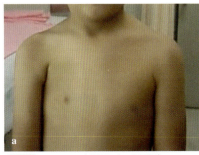

図 9-2　Poland 症候群（6 歳男児）
a. 右の大胸筋肋胸部と小胸筋が欠損しています．
b. 腋を開いて合掌させ手のひらを押しつけるように力を入れてもらうと，胸筋の欠損が視覚的に明らかとなります．

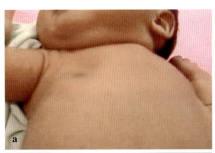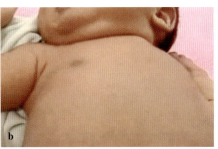

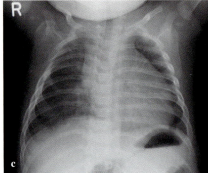

図 9-3　肋骨欠損を伴う Poland 症候群（生後 11 日男児）

右前胸部が吸気時に陥凹し（a），呼気時に平坦となる（b）異常を主訴に来院．生後 3 ヵ月時の単純 X 線検査（c）では右第 2, 3 肋骨の前方部分の欠損を認め，診察上は欠損部の先にある肋軟骨の欠損も認めました．大胸筋および小胸筋の欠損も認めたため，肋骨欠損を伴う Poland 症候群と診断しました．初診時にみられた動揺胸郭（flail chest）同様の状態は，自然に目立たなくなり，5 歳時にはまったくみられなくなりました．

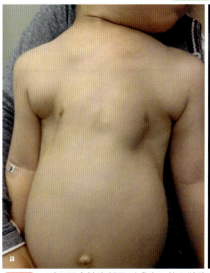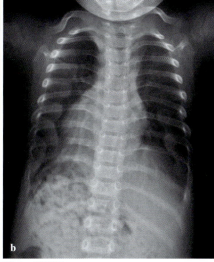

図9-4 呼吸不全性胸郭異形成症に伴う狭胸郭（2歳男児）

胸囲の発育不良を指摘され，当科を受診．肉眼上は胸郭外側に陥凹を認め（a），単純X線検査では肋骨の水平な走行と前方の肥大，鎖骨の上方偏位を認めました（b）．その他の部位の単純X線検査も追加で行い，最終的に呼吸不全性胸郭異形成症（asphyxiating thoracic dysplasia：ATD）の診断となりました．本疾患は呼吸不全のため乳児期以降生存できるケースが少なかったことから，「窒息性胸郭異形成症」と呼ばれていましたが，生命予後の良いこのようなケースもあることから，「呼吸不全性胸郭異形成症」と改名された経緯があります．

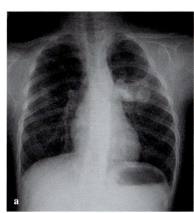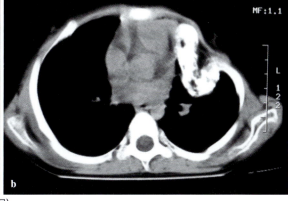

図9-5 外骨腫による胸郭変形（6歳女児）

左胸壁に陥凹がみられたケースです．胸部X線では左肺野に骨性腫瘤陰影がみられ，CTでは肋骨に連続する胸郭内骨腫瘍がみられました．腫瘍を切除したところ，病理診断は外骨腫でした．

- 両外側部が凹んでいれば狭胸郭の可能性があります．骨系統疾患（図9-4）のほか，骨脆弱性のある疾患（骨形成不全症など）にもみられます．

STEP 1 STEP 2　画像診断する

- 胸部X線写真を撮影して，肋骨の形態異常・腫瘍・欠損などについてチェックし，必要に応じて胸部CTを撮影します．胸壁の陥凹から胸郭内に腫瘍が見つかることもあります（図9-5）．

2 前胸部の一部が突出している

思い浮かべるべき疾患

鳩胸, 肋骨外骨腫, 胸骨分節脱臼, Cantrell 症候群

鳩胸はそれ自体健康を害するものではありませんが, 胸椎の疾患と関連することがあるので, その点注意が必要です.

診断へのプロセス

STEP 1 見た目で診断する

- 胸骨が大きく突出していれば, それは鳩胸です（図 9-6, 7）. 肋軟骨の左右一方が突出している場合も鳩胸といいますが, 左右非対称なだけで突出しているとまではいえないようなケースが数多く紹介されてきます. このようなケースには「生理的胸郭変形（病的ではない胸郭変形）」という言葉を用いて病状説明を行っています（図 9-8）.
- 肋骨が一部だけ突出しているときは, 肋骨外骨腫が最も考えられます. 明瞭に突出しているケース（図 9-9）もありますが, よく診察しないとわからないわずかな膨隆を主訴とするケースもあります.
- 胸骨の一部が少しだけ突出している場合は, 明らかな外傷歴がなくても胸骨分節脱臼（図 9-10）の可能性を考えます. 見た目ではよくわかりませんが, 触ると骨性の突出を認めます. 脱臼を連想するほどの強い痛みはありません.
- 心臓が拍動性に突出する場合は, 胸骨および周囲の肋軟骨の欠損症です（図 9-11）.

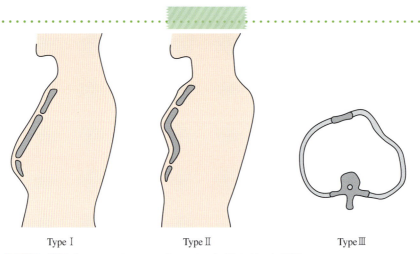

図 9-6 鳩胸（pectus carinatum, pigeon chest）の Robicsek 分類
胸骨の縦の変形による Type Ⅰ・Ⅱ に加えて, 胸骨側方の肋軟骨の隆起も Type Ⅲ（lateral pectus carinatum）として鳩胸に加えています.

2 前胸部の一部が突出している

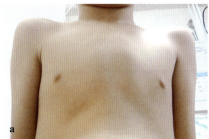
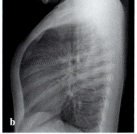
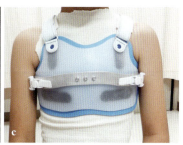
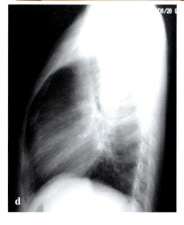

図 9-7 Robicsek 分類 Type I の鳩胸に対する装具治療（6 歳男児）

正中部分だけ突出しているため奇異に見える状態でした（a）．単純 X 線検査では Type I の所見でした（b）．装具治療を行ったところ（c），1 年 3 ヵ月後には肉眼所見上著明な改善がみられ，患者家族が非常に喜んでいました．単純 X 線検査でも著明な改善を認めています（d）．

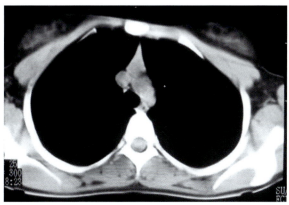

図 9-8 生理的胸郭変形あるいは Robicsek 分類 Type III の鳩胸（12 歳女児）

右前胸部の膨隆を主訴に来院．CT スキャン上，非対称性の胸郭形態がみられました．このような胸郭変形は広義には鳩胸（Type III）と診断できますが，整容的問題が小さいことと発生率が高いことを考慮すれば，生理的胸郭変形と呼ぶべきではないかと考えています．

STEP 1 STEP 2 画像検査で診断を確定する

- 鳩胸の確定診断には，胸郭内腫瘍の除外診断が必要です．単純 X 線検査に加え，CT 検査を行っておいたほうが安心です．
- 肋骨外骨腫（図 9-9）は，多発性外骨腫の患児によくみられます．胸郭外への突出のみならず

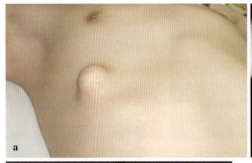
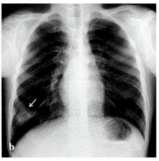
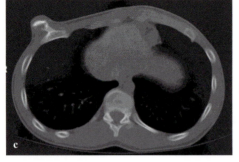

図9-9 肋骨の外骨腫（12歳男児）

胸部腫瘤（a）を主訴に受診．単純X線検査（b）で右第7肋骨下端に骨性腫瘤陰影を認め（矢印），CT検査（c）では肋骨と連続する骨腫瘍を認めました．切除術を行ったところ，病理診断は外骨腫でした．

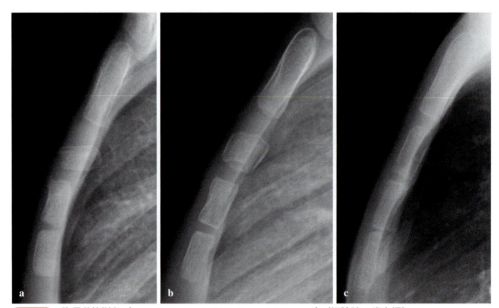

図9-10 胸骨分節脱臼（sternal segmental dislocation, 1st segment）（初診時4歳女児）

1ヵ月前に部屋ですべって手をつかずに前向きに倒れ，胸を床の敷居にぶつけたというエピソードがありました．その10日後から胸の痛みがあり，その後当科を受診．胸骨中央部に小さな隆起を認め，単純X線検査で胸骨分節脱臼の診断となりました（a）．痛みはほとんどなく，経過観察のみ行いました．1年後には骨片の横方向が短縮して縦方向に伸び（b），8年後の12歳時にはまるで脱臼していた分節が整復されたかのようなX線像がみられました（c）．

2 前胸部の一部が突出している

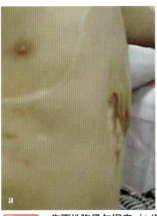
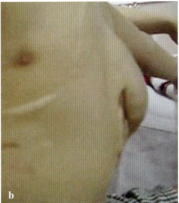

図 9-11 先天性胸骨欠損症（4歳男児）

Cantrell症候群という先天疾患で胸骨を欠損していました．心臓の拍動に伴って，前胸部が平坦になったり (a)，突出したり(b)する状態でした．前胸部打撲による心臓震盪予防のため，プロテクター(c)を作製しました．

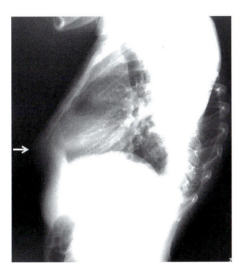

図 9-12 骨形成不全症に伴う鳩胸（9歳女児）

胸椎の多発性圧迫骨折と側弯により胸郭の縦径が減じたため，胸骨が収まらなくなってその下端が前方に突出しています（矢印）．

胸郭内へ突出する外骨腫を合併する場合もあります（図 9-5）．肺や心臓を圧迫したり，血気胸の原因となることがあるので，単純X線写真で外骨腫が発見されたときには，必ずCT検査も行います．

- 胸骨分節脱臼は，単純X線胸骨側面像で容易に診断できます（図 9-10）．この際，正確な側面像を撮影することが重要です．
- 鳩胸のなかには，胸椎の多発性圧迫骨折や側弯により胸郭後方の縦径が減じたために胸郭前方の縦径も減じ，胸骨がそのスペースに収まらなくなって前方に突出する場合があります（図 9-12）．こうした病態を見逃さないため，胸椎のX線評価も重要です．

主な疾患について知っておくべき知識

◉ 漏斗胸

- 最も頻度の高い胸郭変形です．整容的改善を目的とした治療の適応となります．
- さまざまな手術法がありますが，Nuss法（図9-1）という低侵襲で治療成績の優れた術式が報告されてから，手術治療が積極的に行われるようになりました．こうした治療法があることを患者家族に情報提供することが何よりも重要です．

患者家族への説明
「健康を害するものではありませんが，手術によって見た目の問題を解決することができます．希望があれば，形成外科（または胸部外科）に紹介します．」

◉ 鳩　胸

- ありふれた胸郭変形ですが，Robicsek分類TypeⅠとⅡ（図9-6）は思春期以降で整容的に大きな問題となることが意外に多いため，初期の外来対応に注意が必要な疾患です．
- 近年，突出部を器械的に圧迫する装具療法が有効であるとする報告が散見されます．筆者も数例に試みましたが，装具で圧迫されたところの痛みや皮膚障害のためコンプライアンスが悪く，簡単ではありませんでしたが，若年齢で著効例を経験しました（図9-7）．こうした保存治療は若年齢ほど効果的と考えられているため，初診時にこれを説明せずに経過観察としてしまうと思わぬトラブルになる可能性があるので注意が必要です．
- 重症例には手術治療が行われていますが，筆者にはその経験がありません．

患者家族への説明
「単純X線検査で，脊椎の疾患や胸部腫瘍がなければ，健康を害するものではありません．見た目を治すには装具治療が有効と言われています．効果が確実とは言えませんが，希望があれば装具を作ってみましょう．」

◉ Poland症候群（ポーランド）

- 胸筋欠損と乳房・乳頭の形成不全（図9-2）に加えて，同側の肋骨・肋軟骨の部分欠損，短合指症などの合併がみられる疾患群です．
- 胸筋欠損は，ほかの筋肉によって代償されるため，肩の機能障害はほぼありません．
- 女子においては整容的な問題が大きく，将来乳房再建術の適応となります．
- 胸壁欠損（図9-3）に対しては，胸壁再建術が行われているようですが，筆者の経験ではそのような治療を必要としたケースはありません．

患者家族への説明
「胸の筋肉の一部が生まれつき欠損している状態です．通常，健康を害するものではなく，機能障害もありませんが，女子の場合は大人になってから片側だけ乳房が小さいことが見た目の問題となります．そのときには形成外科で手術治療について相談してください．」

⦿ 胸骨分節脱臼

- 乳幼児の胸骨体は4つの分節が軟骨で繋がっている状態です．胸骨をピンポイントで打撲したときに，このうちひとつの分節（segment）が前後方向に回転した状態になることがあり，この病態を「胸骨分節脱臼（segmental dislocation）」と呼びます（図9-10）．
- 骨折や一般的な外傷性脱臼と異なり，受傷時に激痛を訴えないことが多いため，前胸部正中が出っ張っているという愁訴で来院し，外傷歴について尋ねると，「そういえば胸を打撲してからのことです」というエピソードを確認できます．
- 本症に対してはいまだ手術治療（観血整復術）が行われていますが，数年の経過で自然整復（自家矯正）が起こることが知られています（図9-10）．

患者家族への説明
「胸の骨が一部脱臼しています．整復しなくとも自然に治ってきますので，経過観察だけしましょう．」

◢コラム ビタミンD不足と小児のうつ状態

　ビタミンDには，セロトニン合成を調節する作用があり，うつ状態を改善する効果があることが知られています．筆者の経験では，四肢の痛みを訴えて自宅に引きこもる小中学生の血清25-OHビタミンDを調べると高率に異常低値がみられます．そして患児に栄養指導，日光浴の推奨，ビタミンDの投与などを行うと，痛みの改善に加えて活動性の向上がみられることが少なくありません．ビタミンD不足がうつ状態をもたらし，これが身体症状症（身体表現性障害）として四肢の痛みをもたらし，それによって患児が屋内に引きこもるため，紫外線不足がさらなるビタミンD不足をもたらすという悪循環・・・．これを解決することも小児整形外科専門医の役目ではないかと感じています．

第10章

頸部の診かた

　筆者の経験では，こどもの頸部の愁訴は，重大な疾患が隠されている可能性が最も高い部位です．診療する側からみれば，"最も地雷を踏みやすい部位"とも言えます．本章では，具体的にどのような疾患が隠されていることがあるのか，さまざまな症例を提示して解説します．

愁訴からの診断

1 新生児・乳児の首にしこりがある

思い浮かべるべき疾患

筋性斜頸，頸部リンパ節炎，正中頸嚢胞・側頸嚢胞，
さまざまな腫瘍（リンパ管腫，耳下腺腫瘍，甲状腺腫瘍など）

 頸部では最も多い愁訴です．そのほとんどが筋性斜頸です．診断は筋性斜頸であることを確認する作業の積み重ねです．

診断へのプロセス

STEP 1 部位と硬さを診る

- 胸鎖乳突筋内にビー玉大の硬い腫瘤が触れたら，ほぼ筋性斜頸と診断できます（図10-1）．超音波検査で，胸鎖乳突筋内に高エコー領域（図10-2）がみられたら，筋性斜頸と暫定診断します．
- 正中頸嚢胞は正中にあるので筋性斜頸とは部位が異なります．側頸嚢胞は筋性斜頸と部位が近いのですが，内部が液体のため触診すると柔らかく筋性斜頸とはだいぶ様子が異なります．このほか，さまざまな腫瘍（リンパ管腫，耳下腺腫瘍，甲状腺腫瘍）の可能性がありますが，いずれも

— 265 —

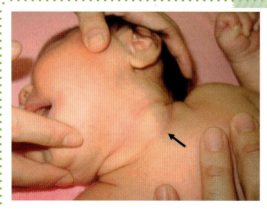

図 10-1 左筋性斜頸でみられる一過性の腫瘤（生後 1 ヵ月女児）

生後 10 日で家族が左頸部のしこりに気づき近医受診．右側ばかり向いているため，筋性斜頸の疑いで紹介．初診時，左胸鎖乳突筋内に硬い腫瘤（図の矢印）を触れ，頸部の左方回旋制限を認めました．頸部が左側屈，右方回旋した斜頸位をとっていました．生後 2 ヵ月で腫瘤は消失しましたが，左胸鎖乳突筋の過緊張が残っていました．生後 8 ヵ月で左胸鎖乳突筋の過緊張を認めなくなり，斜頸もみられなくなりました．

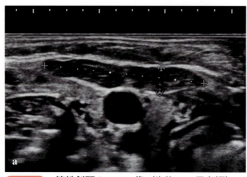 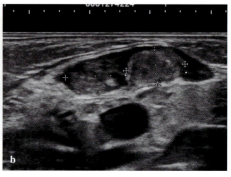

図 10-2 筋性斜頸のエコー像（生後 1 ヵ月女児）

胸鎖乳突筋鎖骨頭の超音波横断像です．患側では腫瘤を触知した部位に一致して，筋腹内に高エコー領域を認めました．
a．健側（右）
b．患側（左）

整形外科で扱う疾患ではありません．筋性斜頸以外の腫瘤が疑われたら，耳鼻科，小児外科，形成外科などに紹介します．

- 頸部リンパ節炎は，発熱と痛み症状もみられる点で筋性斜頸とは異なります．頸部リンパ節炎が疑われたら小児科に紹介します．
- 腫瘤が自壊した場合は，筋性斜頸ではありません（図 10-3）．化膿性リンパ節炎，側頸瘻などが考えられるので，耳鼻科，小児科などに紹介します．

STEP 1 → STEP 2　経過をみる

- 胸鎖乳突筋内の腫瘤が腫瘍であった経験はありませんが，この年齢で筋内にできる悪性腫瘍として横紋筋肉腫の可能性を頭の片隅に置いておく必要があります．腫瘤が自然消退する傾向を確認できれば，筋性斜頸と確定診断します．腫瘤が増大傾向を示した場合は，固形腫瘍の可能性があるので精査が必要です．

2 先天性にみられる斜頸（発症時期のわからない斜頸）

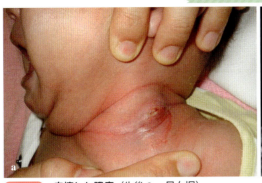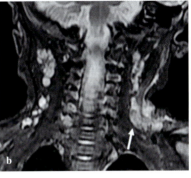

図10-3 自壊した膿瘍（生後3ヵ月女児）

1週間前に頸部のしこりに気づき，それが前日に破れて中から液状のものが排出されたため来院（a）．MRIでは自壊した部位の深部にリンパ節腫脹がみられました（bの矢印）．滲出液の培養では黄色ブドウ球菌が検出されました．抗菌薬の投与により治癒し，その後再発はありませんでした．その経過から化膿性リンパ節炎が膿瘍形成して自壊したものと考えられました．

2 先天性にみられる斜頸（発症時期のわからない斜頸）

思い浮かべるべき疾患

筋性斜頸，骨性斜頸，眼性斜頸

前項同様，そのほとんどが筋性斜頸です．しかし，ときに骨奇形による斜頸であったり，斜視が原因であったり，筋性斜頸にそれらを合併していたりすることがあります．こうした斜頸は，診断を急ぐ必要はありません．

診断へのプロセス

STEP 1　前項で述べた腫瘤を確認する

- 腫瘤があれば，ほぼ筋性斜頸とわかりますが，腫瘤がなくても筋性斜頸は否定できません．筋性斜頸を腫瘤のあるもの，筋緊張の強いもの（腫瘤なし），向き癖（腫瘤なし・筋緊張なし）の3つに分類すると，その割合はだいたい5：3：1くらいです．

STEP 1 → STEP 2　斜頸の状態，頸部の可動域制限，頭部変形について診察する

- 筋性斜頸では，患側へ側屈し，患側と反対側へ回旋した斜頸位をとります（図10-4）．
- 筋性斜頸では，頸部の可動域をみると，健側への側屈制限と患側への回旋制限がみられます（図10-4）．
- 筋性斜頸では，斜頭を合併することが多く，患側と反対側の後頭部の扁平化に伴って，患側の顔面が扁平化し，患側の耳が健側よりも後方に位置しています（図10-5）．
- 上記筋性斜頸のパターンがすべて揃っていれば，筋性斜頸とほぼ診断できます．これとは違うパターンであれば，ほかの疾患も考慮します．

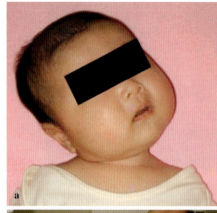

🔴 図 10-4　**右筋性斜頸（生後 1 ヵ月女児）**
自然位では，頭が右へ傾いて顔が左を向いています（a）．これは右胸鎖乳突筋が収縮した肢位です．可動域制限の診察は，仰臥位でベッドから頭を手前に出した状態で行います．回旋制限をみると，左は真横よりやや後ろまで向きますが（b），右は真横まで向きません（c）．側屈制限をみると，左方向（d）と比べ，右方向（e）のほうがより大きく傾きます．

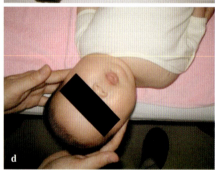
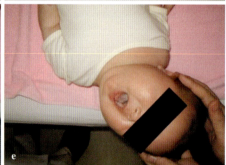

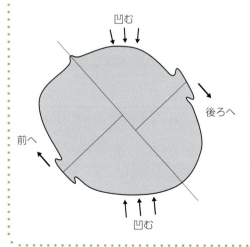

🔴 図 10-5　**筋性斜頸の患児にみられる斜頭（plagiocephaly）**
右筋性斜頸では，左への向き癖があるため，左後頭部が扁平化します．これに伴って対側の右頬部も扁平化します．耳介の位置は扁平化した部位から遠ざかるため，左は前方へ，右は後方へ偏位します．左筋性斜頸では，すべてこの逆のパターンになります．理由はわかりませんが，稀に筋性斜頸から考えたパターンとは逆の斜頭がみられることもあります．こうした斜頭蓋症は，胎児期の子宮内圧迫や出生後の睡眠姿勢による後頭部圧迫が原因と考えられますが，頭蓋縫合における骨成長障害と関連するケースもあるようです．

2 先天性にみられる斜頸（発症時期のわからない斜頸）

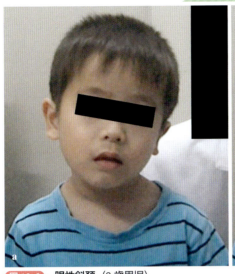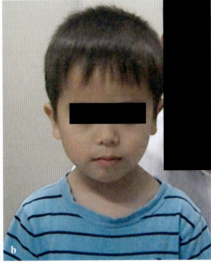

図 10-6　眼性斜頸（3歳男児）

生後 8 ヵ月で小児科医に斜頸を指摘され，近医整形外科で筋性斜頸の診断を受け経過観察を受けていました．転居に伴い 3 歳時に紹介．開眼時には左へ側屈した斜頸位がみられましたが（a），閉眼させると首は徐々にまっすぐになりましたので（b），眼性斜頸と診断しました．5 歳時に眼科で斜視の手術を受け斜頸位は改善しました．

- 幼児期以降で可能な場合は，坐位で患児に閉眼してもらいます．閉眼後，ゆっくり斜頸位が消失していくときは，眼性斜頸（図 10-6）なので眼科へ紹介します．ただし，年長児の眼性斜頸では，斜頸位が癖になっていて，閉眼時も斜頸位が続く場合があります．
- 骨性斜頸は，どんなに診察しても診断の手掛かりが掴めません．また筋性斜頸に骨性斜頸が合併していることも少なくありません．したがって，次のステップ（単純 X 線検査）は必須です．

STEP 3　画像診断する

- 筋性斜頸の患児でも，骨性斜頸を合併していることがあります．斜頸を主訴に来院した患児に対しては画像診断は必須です．
- 筋性斜頸による斜頸は胸鎖乳突筋の拘縮によりもたらされますが，頭部を健側へシフトすることによって胸鎖乳突筋の拘縮を緩和し（乳様突起が胸骨に近づき筋長が短くなります），頸部側屈が目立たなくなっているケースがあります（図 10-7）．単純 X 線検査を行うとこれが明らかになります．
- 骨性斜頸が疑われる場合，これを単純 X 線検査で診断することは非常に難しいため，3D-CT 検査を行います（図 10-8）．ただし乳児期には頸椎が十分骨化していないことが多いため，幼児期以降で行います．早期に骨性斜頸と診断してもすぐに治療には活かされないため，3D-CT 検査は手術治療を考慮する段階になってから行っています（ただし，単純 X 線検査で脊柱管狭窄が疑われる所見があれば早急に撮影します）．

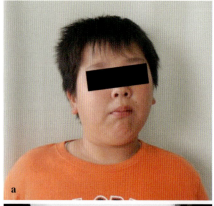
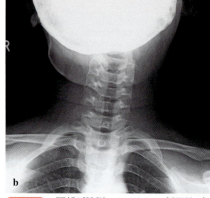
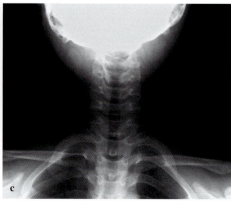

図 10-7 頭部が健側へシフトして斜頸位が目立たなくなった右筋性斜頸（10 歳男児）

乳児期から近医で筋性斜頸の診断を受けていましたが，斜頸位が目立たなかったため経過観察のみ行われていました．10 歳になり肩こりと頸部痛を訴えたため，紹介となりました．
a．術前の外観
b．術前の頸椎 X 線正面像
c．術後 1 年の頸椎 X 線正面像

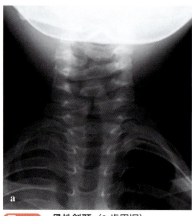
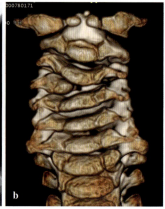

図 10-8 骨性斜頸（3 歳男児）

2 歳時に斜頸を主訴に受診．可動域制限はなく，筋性斜頸とは考えにくい症状でした．3 歳時の単純 X 線検査（a）で骨性斜頸が疑われたため CT 検査を行ったところ，第 4 頸椎の右半椎が原因であることがわかりました（b）．症状が軽いため，手術治療は行っておりません．
a．X 線正面像
b．3D-CT 像

3 幼児期以降で初発した痛みを伴う斜頸（後天性斜頸）

> 思い浮かべる
べき疾患

環軸関節回旋位固定，炎症性斜頸，頸椎周辺の出血，脊髄腫瘍，
Langerhans 細胞組織球症（好酸球性肉芽腫症），その他の腫瘍

痛みを伴う斜頸は，最も注意が必要です．重大な疾患が原因の場合もあります．また，斜頸位を放置すると，その原因に関わらず環軸椎が骨性に癒合してしまうことがあります．麻痺症状がなくとも，発症から 2 週間以上斜頸位を放置してはいけません．

診断へのプロセス

STEP 1　神経症状のチェックと単純 X 線検査を行う

- 後天性斜頸の多くは原因もわからないまま数日で軽快します．発症後間もない時期に初診されたケースでは，神経症状のチェックと単純 X 線検査を行い，異常があれば次のステップで述べる精査を行いますが，異常がなければ 1 週間程度経過観察を行います．

STEP 1 → STEP 2　発症後 1 週間を超えて改善がなければ，原因疾患に対する精査が必要

- 後天性斜頸には重大な疾患が原因の場合もあり，見逃しは許されません．"文明の利器"を十分に活用した画像診断を行います．MRI 検査が最も有用です．
- 腫瘍（図 10-9），感染，出血などは，MRI 検査でおおむね診断できますが，明らかな異常がみられない場合が多く，このようなときは炎症性斜頸と暫定診断します．

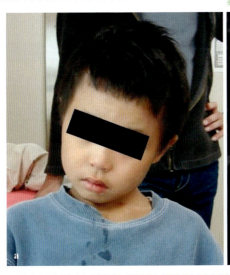
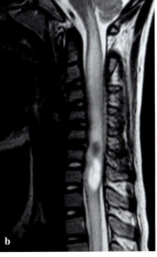

図 10-9　脊髄髄内腫瘍による斜頸（7 歳男児）

誘因なく発症し頸部痛を伴う斜頸が 3 週間続いていました．この間多数の診療所を受診していましたが，痛み止めを内服するとまっすぐになる斜頸であったため，対症療法が行われていました．当科でMRI を撮像したところ，髄内腫瘍を認めたため脳外科へ紹介し，手術が行われました．病理診断は毛様性星細胞腫でした．術後斜頸位は改善し，腫瘍の再発もありません．

STEP 1 STEP 2 STEP 3 発症後2週間以上経過していれば，二次性の環軸関節回旋位固定の評価も必要

- 原因疾患に対する治療とは別に，二次性の環軸関節回旋位固定があれば，これに対する治療も必要になるので，その評価を行います．
- 患児に可能な範囲で右方回旋と左方回旋をさせて，回旋可動域が著しく制限されている場合や，いずれかの回旋方向で明らかに不自然な姿位をとっている場合（図 10-10）（環軸椎の回旋制限を下位頚椎で代償しているとき）は，環軸関節回旋位固定の可能性が高いと判断し，CT 検査を行います．
- 最大右方回旋位と最大左方回旋位の 3D-CT を撮影します．これによって環軸椎の可動性がわかります．一方向への著しい回旋制限がみられたら，環軸関節回旋位固定と診断します．進行例では軸椎上関節突起の陥没がみられ，ここに環椎の下関節突起が落ちてはまり込むようになります（図 10-10）．
- 環軸関節回旋位固定では環軸関節亜脱臼を認める場合もあります（図 10-11）．このようなケースに頭蓋直達牽引を行うと，上位頚髄損傷による呼吸停止のリスクがあるので注意が必要です．
- 環軸関節回旋位固定が数週間放置されると環軸椎が骨性に癒合することがあります（図 10-12, 13）．こうなると保存療法による改善は見込めません．CT 検査によって癒合がないかどうか判定します．

4 首が硬い（後天性斜頚を除く）

思い浮かべるべき疾患

髄膜炎，進行性骨化性線維異形成症（FOP），Klippel-Feil 症候群，若年性特発性関節炎

首がまっすぐで硬いときの原因疾患は限られています．緊急性を要する疾患は髄膜炎です．また，FOP を見逃してはいけません．

診断へのプロセス

STEP 1 髄膜炎をスクリーニングする

- 高熱があり頚部の前屈ができないときは，髄膜炎の可能性があります．早急に小児科または脳外科へ紹介します．

STEP 1 STEP 2 母趾をみる

- 第 8 章（p.229）でも述べましたが，進行性骨化性線維異形成症（FOP）では，幼児期から頚椎の運動制限がみられます．この疾患では母趾の形態異常が 99％みられることがわかっています（図 8-13）．稀な疾患ですが，見逃しは許されません．

4 首が硬い〈後天性斜頸を除く〉

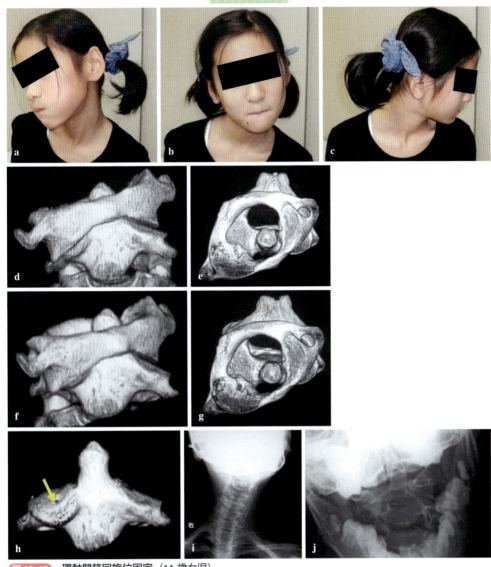

図 10-10 環軸関節回旋位固定（11 歳女児）

耳下腺腫瘍摘出後に頸部痛を伴う斜頸が出現しました．さまざまな治療を受けましたが，改善がないため，7ヵ月後に当科を受診．正面を向くと右へ側屈した斜頸位（b）で，左を向かせると自然な外観（c）でしたが，右を向かせると回旋制限が強く不自然な肢位で上半身ごと回旋する状態でした（a）．左右最大回旋位の3D-CTでは，右回旋位（d, e）でも左回旋位（f, g）でも環軸関節は左へ回旋していましたが，わずかな可動性が確認できました．右外側環軸関節の軸椎上関節面が陥没し（h），ここに環椎の右下関節窩が落ち込んでいる状態でした．X 線写真正面像では，下位頸椎に代償性の側弯がみられ（i），開口位では歯突起の左方偏位がみられました（j）．まだ骨癒合していないので保存治療の可能性があると考え，24 時間持続 Glisson 牽引（図 10-19）を 1 ヵ月間行ったところ，環軸椎は良肢位に戻り十分な可動性を取り戻しました．

a．右を向いたときの外観：明らかに不自然にみえます．
b．正面を見たときの外観：右へ側屈しています．
c．左を向いたときの外観：一見健常者のように自然にみえます．
d．右を向いたときの 3D-CT（正面から見たところ）
e．右を向いたときの 3D-CT（上から見たところ）：右を向いているのに環軸椎は左へ回旋しています．
f．左を向いたときの 3D-CT（正面から見たところ）
g．左を向いたときの 3D-CT（上から見たところ）：右を向いたときよりもわずかに左へ回旋しています．
h．軸椎の 3D-CT：右の外側環軸関節の軸椎上関節面が陥没しています（矢印）．
i．X 線頸椎正面像：上位頸椎の右方屈曲を代償するように下位頸椎は左方屈曲しています．
j．X 線上位頸椎開口位正面像：歯突起が左方へ偏位しています．

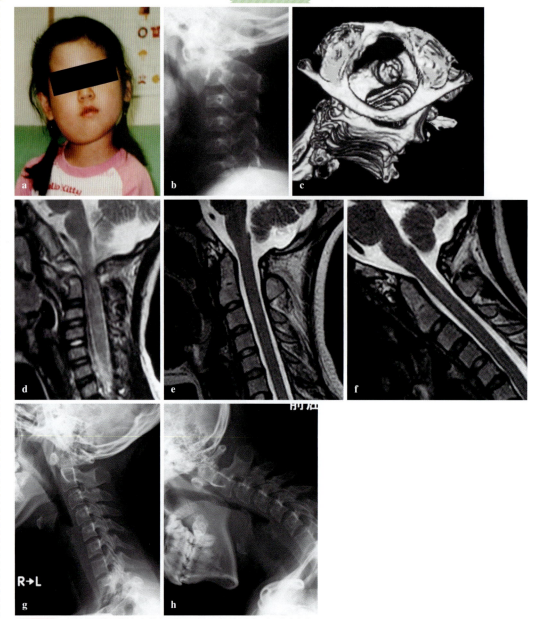

図10-11 環軸関節亜脱臼を伴う環軸関節回旋位固定（6歳女児）

流行性耳下腺炎（おたふくかぜ）後に発症した斜頸です（a）．3ヵ月間さまざまな診療所で対症療法を受けていましたが改善がなく紹介．単純X線検査上，中間位でADI（Atlanto-dental interval）8 mmの環軸関節亜脱臼を認め（b），CT検査では左方回旋時にも環椎が右方回旋した状態でした（c）．MRIでは頸髄損傷も心配される状態でした（d）．入院として24時間持続Glisson牽引を3週間行い，その後良肢位での頸椎装具固定を3ヵ月間行いました．以後，器械体操系の運動のみ禁止として経過観察したところ，環軸関節亜脱臼は徐々に改善していきました．6年後の12歳時に頸椎前屈位撮像も含めたMRI検査（e, f）を行いましたが，神経麻痺を心配するような所見はなく，7年後の単純X線検査でようやく正常所見となりました（g, h）．

4 首が硬い（後天性斜頸を除く）

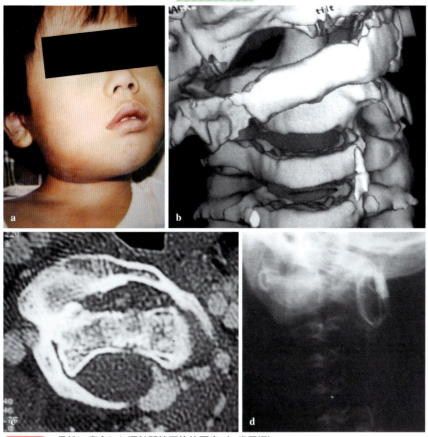

図 10-12 骨性に癒合した環軸関節回旋位固定（4歳男児）
右頸部リンパ節炎後に生じた斜頸（a）で，発症後2ヵ月で紹介．CT検査上，環軸椎間が回旋位で骨性に癒合していたため（b, c），大学病院へ紹介となり，癒合部の骨切除と後方固定術が行われました（d）．当時，筆者は大学のスタッフとしてその手術を見学しましたが，朝から始めて翌朝までかかった大手術でした．

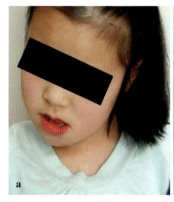
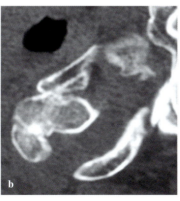

図 10-13 骨性に癒合した環軸関節回旋位固定（10歳女児）
頸部リンパ節炎に伴って発症した炎症性斜頸で，さまざまな治療を受けてきましたが斜頸位が残存し（a），発症後1年7ヵ月で初診．CT検査上環軸椎間の骨性癒合がみられ（b），全身麻酔下のCT検査でも可動性がないことが確認されました．手術のリスクを説明したところ，手術は受けずにこのままの状態で生きていくことを決断されました．

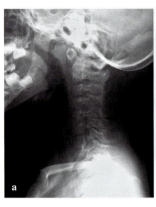
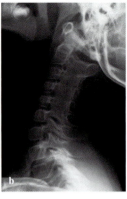

図 10-14 若年性特発性関節炎による頸部硬直の経過（3歳女児）

誘因なく頸部痛が出現し，近医で経過観察を受けましたが改善がないため，1ヵ月後に受診．著明な頸部硬直を認め，単純X線検査では頸椎椎弓の多椎間癒合を疑わせる所見を認めました（a）．手関節などにも可動域制限を認めたため，血液検査を行ったところ，血清 MMP-3 が 820 ng/mL と著明な高値を認めたため，小児科へ紹介し，最終的に若年性特発性関節炎の多関節型と診断されました．6歳時には第2頸椎から第6頸椎までの完全な骨性癒合がみられました（b）．

STEP 1 STEP 2 STEP 3　単純 X 線検査を行う

- Klippel-Feil 症候群では，頸椎の癒合がみられます．
- 進行性骨化性線維異形成症（FOP）では，頸椎全体が癒合しているような所見（図 8-13）がみられます．
- 四肢の関節炎症状を合併している場合は，若年性特発性関節炎に伴う頸椎の関節炎を考えます．重症例では頸椎が癒合することもあります（図 10-14）．

5 首の痛み（斜頸位を伴わない）

思い浮かべるべき疾患

炎症性斜頸，咽後膿瘍，頸椎骨腫瘍（Langerhans 細胞組織球症など），頸椎周囲軟部腫瘍，棘間靱帯炎

 首の痛みには慎重な対応が必要です．生死にかかわる咽後膿瘍や腫瘍性疾患の可能性があるからです．

診断へのプロセス

STEP 1　咽後膿瘍をスクリーニングする

- 咽後膿瘍（図 10-15）は，気道閉塞から呼吸困難になることもあるので，入院管理が必要な疾患です．発熱や喉の奥の痛みもみられるので整形外科疾患とは異なる様相を呈しますが，頸部痛を主訴として整形外科を初診することが少なくありません．「いびきが急に大きくなった」「唾を飲み込むと痛いと言う」などの愁訴があればその可能性を考えます．頸椎のX線側面像で，retropharyngeal space（咽頭後壁-頸椎前面間の距離）が C2-3 レベルで 7 mm 以上あれば，本疾患の可能性が高く，即日耳鼻科に紹介する必要があります．耳鼻科では必要に応じて切開排膿が行われます．

5 首の痛み（斜頚位を伴わない）

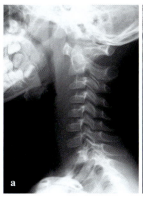
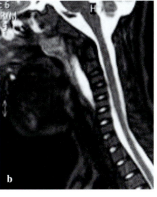

図 10-15　咽後膿瘍（6歳男児）
頚部痛で発症し，翌日 38.0℃ の発熱がみられたため，近医整形外科を受診．頚椎カラーで経過観察となりました．その翌日も発熱が続き MRI にて頚椎前方に異常像がみられたため，当科紹介．咽後膿瘍の診断で耳鼻科的治療が行われました．

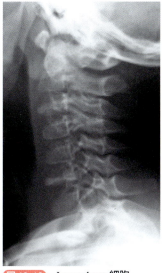

図 10-16　Langerhans 細胞組織球症（2歳女児）
第 3, 6 頚椎椎体の圧潰を認めています．頭蓋骨にも骨病変を認めたため骨生検を行い，Langerhans 細胞組織球症の診断となりました．

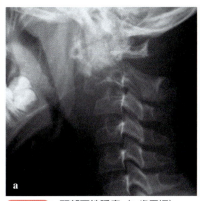

図 10-17　頚部悪性腫瘍（8歳男児）
誘因なく頚部痛が出現し近医を受診しましたが，精神的なものと診断されていました．2週後に呼吸困難が生じたため，当院へ救急搬送されました．単純 X 線検査上，後咽頭部（retropharyngeal space）の著明な拡大がみられたため（a），MRI 検査を行ったところ，後咽頭部と軸椎に異常像を認めました（b）．耳鼻科に後咽頭部の経口的生検術を行ってもらったところ，骨外性 Ewing 肉腫（PNET）の病理診断でした．腫瘍内科で化学療法が行われましたが，助けることはできませんでした．

　腫瘍をスクリーニングする

- 小児の頚椎骨腫瘍で最も頻度が高いのは Langerhans 細胞組織球症（好酸球性肉芽腫症）です（図 10-16）．単純 X 線検査で椎体の圧潰がみられたら本疾患を疑い，胸椎，腰椎，頭蓋骨などの単純 X 線検査を行い，ほかの部位にも骨溶解像，骨圧潰像がないか調べます．
- 症状が長く続く場合はできるだけ MRI 検査を行います．稀に悪性腫瘍がみつかることもあります（図 10-17）．
- 強直性脊椎炎の前駆状態である付着部炎関連関節炎（ERA）でも，棘間靱帯炎（図 12-10 d）などにより頚部痛がみられることがありますが，小児期にいわゆる竹様脊椎（bamboo spine）となった症例は経験がありません．

主な疾患について知っておくべき知識

● 先天性筋性斜頸（図10-1, 2, 4, 7）

- 明らかに先天性要因のある疾患ですが，出生直後に気づかれることはほとんどありません．生後2〜4週後に胸鎖乳突筋内の腫瘤や斜頸に気づいて整形外科を受診します．

- 原因のひとつとして考えられているのが子宮内圧迫症候群です．胎児が第1頭位で窮屈な状態が長く続くと左側に発症します．具体的には，左筋性斜頸，左方凸の脊柱側弯，左股関節開排制限（ときに先天性股関節脱臼）がみられます．第2頭位では，右側に発症します．脊柱側弯は，ほとんど一過性のもので治療を要しませんが，股関節は脱臼していれば治療が必要です．したがって，<u>筋性斜頸の患児をみたときには，股関節の評価も必要です</u>．

- 筋性斜頸のほとんどのケースに斜頭がみられます（図10-5）．子宮内での圧迫によるものか，筋性斜頸による向き癖が原因なのかわかりませんが，筋性斜頸による向き癖が斜頭の悪化要因であることは間違いありません．<u>なるべく患側を向かせるよう両親に手を尽くしてもらう</u>ことが大切です．

- <u>9割のケースで1歳頃までに自然治癒がみられます</u>．1歳を過ぎると自然治癒がみられることはほとんどありません．手術は急ぐ必要がないと考えられており，就学前の5歳くらいまでに行えば良いと思われます．筆者は3歳前後で行っています．学童期以降まで様子をみると，患側の眼が引き下がり顔面側弯（facial scoliosis）が目立ってくることがあります．

- 頭部を健側へシフトすることによって胸鎖乳突筋の拘縮を緩和し頚部側屈が目立たなくなっているケース（図10-7）では，放置すると機能性側弯が構築性側弯となる場合があるので，積極的に手術治療を考慮します．

- 手術はさまざまな方法が行われていますが，筆者は患側の胸鎖乳突筋の下端切離術を行っています．この手術のポイントは，筋切離後，術中可動域の評価を行い，十分な可動性が得られていないときは，<u>胸鎖乳突筋と内頚静脈の間にある深筋膜を十分に切離すること</u>です．必要に応じて，内側は正中まで，外側は外頚静脈付近まで切離します．この操作は危険を伴うので，丁寧に時間をかけて行います．

- 切離した胸鎖乳突筋は，早いと術後2週間程度で再びつながってしまいます．術後は，胸鎖乳突筋ができるだけ伸長した肢位で頚部を固定しなければなりません．このためには硬性装具（図10-18）の装着が一番確実です．

> **患者家族への説明**
> 「胸鎖乳突筋という筋肉が固くなって，斜頸になっています．1歳までに9割は自然に治りますが，1歳までに治らない場合はその後自然に治ることはありません．その場合は，3歳くらいで手術を行いましょう．」

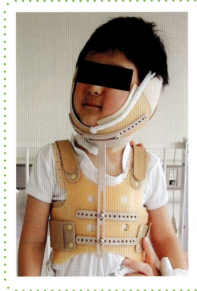

図 10-18　**筋性斜頚の術後装具**

頭部を術前とは逆方向に向かせ，逆方向へ傾けた位置で術前に装具を作製しておきます．術後，装具をつけた状態でX線正面像を撮影し，頭部の横方向へのシフトを矯正し，頸椎が真っすぐになるよう調整することも重要です．

◉ 炎症性斜頚

- 頸椎周囲に炎症が起こったために斜頚位をとっている場合，炎症性斜頚と診断します．発熱とリンパ節の腫脹がみられれば，リンパ節炎による炎症性斜頚と診断できますが，実際にはMRI検査を行っても炎症部位を特定できない場合がほとんどです．
- 原因はわからなくても，ほとんどのケースは1週間以内に自然治癒します．しかし，一部のケースは，次に述べる環軸関節回旋位固定に移行するので注意が必要です．斜頚位が改善しないまま様子をみて良いのは，最長2週間までです．

患者家族への説明　「首の周囲に炎症が起こって，斜頚になっています．自然に治ることが多いのですが，1週間以上続く場合は，さまざまな病気の可能性があるので詳しい検査が必要です．」

◉ 環軸関節回旋位固定

- 長く斜頚が続いたために，環軸関節が回旋位で拘縮してしまった病態です．左右の最大回旋位でCT検査を行い，回旋位での環軸関節の拘縮を認めたら確定診断となります（図 10-10）．
- この状態を放置すると，その原因（外傷や炎症など）に関わらず環軸椎が不良肢位で骨性癒合に至り，治療困難となります（図 10-12, 13）．
- ときに環軸関節の亜脱臼を伴うケースがあります（図 10-11）．このようなケースでは脊髄圧迫による死亡例の報告もあるため，厳重な管理が必要です．
- 斜頚位が2週以上続いていたら，入院として持続的にGlisson牽引（図 10-19）を行います．この際，環軸関節が回旋している方向を向かせないように管理します．
- 環軸関節が中間位となったら，Glisson牽引を終了し，頸椎装具（図 10-20）で良肢位を保持します．ただし，頸椎装具に変えてから再び斜頚位をとるようになったら，Glisson牽引を再開します．

主な疾患について知っておくべき知識

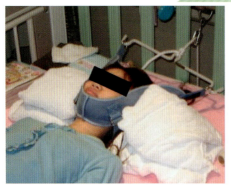

図 10-19　環軸関節回旋位固定に対する Glisson 牽引

後頭部に褥瘡ができるリスクがあるので，水平よりやや上方（患児の前方）へ牽引します．CT 評価で環軸関節の回旋制限の強い症例においては，骨性癒合の危険があるため，24時間持続牽引（食事，排尿，排便時も持続牽引）を行います．回旋しているほうの頭部の横に砂嚢を置いてその方向を向くことを堅く禁じ，面会者にはその反対側から接するようにしてもらい，回旋している方向と逆方向を向くことは禁じません．

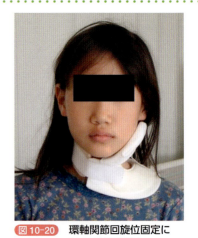

図 10-20　環軸関節回旋位固定に対する頚椎装具

中間位がとれるようになったら，その位置を頚椎装具で保持し，陥没した軸椎上関節突起のリモデリングを待ちます．

- 骨性に癒合してしまったときは，牽引は無効です．手術治療（図 10-12）という選択肢もありますが，これは生命の危険を伴う手術で，患者家族が希望しても引き受けてくれる専門医はなかなかみつかりません．

患者家族への説明
「斜頚が続いたために，治りにくい状態になっています．このまま放置すると骨が斜頚の位置で癒合してしまうこともあるので，入院して数週間首を牽引する治療が必要です．」

POINT!　こどもの斜頚は長く続くと環軸関節回旋位固定を経て骨性癒合に至る

小児の斜頚は，外傷を契機とするものや，感染を契機とするものや，大人の"寝違え"のように明らかな契機のないものまでさまざまなケースがあります．そのいずれの斜頚も症状が改善しないまま長く続くと，「環軸関節回旋位固定」と呼ばれる病態になります．なぜまったく違う疾患が同じ病態にたどり着くのか，成書を見ても明確な説明がありません．「小児においては，どんな原因でも長期間斜頚位を放置すると，椎間関節に骨性の変化が徐々に生じてその位置で関節拘縮が起こり，しまいには骨性に癒合してしまう」と考えると，こうした病態が説明できます．環軸関節回旋位固定とは，関節拘縮が生じた以降の診断で，これを放置すると骨性に癒合し，不可逆的な斜頚という重大な後遺症を残すので（図 10-12, 13），迅速かつ徹底的な対応が必要です．

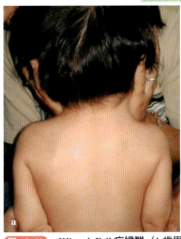
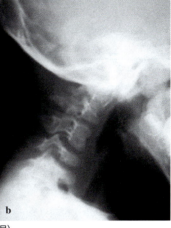

図 10-21 Klippel-Feil 症候群（1 歳男児）
診察上，短頚・毛髪低位・頚部可動制限の 3 徴がみられ（a），単純 X 線検査上，第 2, 3 頚椎，4, 5 頚椎の癒合を認めました（b）．

● Klippel-Feil 症候群
　クリッペル・ファイル

- 先天性頚椎癒合がみられれば広義には本疾患と診断します．
- 短頚・毛髪低位・頚部可動制限という臨床的 3 徴がみられれば典型例（図 10-21）ですが，こうした徴候は必ずしもみられません．
- Sprengel 変形（第 8 章 p.247）の合併が 20〜30％にみられます．肩甲骨高位があれば手術適応も考えられるので，早めに Sprengel 変形の手術を行っている小児整形外科専門医へ紹介します．
- 成長に伴い，可動性のある椎間への過剰な負荷によって，脊髄症を発症するケースもあります．頭頚移行部形態異常（環椎後頭関節癒合や頭蓋底陥入症）が合併しているケースでは特に注意が必要です．MRI 検査を行い，脊髄圧迫所見がみられたら脊椎外科または脳神経外科専門医への紹介が必要です．
- 肋骨の癒合や欠損がみられる場合は，脊椎肋骨異骨症の可能性があり，高度の脊柱側弯症となるリスクがあるので注意が必要です．定期的な単純 X 線検査が必要です．

患者家族への説明：「頚椎の一部が生まれつき癒合しています．特に問題が起こらないことが多いのですが，ときに神経の異常が起こることがありますので，年に 1 回くらい診察を受けると安心です．」

コラム 私の師匠

側転して友人とぶつかって頚部痛出現．近医で単純X線検査（a）だけが行われ，facet interlockingの疑いで紹介となりました．このX線像から本当にfacet interlockingが疑われるのか疑問に感じましたが，紹介者が筆者の師匠（亀ヶ谷真琴 先生）であったため，疑心暗鬼でCT撮影したところ，本当にC5/6左側でfacet interlockingがみられました（b）．今でもこのX線像をどうみたらfacet interlockingが見抜けるのかわかりません．師匠に直接訊いてみましたが，「この側面像，なんか変だよね．」で終わってしまいました．どんなに勉強しても，師匠には一生追いつけないとそのとき感じました．

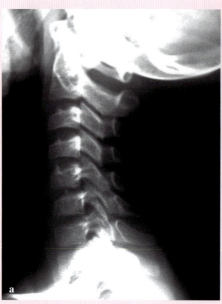 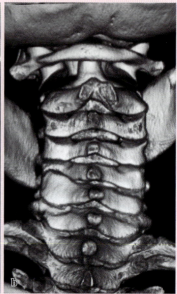

facet interlocking（10歳女児）

第11章 腰部の診かた

　こどもはめったに腰部の愁訴を訴えませんが，訴えたときには何らかの病気がみつかることが多いので，成人の腰痛と同様に考えてはいけません．最も多いのは腰椎初期分離症（疲労骨折）で，これは学童期以降の腰痛の約半数にあたります．
　脊柱側弯症については筆者の専門外なので，本書での解説は割愛します．

愁訴からの診断

1 腰　　痛

思い浮かべるべき疾患
化膿性脊椎炎，化膿性仙腸関節炎，化膿性腸腰筋炎・腸腰筋膿瘍，骨盤の化膿性骨髄炎，Langerhans 細胞組織球症，腰椎椎間板障害，腰椎（初期）分離症，仙腸関節炎，仙骨疲労骨折

　乳幼児の多くは"こし"の意味を知りません．そのためさまざまな訴えから，保護者の意見も尊重しつつ，腰痛という愁訴へたどり着いていきます．

診断へのプロセス

STEP 1　本当に腰が痛いのか確認する

- 「こしいたい」という本人の訴えがあって受診した幼児のほとんどは，"こし"がどこなのかも知りません．その多くは親のマネをして「こしいたい」と言っているだけです．

- 一方,「腰のあたりを痛がっているようです」と患児の様子を見た親からのコメントがある場合は信憑性が高く,よく診察をする必要があります.
- まずは患児に「こしってどこ？」と尋ねてみることから診察が始まります.

STEP 1 STEP 2 感染症を否定する

- 比較的骨関節感染症の多い小児においては, 化膿性脊椎炎 (図 11-1), 化膿性仙腸関節炎 (図 11-2), 化膿性腸腰筋炎・腸腰筋膿瘍 (図 5-12), 骨盤の化膿性骨髄炎 (図 11-3) を否定しておかなければなりません. 発熱があれば血液検査を行い, 炎症反応が高ければ MRI 検査を行って病巣の部位を特定します.
- 感染症が疑われたら起因菌の同定のため血液培養を行います. 膿瘍や化膿性骨髄炎があれば, 可能な限り CT ガイド下に穿刺 (図 11-1) して起因菌を同定します. 穿刺にリスクがある部位 (大腰筋膿瘍など) では, 診断的治療としてブラインドで抗菌薬の投与を行い, 効果があれば, その抗菌薬に感受性のある細菌感染と診断します. 効果がないときは, 診断と治療を兼ねて手術 (排膿) を行います. 腸腰筋膿瘍は手術を要する可能性の高い疾患です.

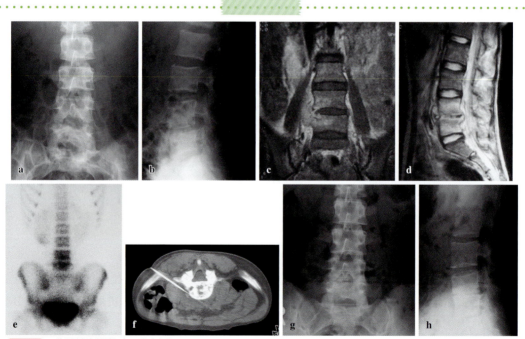

図 11-1　化膿性脊椎炎 (12 歳女児)

2 ヵ月前に腰痛が出現し 3 週間で軽快しましたが, 11 日前から腰痛が再発し最高 38.4℃ の発熱を認めたため紹介. 単純 X 線検査では明らかな異常像を認めませんでしたが (a, b), CRP 7.23 mg/dL, 血沈 61 mm/99 mm (1 時間値/2 時間値) と炎症所見を認め, MRI では Coronal 面で L4/5 椎間右側に骨外まで広がる T2 強調像で高輝度領域を認め (c), 6 日後の MRI では Sagittal 面でも L4/5 椎間を中心に周囲に広がる T2 強調像で高輝度領域を認めました (d). 骨シンチグラムでも L4, L5 椎体に異常集積を認めたため (e), CT ガイド下に病変部の針生検を行ったところ (f), サルモネラ菌が検出されました. 改めて問診を行ったところ, 腰痛再発前に当時サルモネラ菌の集団感染で問題となっていたイカ加工品を食べていたことがわかりました. 感受性の確認された抗菌薬を投与し, およそ 1 ヵ月後には症状の改善が得られました. その後大きな問題なく経過しましたが, 6 年後の単純 X 線検査では L4/5 椎間の強直所見が認められました (g, h).

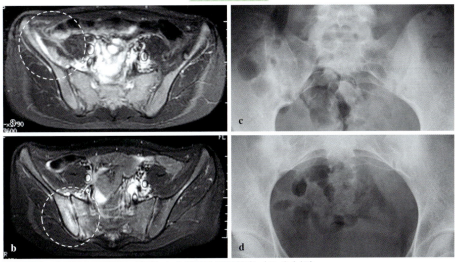

図11-2　化膿性腸骨筋炎に続発した化膿性仙腸関節炎（13歳女児）

2日前から右殿部痛と発熱があり，翌日受診．CRP 5.4 mg/dL，血沈 21 mm/47 mm（1時間値/2時間値）と炎症所見を認め，翌日の MRI では右腸骨筋の筋内および腸骨との境界部に T2 強調像で高輝度領域を認め（a の点線内），右化膿性腸骨筋炎と暫定診断しました．血液培養陰性であったため抗菌薬（CEZ）のブラインド投与を行いましたが，強い右仙腸関節部痛が続き，初診1週間後に撮像した MRI では右仙腸関節とその周囲の骨内外に T2 強調像で高輝度領域を認め（b の点線内），右化膿性仙腸関節炎と診断しました．抗菌薬を変更（CLDM）して経過観察したところ，1週間後に痛みは軽快しました．その後もときどき仙腸関節痛がみられ，約1年間で軽快しましたが，発症後1年の単純 X 線検査では右仙腸関節の強直傾向がみられました（c）．さらに発病後7年時に他院で撮影された股関節単純X線検査では右仙腸関節の明らかな強直所見がみられました（d）．

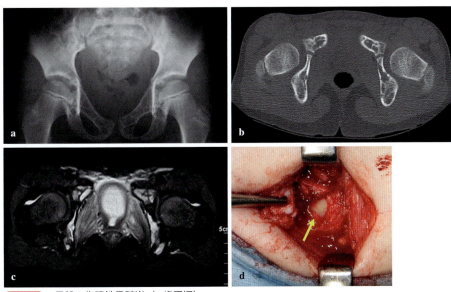

図11-3　骨盤の化膿性骨髄炎（8歳男児）

2日前から発熱と両股関節痛で歩行不能となり紹介．単純 X 線検査（a）および CT 検査（b）で両恥坐骨内に骨透亮像を認め，MRI では T2 強調像にて恥坐骨の骨髄内に高輝度病変を認めました．恥骨直上を横切開し恥骨を開窓したところ白色の膿（d の矢印）が排出されました．迅速抗原検査で A 群連鎖球菌が陽性であったため，抗菌薬の投与を開始しました．後日培養検査で A 群連鎖球菌であることが確認されました．術後1ヵ月で症状は軽快しましたが，術後6年後の経過観察時も MRI 検査では両坐骨骨髄内の膿瘍所見が残っています．

愁訴からの診断

STEP 3 骨病変を画像診断する

- 小児の腰痛では，約半数に腰椎初期分離症（疲労骨折）がみつかります（図11-4）．積極的にMRI検査を行って早期に診断することが理想です．理学所見で腰椎初期分離症を診断することはできませんが，腰椎椎間板障害で陽性率の高いディスク・テスト（図11-5）が陰性で，腰椎初期分離症で陽性率の高い棘突起の打診痛（図11-6）が陽性であれば，本症の可能性が高いと考えます．
- 10歳以下の腰痛でも，完成された腰椎分離症がときどきみつかります（図11-7）．完成された分離症はMRI診断は難しいためCT検査で確定診断します．この年齢では腰椎分離すべり症への移行が多いので，経過観察が必要です．
- 意外に多いのが，Langerhans細胞組織球症で，「Calveの扁平椎」（図11-8, 9）と呼ばれる椎体の極端な圧潰がみられれば診断は容易ですが，病初期においてはX線診断が容易でありません．わずかに圧潰した椎体を見逃さないよう注意深いX線読影が必要です．MRI検査を行うと骨髄内の輝度の異常が同定できますが，骨髄炎やほかの腫瘍との鑑別が必要です．

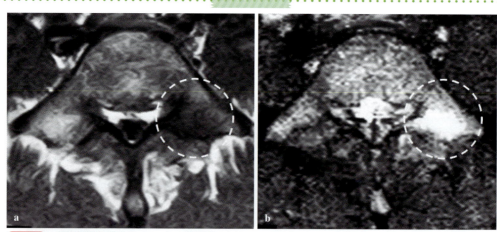

図11-4 腰椎初期分離症のMRI（14歳女児）
左側の腰痛のあった女児です．SE法T1強調像では椎弓根部に低輝度の変化を認め（aの点線内），STIR法では椎弓根部に高輝度の変化を認めました（bの点線内）．3ヵ月間のコルセットの装着とスポーツ休止により改善がみられました．

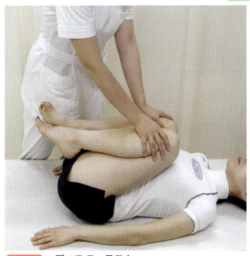

図 11-5 ディスク・テスト
図の肢位で両膝を胸に押し付けることによって腰椎を他動的に屈曲し，日常感じている腰痛が再現されたら陽性と判定します．腰椎椎間板障害で陽性率の高い理学所見です（わが国で一部の理学療法士が用いている理学テストですが，出典不明です）．

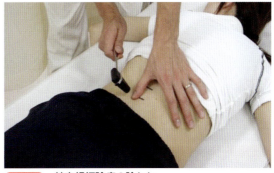

図 11-6 棘突起打診痛の診かた
棘突起上に指を当て，その上から打腱器で叩打したときに，日常感じている腰痛の再現があれば陽性と判定します．腰椎初期分離症で陽性率の高い理学所見です．

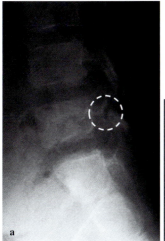
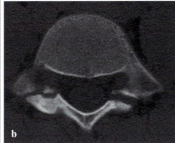
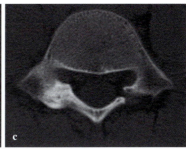

図 11-7 片側だけ癒合が得られた第 5 腰椎分離症（9 歳男児）
3ヵ月前から腰痛があり改善がないため紹介となったミニバスケット選手です．単純 X 線検査で L5 分離症が疑われたため（a の点線内），CT 検査を行ったところ L5 の両側に分離の所見がみられました（b）．左側は完成された分離症と思われましたが，右側は比較的早期の分離症と考え，腰椎コルセットの装着とスポーツ休止を行いました．分離部は少しずつ癒合していき，1 年後にようやく右分離部の癒合がみられました（c）．

STEP 4 仙腸関節を忘れない

- HLA-B27（強直性脊椎炎と関連）や HLA-B51（Behçet 病と関連）に関連する<u>仙腸関節炎</u>が少なくありません．原因のわからない腰痛に対しては，仙腸関節を含めた MRI 検査が必要です．また，健保適応はありませんが，HLA を調べておくことは仙腸関節炎の診断に非常に有用です．

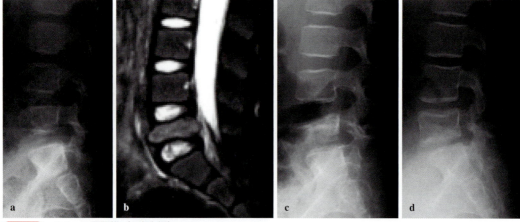

図 11-8　Calve の扁平椎（4 歳女児）

腰をぶつけてから腰痛が出たという訴えで近医を受診し，単純 X 線検査で明らかな異常がなかったため（a），経過観察となりましたが，痛みが続くため MRI 検査を受け，第 5 腰椎椎体に圧潰所見を認めたため紹介（b）．全身の骨シンチグラムではほかに骨病変を認めず，単発性の Langerhans 細胞組織球症の可能性が高いと考え，確定診断のため針生検術を勧めましたが家族の同意が得られず，コルセットを装着して経過観察を行いました．1 ヵ月後に痛みは消失し，3 ヵ月後にコルセット装着を終了としました．1 年後には椎体はほぼ完全に圧潰しましたが（c），6 年後の 10 歳時には正常に近い形態にまで回復しました（d）．このような臨床経過から Langerhans 細胞組織球症（好酸球性肉芽腫症）と最終診断しました．

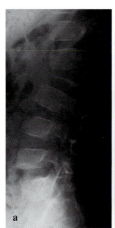
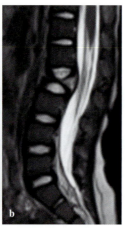

図 11-9　腹痛で発症した Calve の扁平椎（3 歳男児）

前かがみになるとおなかが痛く，自転車に乗せると振動のためか痛みが強くなるという愁訴で発症しました．近医で腹部単純 X 線検査が行われましたが異常がなかったため，便秘の診断で浣腸薬と整腸剤が処方され経過観察されていました．発症後 2 週で激痛となり，不眠もみられたため，入院となりました．MRI 検査で第 2 腰椎の圧潰が発見され，当科紹介．骨シンチグラム・ガリウムシンチグラムでほかの部位に異常所見がなく，血液検査では悪性疾患を疑うような異常は認められませんでした．第 2 腰椎針生検を勧めましたが，リスクを心配した家族から同意がとれず，単一病変の Langerhans 細胞組織球症の暫定診断で，胸腰椎コルセットを装着して経過観察を行いました．痛みは徐々に軽快し，発症後 3 ヵ月でコルセット装着を終了としましたが，発症後 5 ヵ月の単純 X 線検査（a）および発症後 7 ヵ月の MRI T2 強調像（b）では第 2 腰椎の完全な圧潰がみられました．その後 8 年間経過観察を行いましたが，腰痛の再発はなく，圧潰した腰椎は回復傾向をみせています．

- MRI 検査で仙腸関節周囲の骨に輝度変化がみられても，生理的な所見の場合もあり，器質的疾患があるとは断定できません．CT 検査で骨浸食像（図 11-10）があれば，明らかな異常と断定できます．
- 女子の野球選手やソフトボール投手の腰痛では，仙骨疲労骨折や仙腸関節症の可能性を考えます（図 11-11, 12）．単純 X 線検査で診断できないときは，MRI 検査を行います．

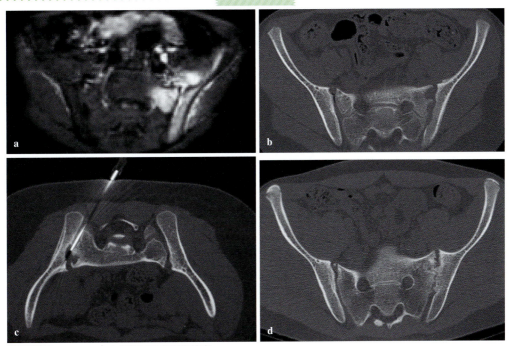

図 11-10　HLA-B51 と関連する仙腸関節炎

1ヵ月前に腰を打撲してから続く腰痛と発熱（最高 39.0℃）を主訴とし，前医で行われた MRI 検査（a）で左仙腸関節炎と診断されて紹介．血液検査では，CRP 4.2 mg/dL，血沈 110 mm（1 時間値）と炎症所見を認めました．CT 検査では左仙腸関節に骨溶解像を認めました（b）．血液培養陰性のためブラインドで抗菌薬（CEZ）を投与して経過観察したところ，約 6 週間で症状軽快しました．しかし，その 2 週間後症状が再燃したため，CT ガイド下仙腸関節穿刺（c）を行い細菌検査を行いましたが，病原菌は検出できませんでした．HLA 検査では B51 が陽性でした．その後 5 年間経過観察しましたが，症状の再発はありません．5 年後の CT 検査では左仙腸関節の強直傾向がみられました（d）．

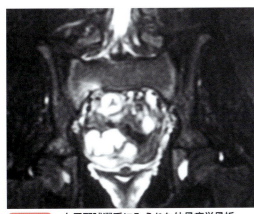

図 11-11　女子野球選手にみられた仙骨疲労骨折（8 歳女児）

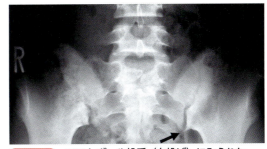

図 11-12　ソフトボール投手（右投げ）にみられた左仙腸関節症（14 歳女児）

上肢のパワー不足を下半身で補って投球していることが原因ではないかと筆者は考えています．

2 背部のくぼみ

思い浮かべるべき疾患

正常例，二分脊椎症（脊髄脂肪腫，閉鎖性脊髄髄膜瘤）

先天性皮膚洞（congenital dermal sinus）（図 11-13）は，小児整形外科外来で頻繁に紹介される疾患のひとつです．二分脊椎症（脊髄脂肪腫や閉鎖性脊髄髄膜瘤など）が潜在する可能性があるため，産科医や小児科医から紹介を受けます．こうした愁訴にも整形外科医として適切に対応する必要があります．背部に局所的な膨隆がみられる場合も（図 11-17），同じような疾患が潜在する可能性があります．

診断へのプロセス

STEP 1　麻痺症状がないか診察する

- 二分脊椎症にみられる両下肢の麻痺症状がないか診察します．麻痺症状の軽い S2（第 2 仙骨神経）麻痺では，凹足と鉤爪趾（claw toe）がみられますが（図 2-21），乳児期に判定することは困難です．

STEP 1 → STEP 2　MRI 検査を行う

- 脊髄脂肪腫（図 11-14）や閉鎖性脊髄髄膜瘤は，MRI 検査で診断できます．MRI の読影では，脊髄円錐の位置をみることも重要で，生後 6 ヵ月以降で脊髄円錐が第 3 腰椎以下であれば低位脊髄円錐の所見ととらえ，脊髄係留症候群の疑いで脳神経外科医へ紹介します．

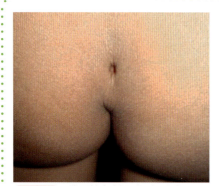

図 11-13　先天性皮膚洞（5 歳男児）

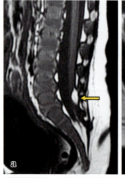
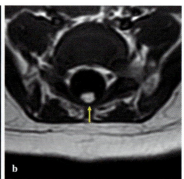

図 11-14　脊髄円錐低位と脊髄脂肪腫（生後 6 ヵ月男児）

出生時より殿裂上部の浅いくぼみがあり，4 ヵ月検診で専門医受診を勧められ受診．生後 6 ヵ月時に撮像した MRI では脊髄円錐低位（L5 レベル）と脊髄脂肪腫（矢印）がみられ，脊髄係留症候群の診断となりました．脳神経外科にて係留解除術が考慮されましたが，麻痺症状がないためそのまま経過観察となりました．

3 尾骨痛

思い浮かべるべき疾患

いわゆる尾骨痛（椎間板性の痛みと推測されている），腫瘍性疾患，感染症

　思春期以降の女児に多く，坐位での痛みを主訴とします．尾骨部の打撲や長時間の坐位を契機とすることが多いようです．難治性で病態もよくわかっていないため，外来診療で困ってしまうことの多い愁訴です．

診断へのプロセス

STEP 1　腫瘍や感染症を除外診断する

- MRI 検査で腫瘍性疾患や感染症を除外診断することが重要です．おそらくこれが唯一整形外科医が患児に貢献できることかもしれません．筆者は，実際に腫瘍や感染症が判明したケースを経験したことがありません．

STEP 1 → STEP 2　病態説明のため X 線評価を行う

- 腫瘍や感染症が除外できたら（いわゆる）尾骨痛と診断し，病態説明のため単純 X 線検査を行います．
- 単純 X 線検査は，主に立位とサドル状の椅子に座らせ尾骨に荷重した坐位の側面像で評価します．尾骨の後方への転位がみられたら，尾骨後方亜脱臼と診断します．また尾骨から後方へ向かう骨棘がみられたら，尾骨棘と診断します．次に仙骨に対する尾骨の位置が，立位と尾骨に荷重した坐位でどの程度異なるかを角度（intercoccygeal angle）で評価します（図 11-15）．25°以上の動きがあれば，hypermobility（過運動性）があると評価し，尾骨椎間板障害と診断します．これらの評価は，患者家族への病態説明に役立ちますが，残念ながら治療法の選択に結びつくことはありません．

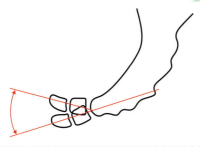

図 11-15　**尾骨の可動性の評価**（intercoccygeal angle）
立位と尾骨に荷重した坐位で仙尾骨の X 線撮影を行い，2 枚の画像の仙骨を重ね合わせて尾骨の可動性を図のように計測します．
25°以上の可動性があれば，尾骨の過運動性があると判定します．

主な疾患について知っておくべき知識

🔵 腰椎分離症

- 小児の腰痛の約半数は本疾患が原因です．幼児にもみられる疾患であることを忘れてはいけません．
- 腰椎の関節突起間部（pars interarticularis）の疲労骨折を，「腰椎初期分離症」と呼びます．MRI では椎弓根から関節突起間部に T1 強調像で低輝度，T2 強調像・STIR 像で高輝度の変化がみられます．これに対しては，分離症への移行を防ぐため運動の休止と腰椎コルセットの装着を行います．
- CT で分離が確認された場合，MRI で疲労骨折同様の輝度変化を認めたら，保存治療（運動の休止と腰椎コルセットの装着）で分離部が癒合する可能性がありますが，MRI で分離部に輝度変化を認めないときは，保存治療で癒合する可能性はほとんどありません．分離症に対する保存治療は，少なくとも3ヵ月以上の運動休止が必要となりますが，効果が約束されたものではないので，事前に十分話し合ったうえで行うことが重要です．一定期間の保存治療を行っても効果がない場合は，癒合をあきらめてスポーツ活動を再開してもらうか，手術を行うか，いずれかを選択することとなりますが，前者を選択することがほとんどです．
- 幼児期や学童前期にみられる腰椎分離すべり症（図 11-16）では，形成不全性腰椎すべり症の可能性があり，すべりが進行して神経障害が発生するリスクがあります．本疾患に詳しい脊椎外科専門医への紹介を考慮します．

> **患者家族への説明**
> 〔腰椎初期分離症に対して〕→「腰椎が疲労骨折を起こしています．放置すると腰椎分離症という状態になり，慢性的な腰痛を抱えていくことになるので，しばらくの間スポーツを休んでコルセットを装着しましょう．」
> 〔腰椎分離症に対して〕→「腰の骨が分離して，慢性的な腰痛の原因となっています．スポーツの休止とコルセットの装着で治ることもあるので，詳しく検査してからよく相談しましょう．」

🔵 仙腸関節炎

- 細菌感染によるもの（化膿性仙腸関節炎（図 11-2），結核性仙腸関節炎など）と，HLA-B27 や HLA-B51 に関連した関節炎（図 11-10）（付着部炎関連関節炎 enthesitis-related arthritis：ERA（第 12 章 p.315）など）を考えて診断を進めます．
- 血液培養や関節穿刺で起因菌を同定できれば，化膿性仙腸関節炎と診断して抗菌薬による治療を行います．かつて結核性仙腸関節炎は頻度の高い疾患でしたが，筆者には経験がありません．
- 起因菌が同定できない場合は抗菌薬をブラインドで投与して，効果があれば何らかの細菌感染があるものと考え，化膿性仙腸関節炎として治療します．
- 起因菌が同定できず抗菌薬も無効な場合は，対症療法を行って経過観察します．自然に症状

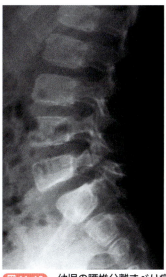
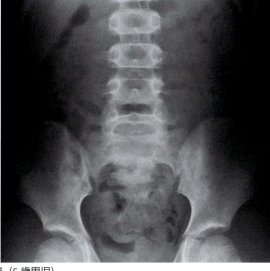

図11-16 幼児の腰椎分離すべり症（5歳男児）

風邪をひいたときの胸部単純X線検査で側弯を指摘され，近医で全脊椎の単純X線検査を行った際に腰椎分離すべり症と診断され紹介．6歳から腰痛を訴えるようになりましたが，すべりの進行はみられませんでした．

が軽快したり，再燃したりする場合はHLA-B27やB51に関連した関節炎を疑い，可能であればHLAを調べます（健保適応外です）．いずれかが陽性であれば，リウマチ疾患を専門とする小児科医に薬物治療を委ねます．いずれも陰性の場合は，画像検査を定期的に行って重大な変化がないことを確認しながら対症療法を続けていくほかありません．

患者家族への説明「骨盤の後ろにある関節が炎症を起こして痛みを出しています．感染や生まれつきの体質が原因となります．詳しく検査して必要な治療を行いましょう．」

● 二分脊椎症

- 先天性の椎弓の癒合不全を「二分脊椎症」と呼びます．妊娠初期の葉酸摂取不足と関連があると考えられています．次子の妊娠を希望する母親には栄養指導を行います．
- 嚢腫を有する嚢腫性二分脊椎と有さない潜在性二分脊椎の2つに分類されます．大多数が潜在性二分脊椎で，そのほとんどは無症候性で治療を要しませんが，脊髄脂肪腫，脊髄係留症候群（図11-14），脊髄空洞症，脊髄正中離開などを合併する場合は，治療を要することがあります．腰背部に不自然な膨隆，くぼみ，毛髪，皮膚欠損，母斑などがみられるときは，MRI撮影を行ってこのような疾患がないかどうか確認しておくと安心です．しかし実際には乳幼児のMRI撮影は睡眠剤の投与が必要なため，一般診療所では容易でありません．このような場合は，最低でも排尿障害がないかどうかよく問診する必要があります．特に排尿時の尿線に勢いがない場合は，泌尿器科専門医への紹介を考慮します．
- 嚢腫性二分脊椎は，神経組織が脊柱管外に脱出する脊髄髄膜瘤と脱出しない髄膜瘤に分類されます．さらに脊髄髄膜瘤は神経組織が皮膚で覆われている閉鎖性脊髄髄膜瘤（図11-17）と神経組織が体外に露出されている開放性脊髄髄膜瘤（図11-18）に分けられます．脊髄髄膜瘤

主な疾患について知っておくべき知識

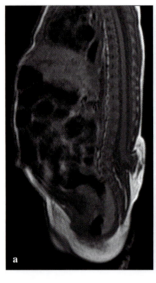
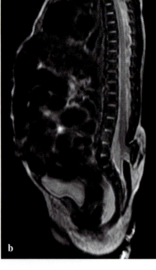

図 11-17　閉鎖性脊髄髄膜瘤
　　　　　（生後1ヵ月女児）

生直後より腰部に不自然な皮膚の膨隆があり，MRIを撮像したところ，硬膜管と脊髄下端の下位腰椎レベルでの後方逸脱を認め，閉鎖性脊髄髄膜瘤の診断となりました．膨隆しているのは閉鎖性脊髄髄膜瘤に伴う異常な脂肪組織でした．泌尿器科的精査で排尿障害が認められ，脊髄係留症候群による神経麻痺の悪化を防止するため，生後11ヵ月時に脂肪腫切除・脊髄係留解除術が脳神経外科で行われました．
a．SE法T1強調像，b．SE法T2強調像

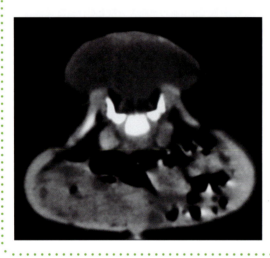

図 11-18　開放性脊髄髄膜瘤の単純CT像
　　　　　（生後2ヵ月男児）

家庭の事情により，新生児期に修復術が行われなかったケースで，このCTを撮影後，修復術が行われました．写真はL3レベルで，椎弓の欠損，開大がみられ，髄膜瘤が後方へ突出しています．

では麻痺症状がみられることが多く，必要に応じて整形外科的治療が行われています．

- 二分脊椎症において，脊髄終糸によって脊髄円錐が尾側に牽引される状態を「脊髄係留症候群」と呼びます．尾側に牽引された脊髄円錐は通常よりも低い位置にあり，これを「脊髄円錐低位（low conus）」（図 11-14, 17）と呼びます．この状況になると頸髄も尾側へ牽引されるので，ときに小脳扁桃ヘルニア（Arnold-Chiari奇形）を合併し，これによって脳脊髄液潅流障害が生じると水頭症や脊髄空洞症まで合併することがあります．さらには脊髄空洞症が脊柱側弯症をもたらすこともあり，これも整形外科診療の対象となります．この一連の疾患の関係については，十分に知っておく必要があります．

患者家族への説明

「背骨の後ろの部分が，生まれつきつながっていない状態です．それ自体は治す必要がありませんが，神経の麻痺があったり，今後麻痺してくる可能性もあるので，詳しく検査しましょう．」

尾骨痛

- 意外に頻度の高い愁訴です．坐位で尾骨部が圧迫されると痛いと訴えて受診します．ほとんどは青年期以降の女子に起こります．

- 尻もちなど，尾骨部の打撲をきっかけに発症することが多いのですが，誘因なく発症することもあります．

- 尾骨の hypermobility を intercoccygeal angle によって評価し（図 11-15），25°以上の動きがあれば，尾骨椎間板障害と診断します．しかし，こうした評価が有効な治療に結びつくことはありません．

- 学校で硬い木の椅子に座っているときに強い痛みがみられるので，柔らかいクッションを使うよう勧めます．クッションの使用を禁止する学校に対しては診断書を書くことも必要です．円座は経験的にあまり効果がないようです．

- 仙尾関節への局麻剤やステロイド剤の注射が有効という報告もありますが，筆者には経験がありません．

- 古くは尾骨切除術も行われていましたが，出血量が多いことと感染率が高いことから，現在は行われていません．行ってはいけない治療だと筆者は考えています．

- 症状の強い難治例に対しては，肛門から直腸内に指を挿入して尾骨前方を直腸越しに指先で触れ，指先で尾骨を押すようにマッサージする方法（intrarectal manipulation）が有効な場合があります．このような治療の有効性を説明する文献を読んでも，なぜ効果があるのか納得できる記述はみつかりませんが，筆者の経験でも著効例があることは確かです．男性医師が女児に行う場合は，保護者に加え女性職員の立会いの下で行う配慮が必要です．

- 症状は，通常数ヵ月から数年に渡り続きますが，放置しても最終的には必ず軽快します．予後を説明することによって，出口の見えない痛みに対する不安から解放してあげることが，担当医の重要な役割であると筆者は考えています．

患者家族への説明

「尾骨の打撲やもともとの変形が原因で，座ったときに痛みが出る状態です．数ヵ月から数年の経過で自然に痛みはとれてきますが，その間つらい状態が続きます．学校で椅子に座るときにはクッションを使うようにしましょう．また，痛みが長引くときには，尾骨マッサージという治療を行うかどうか相談しましょう．」

第12章

全身性疾患と小児整形外科総論

　数多くある全身性疾患について，詳しく知っておくことはきわめて困難です（→コラム：すでに診断のついている希少疾患を診るときに大切なこと）．本章では，関節炎，骨髄炎，骨端線早期閉鎖，血友病，多発性骨軟部腫瘍，リウマチ性疾患，代謝性疾患などの診かたについて，知っておくべきことを解説します．

コラム　すでに診断のついている希少疾患を診るときに大切なこと

　すでに診断のついている希少疾患を初診するときに忘れてはならないのは，患児の両親はその疾患の情報を，インターネットなどで調べ尽くしている可能性が高いということです．その疾患について十分な知識がないのに，知ったふりをして対応すると，すぐにボロが出て両親の反発を招きます．詳しい知識がない場合は，あらかじめそのことを正直に伝え，謙虚に対応することが大切です．筆者はこのような場合，患者家族の前で堂々と希少疾患に関する最新情報の成書「Smith's Recognizable Patterns of Human Malformation」を読んで対応しています．

1 関節炎

知っておくべき疾患

化膿性関節炎，若年性特発性関節炎（JIA），付着部炎関連関節炎（ERA），感染症関連関節炎，反応性関節炎，単純性股関節炎

　関節炎をみたら，まず緊急手術を要する化膿性関節炎の可能性を考えます．これさえ除外診断できれば，診断を急ぐ必要はありません．

診断へのプロセス

STEP 1 関節炎をスクリーニングする

- 成人患者では，関節炎が起これば本人が痛みを訴えるため，罹患関節の同定は容易です．しかし小児の場合，痛みを訴えないこともあるため，診察によって罹患関節を同定する必要があります．関節炎が起これば関節液の増加がみられ，それに伴うさまざまな他覚所見が存在します．関節液の増加をみる方法にはいろいろありますが，全身の関節を限られた診察時間内でスクリーニングするため，筆者は以下の徴候をみるようにしています．

    顎関節：開口制限 　　　　　　　　手指：肉眼的腫脹
    頭頸移行部から頸椎：頭頸部運動制限　股関節：FADIR テスト（図 5-4）
    肩関節：挙上制限　　　　　　　　　膝関節：膝蓋跳動（BOP）
    肘関節：伸展制限　　　　　　　　　足関節：底屈制限
    手関節：掌背屈制限　　　　　　　　足趾：肉眼的腫脹

    ただし，関節液の増加を確実に見極める診察手技はありませんので，可能であれば超音波検査やMRI 検査で確認します．

- 関節液が増加する原因として，関節炎以外に出血性関節障害（p.301）が考えられます．関節腫脹とその消退をくり返す経過があれば，一度関節穿刺して関節液が血性でないか確認する必要があります．

- 関節炎や筋炎を伴わない骨髄炎では，患児が穏やかなときにゆっくり診察すると関節可動域制限はみられません．

- 股関節においては関節炎と筋炎を診察で鑑別することはできません．発熱を伴う痛みに対しては，化膿性関節炎と化膿性筋炎を鑑別するため，MRI 検査が必要です．

STEP 1 STEP 2 化膿性関節炎か？

- 関節炎の診断は，緊急手術を要する化膿性関節炎が除外できるかどうかから考えていきます．
- 経過中の最高体温≧38.5℃の場合，単純 X 線検査に加えて血液検査を行います．血清 CRP≧2.0 mg/dL では関節穿刺を行い（→解説：安全な穿刺経路），膿の貯留があれば化膿性関節炎と診断します．
- 穿刺液が明らかな膿でなく，迅速細菌検査が可能な場合は鏡検と各種細菌抗原検査を行い，細菌の存在が確認されたら化膿性関節炎と診断します．
- 関節液が血性があっても，血液と膿が混ざっている場合もあるので，化膿性関節炎を否定できません．必ず細菌学的検査を行う必要があります．
- 稀に高熱を伴わない化膿性関節炎もあるので，経過の長いケースや症状の強いケースでは経過中の最高体温 38.5℃未満でも血液検査を行います．
- 結核菌や BCG などの抗酸菌による関節炎では，発熱がなく血清 CRP 値が正常で血沈のみ亢進している場合が少なくありません．緊急性はありませんが，経過の長いケースでは一度関節穿刺を行って抗酸菌検査（培養，塗抹染色，PCR）を行ってみる必要があります．

解説 安全な穿刺経路

化膿性関節炎ではない場合，穿刺経路中に蜂窩織炎や化膿性筋炎などの関節外病巣があれば，穿刺によって菌を関節内に運んでしまうことになります．これを防ぐため可能であればMRI検査を行い，関節液の貯留所見を明らかにし，関節外の穿刺経路中に炎症性病巣がないか明らかにします．関節液の貯留と関節外の炎症性病巣が両方ある場合，炎症性病巣を避けた経路で関節穿刺を行います．関節が全周性に炎症性病巣で囲まれ，安全な穿刺経路がない場合は，化膿性関節炎の有無すなわち手術の要否を判定する適切な方法はありません．関節液の貯留があっても，周囲の筋炎に反応しただけで関節内に感染が及んでいない可能性もあるからです．臨床症状が強ければ，関節内汚染を覚悟のうえで関節穿刺に踏み切るほかありません．

STEP 3 化膿性関節炎が否定されたら，自然治癒を期待してしばらく経過をみる

- 股関節の場合は，単純性股関節炎（第5章 p.152）という数週間で自然治癒が見込まれる疾患の頻度が高いので，可及的安静を指示して経過観察を行います．
- 関節炎が複数の関節に及ぶ場合，感染症関連関節炎（p.316）の可能性があります．溶連菌やサルモネラ菌による感染症が先行している場合は，特にこの可能性が高いと考えます．数週間で自然治癒することが多いのですが，HLA-B27陽性の場合（図12-1）は反応性関節炎と呼ばれ難治性となることもあります．サルモネラ菌は感染症関連関節炎ばかりでなく，骨関節感染症を起こすこともあるので注意が必要です（図11-1）．

STEP 4 血液検査を行う

- 若年性特発性関節炎（JIA）が疑われたら，血液検査を行います．膠原病専門医はさまざまな検査を行っていますが，整形外科医にとって最も参考になるのは，血清マトリックスメタロプロテアーゼ-3（MMP-3）とリウマチ因子（RF）です．
- MMP-3は，JIAの診断および病勢評価に最も有用です．小児のMMP-3の正常値は成人よりも低く，乳幼児ではおおむね40 ng/mL以上，学童期はおおむね50 ng/mL以上ならJIAの可能性が高いと考えます．

コラム 用語の混乱：死語となったReiter症候群と反応性関節炎から分離された感染症関連関節炎

「反応性関節炎」という疾患概念は，赤痢感染後に起こる関節炎，尿道炎，結膜炎の報告（1916年Reiter）から始まっています．このため「Reiter症候群」と呼ばれてきましたが，Reiterがナチスの軍人としてユダヤ人の殺戮に関与していたことから，この疾患名は徐々に用いられなくなり，代わって「反応性関節炎」という言葉が用いられるようになりました．さらにその後，4th International Workshop on Reactive Arthritisという国際学会において，「反応性関節炎」という呼称はHLA-B27遺伝子を保有する例に限定してそれ以外は感染症関連関節炎と呼ぶことが提唱されました．しかし，この提唱は長い間コンセンサスが得られず，用語の混乱が続いていました．最近になりようやくこの提唱が世界的に受け入れられてきたため，本書でも第2版よりこれを採用しました．

愁訴からの診断

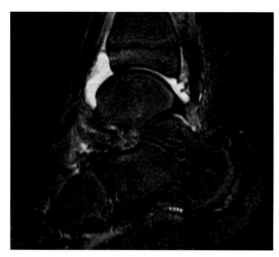

図12-1 サルモネラ菌感染に続発した反応性関節炎（8歳男児）

ウミガメを生食してから1週間後に胃腸炎症状がみられ，さらにその約1週間後に発症した左足関節炎です．近医でMRI検査後に関節穿刺が行われ，混濁した関節液が吸引されたため紹介．37℃台の発熱がみられ，血清CRP値は3.6 mg/dLと高値を示しました．化膿性足関節炎の可能性を否定できず，鏡視下洗浄・滑膜切除術を行いました．便培養では，サルモネラ菌（カメの腸内に生息）が検出されましたが，関節液培養は陰性でした．術後すみやかに左足関節炎は軽快しましたが，右膝関節炎，足趾の関節炎が続発しました．血清MMP-3は徐々に上昇し，発症後1ヵ月で127 ng/mLとなりました．サルモネラ菌感染を誘因として発症した反応性関節炎と診断し，HLA検査を行ったところHLA-B27陽性でした．その後若年性特発性関節炎に準じた薬物治療を行い，関節炎をコントロールしています．

● リウマチ因子陽性の場合は，成人の関節リウマチに近い病態が考えられ，予後は比較的不良です．徹底的な薬物治療が必要です．

● 健保適応はありませんが，HLAを調べておくと，付着部炎関連関節炎（ERA）（p.315）の診断に有用です．HLA-B27では強直性脊椎炎に関連した関節炎を考えます．HLA-B51ではBehçet病に関連した関節炎（特に仙腸関節）を考えます．HLA-B27陽性の反応性関節炎は難治性であることが知られています．

STEP 5 小児科（膠原病科）と眼科へ紹介する

● JIAで最も注意が必要なのは，ブドウ膜炎です（→注意！：関節炎治療終了後のブドウ膜炎）．治療が遅れると不可逆的な視力障害が残ってしまいます．ブドウ膜炎は，全身症状に乏しい少関節型に多く，整形外科を初診することが比較的多いので，注意が必要です．

● 高熱を伴う多関節炎では，全身型JIAを考え，小児科にコンサルトすることが重要です．全身型JIAでは，皮膚・内臓病変を伴うので，小児科的管理が優先されます．全身型JIAのほとんどのケースは小児科を初診するので，整形外科医に診断が求められる場面はほぼありません．

⚠注意 関節炎治療終了後のブドウ膜炎

JIAの治療が順調に進み，小児科（膠原病科）の薬物治療が終了すると，整形外科医が関節炎の経過観察を行うこととなります．この際，忘れてはいけないのは関節炎に対する薬物治療は，ブドウ膜炎の発症を抑えていた可能性があるということです．そのため関節炎の再発がなく順調と思っているときにも，ブドウ膜炎を発症しているかもしれないのです．患児が視力障害を訴えたときには，すでに不可逆的な視力低下が生じている場合があります．薬物治療終了後も最低年に1回は眼科受診を促す必要があることを忘れてはなりません．

> **コラム　悩ましいグレーゾーン**
>
> 「関節液が少し濁っているが，迅速細菌検査では菌が検出できない．どうしたら良いだろう？」このように診断がグレーゾーンにある場合，緊急手術を行うかどうかは，患者家族との話し合いによって決めるしかありません．家族の了解が得られれば，化膿性関節炎に対する手術を行いますが，手術の了解が得られなければ，重い後遺症の可能性を了解してもらったうえで保存的治療を行います．関節鏡手術ができれば，検査の一環と位置づけて手術を行うことも選択肢のひとつとなります．

2 出血性関節障害

知っておくべき疾患　血友病性関節症，その他の凝固因子欠損症，関節内血管腫

> 成人で反復性の膝関節血症といえば，陳旧性の前十字靱帯断裂や色素性絨毛結節性滑膜炎を考えますが，小児の場合は先天性の凝固異常や関節内血管腫を考えます．こうした疾患は膝やその他の大関節で頻度が高く，特に下肢に多くみられます．血友病やその他の凝固因子欠損症の多くは，乳児期に診断がついていますが，軽症例では幼児期以降まで診断がついていないこともあります．

診断へのプロセス

STEP 1　経過を聴く

- 関節腫脹とその消退をくり返す経過があれば，反復性関節血症を疑います．
- 他院ですでに関節穿刺が行われ，「血がたまっていた」というエピソードがあれば，出血性関節障害の可能性がきわめて高いことになります．

STEP 2　関節血症を確認し，血液検査を行う

- 明らかな関節腫脹がみられるときに来院してもらい，関節穿刺を行って関節血症がないか確認します．関節血症があれば，血液検査を行って凝固系に異常があれば血友病やその他の凝固因子欠損症の診断となります．

STEP 3　MRI 検査を行う

- 凝固系に異常がなければ，関節内血管腫を疑い，MRI 検査を行って診断します（図 3-15）．血管腫の診断には STIR 法が最も有用です（乳幼児の場合，四肢が小さいので SE 法脂肪抑制 T2 強調像では脂肪抑制にムラがでて，診断しにくい場合があります）．

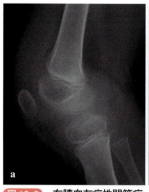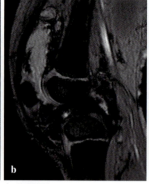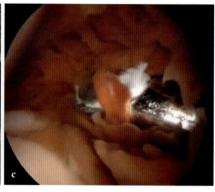

図 12-2　右膝血友病性関節症（4 歳男児）

生後 10 ヵ月時に急性硬膜下血腫を発症し，血友病 A と診断された患児です．血液凝固第Ⅷ因子の定期補充療法が始められましたが，すぐにインヒビターが産生され，凝固系のコントロールが困難な状態となりました．4 歳になり，4 ヵ月間で 4 回の右膝関節血症がみられ，慢性的な痛みや可動域制限が生じたため，鏡視下滑膜切除術を行いました．
a. 術前 X 線像：破壊性変化はまだみられていませんでした．
b. 術前 MRI 像　$T2^*$法（Flip angle 35°）：滑膜増殖のある大腿骨-脛骨間に広範囲の低輝度領域がみられます．$T2^*$法で撮像したときにみられるこのような MRI 所見は，鉄を含むヘモジデリンによるハレーション効果の所見と考えられています．
c. 鏡視像：前内側部を鏡視しながらシェーバーで滑膜切除を行っているところです．滑膜にヘモジデリンが沈着して増殖しているため，滑膜は茶色い絨毯のように見えます．

- 血友病（その他の凝固因子欠損症も）による反復性関節血症では，関節内にヘモジデリンが蓄積して滑膜増殖を伴う滑膜炎が起こります．$T2^*$法で MRI を撮像すると，ヘモジデリンが沈着した部位に鉄分によるハレーションが起こり，滑膜の周辺まで広範囲に低輝度領域がみられることが血友病性関節症の特徴です（図 12-2）．

コラム　歩ける子のバギー

　歩けるのにバギーや車いすで来院する患者家族がいます．バギーに乗ってきたので歩けないと思って対応していると，見当違いの診療方針をとってしまうことがあります．このようなケースは多くの場合，患児に知的障害があり，外出時の抑制目的でバギーや車いすを使用しています．例えば知的障害のある学童期の男児を母親が連れている場合，女子トイレに連れて入ることができず，かといってトイレの外で待たせようとすると，どこへ行ってしまうかわからないという状態です．この状況において，バギーは大切なアイテムなのです．筆者は駆け出しの小児整形外科医の頃，このような母親がバギーや車いすの処方を強く希望する理由がわからず，無用な談判をしてしまうことが少なからずありました．こうした家族の苦労について知ることも小児整形外科診療においては大切なことと思います．

3 骨髄病変
（MRI 検査でみられる骨髄輝度の異常）

知っておくべき疾患

〔できるだけ早期に診断すべき重大な疾患〕
　化膿性骨髄炎，抗酸菌性骨髄炎（結核性骨髄炎，BCG 骨髄炎，非定型抗酸菌性骨髄炎），白血病，悪性リンパ腫，Ewing 肉腫

〔比較的診断を急ぐ必要のない疾患〕
　慢性再発性多発性骨髄炎（CRMO），傍骨端線部限局性骨髄浮腫（FOPE），疲労骨折，壊血病，鉄欠乏性貧血，Langerhans 細胞組織球症，類骨骨腫（骨芽細胞腫）

　小児の MRI 検査が積極的に行われるようになってから，原因不明の骨髄病変で小児整形外科専門医へ紹介される患児が増加しました．その多くは治療を要さないものです．しかし悪性疾患の除外診断が容易でないため，現場の医師を悩ませています．骨髄生検を行えば診断がつきますが，どこで踏み切るべきかの判断が難しいのです．長く経過をみればいずれ診断はつきますが，重大な疾患をいかに早く診断するかが臨床の現場で問われます．生理的な赤色髄の残存や赤色髄への再転換（red marrow reconversion）も考慮する必要があり，小児の骨髄の正常な MRI 像についての知識が必要です（→解説：小児の骨髄の MRI）

診断へのプロセス

STEP 1　全身徴候をみる

- 不眠・食欲低下・夜間痛は，悪性疾患を疑う特に危険な徴候です．顔色が悪い場合や両親から「元気がない」という訴えがある場合も同様です．筆者の経験では，ほとんどの悪性疾患はこれらの徴候から精査に踏み切ることにより，早期診断に至っています．
- 重大な疾患では，発熱がみられることが多いので，熱型をみることが重要です．
- 全身徴候がみられたら，精査が必要と判断します．

STEP 2　食生活についてよく問診する

- 頻度は低いのですが，鉄欠乏性貧血（図 12-3）や壊血病（ビタミン C 欠乏症）（図 12-8, 9）は，食生活についてよく問診すれば，その可能性があるかどうか簡単にわかります．

STEP 3　X 線像をよくみる

- X 線像の変化があれば，感染症や腫瘍の可能性が高いと考えます（図 12-4）．骨溶解像，骨膜反応は，特に注意すべき所見です．

愁訴からの診断

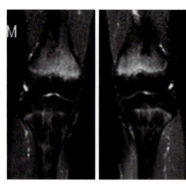

図 12-3　鉄欠乏性貧血の膝（16 歳男子）

極端な偏食（肉・魚などまったく食べない）の陸上長距離選手です．膝の痛みを訴えて受診しました．MRI 検査で骨幹端部に red marrow reconversion を認めたため，血液検査を行ったところ血中ヘモグロビン濃度 8.1 g/dL と著明な貧血を認め，小児科での精査の結果，鉄欠乏性貧血の診断となりました．鉄剤の投与と食生活の改善により，3 ヵ月後には血中ヘモグロビン濃度 16.9 g/dL まで改善し，MRI 像も完全に正常化しました．この MRI 像は，幼児期であれば赤色髄の残存所見として健常児にもみられますが，思春期以降では異常像と考えます．

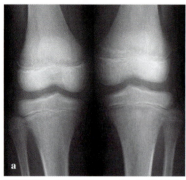 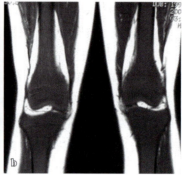 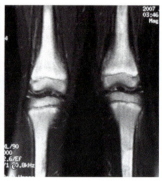

図 12-4　白血病の MRI 像（9 歳女児）

2 ヵ月前から膝痛と両下肢の点状皮下出血があり受診．単純 X 線検査上，骨端部と骨幹端部の皮質骨下に骨吸収像を認めたため（a），MRI 検査（b．SE 法 T1 強調像，c．SE 法脂肪抑制 T2 強調像）を行い，広範囲の red marrow reconversion を認めました．骨髄穿刺にて急性リンパ性白血病の診断となりました．

STEP 4　血液検査を行う

- 重大な疾患や栄養障害が疑われたら，血液検査を行います．
- 血液検査の検査項目としてやっておくべきは，一般的な血算・生化学検査に加えて，血液像（機械計測でなく目視による鏡検）と血沈です．血液像は白血病の診断に重要です．しかし，白血病と悪性リンパ腫は血液検査でほとんど異常がみられないこともあるので，血液検査で除外診断することはできません．抗酸菌による骨髄炎では，CRP が陰性で血沈だけ亢進している場合があるので，血沈は必ず調べます．壊血病を疑う場合は，血清ビタミン C の定量を行います．

STEP 5　骨生検または経過観察する

- ここまでのステップで感染症や腫瘍が強く疑われたら骨生検を行います．
- 単純 X 線検査で異常がみられず，症状が軽く，血液検査，画像所見での異常が軽度の場合は，症状の悪化に注意しながら自然経過を追います．自然治癒がみられたら，CRMO（図 12-14），FOPE（図 3-26），疲労骨折のいずれかであったことになります．
- CRMO の場合，おおむね 1 年以内に同じ部位または異なる部位に再び骨髄炎が起こります．再発と自然治癒をくり返すのがこの疾患の特徴です．

解説　小児の骨髄のMRI

骨髄は成長に伴って，細胞成分の多い赤色髄から脂肪組織の多い黄色髄へと少しずつ変化していきます．赤色髄は水分が多いためMRIではT1強調像で低輝度，T2強調像で高輝度，脂肪抑制T2強調像（STIR像も同じ）で高輝度に描出されます．一方，黄色髄は脂肪が多いため，T1強調像で高輝度，T2強調像で高輝度，脂肪抑制T2強調像で低輝度（STIR像も同じ）に描出されます．乳児期の骨髄は，そのほとんどが赤色髄ですが（図12-5），幼児期には骨端部や骨幹部から徐々に黄色髄へと変わり，骨幹端部にだけ赤色髄が残っています．そして10歳頃までに骨幹端部まで黄色髄に変わります．炎症性病変や血液系の腫瘍はMRIで正常な赤色髄と同様に描出されるため，その診断に際しては，正常な赤色髄が存在する年齢と部位を考慮する必要があります．また貧血があると，一度黄色髄となった骨髄が，造血の必要性から赤色髄に戻ることがあります（図12-3）．これを赤色髄への再転換（red marrow reconversion）といいます．白血病などの腫瘍性疾患でもred marrow reconversionがみられるので注意が必要です（図12-4）．

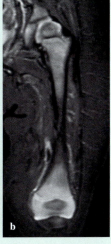

図12-5　正常な乳児の大腿骨MRI像（生後7ヵ月女児）

乳児の骨髄は赤色髄なので，T1強調像（a）では低輝度，T2強調像およびSTIR像（b）では高輝度に描出されます．

コラム　全身性疾患を見逃さないためには

四肢の症状を主訴として来院するこどもの中には，白血病，悪性リンパ腫，神経芽細胞腫，膠原病などの重篤な全身性疾患が隠されていることがあります．そうした疾患を見逃さないためには，先進的な検査が必要と思われる医師が多いと思いますが，すべての患児に精査を行うことは現実には不可能です．筆者の経験では，顔色と表情，食欲低下，睡眠不足（夜間痛）について視診・問診を行うことが，先進的な検査に引けを取らないスクリーニング方法になります．特に悪性リンパ腫などは，血液検査でまったく正常な場合もありますが，痛みのために眠れず，食欲もないので，診察室に入ったとたんに重篤な疾患とわかる場合がほとんどです．

4 多発性骨病変

知っておくべき疾患

Langerhans 細胞組織球症，多発性外骨腫，メタコンドロマトーシス，Ollier 病（多発性内軟骨腫症），多骨性線維性骨異形成症，McCune-Albright 症候群，骨斑紋症，大理石骨病，濃化異骨症，骨流蝋症，Camurati-Engelmann 病，片肢性骨端異形成症

 さまざまな腫瘍および腫瘍類似病変がありますが，知っておくべき疾患は上記の通りです．

診断へのプロセス

STEP 1 画像診断する

- 多発性骨病変の多くはその特徴的な X 線所見で診断可能です．多発性外骨腫（図 7-23，図 9-5），メタコンドロマトーシス（図 5-21，図 6-21），Ollier 病（図 6-19，図 12-19），多骨性線維性骨異形成症，McCune-Albright 症候群（図 12-20），骨斑紋症（図 12-21），大理石骨病（図 5-29），濃化異骨症（図 6-16，図 12-23），骨流蝋症（図 1-13），Camurati-Engelmann 病（図 12-24），片肢性骨端異形成症（図 3-11，図 5-31）は，その特徴的な X 線所見でほぼ診断可能です．

STEP 1 → STEP 2 骨以外の症状がないかチェックする

- 多骨性線維性骨異形成症に加え，性早熟など内分泌疾患の症状や皮膚のカフェオレ斑がみられたら，McCune-Albright 症候群（図 12-20）を考えます．
- 骨流蝋症（図 1-13）では，筋拘縮による関節可動域制限がみられることがあります．
- Camurati-Engelmann 病（図 12-24）では，頭蓋骨の骨病変と関連して，耳鳴りや難聴を合併することがあります．
- Langerhans 細胞組織球症（図 8-34，35，図 10-16，図 11-8，9，図 12-16〜18）では脳下垂体病変を伴うと尿崩症がみられることがあります．

STEP 1 → STEP 2 → STEP 3 必要に応じて生検術を行う

- 画像や臨床徴候から確定診断のできないケースでは，侵襲の少ない部位の生検術を考慮します．
- どの疾患も基本的に良性疾患ですが，外骨腫，内軟骨腫，骨斑紋症などは，稀に悪性化することがあります（図 8-7）．急激な腫瘍の増大がみられたときは，生検術を行う必要があります．

5 栄養障害

ビタミンD欠乏性くる病，壊血病（ビタミンC欠乏症），鉄欠乏性貧血

かつて骨病変をもたらす栄養障害は，貧困と関係の深い病態でしたが，現在は子育てのあり方との関連のほうが深い病態となっており（→コラム：こどもの骨に栄養障害をもたらす4つのパターン），年々こうした病気を患うこどもたちが増えています．

診断へのプロセス

STEP 1　主訴との関連

- くる病の大部分は，O脚変形を主訴として来院します．
- 壊血病は，歯肉の出血がよく知られていますが，整形外科を訪れる患児でそのような訴えがあったことはなく，「あまり歩かなくなった」「歩き方がおかしい」などのはっきりしない症状で来院します．典型例では下肢に荷重させようとすると膝を曲げて，足底接地させないように抵抗します．おそらく骨膜下出血に関連した荷重時の疼痛を反映した症状と考えられます．
- 鉄欠乏性貧血は red marrow reconversion（図12-3）をもたらしますが，これは痛みの直接原因とはなりません．青年期の鉄欠乏性貧血は過剰なスポーツ活動に関連する場合が多いため，疲労骨折などのスポーツ障害が痛みの直接原因となっています．

STEP 1→STEP 2　食生活を問診する

- ビタミンD欠乏性くる病，壊血病，鉄欠乏性貧血は，不適切な食生活が原因です．したがって，こうした疾患を見逃さないためには，画像をよく見ることよりも，食生活の問診をとることのほうが重要です．画像上，ビタミンD欠乏性くる病と同様の異常所見がみられるビタミンD抵抗性くる病は，遺伝子の異常が原因で，適切な食生活でも発症します．

STEP 1→STEP 2→STEP 3　画像評価する

- くる病や壊血病には特徴的なX線所見がみられます（図4-2, 12-6, 7）．両下肢全長と手関節の正面像を撮影します（→私の流儀：くる病の診断に迷ったら手関節のレントゲンを撮る）．
- 壊血病では，骨膜下出血による骨幹端部の骨膜反応，成長軟骨板と骨幹端部の境界にみられる線上の骨硬化像（white line of Frankel）（図12-8, 9），辺縁がリング状に骨化した骨端部（ring epiphysis）などの所見が有名ですが，実際にはこのような重症例ばかりではなく，MRI像でのみ顕著な異常所見がみられるケースもあります．

STEP 4 血液検査を行う

- 一般的血液検査に加えて，血清鉄・カルシウム・リン，アルカリフォスファターゼ，インタクトPTH，25-OH ビタミン D を調べます．血清アルカリフォスファターゼ値は，年齢が若いほど正常でも高値をとるため評価が難しいのですが，おおむね 1,000 IU/L 以上で高め，2,000 IU/L 以上で異常高値と覚えておきます（図 12-7）．

コラム　こどもの骨に栄養障害をもたらす4つのパターン

骨の栄養障害といえば，古くは貧困による不十分な栄養摂取が原因であったと思いますが，貧困の問題が少なくなった現代社会では次の4つのパターンが原因となっています．

① 食物アレルギーによる極端な食事制限…本人に食物アレルギーがなくても，食物アレルギーの同胞がいるために，食事制限を受けている場合もあります．食事制限自体には問題がなくても，これに好き嫌いが加わったために栄養障害に至るケースが少なくありません．

② 調理の手抜き…お菓子だけ与えるなど（ネグレクト）．

③ こどもの好きなものだけ，毎日ワンパターンで食べさせる（好き嫌いを許す保護者）．

④ 狂信的な異常食生活信望者の調理…すべての食材に火を通す，極端な菜食主義など．

祖母が食事を作っているケースもあるので，両親からの聞き取りだけでは不十分な場合もあります．食生活に問題があると判断したときは，栄養士に面談を依頼します．

私の流儀　くる病の診断に迷ったら手関節のレントゲンを撮る

くる病は，軟骨（類骨）の骨化障害をきたす疾患です．そのため，骨幹端部の骨化不全によるcupping（杯状変化），flaring（骨幹端が広くなる変化），fraying（骨幹端の端がほつれたロープのように境界不明瞭となる変化）などと呼ばれる異常所見が顕著にみられます（図 4-2）．これは，骨幹端における石灰化障害によって，骨になりきらない軟骨が厚く残っている所見です．わかりやすく表現すると成長軟骨板（骨ではないので単純 X 線検査上，抜けてみえる）が厚くなっている状態です．この所見が最も顕著にみられるのが，橈骨遠位部です（図 12-6）．下肢の単純 X 線検査では，脛骨遠位部が比較的診断しやすい部位です（図 12-7）．

5 栄養障害

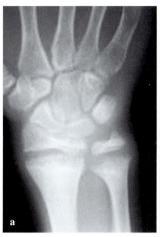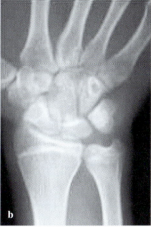

図12-6 くる病の手関節X線像（13歳男児）

12歳から歩様異常が出現し，筋ジストロフィーの精査が他院で行われましたが異常なく，当科紹介．手関節のX線像で著明なcupping と fraying を認めました（a）．両親の特殊な食思想が栄養障害の原因でした．ビタミンD欠乏性くる病の診断で，食生活の改善とビタミンDの投与により治癒しました（b）．

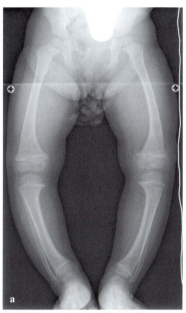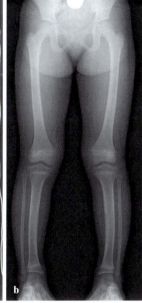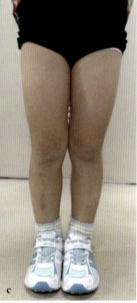

図12-7 X線診断の難しいビタミンD欠乏性くる病（初診時2歳5ヵ月女児）

アトピー性皮膚炎と食物アレルギー（白身魚，大豆，乳製品）のため，極端な食事制限をしていた患児です．O脚を主訴に紹介されました．単純X線検査上，脛骨遠位骨端線の開大が認められたため（a），血液検査を行ったところ，血清カルシウム 9.7 mg/dL，リン 4.3 mg/dL と電解質は正常でしたが，アルカリフォスファターゼ 4,785 IU/L（異常高値），25-OHビタミンD値 11 ng/mL（異常低値），インタクトPTH値 320 pg/mL（異常高値）とくる病の所見を認めました．食事指導とビタミンDの投与を行い，5年後にO脚の改善が確認されました（b, c）．初診時の膝のX線だけみると，くる病の診断は難しいと思われたケースです．

愁訴からの診断

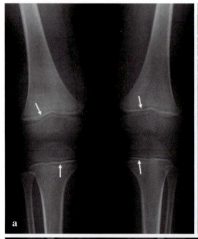
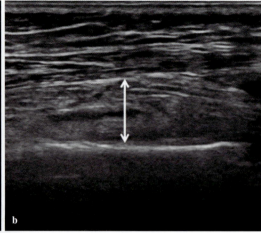
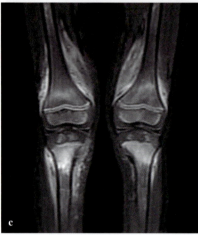

図 12-8 壊血病（3 歳男児）

誘因なく跛行がみられ，その後歩行しなくなり，伝い歩きやハイハイをするようになりました．診察時歩かせようとすると，股関節と膝を屈曲させて足を浮かせ，足底が接地しないようにしていました．問診と画像所見から壊血病が疑われ，血液検査で確定診断に至りました．白米，パン，うどんばかりを食べ，その他おかず，果物，ジュースなど一切摂取しない異常な食生活が原因と考えられました．

a. 初診時の膝 X 線像．成長軟骨板と骨幹端部の境界に線上の骨硬化像（矢印：white line of Frankel）がみられますが，この程度の所見は風邪などで体調を崩した後にもみられることがあります．
b. 右大腿骨骨幹部前方の超音波像．筋肉と骨の間に異常組織がみられます（矢印）．骨膜下血腫が疑われました．
c. MRI 像（STIR 法）．骨幹端部における著明な骨膜下出血の所見がみられました．

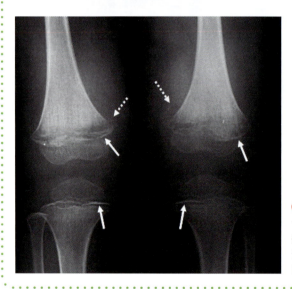

図 12-9 典型的な壊血病の膝 X 線像（3 歳男児）

すべての食材に火を通す食生活が原因と思われる壊血病の男児で，誘因なく歩かなくなったことを主訴に受診．Frankel の white line（矢印）と骨幹端部の骨膜下出血による骨膜反応（点線矢印）がみられます．

6 全身の関節弛緩がみられる結合織性疾患

知っておくべき疾患

Down症候群，Marfan症候群，Ehlers-Danlos症候群，Loeys-Dietz症候群

さまざまな疾患がありますが，結合組織の脆弱性が根本的原因なので，骨関節以外の組織にも異常が生じることが少なくありません．大動脈解離，水晶体脱臼などがこれに該当します．特に大動脈瘤破裂は命に関わってくるので，早期に循環器内科専門医への紹介が必要です（図12-29）．

診断へのプロセス

STEP 1 顔貌と皮膚をみる

- Down症候群では特徴的な顔貌から整形外科を受診するときにはすでに診断がついています．Loeys-Dietz症候群では，眼間開離や斜視が特徴的です．ただしMarfan症候群との鑑別には遺伝子診断が必要です．
- Ehlers-Danlos症候群では，皮膚の過伸展性がみられると成書に書かれていますが，実際にはその判定は容易でありません．筆者の経験では，皮膚をつまんでみると，しっとりとした感触で，独特の柔らかさがあります．一度実例を経験するとよくわかるようになります．

STEP 1→STEP 2 整形外科的異常所見がないか診察する

- 全身の関節弛緩性には，Carterスコア（表12-1）やBeightonスコア（表12-2）を用います．Carterスコアでは3点以上で全身性の関節弛緩を疑います．Beightonスコアでは，4点以上で全身性の関節弛緩を疑いますが，7点以上とする文献もあります．このほか，アームスパン（両手を外側へ伸ばしたときの両中指先端間の距離）が身長より長くないかどうか，くも指の傾向があるか，脊柱側弯がないかなど，結合織性疾患にみられる整形外科的徴候についてチェックします．いずれの徴候も，結合織性疾患をどの程度疑うべきかの判断材料とはなりますが，診断の決め手にはなりません．

STEP 1→STEP 2→STEP 3 他科への紹介（診断がついた後でも）

- 水晶体脱臼がないか，眼科へ紹介します．
- 心血管系の異常がないか，循環器内科へ紹介します．
- 最終診断は遺伝科に依頼すると確実です．

表12-1 Carter スコア（5点満点）

第2-5指を手関節とともに過伸展すると前腕と平行になる	陽性1点
親指が他動的に前腕につく	陽性1点
肘の過伸展10°以上	陽性1点
膝の過伸展10°以上	陽性1点
足関節の背屈45°以上	陽性1点

表12-2 Beighton スコア（9点満点）

小指の他動的伸展が90°以上	片側陽性1点，両側陽性2点
母指を手関節掌屈位で他動的に外転すると前腕につく	片側陽性1点，両側陽性2点
肘の過伸展10°以上	片側陽性1点，両側陽性2点
膝の過伸展10°以上	片側陽性1点，両側陽性2点
立位で膝完全伸展位で手のひらが床につく	陽性1点

7 先天性に多関節拘縮がみられる疾患

知っておくべき疾患

先天性多発性関節拘縮症，Larsen 症候群，Freeman-Sheldon 症候群，Beals 症候群，頭蓋縫合早期癒合をきたす疾患群（Crouzon 症候群，Apert 症候群，Pfeiffer 症候群，Antley-Bixler 症候群）

　生下時から屈指症や先天性内反足などの多関節拘縮がみられる場合は，全身性疾患を考えます．気管・喉頭軟化症などのため，すでに小児科医による呼吸管理が行われているケースもあります．多くの場合，先天性多発性関節拘縮症というさまざまな疾患を含んだ病名で暫定診断しますが，そのなかでも特徴のあるいくつかの症候群にあてはまれば，より病態を絞り込んだ病名で診断します．見た目ではわからない，先天性股関節脱臼や頚椎の後弯に伴う頚髄症を合併することがあるので，注意が必要です．

診断へのプロセス

STEP 1 頚椎病変がないかチェックする

- 診断よりも危険な病態が隠されていないか確認することが第一です．Larsen 症候群では，頚椎の後弯に伴う頚髄症を合併することがあるので，頚椎の単純X線検査が何よりも優先されます．

STEP 1 STEP 2 特徴的な四肢の形態から診断を考える

- 先天性内反足（図2-4），垂直距骨（図2-5），風車翼状手（図6-5）などは，さまざまなタイプの先天性多発性関節拘縮症を示唆する所見です．
- 先天性膝関節脱臼（反張膝）があれば，Larsen 症候群の可能性を考えます（図3-27）．
- 口笛を吹いているようなすぼまった小さな口がみられたら，Freeman-Sheldon 症候群を考えます．
- 細長い指（くも指）が屈曲拘縮していれば，Beals 症候群を考えます（図6-6）．
- 頭蓋骨に著しい変形がみられたら，頭蓋縫合早期癒合をきたす疾患群を考えます．また，肘関節強直がみられた場合も，同様の疾患を考えます．

STEP 3 整形外科医が診断すべき疾患をチェックする

- 遺伝科などの専門医が最終診断をする際には，各専門科による部位別の評価が必要です．特に肉眼評価が難しく他科の医師には画像評価が困難な股関節脱臼，橈骨頭脱臼などをチェックすることが大切です．

STEP 4 遺伝科などの専門医に最終診断を委ねる

- 本項の疾患群を診断するには，整形外科的知識だけでは十分ではありません．最終的には遺伝科などの専門医に診断を委ねます．

コラム 整形外科における専門の細分化によって難民化した希少疾患患者

平成に入ってから整形外科における専門の細分化が進み，最近は治療を請け負う疾患を限定する医師が大半となりました．スポーツ整形外科，人工関節を専門とする関節外科，脊椎外科など華やかな領域に若手医師が多く集まる一方で，浅く広くさまざまな疾患の治療を請け負う医師が少なくなりました．それぞれの医師が専門領域を囲い込むことによって，囲い込みからはずれた疾患の治療を求める患者の行き場がなくなり，難民化しています．小児整形外科では，骨系統疾患などの希少疾患の治療を行っていますが，成人となってからの紹介先が見つからず，やむを得ずキャリーオーバー（和製英語ですが）となってしまうことが少なくありません．血管腫，血友病，くる病など，ある程度の診療経験がないと対応が難しい疾患も，紹介先を見つけることが容易ではありません．また，身体障害者診断書・意見書や障害年金の診断書は，膨大な手間と時間を要する割に収益があがらないため，障害者医療を避ける医師が多くなったことも，こうした難民を増やす一因となっています．専門の細分化は治療成績の向上をもたらし，たいへん意義深いこととは思いますが，どこの病院へ行っても「うちでは治療できません」と言われてしまう患者が存在することは，わが国における医療の大きな問題点と思われます．専門を選択する自由を否定できない以上，この問題は政策医療に期待するしかありません．希少疾患を扱うことが，担当医にとって生き甲斐となるような環境整備や制度の改善を強く望みます．

各疾患について知っておくべき知識

I　関節炎をきたす疾患

◉ 化膿性関節炎

- 関節内に細菌感染が起こった状態で，放置すると関節軟骨，軟骨下骨，成長軟骨板が溶解し，関節変形や成長障害をもたらします．
- <u>有効な治療法は手術しかありません</u>．抗菌薬の投与による保存治療や，これに加えて針穿刺による関節洗浄を行うことで良くなることもありますが，そのような中途半端な治療を行ったために重大な後遺障害が生じ，多数回手術が必要となったケースが少なくありません．
（→ポイント：化膿性関節炎は火事と同じ・・・急いで消火してください！）
- 培養検査による起因菌の同定を待っていると，手遅れになることがあります．関節液が膿性であれば，確定診断を待たず，手術に踏み切る必要があります．<u>手術に際しては，結果的に不要な治療となる可能性も説明しておきます</u>．
- 手術で行うのは，関節洗浄，関節内汚染組織の除去，ドレーン留置です．関節内汚染組織の除去は，発症から長い時間の経ったケースに必要な処置で，発症後間もなく，関節内に壊死組織のないケースには必要ありません．直視下手術と鏡視下手術がありますが，関節外に膿瘍形成があれば，直視下手術の適応です．また，関節内汚染組織の除去が鏡視下では十分にできないと判断されたときも直視下手術の適応です．

> **POINT!　化膿性関節炎は火事と同じ・・・急いで消火してください！**
>
> 化膿性関節炎は治療が長引くと，関節周囲にある骨，関節軟骨，成長軟骨板に細菌感染が及びます．その結果，骨壊死，骨溶解，軟骨溶解，骨端線早期閉鎖などの重大な後遺障害が残ることがあります．火事が延焼するイメージです．早く火を消さないと被害が大きくなっていきます．抗菌薬の投与で感染は治癒するので手術は必要ないとする研究報告もありますが，そのような研究では長くとも数年しか経過観察が行われていません．小児の場合，10年以上経過してから機能障害や痛みが出現することが少なくありません．「火を消せば良い」のではなく，「早く火を消して被害を少なくする」ことが大切なのです．少しでも早く感染をおさめるためには，緊急手術を行って関節内を徹底的に洗浄し，関節内の汚染組織を取り除き，ドレーン（排膿管）を留置する必要があります．火事を消火するイメージで治療にあたってください．

◉ 若年性特発性関節炎（juvenile idiopathic arthritis：JIA）

（図2-18，図3-17，図5-20）

- 以前は「若年性関節リウマチ（juvenile rheumatoid arthritis：JRA）」と呼ばれていた小児のリウマチです．
- 乳幼児期に発症する少関節型では，足関節炎や膝関節炎が多く，痛みを訴えず可動域制限だけみられるため，小児整形外科専門医の診察にたどり着くまでなかなか診断がつかないケース

がほとんどです．
- 成人のリウマチと比べると比較的予後良好なケースが多く，自然治癒するケースもあります．しかし，いったん骨破壊が成長軟骨板に達すると，成長障害のために著明な骨変形や骨短縮が生じ，大きな後遺障害を残すことがあります．
- 治療は成人の関節リウマチと同様に考えます．薬物治療はメトトレキサート，生物学的製剤が中心となります．
- 有効な薬物が見つからず，関節病変が進行するときは，滑膜切除術を行います．ただし，これはタイムセービングのための手術と考えられています．成人では数年間有効とされますが，小児では半年から1年と報告されています．鏡視下滑膜切除術は，すべての大関節に可能な手術で，術後の関節可動域低下がみられない利点があります．
- 薬物治療が十分であるかどうかを評価するには，主に血清MMP-3値が正常であるか，活動性のある関節炎があるか，の2点から考えます．関節炎については，診察所見から関節炎が疑われた関節を適宜画像評価します．顎関節や環軸関節など，四肢以外の関節についても診察を忘れないよう注意が必要です．
- 筆者の経験では血清MMP-3が一度でも300 ng/mLを超えると不可逆的関節障害が残る可能性が高いので，治療を急ぐ必要性については，MMP-3値の推移をみて判断します．
- 全身型，少関節型，リウマチ因子陰性多関節型，リウマチ因子陽性多関節型，付着部炎関連関節炎などに分類されます．付着部炎関連関節炎は，次項に別記します．
- リウマチ因子陽性多関節型は予後が悪く，成人のリウマチへ移行することもあります．
- 整形外科を初診することの多い少関節型では，「ブドウ膜炎」と呼ばれる眼科疾患を合併することが多いため注意を要します．眼科への紹介を忘れないようにしましょう（→注意！：関節炎治療終了後のブドウ膜炎　p.300）．

● 付着部炎関連関節炎（enthesitis-related arthritis：ERA）（図2-20，図12-10）

- 成人では強直性脊椎炎に代表されるHLA-B27と関連の深い病態です．小児例では，通常脊椎症状はみられず，四肢の関節炎と腱付着部炎がみられます．HLA-B27陽性例では「HLA-B27関連関節炎」と呼ばれることもあります．
- 学童期に足底腱膜炎で発症することが多いのですが，その時点で本疾患まで疑われることはまずありません．
- ERAは青年期以降で仙腸関節炎を伴う場合が多く，HLA-B51と関連する病態の場合もあります（図11-10）．しかし筆者の経験では，HLA-B51と関連する関節炎では，腱付着部炎の症状に乏しいようです．HLA-B27陽性例とはまったく別な病態ではないかと考えています．
- 10歳代で股関節炎を発症する例は，重症例と考えられており，積極的な薬物治療が必要です．
- 薬物治療には，サラゾスルファピリジンや関節リウマチに用いられる生物学的製剤が有効と考えられています．

各疾患について知っておくべき知識

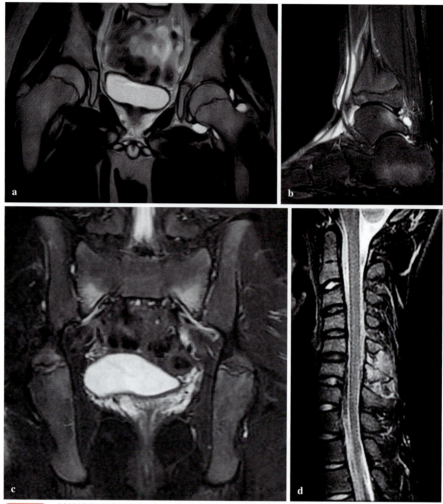

図12-10 付着部炎関連関節炎（ERA）（発症時13歳男児）

左股関節痛で発症したERAです．発症後9ヵ月のMRIでは左股関節炎の所見を認めました（a）．その後，左足関節痛を訴え，MRIでは関節内外に炎症所見を認めました（b）．さらに右第2趾の腫脹もみられたため，発症後1年で当科紹介．血清MMP-3が23.1ng/mLと正常範囲であったため，ERAを疑いHLA検査を行ったところB27陽性でした．血清CRPは，経過中0.8～2.9 mg/dLと異常高値が続いていました．仙腸関節部に症状はありませんでしたが，病状評価のためMRI検査を行ったところ，両仙腸関節の仙骨側に骨髄浮腫の所見を認めたため（c），ERAの診断でメトトレキサートの投与を開始しました．発症後1年6ヵ月で後頸部痛を訴え，MRIで第5～7頸椎の棘間靱帯炎の所見を認め（d），強直性脊椎炎への移行が心配されたため，生物学的製剤（アダリムマブ）の投与を開始しました．これによりさまざまな症状が速やかに消退しました．

感染症関連関節炎と反応性関節炎

（→コラム：用語の混乱：死語となったReiter症候群と反応性関節炎から分離された感染症関連関節炎 p.299）

- 関節以外の細菌感染症後に起こる関節炎を「感染症関連関節炎」と呼びます．この中で

HLA-B27遺伝子を保有する例に限って「反応性関節炎」と呼びます．
- 感染症関連関節炎の代表的な原因疾患として，溶連菌感染症が挙げられます．
- 感染症関連関節炎の多くは一過性で，無治療でも自然治癒することが少なくありません．一方，HLA-B27遺伝子保有例にみられる反応性関節炎は難治性の場合が多いようです（図12-1）．
- 炎症性腸疾患（潰瘍性大腸炎など）に伴う関節炎も類似した病態で，HLA-B27遺伝子保有例では難治性の場合が多いようです．
- HLA B-27遺伝子保有例で感染症後に発症した付着部関連関節炎は，反応性関節炎にも該当します．つまり付着部関連関節炎と反応性関節炎の疾患概念はオーバーラップしています．

II 出血性関節障害をきたす疾患

◉ 血友病性関節症，その他の血液凝固因子欠損症

- 血友病などの血液凝固因子欠損症の患者が関節内出血をくり返すと，関節内にヘモグロビン由来のヘモジデリンが蓄積し，易出血性の滑膜炎が起こります（図12-2）．これを放置すると，次第に破壊性の関節症性変化が生じます．
- 関節血症に対する関節穿刺は，痛みを軽減してヘモジデリンの蓄積を減ずる効果がありますが，穿刺によって新たな出血をもたらすリスクもあります．関節穿刺は必ず凝固因子または血漿の補充後に行い，22ゲージ程度の細めの注射針を用います．
- 6ヵ月間に3回以上の出血が同一関節にみられた場合，その関節を「標的関節（target joint）」と呼び，滑膜切除術（図12-11）などの積極的治療を考慮すべき状態と考えます．
- 最も有効な治療は，凝固因子の定期補充療法ですが，インヒビター陽性例（補充する凝固因子に対する抗体が産生されてしまったケース）や血友病以外の血液凝固因子欠損症（図5-21）では定期補充療法を行うことができません．そのような場合は，装具による免荷療法や鏡視下滑膜切除術（図12-2）を行います．
- 海外では，オスミウム酸やリファンピシンを関節内注入する化学的滑膜切除術や，Yttrium（^{90}Y），Phosphorus（^{32}P）などの放射性同位元素を関節内に注入して放射線によって滑膜細胞を壊死させる核医学的滑膜切除術が行われています．こうした滑膜切除術には，手術と異なりヘモジデリンを除去する効果はありませんが，出血の頻度を減らす効果があることがわかっています．残念ながらわが国ではこうした治療が認められていません．

◉ 血管腫

- 整形外科を訪れる小児の軟部腫瘍で最も頻度が高いのは血管腫で，これが約半数を占めます．四肢のあらゆる部位に存在している可能性があります．成人であまり見ないのは，成長の過程で自然消退することが多いからです．
- "腫瘍だから本来切除すべきである"という発想を持って診療にあたってはいけません．"仲良く共存できるなら，切除しなくても良い"という基本姿勢で診療にあたります．自然消退傾向のみられないケースでは切除しても再発が多く，根治することは容易でありません．

各疾患について知っておくべき知識

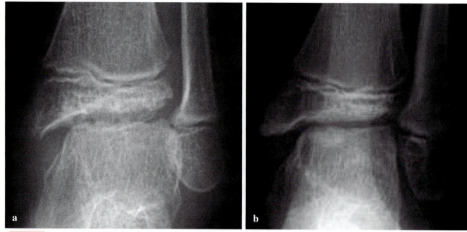

図 12-11 血友病性関節症の足関節（5 歳男児，血友病 A）

左足関節の関節血症をくり返し，破壊性の関節症性変化（a）を認めたため，鏡視下滑膜切除術を行いました．凝固因子の定期補充療法も行い，術後，関節血症は一度もみられませんでした．術後 4 年時の単純 X 線検査では明らかな関節症性変化の改善がみられました（b）．

ただし局所の耐え難い痛みが続くときは，切除術を検討します．

- 多発性の場合が多く，深部に限られる場合もありますが，皮膚に網状に集まった血管病変が目視できることが少なくありません．
- 安易に切除を試みると大出血することがあります．駆血していても止血困難となることがあるため，切除術には相当な覚悟を持って臨みます．特に海綿状血管腫では止血が困難です．
- 血管腫は MRI 検査で容易に診断できます．脂肪抑制 T2 強調像で深部の血管腫は明瞭に描出できますが，手足の小さい小児では，脂肪抑制が均等にかからず，皮膚や皮下の血管腫が診断しにくい場合があります．四肢の浅い部位においては，脂肪抑制にばらつきの少ない STIR 法のほうが診断に有利です．
- 急に大きくなった軟部腫瘤の場合は，出血後の血管腫を考えます．この場合，画像上，血管腫に加えて血腫がみられます．この血腫には，しばしば血行性細菌感染が起こります．これを放置すると全身状態が悪化し，生命を脅かす事態にもなりかねません．すみやかに抗菌薬の投与を行う必要があります．
- 血管腫による二次性の筋拘縮による関節機能障害がみられるときには，筋解離術を行います（図 7-13）．
- 関節内血管腫では，反復性の関節血症を起こし，関節内に鉄が貯留すると，破壊性の関節症性変化がみられるようになります．このような場合は，関節鏡を用いて関節内出血をもたらす部分だけを切除または凝固します（図 3-15，図 5-18, 32）．
- 広範囲の血管腫では，出血・凝固をくり返すことによって，血液中の凝固因子が不足する病態（Kasabach-Merritt 症候群）を合併することがあります．生命の危険を伴う病態なので，血液凝固系の異常がないか一度血液検査を行っておく必要があります．血液疾患を専門とする小児科医に紹介しておくと安心です．

Ⅲ　骨髄病変のみられる疾患

● 化膿性骨髄炎

- 小児では血行性感染が多く，骨端線周囲が好発部位です（図 12-12, 13）．
- 特に踵骨は好発部位です．
- 閉鎖性の外傷後に発症することが多いので，外傷に後発する痛みが続いたら本疾患の可能性を考えます（図 12-13）．
- 腐骨があるときはこれを完全に除去することが大切です（図 8-22，図 12-13）．
- 骨端線をまたぐ病巣では，骨性架橋の形成から骨端線早期閉鎖に至ることが少なくありません．初期治療における完全な病巣掻爬に加え，骨性架橋ができたときに，これを放置せず切除していくことが大切です（図 4-35, 36）．
- 急性骨髄炎に対しては，慢性骨髄炎への移行を防ぐため，3週間以上抗菌薬を投与することが推奨されています．筆者は，少なくとも血清 CRP が正常化するまでは，抗菌薬を経静脈的に投与するようにしています．

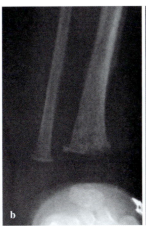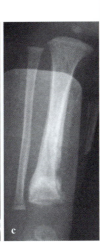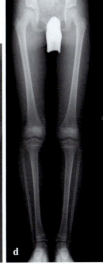

図 12-12　右脛骨骨髄炎（生後 2 ヵ月男児）

生後 1 ヵ月で高熱があり，近医で抗菌薬が投与されていました．その後，抗菌薬の過量投与が明らかとなり，交換輸血のため当院 ICU に転入院となりました．このとき右下腿遠位内側部が自壊し排膿がみられたため，当科紹介．起因菌は MRSA で抗菌薬の適正投与が行われ，全身状態が落ち着いた時点で感染徴候が消失したため，手術は行いませんでした．9 歳まで経過観察しましたが，幸い成長障害などの後遺症はなく順調な経過でした．

a. 初診時：下腿遠位内側部から排膿がみられました．
b. 初診時右足関節 X 線所見：脛骨遠位骨幹端部に骨破壊像を認めます．
c. 初診 2 週後の右下腿骨 X 線所見：脛骨骨幹部から骨幹端部に骨膜反応，骨硬化像を認めます．
d. 9 歳時の両下肢 X 線所見：脚長差はみられていません．

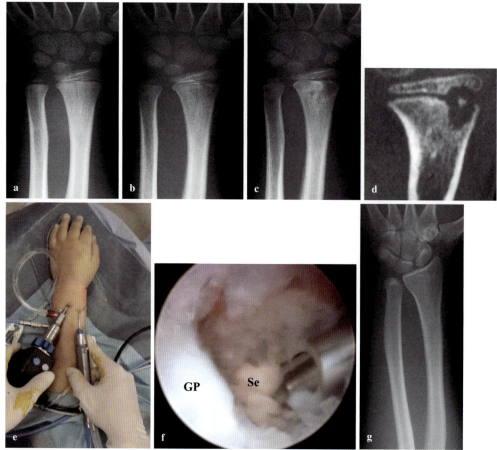

図 12-13 左橈骨骨髄炎（8 歳男児）

鉄棒から落下した翌日から左手関節痛があり近医を受診しましたが，単純 X 線検査では異常がありませんでした．痛みが徐々に悪化したため，受傷 7 日後に再度単純 X 線検査を受けましたが，異常はありませんでした（a）．その後も痛みは続き，受傷 18 日後にも単純 X 線検査が行われましたが（b），異常を指摘されることはありませんでした．回顧的に画像を見直してみると橈骨遠位骨幹端橈側に骨溶解の所見がみられます．受傷 40 日後の単純 X 線検査で骨溶解がはっきりしたため（c），当科紹介．経過中 37℃以上の発熱はみられず，血液検査では CRP 0.28 mg/dL，血沈 1 時間値 17 mm，2 時間値 42 mm と軽微な炎症所見のみ認めました．CT 検査では骨端線をまたいで骨溶解がみられ，骨溶解部のほぼ中央に腐骨を認めました（d）．骨髄鏡視下に腐骨の摘除を含む病巣掻爬を行いました（e, f）．起因菌は黄色ブドウ球菌で，術後 2 週間抗菌薬の経静脈投与を行い感染は治癒しました．術後 7 年の成長終了時まで経過観察しましたが，成長障害や骨変形はみられませんでした（g）．
（GP：growth plate，成長軟骨板，Se：sequestrum，腐骨）

● 抗酸菌性骨髄炎（結核性骨髄炎，BCG 骨髄炎，非定型抗酸菌性骨髄炎）

- 抗酸菌性骨髄炎の多くは，BCG 骨髄炎です．結核予防のための生ワクチン（わが国では東京 172 株）による感染です．病巣が骨端線をまたぐことが多く，抗酸菌性関節炎と同時に発症することもあります（図 3-18）．
- 非定型抗酸菌は手術歴のある患者にほぼ限定して検出されることが報告されています．筆者の経験でも，発症した部位に手術歴のある患者に限られています．
- 治療は手術に加えて，抗結核薬の投与を行います．抗結核薬には，聴力障害，視力障害などの重大な副作用があるため，投与方法は結核治療の専門家に委ねます．
- 腐骨を完全に除去しないと再発をくり返します．骨髄鏡手術がきわめて有用です（図 3-18）．

● 慢性再発性多発性骨髄炎
（chronic recurrent multifocal osteomyelitis：CRMO）

- わが国では難病に指定されていますが，日常診療でたびたび見つかるありふれた疾患です．疼痛を伴う局所の骨髄浮腫（図 12-14）が誘因なく出現して自然に寛解し，その後同様なことがさまざまな骨に生じます．足部や膝周辺に多いのですが，上腕骨や肋骨などにも同様な病変が生じることがあります（図 12-15）．重症例では単純 X 線検査でも骨溶解や骨硬化がみられます．
- ほとんどのケースは，5～10 年くらいの経過で自然治癒します．
- かつては，無用な骨生検を行うべきではないと成書に書かれていましたが，悪性リンパ腫などの重大な疾患との鑑別が必要なケースもあり，現在は「確定診断には骨生検が必要」と考えるほうが一般的です．ただし，MRI 検査で病巣の自然消退が確認できれば，悪性疾患は否定できるので，病変が出たり消えたりというケースに骨生検は必要ありません（図 12-14）．
- 鑑別が難しいのは次項で述べる FOPE です．FOPE の疾患概念は，まだ十分に定まっておらず，病理組織所見についても明らかにされていません．このため，担当医の主観で診断しているのが現状です．
- 難治例には生物学的製剤が有効という報告もありますが，一般的には痛みが強いときに鎮痛剤を内服させる程度の対症療法を行いながら経過観察し，自然治癒を待ちます．
- 最近は SAPHO 症候群同様の自己炎症性疾患と考えられています．心理的ストレスで症状が悪化することも知られています．

● 傍骨端線部限局性骨髄浮腫（focal periphyseal edema：FOPE）

- 成長終了間際に膝周辺の骨端線周囲にみられる生理的な浮腫で，痛みを伴います（図 3-26）．
- 発症年齢は，11～15 歳と報告されています．
- 前項でも述べましたが，FOPE の疾患概念はまだ十分に定まっておらず，病理組織所見についても明らかにされていません．生理的なものと考えるには論理の飛躍があり，発生頻度も高くなく，CRMO と同程度です．膝に生じた非細菌性骨髄炎（CRMO などの自己炎症性疾患）やプロテイン C・S 欠乏症（図 3-25）による骨端線周囲の血栓症を，生理的変化と誤解しているのではないかと筆者は考えています．

● 類骨骨腫 （図 5-19）

- 安静時痛を生じる骨腫瘍です．単純 X 線検査での診断は容易でありませんが，MRI を撮像すると病巣周囲の骨内外に著明な浮腫像がみられます．
- アスピリンが痛みに効くことがよく知られています．ほかの NSAIDs でも鎮痛効果があります．しかし，完全に痛みをコントロールすることは難しいため，患者家族のほうから手術希望となります．
- 画像上，腫瘍本体は反応性の硬化骨に囲まれた骨透亮像（nidus）としてみられます．nidus の中心部には小さな骨化巣があります．その特徴的な CT 像から診断は比較的容易です．
- nidus が 2 cm 以上だと「骨芽細胞腫」と呼びますが，同じ腫瘍です．

各疾患について知っておくべき知識

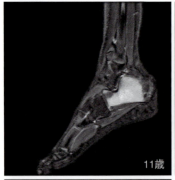
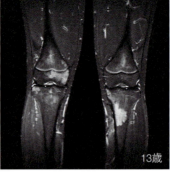
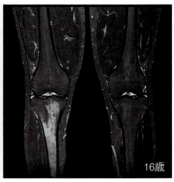
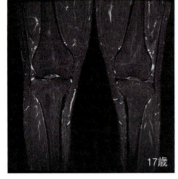

図12-14 CRMOのMRI像（11歳女児）

3ヵ月以上続く発熱（最高で39.0℃）と両足関節痛を主訴に受診．MRI検査では著明な骨髄浮腫像がみられたため骨生検術を行ったところ，腫瘍や感染の所見はなく，リンパ球，形質細胞からなる炎症細胞浸潤を認め，CRMOの診断となりました．コルヒチンの投与で1ヵ月後には症状軽快し，その後さまざまな部位に同様な症状がみられました．13歳時には両膝痛，16歳時には右下腿痛などみられ，MRI検査では地図状の骨髄浮腫像がみられましたが，対症療法にて数ヵ月で軽快し，17歳時にはMRI像も完全に正常化しました．

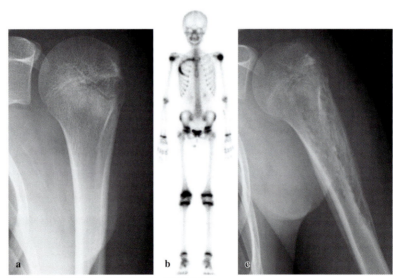

図12-15 CRMOの上腕骨病変（13歳女児）

左肩痛で発症しました．その後右膝も痛くなり紹介．単純X線検査では左上腕骨近位部，右大腿骨遠位部，脛骨近位部に骨溶解と骨形成の混在する病変（a）を認めました．血液検査では，血清CRP 0.6 mg/dL，血沈1時間値29 mm/2時間値62 mmと軽度の炎症所見を認めました．骨シンチグラム（b）では，右第4肋骨にも異常集積を認め，同様な骨病変を認めました．針生検からの病理所見では慢性炎症（形質細胞やリンパ球の浸潤）の所見を認め，臨床経過と合わせてCRMOと診断しました．9ヵ月後，左上腕骨の病巣が拡大（c）したため骨生検術を行いましたが，針生検と同様の病理所見でした．手掌や手指の皮膚に掌蹠膿疱症でみられるような膿疱性病変がときどきみられたため，SAPHO症候群ではないかと考えられたケースでした．

- 小児の類骨骨腫の発生部位は，ほとんどのケースで大腿骨転子部周辺です．
- 治療は，腫瘍を切除するというよりは，痛みが出ないようにすれば良いという考えで行われています．このため，CTガイド下に電極をnidusの中へ差し込んで腫瘍を焼灼するラジオ波焼灼術（radiofrequency ablation：RFA）が低侵襲治療として普及しています．しかし，この方法だと病理診断が得られない欠点もあります．内視鏡手術であれば，組織を採取したうえで根治も可能です（図5-19）．

IV 多発性骨病変のみられる疾患

多発性外骨腫，メタコンドロマトーシス

- 小児では最も頻度の高い骨腫瘍です．腫瘍の表面に「軟骨帽」と呼ばれる成長軟骨板同様の組織があれば，成長（増大）途上にある外骨腫です．
- 骨軸方向に伸びていくべき成長軟骨板が，一部横道へ逸れて骨外に伸びていった結果生じたものです．成長軟骨板の配列を制御する遺伝子に異常があれば，多発性となります．放射線治療によって，誘発されることもあります．
- 関節方向へ伸びる手指・足趾の外骨腫が多発性にみられる場合は，メタコンドロマトーシスという遺伝性疾患の可能性があります．メタコンドロマトーシスでは，7歳以下において外骨腫の自然消失がしばしばみられます（図6-21）．安易に手術をせず，経過をみる必要があります．また，メタコンドロマトーシスでは，内軟骨腫も混在する場合があります（図5-22）．
- 尺骨は好発部位で，しばしば成長障害を伴います．放置すると橈骨が相対的に長くなり，手関節の尺屈変形（ulnar clubhand），内反肘，橈骨頭脱臼などがみられます．治療は，尺骨の延長術をくり返し行うほかありません（図7-23）．
- 肋骨から胸腔側に腫瘍が伸びていくことがあります．血気胸をもたらしたり，肺や縦郭を圧迫することがあるので（図9-5），定期的な胸部X線検査が必要です．
- 脊椎病変が脊髄症をもたらすことがあります．定期的な診察時には反射亢進がないか，必ずチェックする必要があります．数年に一度，脊椎のMRI検査を行っておくと安心です．
- 軟骨帽が残存していると，成人となってから悪性化し軟骨肉腫となることがあります．特に体幹部の外骨腫で悪性化が多いと報告されています．筆者は上腕骨近位部の外骨腫が30代で悪性化した1例を経験しています．成人となってから腫瘍の増大傾向があるときは，早期に手術を考慮すべきであることを，親元を離れる前に本人に伝えておくことが重要です．メタコンドロマトーシスでも，悪性化して軟骨肉腫が生じた報告があります．

⦿ Langerhans 細胞組織球症 (Langerhans cell histiocytosis：LCH)

- 小児では外骨腫の次に頻度の高い骨腫瘍です．
- 骨溶解像をみたら，LCHと骨髄炎をまず考えます．X線所見で骨膜反応（図8-35，図12-16）がみられる点やMRIで骨外に浮腫像がみられる点で，画像所見がEwing肉腫に類似しています．
- LCHが疑われるときは，頭蓋骨に打ち抜き像（図12-17）がないか，脊椎に圧潰像（典型例ではCalveの扁平椎）（図10-16，図11-8, 9）がないか，チェックします．
- 診断には生検術が必要ですが，多発する場合は最も侵襲の少ない部位から生検します．経験的には，生検が遅れるほど診断率が下がります．骨が圧潰する前に生検することが重要です．
- 生検術は，悪性腫瘍の可能性を考慮し，重要な神経血管束を避けた経路でアプローチし，病変部の皮質骨を開窓して組織を採取し，迅速病理診断を依頼します．悪性腫瘍が否定できた段階で，可及的に病巣掻爬を行います．LCHであればほとんどの場合，病巣掻爬を行うと数週間で骨再生がみられます．脊椎椎体病変においては，手術侵襲が大きいので，椎弓根を経由した針生検を行います．
- <u>LCHの骨病変は，基本的には自然治癒するものと考えます</u>．病巣掻爬を行えば，より早く治癒します．しかし自然治癒が見込めるからといって，放置して良いものではありません．<u>骨再生が十分に起こるまでは，病変部が圧潰して後遺症を残さないよう，安静度の指示や装具の処方を適宜行います</u>．特に頭頚移行部や頚椎においては，注意が必要です．また，関節近傍の病変（図12-18）でも，不可逆的な関節変形が生じないよう注意が必要です．
- ①単一骨病変の場合，②多発骨病変の場合，③多臓器病変の場合に分けられますが，整形外科を受診する患児のほとんどは①か②です．③は乳児期に多く，生命に関わる疾患です．②と③に対しては，抗がん剤による化学療法が行われます．①と思われる症例でも，全身の骨シンチグラムと頭部MRI検査を行い，ほかに病変がないか確認します．
- 稀に自壊して，腫瘍が皮膚の外へ排出されることがあります．正体不明の組織が自壊した部位から排出されたら，病理組織検査へ提出することが大切です（図8-34）．

⦿ Ollier病

- 内軟骨腫が多発性にみられる先天疾患です．病変部の多くは成長軟骨板に接しており，成長障害が問題となります．
- 片側に偏在することが多く，下肢では脚長不等と骨変形が問題となります（図12-19）．
- 内軟骨腫が左右対称にみられる場合は，遺伝性軟骨腫症（genochondromatosis）と呼ばれます．
- 上肢では，尺骨と手指が愁訴になりやすい部位です．尺骨遠位部の内軟骨腫では，尺骨成長障害が起こり，手関節の尺屈変形（ulnar clubhand），内反肘，橈骨頭脱臼などがみられます．手指においては，病変部の膨隆が整容的問題となります（図6-19）．
- <u>腫瘍を切除するのは，病変部の膨隆が整容的問題となったり，病変部に病的骨折が起きた場合に限ります</u>．内軟骨腫の軟骨組織の大部分は，いずれ健常な骨組織へと置き換わっていくので，切除せず共存させていく考えで治療します．
- <u>成長軟骨板における非対称性成長による進行性の骨変形に対しては，できるだけスクリュー</u>

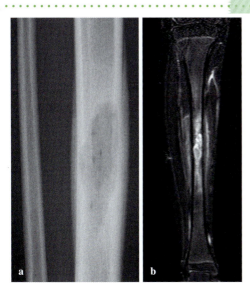

図 12-16 脛骨骨幹部の Langerhans 細胞組織球症（8 歳女児）

1ヵ月以上続く右下腿痛を主訴に紹介．右脛骨骨幹部中央に玉ねぎの皮状の骨膜反応（onion peel appearance）を伴う骨溶解像を認め（a），MRI では骨外の浮腫像を伴う骨髄内高輝度病変（STIR 法）を認めました（b）．血液検査上炎症所見はなく，骨腫瘍を疑って骨生検術を行い，迅速病理検査で LCH の診断が得られたため，病巣掻爬も同時に行いました．単発性であったため，化学療法は行いませんでしたが，術後すみやかに骨再生がみられました．

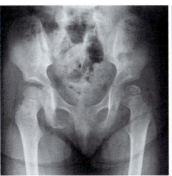
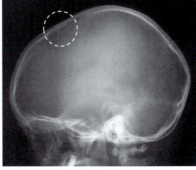
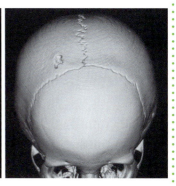

図 12-17 Langerhans 細胞組織球症（2 歳女児）

跛行を主訴に近医を受診し，多発性骨病変を指摘され紹介．右坐骨，左大腿骨頭などに骨溶解像を認めたため，LCH を疑い，頭蓋骨および脊椎の単純 X 線検査を行ったところ，頭蓋骨に打ち抜き像を認め，第 3, 6 頚椎，第 6 胸椎の椎体圧潰像を認めました．頭蓋骨病変の生検術が脳外科によって行われ，LCH の診断となりました．その後，血液腫瘍科による全身の精査で，多骨性の単一臓器型と診断されました．化学療法が行われ，手術することなくすべての骨病変が治癒しました．

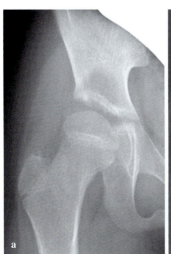
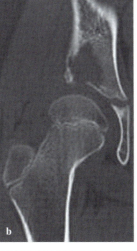

図 12-18 臼蓋の Langerhans 細胞組織球症（8 歳女児）

1ヵ月以上続く歩行時の右大腿から腓腹部にかけての痛みを主訴として紹介．単純 X 線検査上，臼蓋荷重部に骨透亮像を認め（a），CT 検査では，臼蓋荷重部に骨溶解像がみられました（b）．血液検査では，血清 CRP 値 0.1 mg/dL，血沈 1 時間値 28 mm/2 時間値 59 mm でした．血沈の上昇がみられたため，骨髄炎と骨腫瘍を疑い骨生検術を行ったところ，迅速病理検査で LCH の診断が得られたため，病巣掻爬を行いました．単発性であったため，化学療法は行いませんでしたが，坐骨免荷装具を適用しました．術後 6ヵ月で十分な骨再生がみられ歩行可能となりました．

各疾患について知っておくべき知識

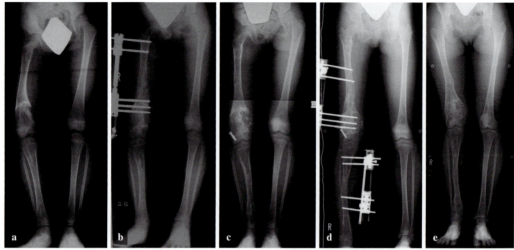

図 12-19 Ollier 病（2 歳 11 ヵ月女児）
2 歳時に下肢変形を主訴に紹介．単純 X 線検査上，右大腿骨・下腿骨の骨幹端に内軟骨腫の所見がみられ（a），Ollier 病の診断で経過観察を行いました．6 歳時に右大腿骨内反変形の矯正を兼ねた骨延長術を行いました（b）．術後，右大腿骨の内反変形が進行したため，8 歳時にスクリューを用いて右大腿骨遠位骨端線外側の成長抑制術を行いました（c）．徐々に悪化する脚長差に対して，11 歳時に右大腿骨と下腿骨の延長術を同時に行いました（d）．14 歳時に成長終了が確認され，右大腿骨のスクリューを抜去し，治療終了となりました（e）．

（図 12-19）や 8 プレートを用いた成長抑制術によって治療しますが，こうした手術を行っても変形が悪化していくときは，矯正骨切り術をくり返し行います．
- 成長障害による長さの問題に対しては，骨延長術を行います．このときに可能であれば骨切り部で変形の矯正も行います．骨延長術においては，ハーフピンや鋼線を内軟骨腫内部に挿入しても問題ありません（図 12-19）．
- 内軟骨腫は，悪性化して軟骨肉腫となることがあります（図 8-7）．急激に腫瘍が増大したときは，生検術が必要です．

● 多骨性線維性骨異形成症，McCune-Albright（マッキューン・オールブライト）症候群

- 「線維性骨異形成症（fibrous dysplasia：FD）」と呼ばれる骨腫瘍類似病変が多発するのが多骨性線維性骨異形成症で，これに性早熟，カフェオレ斑を伴うのが McCune-Albright 症候群です．
- 整形外科的に問題となるのは，病変部に骨脆弱性による疲労骨折や不全骨折，ときに完全な骨折が起こることです．FD が単骨性の場合は比較的予後良好ですが，多骨性や McCune-Albright 症候群では，難治性で同一部位に複数回手術を要することが少なくありません．
- 特に治療を要する頻度が高いのは，大腿骨頸部の FD です．不全骨折をくり返しているうちに内反股となります．最終的には大腿骨全体が弯曲し，「shepherd's crook deformity（羊飼いの杖様変形）」と呼ばれる形態になり，荷重時に患側に体幹が大きく傾く跛行を呈するようになります．これを防ぐためには変形が悪化する前に内固定する必要があり，髄内釘を用いた手術法が推奨されます（図 12-20）．ある程度内反股が進んだ状態では，外反骨切り術を行った後に髄内釘固定を行いますが，手術によって骨長が伸びると大腿骨頸部に挿入したラグスクリューがチーズカットを起こして外反の矯正ロスが起こるので，骨長が伸びないよう必要に

Ⅳ 多発性骨病変のみられる疾患

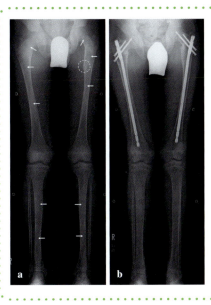

図12-20　McCune-Albright症候群の下肢（9歳男児）
内分泌科ですでに診断のついていたケースです．1年前から続く跛行を主訴として紹介．両大腿骨・両下腿骨にすりガラス様陰影（aの矢印）がみられ，右大腿骨近位部の内反変形と左大腿骨転子下の疲労骨折像（aの点線内）を認めました．その後両大腿骨頸部に不全骨折を生じて内反変形がさらに進んだため，12歳時に両大腿骨近位部を外反矯正し，大腿骨頸部から骨幹部を補強する髄内釘を挿入しました（b）．

応じて短縮を行うことが重要です．髄内釘の遠位の横止めスクリューは，骨折部や骨切り部が十分に癒合するまでは入れておきますが，そのまま入れておくとストレスシールディングによって横止めスクリューと骨の間に力学的負荷がかかります．骨折治療と異なり，髄内釘を半永久的に留置することとなるので，長期にわたる力学的負荷は骨折を招く危険があるので，骨折部や骨切り部が十分に癒合したら抜去しておくことをお勧めします．

- FDに占拠された骨幹部に髄内釘を挿入するとき，FDが髄腔を埋めているのでガイドピンが容易に入りません．長いドリルなど，髄腔を作成する器具をあらかじめ用意して手術に臨むことが大切です．
- FDのある部位で骨膜を剥離すると骨表面からの出血が健常な骨よりも多く，長い手術時間になると意外な出血量に達します．輸血を準備して手術に臨んだほうが安心です．

骨斑紋症（osteopoikilosis）

- 著しい数の骨硬化巣が全身の骨内にみられる疾患です．成人で単発性の骨硬化像がみられたら，骨島（bone island）と考えますが，小児の場合はosteopoikilosisの初期（図12-21）の可能性も考慮してほかの部位の単純X線検査を行ってみます．osteopoikilosisは無症候性の病態ですが，悪性化して骨肉腫となった成人例の報告がありますので，骨痛や腫脹がみられたらその可能性を考慮して精査する必要があります．

大理石骨病（osteopetrosis）

- 骨吸収障害によって，髄腔が皮質骨で埋まってしまう疾患です．
- 臨床上問題となるのは，疲労骨折，骨折，股関節の軟骨溶解（図5-29）です．疲労骨折に対しては運動制限で対処します．骨折に対しては，健常人と同様に手術適応を考えて治療します．骨癒合の速度は，保存治療では健常人とほぼ変わらず，手術例では術中に骨折部に過剰な熱を加えなければ健常人とほぼ同等です．

各疾患について知っておくべき知識

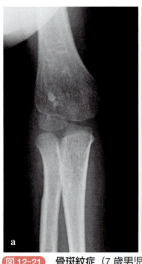
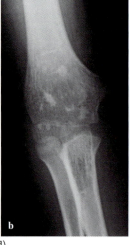
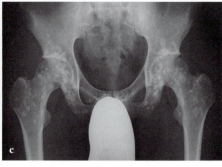

図 12-21 骨斑紋症（7歳男児）

右分娩麻痺で他院で保存治療中でしたが，肘の屈曲制限がみられるようになったため7歳時に紹介．単純X線検査（a）で上腕骨遠位部に数ヵ所の骨硬化巣を認めましたが，可動域制限とは関係のない，いわゆる骨島（bone island）と考え，経過観察としました．12歳時の単純X線検査（b）で骨硬化巣が増加していたため，肩，両下肢などの単純X線検査を行い，多数の骨硬化巣がみられたため骨斑紋症の診断となりました．20歳時の股関節の単純X線検査（c）では著しい数の骨硬化巣を認めました．いずれの骨硬化巣も無症候性で治療を要するものではありませんでした．

- 手術は難易度が高く，術後感染の頻度が高いことが知られています．感染の原因は硬い骨を穿孔する際に発生する熱で広範囲に組織が壊死するからではないかと筆者は考えています．厚い皮質骨をドリルで穿孔するときは，新品のドリルを多数用意し，冷水で骨を冷やしながら少しずつ切れ味の良いドリルで穿孔していくことが重要です．ブレード型のプレートは，ブレードを挿入するための穴をノミで開ける際に，周囲の骨が粉々に割れてしまうことがあるので，禁忌と考えたほうが良いと思います（筆者の苦い経験から）．
- 骨髄腔の不足によって輸血を要するような高度な貧血があるケースでは，造血幹細胞移植を考慮します．造血幹細胞移植が成功すると骨髄腔が広がり，骨病変が劇的に改善します（図12-22）．しかし，移植に伴う重大な合併症のリスクを考慮すると安易に行うことはできません．
- 股関節の軟骨溶解は，骨硬度に関係したものと思われ，通常骨成長終了後に愁訴となります．人工股関節置換術の適応ですが，ステムの挿入が難しく，感染のリスクも高いことが知られています．

濃化異骨症（pyknodysostosis）

- 大理石骨病と非常によく似たX線所見がみられる疾患で，しばしば大理石骨病と診断されてしまいます．
- 手指の末節骨先端に骨溶解がみられることが特徴的です（図6-16）．また，顔貌にも特徴があり，本疾患を知る医師にとって診断は難しくありません．
- 長管骨の長軸方向に垂直に骨折線がみられる骨折は，保存療法抵抗性で，再発もみられます．このような疲労骨折に対しては積極的治療が必要です．具体的には手術や体外衝撃波による

Ⅳ 多発性骨病変のみられる疾患

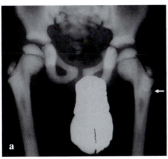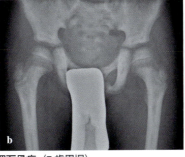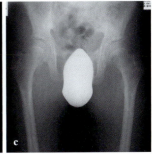

図12-22 臍帯血移植が著効した大理石骨病（7歳男児）

4歳から骨折をくり返していたため当科紹介．大理石骨病と診断し保存治療を行っていましたが，極端な骨髄腔狭小化により高度貧血がみられ，5歳時には血中ヘモグロビン値5.5 g/dLまで低下し4〜5週に1回輸血を要する状態となりました．6歳時には軽微な外傷で左大腿骨亀裂骨折がみられました（aの矢印）．7歳時に臍帯血移植を行い，その後徐々に骨髄は正常化し（b：3年後，c：5年後），それにともなって貧血は改善し，骨折も起こらなくなりました．その後25歳まで経過観察していますが，骨関節の問題は生じていません．

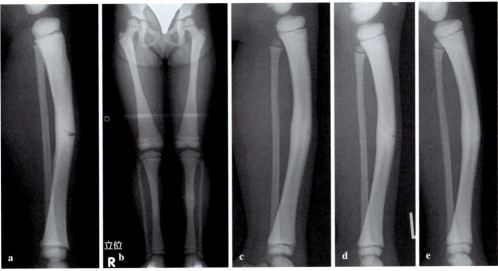

図12-23 濃化異骨症にみられた脛骨骨折の経過（4歳女児）

4歳時，階段から転落して左脛骨骨幹部を骨折しました（a）．ギプス固定しても癒合がみられず，全身の単純X線検査（b）が行われ，大理石骨病に類似した骨髄腔に乏しい骨所見などから最終的に濃化異骨症の診断となりました．装具，低出力超音波療法などの保存療法にて受傷後2年でほぼ骨癒合が得られましたが（c），7歳時に弯曲変形が原因と思われる疲労骨折が同じ部位に起こりました（d）．再び1年近く保存療法が行われましたが，骨癒合が得られず紹介となりました．体外衝撃波療法を行ったところ，半年後に骨癒合が得られました（e）．

治療（図12-23）を考慮します．筆者は長期ギプス固定で血栓性静脈炎から肺塞栓症を起こして死亡した成人例を経験しています（手術治療を一般病院にお願いしましたが，長期ギプス固定が選択されました）．

骨流蝋症（melorheostosis）

- 骨内に蝋が流れたような形態の骨硬化病変がみられる疾患です．無症状の場合が多いのですが，病変部に痛みを伴うこともあります．また，病変部に近い部位の軟部組織の成長に影響し，筋拘縮をもたらすことがあります（図1-13）．
- 筋拘縮に対しては，腱延長術を行います．

各疾患について知っておくべき知識

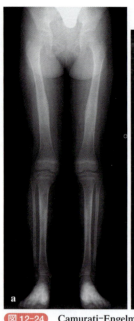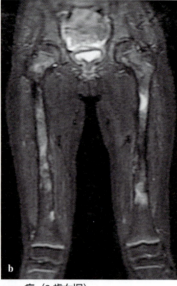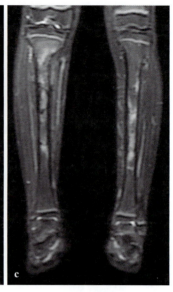

図 12-24 Camurati-Engelmann 病（9 歳女児）

6 歳から両大腿部痛があり徐々に悪化したため，9 歳時に当科紹介初診．両大腿骨，下腿骨，上腕骨，前腕骨骨幹部に骨皮質の肥厚を認め（a），MRI では両大腿骨（b），脛骨骨幹部（c）に骨髄浮腫像を認めました．Camurati-Engelmann 病と診断し，消炎鎮痛剤による対症療法を行って経過観察していました．12 歳時に神経性食思不振症を発症し入院加療が行われました．本疾患に有効とされるロサルタンカリウムの投与を考えましたが，患者家族は希望されませんでした．

● Camurati-Engelmann 病（カムラティ・エンゲルマン）

- 四肢の骨痛で整形外科を受診します．上下肢の長管骨に，左右対称性に骨幹部の骨肥厚がみられるので（図 12-24），診断は難しくありません．
- 頭蓋底の骨肥厚によって，頭痛，耳鳴りなどがみられることがあります．
- 痛みに対しては，消炎鎮痛剤やステロイド剤を用いて対症療法を行います．文献的には降圧剤のロサルタンカリウムが有効と報告されていますが，筆者には使用経験がありません．
- 痛みのために精神疾患を発症しやすいといわれており，必要に応じて精神科へ紹介します．

● 片肢性骨端異形成症（dysplasia epiphysealis hemimelica：DEH）

- 簡潔にいうと，関節軟骨から発生する骨軟骨腫です．これが多発する疾患で，主に片側の下肢にみられます．最も好発するのは距骨です．関節面の軟骨から骨軟骨腫が隆起していきます（図 12-25）．膝（図 3-11）や股関節（図 5-31）にもみられます．
- 関節を動かしたときに，隆起部がインピンジするようになると，痛みや可動域制限が生じます．インピンジをくり返しているうちに mouse として分離していくこともあります．
- 画像検査は，病変部が軟骨で覆われているので，MRI 検査 T2*法で撮像すると輪郭が白く描出されて，よくわかります．

Ⅳ　多発性骨病変のみられる疾患

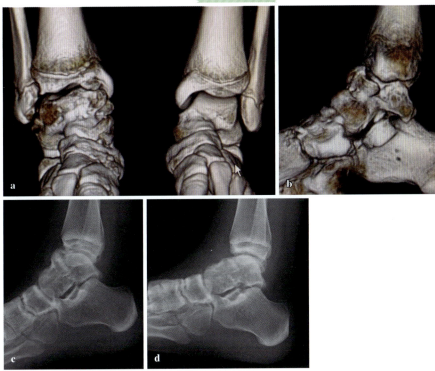

図12-25　片肢性骨端異形成症の距骨（13歳女児）
右足関節の背屈制限により片肢性骨端異形成症の診断に至ったケースです．距骨に加えほかの足根骨にも小さな骨軟骨腫が多数みられました（a, b）．鏡視下に距骨滑車部前方の隆起性病変を切除し，背屈可動域は術前－15°から＋15°まで改善しました（c：術前，d：術後6ヵ月）．

- 病変部を広範に切除すると関節が癒合して動かなくなることが多いので，なるべく手術を行わずに経過観察しますが，可動域制限によって良肢位を保てなくなったときは必要最小限（インピンジする部分だけ）切除します（図12-25）．
- 患肢に過成長が起こり，脚長不等が生じる場合があります（図5-31）．これに対しては，成長抑制術で対処します．

コラム　治療薬の開発されている希少疾患

きわめて稀な疾患でも，治療薬がある疾患は知っておく必要があります．治療薬の投与が遅れたために，より重い障害が残ってしまうかもしれないからです．その意味で，すでに治療薬が開発されている低フォスファターゼ血症（図4-24），ムコ多糖症（図12-26），軟骨無形成症（図12-35, 36），脊髄性筋萎縮症（神経内科疾患）は，知っておくべき希少疾患と思われます．これらの疾患のスクリーニングは容易ではありません．何か変だと感じたら専門医に紹介するほかないのかもしれません．

各疾患について知っておくべき知識

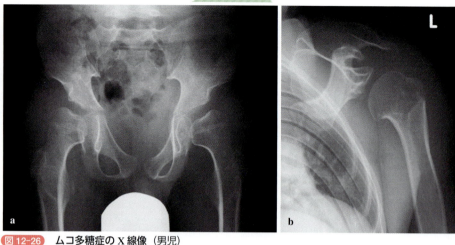

図12-26 ムコ多糖症のX線像（男児）
MPS I型（Hurler症候群）の股関節（a, 12歳）と肩関節（b, 15歳）．

V　骨病変をもたらす栄養障害

● ビタミンD抵抗性くる病，ビタミンD欠乏性くる病（図4-2, 3, 図12-6, 7）

- さまざまなくる病がありますが，整形外科医が関わる機会が多いのは，この2つのくる病です．ビタミンD抵抗性くる病は先天性疾患で，ビタミンD欠乏性くる病は後天性疾患です．いずれもO脚が主訴となることが多く，単純X線検査でのスクリーニングが可能です．

- ビタミンD抵抗性くる病の治療は，腎臓などへの影響を考慮する必要があるので，小児科医に委ねる必要があります．筆者の経験では，活性型ビタミンDの投与だけで骨病変の改善を十分に得ることは難しく，リン製剤の十分な投与が不可欠です．しかしリン製剤の内服はリン製剤の剤型の問題もあって，なかなか長続きしないようです．

- ビタミンD欠乏性くる病は，最近急増しています．以前は食物アレルギーが原因のケースが多かったのですが，最近は子育てに十分な時間がとれない家庭の事情が関係しているように感じています（→コラム：こどもの骨に栄養障害をもたらす4つのパターン p.308）．ビタミンD以外の栄養も不足している場合が多いので，ビタミンDの投与に頼らず，できるだけ食生活の改善によって治療していく姿勢が大切だと考えています．

- 稀に消化管疾患に伴う吸収不良症候群がビタミンD欠乏性くる病をもたらすことがあります．食生活にまったく問題がなさそうなときは，消化管疾患がないか小児科に紹介する必要があります．

- 3歳までに治療が軌道に乗らないケースでは，O脚が残存し，自家矯正はほとんど期待できません．5歳の時点でO脚が残存していたら手術治療を考慮します．

- 手術法には，8プレートによる骨端線片側成長抑制術（図4-25）と矯正骨切り術があります．最近は手術侵襲の少ない骨端線片側成長抑制術が選択されることが増えていますが，この手術の効果は年齢が高いほど不確実となります（10歳未満なら有効です）．

- 内服治療中のくる病に対して矯正骨切り術を行うと，術後に著明な高カルシウム血症となり，生命の危険が生じることがあります．術前から内服を止めること，術後は心電図モニター

を行い，血清カルシウム値をときどき調べること，腹痛が出たら高カルシウム血症を疑うこと，などが重要です．

⦿ 壊血病 （図12-8, 9）

- ビタミンC欠乏による易出血性が骨痛をもたらす病態です．
- 本疾患は，食生活が原因です．母親が優しすぎてこどもの好き嫌いを叱れない場合，祖母が食事を作っていて孫が好きなものだけ食べさせているような場合が多いようです（→コラム：こどもの骨に栄養障害をもたらす4つのパターン p.308）．
- 跛行や歩行しないことが症状としてみられますが，果物や果汁をとらせるよう食事指導すると数週間で治癒します．ビタミンD欠乏性くる病や鉄欠乏性貧血を合併することもあるので，血液検査が必要です．

VI 関節弛緩のみられる全身性疾患

⦿ Down（ダウン）症候群

- 全身性の関節弛緩がさまざまな関節疾患をもたらします．
- 患児を診察するときに留意すべき整形外科疾患は，環椎後頭関節亜脱臼，環軸関節亜脱臼，外反扁平足，習慣性股関節脱臼，習慣性膝蓋骨脱臼，脊柱側弯症です．
- 環椎後頭関節亜脱臼は，新生児期・乳児期に重篤な麻痺をきたすことがありますが，幼児期以降で症状が出ることはほとんどありません．一方，環軸関節亜脱臼は，学童期以降で進行性の麻痺をきたすことがあるため，注意深い経過観察が必要です（図12-27）．
- 外反扁平足は，幼児期からみられ，学童期以降も改善がみられないケースが大部分です．長い距離を歩けないなど集団生活で支障をきたす場合は，対症療法としてアーチサポートの足底板を処方します．
- 習慣性股関節脱臼は，身体を前に折りたたんで寝る（膝伸展位で股関節を過屈曲した姿勢）習慣のあるケースで学童期以降にみられ，放置すると恒久性脱臼へ移行します（図5-58）．骨盤骨切り術の手術成績が意外に良好であることが最近報告されていますが，骨頭の後方被覆を改善する術式の選択が肝要です．何よりも習慣性股関節脱臼を予防するための生活指導が重要です．
- 習慣性膝蓋骨脱臼は，手術治療の適応となりますが，軟部組織の弛緩が背景にあるので，膝蓋骨外側解離と内側膝蓋支帯縫縮（内側膝蓋大腿靱帯含めて）だけを行うのではなく，骨性アライメントの矯正（外反膝や大腿骨内捻の矯正）や膝蓋腱の脛骨付着部の移動（膝蓋腱遠位付着部外側1/2の内方移行：Goldthwait法）を考慮します．

⦿ Marfan（マルファン）症候群（図12-28），Ehlers-Danlos（エーラス・ダンロス）症候群（図12-29），Loeys-Dietz（ロイス・ディーツ）症候群（図2-41）

- 全身性の関節弛緩がみられる疾患です．結合組織の脆弱性が本態なので，心血管異常について循環器内科専門医へ紹介することが何より大切です．命を落としてから診断がつくことだけ

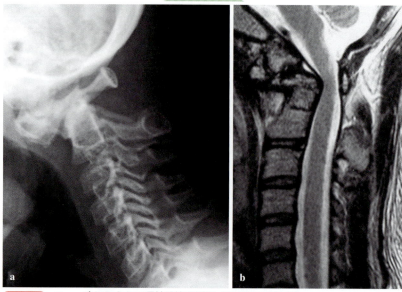

図 12-27　Down 症にみられる環軸関節亜脱臼（初診時 5 歳女児）

Down 症の診断で 5 歳時に紹介となった女児です．整形外科的に特に問題となる所見はなく，頚椎の単純 X 線検査を定期的に行って経過観察をしていました．9 歳時の単純 X 線検査（a）で歯突起形成不全を伴う環軸関節亜脱臼が明らかとなりましたが，臨床症状がまったくないため，保護者の意向に沿い経過観察としました．その後徐々に四肢の痙性がみられるようになりました．16 歳時に全身麻酔下で撮影した MRI（b）では第 1 頚椎レベルにおける著明な脊柱管の狭窄がみられたため，頚椎専門医へ紹介しました．

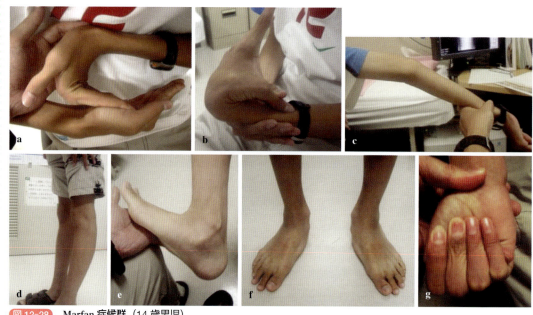

図 12-28　Marfan 症候群（14 歳男児）

Carter スコアで評価される 5 つの徴候（a〜e）を認め，外反扁平足（f）と thumb sign（グーのときに親指の先が小指より尺側に出る徴候）（g）も認めました．arm span（腕を横に伸ばしたときの中指先端間の距離）は 171.5 cm で身長 166.5 cm を上回っていました．漏斗胸と脊柱側弯症も認めました．

Ⅶ 関節拘縮のみられる全身性疾患

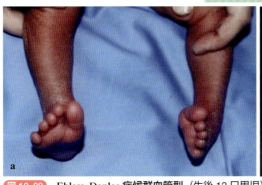
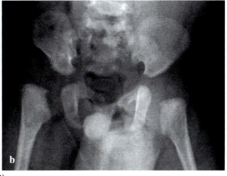

図 12-29 Ehlers-Danlos 症候群血管型（生後 12 日男児）

生直後より左足の変形を認めたため，生後 12 日目に当科を初診され，左先天性内反足と診断しました（a）．通常の内反足より少し可動性のよい状態でした．矯正ギプス治療を行い，十分な矯正が得られたのでアキレス腱皮下切腱術は行いませんでした．生後 3 ヵ月で来院したときに右股関節にクリックがあることに気づき，単純 X 線検査を行ったところ，右先天性股関節脱臼の所見でした（b）．リーメンビューゲルで治療し，順調に整復されました．その後経過観察を行いましたが，左足は内転変形が残存していました．その他の臨床所見から歌舞伎症候群を疑い，遺伝科へ紹介しましたが，診断はつかず経過観察となりました．5 歳まで経過観察し，臼蓋形成不全が残存していたためソルター手術を勧めましたが，その後受診が途絶えました．10 年後（15 歳時）に母親から，大血管断裂で亡くなられたとの連絡がありました．剖検では Ehlers-Danlos 症候群の診断だったとのことで，今後の診療に役立ててほしいとのことでした．後で文献を調べてみると，Ehlers-Danlos 症候群血管型の診断基準の小基準には，先天性股関節脱臼と内反足が含まれていることがわかりました．

は避けなければなりません（図 12-29）．

- Carter スコア（表 12-1，図 12-28），Beighton スコア（表 12-2）を参考にして，全身性の関節弛緩を評価しますが，診断の決め手はありません．
- 脊柱側弯症を発症すると進行が速いので，早期発見に努めます．
- 先天性内反足，先天性股関節脱臼，鼠径ヘルニアの既往などは，心血管異常を合併するリスクファクターと考えます．
- 重症例では，習慣性肩関節脱臼，習慣性肘関節脱臼，習慣性膝蓋骨脱臼，習慣性膝関節脱臼，高度外反扁平足（図 2-41）など，さまざまな病態が学童期以降で発症し，徐々に悪化していきます．学童期以降の年齢において，脱臼・亜脱臼（足部変形を含めて）に対する軟部組織の縫縮や移行に頼った手術は無効です．装具によって対症的に保存治療を行うか，骨切り術・関節固定術などの骨性手術で治療を行うか，いずれかの方法を選択します．
- 筆者は経験がありませんが，腰椎すべり症，環軸関節亜脱臼などがみられる場合は，必要に応じて手術を考慮します．

Ⅶ 関節拘縮のみられる全身性疾患

◉ 先天性多発性関節拘縮症（arthrogryposis multiplex congenita：AMC）

- 関節拘縮が多関節にみられるさまざまな疾患の総称です．明確な定義はありません．
- 典型例では，足部に先天性内反足（図 2-4）や垂直距骨（図 2-5），手部に風車翼状手（図 6-5），股関節に先天性股関節脱臼がみられます．膝関節拘縮もしばしばみられます．
- 重症の多発性関節拘縮症では，額に血管腫がみられることがあります．

- 本疾患では拘縮した関節を動かす筋の低形成と拘縮があり，歩行能力を獲得できない重症例もあります．しかしほとんどのケースは治療を根気よく進めていくと歩行能力を獲得します．
- 先天性内反足は難治性で，通常の先天性内反足に適用されるPonseti法の治療体系では，十分に改善しないケースが少なくありません．筆者は，初期治療としてPonseti法を行い，十分な矯正が得られないときは，1歳以降で距骨下全周解離術を行っています．距骨下全周解離術の是非については小児整形外科専門医の間でも意見が分かれていますが，術中距骨下関節を観察すると軟骨性に癒合しているケースも少なくないので，Ponseti法のようにギプス矯正を主とした治療体系では限界があると筆者は考えています．これも私見ですが，距骨下全周解離術を行う際，変形が高度なケースに対しては後脛骨筋腱の延長に代えて完全な切離を行うと再発率が低くなるようです．
- 垂直距骨も難治性で，通常の垂直距骨に行われる逆Ponseti法を初期治療として試みますが，十分な矯正が得られないときは，1歳以降で距骨下全周解離術を行っています．垂直距骨に対する手術で重要なことは，距舟関節の完全な整復と前脛骨筋腱の十分な延長です．距骨下全周解離術で用いるCincinnati incisionでは，前脛骨筋の延長が簡単ではありませんが，これは必須の処置です．
- AMCに合併する股関節脱臼に対しては，初期治療は行わず，ほかの関節の治療を優先します．幼児期以降，伝い歩きができるようになった時点で，観血的整復術を検討します．歩行能力を獲得できないケースに股関節脱臼の手術を行うのは，患児が受ける肉体的・精神的ストレスに見合う利益がないので，筆者は賛成できません．最終的に歩行能力を獲得できそうなケースでは，股関節が脱臼していても歩行できるようになるので，最終的な予後を見定めてから手術を行うべきではないかと考えています．
- AMCに合併する股関節脱臼に対する観血的整復術で注意すべき点は，大腿骨の内反骨切り術を行うと，術後外転制限による歩容異常が目立つことです．大腿骨の骨切りは整復が困難なときに行いますが，できるだけ短縮だけで済ませ，どうしても内反しないと整復位で安定しないときは，必要最小限の内反を行います．その場合，術後整復位で安定してから必要に応じて外反骨切り術を行います．
- 手指については母指の対立運動障害から外科的治療を進め，つまみ動作を獲得することを最初の目標とします．手外科専門医による治療が必要です．

⦿ Larsen症候群
ラーセン

- 本疾患は，先天性膝関節脱臼を伴う先天性多発性関節拘縮症というイメージです．
- 先天性膝関節脱臼と先天性股関節脱臼が両側性（ときに片側）にみられ，先天性内反足または垂直距骨などの足部変形も同時にみられる疾患（図3-27）で，これに加えて平坦な顔貌と短い爪が特徴的とされています（筆者が思うに日本人の場合，顔貌は特徴的には見えません）．AMCとの厳密な鑑別は困難です．
- 生下時の状態をみると，将来歩けるようになるとはとても思えない外観ですが，脳性麻痺や脊髄症がなければ，手術治療を重ねることによって，歩行能力を獲得できます．しかし，そこまでの治療があまりにも大変なので，本疾患の治療を行っていくことは「ヘラクレスの

- タスク（非常に大変な事業という意味）」と呼ばれています．
- 本症を診療するうえで最も重要なことは，頚椎の高度後弯を見逃さないことで，後天的な脊髄損傷を避けるよう注意する必要があります．
- ほかの疾患にもあてはまることですが，多数の関節異常が同時にみられるときに，どのような順序で治療していくかを考える必要があります．下肢については，先天性膝関節脱臼の保存治療（できる範囲で）→足部変形の保存治療（できる範囲で）→先天性膝関節脱臼の手術治療→足部変形の手術治療→股関節脱臼の手術治療という順をお勧めします．

Freeman-Sheldon 症候群（フリーマン・シェルドン）

- 本疾患は，口笛を吹いているようなすぼまった小さな口の先天性多発性関節拘縮症というイメージです．
- 手指・足趾の拘縮と難治性の先天性内反足または垂直距骨がみられます．足部変形に対しては，距骨下全周解離術などの本格的な手術治療が必要です．
- 口が小さいので全身麻酔下に手術を行う際には，事前に麻酔科への相談が必要です．

Beals 症候群（ビールス）

- 「congenital contractural arachnodactyly（先天性拘縮性くも指症）」とも呼ばれます．
- 先天性に多発性の屈指症（図 6-6）がみられたら，本疾患を疑います．
- 外耳の crumpled appearance が特徴的と言われますが，このような耳は健常児にもみられるため，診断の決め手にはなりません．診断は，遺伝科などの専門医に委ねます．
- 注意すべきは学童期以降にみられる進行性の側弯症で，呼吸機能障害をもたらすような高度な側弯（図 12-30）に至ることがあるため，早期に側弯症専門医へ紹介することが大切です．

Ⅷ　その他

骨形成不全症

- 重症例では生下時の骨折と四肢の変形，軽症例では易骨折性を主訴とします．
- 骨形成不全症の診断には，頭蓋骨の「Wormian bone（ウォルム骨）」（図 12-31）と呼ばれる変化をみることが有用です．
- 新旧の多発骨折（図 12-32）がみられるため，被虐待児症候群との鑑別が必要です．しかしその鑑別は容易でありません．
- 骨折に対しては，おおむね 2 歳くらいまでは保存的に加療します．上肢や下腿の骨折にはギプスシーネ固定を行いますが，大腿骨骨折に対しては可能であれば Bryant 牽引（両下肢を膝伸展位で上方へ介達牽引）を行います．この方法は出生直後から可能です（図 12-33）．骨形成不全症の骨折は，変形癒合した後に自家矯正が起こりにくいので，できるだけ弯曲させずに癒合させるのが理想的です．しかし，実際には十分な人手と設備が整っていない限り，このような治療を行うことができません．また，母親と長期間離れることによる不利益も無視できないので，症例に応じて対応を考えます．

各疾患について知っておくべき知識

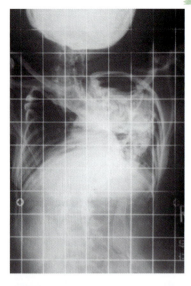

図 12-30 Beals 症候群にみられる進行性の脊柱側弯
学童後期から側弯症がみられ，急速に進行しました．早期に手術を考慮すべきケースでした．

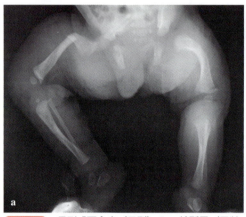
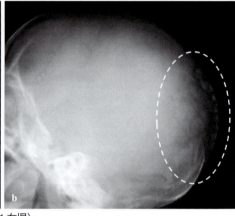

図 12-31 骨形成不全症（Ⅲ型）の X 線所見（日齢 1 女児）
在胎 38 週で帝王切開にて出生後，右大腿部の腫脹を認めたため紹介．単純 X 線検査では，右大腿骨骨折と左大腿骨弯曲変形がみられました（a）．青色強膜もみられたため，骨形成不全症を疑い頭部 X 線検査も行ったところ，頭蓋骨側面像で後頭部に「Wormian bone」（b の点線内の石畳状の骨）と呼ばれる本疾患に特有の所見がみられました．左大腿骨はおそらく胎児期の骨折が変形癒合したものと思われます．

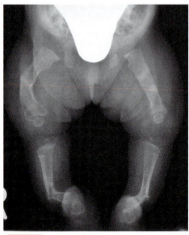
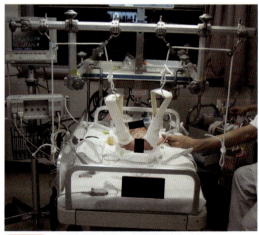

図 12-32 骨形成不全症にみられる新旧の多発骨折（生後 4 ヵ月女児）

図 12-33 骨形成不全症の大腿骨骨折に対する Bryant 牽引（日齢 0 女児）

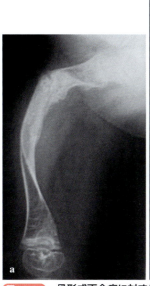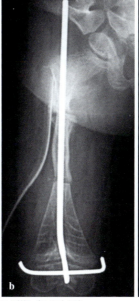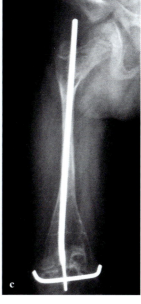

図12-34　骨形成不全症に対する手術（4歳女児）

右大腿骨骨折をくり返した結果，著明な弯曲変形がありました（a）．骨形成不全症ではリモデリングが期待できないため，矯正骨切り術を行って変形を矯正し，髄内釘を挿入して骨形態を維持する必要性があります．このケースではエンダー釘で固定しました．成長に伴って髄内釘が短くなると入れ換えが必要となるため，近位を骨外に出してできるだけ長い髄内釘を挿入し，入れ換えまでの期間を長くするようにします（b）．2年後のX線像では，髄内釘の近位部へ突出した部分が短くなっていることがわかります（c）．画像上，大腿骨遠位骨幹端に骨軸に垂直な縞模様が見えるのは，パミドロネート投与によるゼブララインです．

- 2歳以降で，大腿骨・脛骨の弯曲が残り，骨折をくり返している場合は，矯正骨切り術を行い髄内釘を留置します（図12-34）．
- 薬物治療としては，パミドロネートという注射薬が適用となっています．これを投与すると骨吸収が抑制されるため，骨折頻度が減少します．X線所見上は，「ゼブラライン」と呼ばれる骨軸に垂直な縞模様が骨幹端にみられます（図12-34）．1クール投与するたびに1本の白いラインが形成されます．ゼブララインのある骨は内部が竹の節のような構造となっているため，髄内釘を挿入したときには側方動揺性が抑えられる効果もあります．
- パミドロネートには蓄積性があり，長期投与を行うとガラスのようにもろい骨になります．これは手術をしているときによくわかります．明確な根拠はありませんが，できれば本剤の投与は5歳くらいまでとしたほうが良いのではないかと感じています．また，将来のことを考えると，健保適応はありませんが，アレンドロネートなどの蓄積性の少ない薬剤を投与したほうが良いのではないかと思っています．

軟骨無形成症

- 遺伝子変異のため四肢短縮や骨・関節変形がみられる疾患です．
- 本疾患は治療薬が開発され，わが国では2022年に製造販売が承認されました．したがって，早期診断が重要な疾患となりました．

各疾患について知っておくべき知識

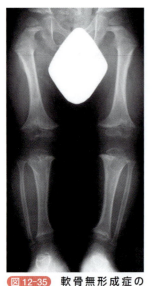

図12-35 軟骨無形成症の両下肢（5歳男児）

大腿骨，脛骨は太く短く，骨幹端は幅が広く不整で盃状変形を認めています．

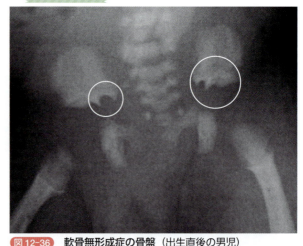

図12-36 軟骨無形成症の骨盤（出生直後の男児）

出生前から軟骨無形成症が疑われ，出生時に四肢短縮型低身長の所見が認められました．出生直後の単純X線検査では，寛骨臼にtrident acetabulumの所見が認められ，その他の所見も併せて最終的に軟骨無形成症と診断しました．

- 指骨や中手骨が太くて短いため，三尖手（図6-25）と呼ばれる特徴的な手の形態がよくみられます．
- X線診断には，幅の広い骨幹端の変化（図12-35）やtrident acetabulum（図12-36）が参考になります．
- 頭頸移行部の形成不全による神経圧迫により，四肢麻痺，中枢性無呼吸が生じることがありますので，特に新生児期〜乳児期の診察には注意が必要です．水頭症の合併により，精神・運動発達遅滞がみられることもあります．
- 整形外科医が担当するのは，主に内外反膝変形に対する矯正手術，四肢短縮に対する骨延長術，脊柱管狭窄症に対する脊椎外科手術などです．内外反膝変形に対する矯正手術と下肢短縮に対する骨延長術は創外固定器を用いて同時に行うことが多いのですが，延長を希望しないケースでは8プレートを用いて矯正することもあります．ただし，成長障害のため8プレートによる矯正は簡単ではありません．
- 低身長に対しては小児科において長期成長ホルモン療法が行われていますが，長年に渡り多数回注射を行ってもその効果は限られており，最終的には2〜4cmくらい身長を増加させる効果にとどまったと報告されています．
- 上肢短縮に伴う手でお尻を拭けないなどの症状に対して両上腕骨延長術が行われていますが，お尻を拭けなくて困ったという愁訴を筆者は聞いたことがありません（ウォシュレットが普及しているおかげかもしれません）．この愁訴に対して必要であれば上腕骨延長術を行います．この手術は，橈骨神経麻痺の合併が多いので，筆者は上腕部を長く切開して神経の走行を確認してから創外固定のピンを挿入しています．

Ⅷ　その他

- 下肢の延長術は，およそ2年間かけて両大腿骨と両下腿骨をすべて伸ばせば，20 cm 近く延長することが可能です．しかし，どんなに四肢を延長しても，手指の形態異常などは残るので正常な外観は望めません．形態異常を気にしないおおらかな性格に育ってくれることが，患児の将来の幸福には一番大切です．その意味で筆者はできるだけ骨延長術に重点を置かないスタイルで診療を行っています．
- 脊柱管狭窄症は，筆者の経験では学童後期以降に長く走れなくなったという愁訴で発症することが多いようです．治療は手術しかありませんが，本疾患に対する脊椎外科手術は，通常の脊柱管狭窄症に対する手術より難易度が高いようです．筆者は十分に経験のある脊椎外科医に手術を依頼しています．

● 神経線維腫症1型（neurofibromatosis type 1：NF1）

- NF1 では，進行性の脊柱側弯症や先天性下腿偽関節症（図4-22, 37）を伴う場合があります．脊柱変形や下腿変形がないか必ず診察しておきます（第4章 p.115）．
- カフェオレ斑が多数みられれば，NF1，McCune-Albright 症候群（図 12-20），Silver-Russell 症候群（脚長不等を主訴とする稀な疾患）などが考えられます．皮下に腫瘤が触れたら，MRI 検査を行い治療すべき腫瘍がないか調べます．McCune-Albright 症候群は，単純X線検査で線維性骨異形成症がみられるので，除外診断は容易です．Silver-Russell 症候群では，子宮内発達遅延による出生時の低身長および出生後の発育障害がみられます．
- 本症における脊柱側弯症は，進行が速い場合がありますので，早めに側弯症専門医へ紹介します．
- 本症にみられる神経線維腫が有痛性の場合は，切除すると痛みが消失します．安全に切除可能な部位であれば，切除術を行います．また，神経線維腫が急速に増大する場合は，悪性化の可能性もあるので，生検術を行います．
- 本症でときにみられる下肢の象皮病は難治性で病態がよくわかっていません．治療法も確立されていないため，残念ながら手の施しようがありません．

● 進行性骨化性線維異形成症（fibrodysplasia ossificans progressiva：FOP）

- きわめて稀な疾患ですが，本症と知らずに外科的治療を行うと，たいへんなことになってしまうので，知っておかなければならない疾患です．当科で経験したのは30年間でわずか4例です．
- 腱，靱帯，筋膜，筋肉に進行性に骨化が起こる疾患で，何も対策をとらないでいると全身が骨になり，呼吸不全で死に至ります．
- この疾患では，外傷，注射，手術などで炎症・出血を起こした部位に不可逆性に骨が形成されます．本疾患を見逃して手術治療を行うと，手術した部位が骨化してしまいます．本疾患がまだ診断されていないことが多い乳幼児の手術においては，どこの部位の手術であっても，術前に母趾の変形がないことを確認する習慣を持つ必要があります．
- 乳児期には骨奇形を伴う外反母趾（図1-8）と頚部硬直（図 12-37）だけが診断の手がかりです．

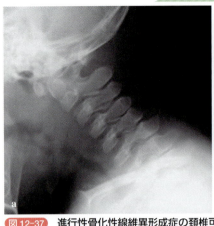
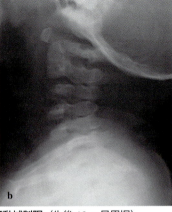

図 12-37 進行性骨化性線維異形成症の頚椎可動域制限（生後 10 ヵ月男児）
乳児期のため異所性骨化や脊椎の癒合はみられませんが，前屈位（a）と後屈位（b）で頚椎の可動性が乏しいことがわかります．両母趾の骨奇形を伴う短趾症を主訴に来院し，頚椎可動域制限も併せて本疾患を疑い，専門医による遺伝子検査で確定診断に至りました．

- 幼児期に診断する手がかりとなりやすいのは，頚椎の可動域制限と肩甲胸郭関節の可動域制限です（図 8-13）．採血や点滴注射と関連した肘の可動域制限がみられることもあります（図 7-11）．
- 顎関節の可動域制限は栄養障害をもたらすので，生命予後に関わってきます．歯科治療は咬筋の骨化をもたらすリスクが高いため，う蝕（虫歯）の予防が大切です．歯科治療で咬筋が骨化すると，開口障害が生じ，食事がとれなくなります．
- インフルエンザによって全身の筋炎が起こるとそれが骨化につながることがあるので，予防接種が大切です．
- 転倒などの外傷が悲劇的結果をもたらすことが多いので，外傷をうけない安全な生活環境の整備も必要です．
- 確立された治療法はありませんが，最近，シロリムス（臓器移植後の拒絶反応を防ぐ薬）が治療薬になる可能性があることがわかり，臨床試験の準備が始まっています．

先天性無痛無汗症

- 先天的に痛みを感じない疾患です．骨折しても痛くないため，運動時の加減ができず，骨関節破壊が進んでいきます（図 12-38）．
- 発汗低下のあるタイプとないタイプがありますが，発汗低下があると体温調節ができず，夏になるとうつ熱がみられます．
- 痛みを感じないため，指や舌を噛むなどの自傷行為がみられる場合があります．
- 骨折に対して手術を行うと，術後の痛みがないため，安静がとれず，整復位が容易に保てないことが知られています．また，術後感染のリスクが非常に高いことも知られています．できるだけ保存的治療を選択したほうが良いようです．筆者には手術経験がありません．

Ⅷ　その他

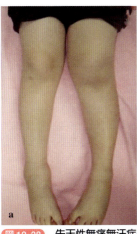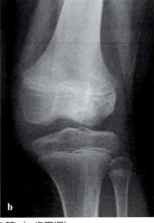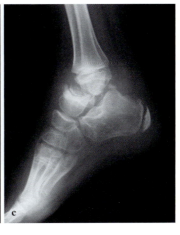

図12-38　先天性無痛無汗症の膝（8歳男児）

左膝と右足関節の腫脹がみられ受診．単純X線検査で左大腿骨外顆と右距骨の破壊性変化を認めましたが，痛みを伴いませんでした．夏になると発熱が多いという症状もあり，以前から先天性無痛無汗症が疑われていました．専門機関に紹介し本症の診断が確認されました．

爪・膝蓋骨症候群

- 学童期以降で発症する習慣性膝蓋骨脱臼をみたら本疾患の可能性を考えます（図3-13）．
- 本疾患では，爪の形成不全がみられますが，学童期以降では目立たなくなることが多いようです（図12-39）．乳幼児期に爪に異常がなかったか，よく問診することが大切です．
- 習慣性膝蓋骨脱臼とほぼ同じ年齢で橈骨頭脱臼を発症することがあります．
- 診断の決め手になるのは，iliac horn です（図3-13）．100％ではないようですが，筆者の経験では全例に確認されています．
- 習慣性膝蓋骨脱臼に対する手術成績は安定しています．積極的に手術を勧めます．一方，橈骨頭脱臼に対する手術成績は不良です．上腕骨小頭の低形成があるためと思われます．二次的に発生した離断性骨軟骨炎や関節内遊離体の治療だけ行うのが無難です（図7-18）．
- 爪・膝蓋骨症候群では腎疾患を合併することがあります．尿検査を行って，異常があれば小児科へ紹介します．
- 眼圧亢進・緑内障が若年でみられることが報告されています．眼科受診も必要です．

コラム　痛み止めについて

痛みは身体からの警告です．運動時の痛みは，それをやめたほうが良いという身体からのサインです．その警告を痛み止めで抑えてしまうと，口でやめなさいと言っても，多くのこどもは言うことを聞きません．また，小児においては，診断がわからないときに薬で痛みを抑えてしまうと，緊急性のある疾患の診断が遅れ大きな後遺症を残してしまうことが少なくありません．小児に痛み止めを使って良いのは，痛みの原因がはっきりわかっているのにほかに手の打ちようがないときだけと思っています．

図 12-39 爪・膝蓋骨症候群の爪（8歳男児）
膝と肘の障害があり，iliac horn により爪・膝蓋骨症候群と確定診断された男児です．母親によると爪の形成不全が乳幼児期に目立っていましたが，学童期になって改善がみられ，写真にみられる程度まで改善していました．

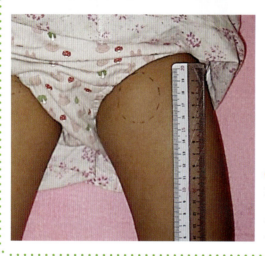

図 12-40 猫ひっかき病（6歳女児）
左鼠径部の腫脹を主訴に来院．鼠径リンパ節のある部位にゴルフボール大の固い腫瘤を触知しました（点線で囲まれた部位）．血液検査では，猫ひっかき病抗体陽性でした．小児科へ紹介し，抗菌薬の投与が行われ，すみやかに治癒しました．

猫ひっかき病

- 猫にひっかかれたときに，*Bartonella henselae* 菌の感染が起こり，リンパ節に著明な腫脹（ゴルフボール大になることが多い）がみられる疾患です（図 8-25，図 12-40）．猫以外の動物からも感染することがあります．
- リンパ節の著明な腫脹を主訴とする場合は，まず本疾患を考えます．鑑別疾患としては，化膿性リンパ節炎（図 7-16）などが挙げられます．
- 血液検査で猫ひっかき病抗体陽性であれば，確定診断となります．
- 自然に治ることが多いようですが，ほかの臓器に影響を及ぼす可能性があるので，抗菌薬による治療を行ったほうが安心です．

身体症状症（身体表現性障害），詐病

- 最近増えている心の病です．四肢の痛みや関節可動域制限（膝が伸びない，曲がらないなど）を主訴に来院します．精査を行っても異常がみられません．
- 家庭や学校などで受ける過剰なストレスが原因のケースは，身体症状症（身体表現性障害）です（図 12-41）．簡単な問診では聞き出せない深刻な問題を抱えているケースが多く，性的虐待がみつかったケースもあります．典型例では局所の腫脹がみられます．

Ⅷ　その他

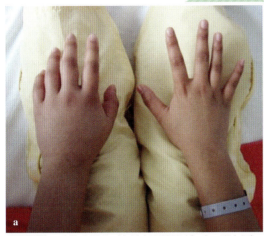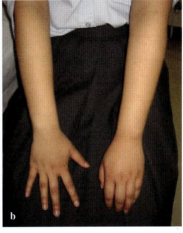

図 12-41　身体症状症（身体表現性障害）（14歳女児）
軽微な外傷後に発症した左上肢の著しい腫脹を主訴に来院（a）．画像検査では異常はありませんでした．数日で自然軽快しましたが，軽微な外傷で再発し，その後同様の症状がくり返しみられ，その頻度と程度が悪化していきました（b：16歳時）．円形脱毛もみられたため，家庭環境について問診すると，2歳で実父と死別し，実母と継父と暮らしているとのことでした．本人の意志で16歳時に渡米したところ，症状は完全寛解しました．後に継父から身体的虐待を受けていたことがわかりました．

- 学校へ行けないなど愁訴が深刻な割に，診察室ではきょとんとした表情をみせ，自宅で長時間ゲームをしているようなケースでは，疾病利得に関連した詐病の可能性があります．しかし，詐病の診断をするには，徹底的な精査と十分な経過観察期間が必要です．
- 身体症状症（身体表現性障害）も詐病も，最終的には児童精神科へ紹介するのが良いと思いますが，家族に精神科の受診を受け入れてもらうには十分な時間が必要です．

骨端線早期閉鎖

- 脚長不等の項（第4章 p.92）でも解説しましたが，感染症（化膿性骨髄炎，化膿性関節炎），外傷（骨端線損傷），凝固系異常（プロテインC・S欠乏症），股関節疾患（先天性股関節脱臼，Perthes病，大腿骨頭すべり症），慢性再発性多発性骨髄炎（CRMO）などが原因で，骨端線での長径成長が止まってしまった状態です．成長軟骨板をまたいで形成された骨性架橋（図4-36）と呼ばれる骨が成長障害の直接原因となっています．
- 最近は悪性腫瘍に対してレチノイン酸（ビタミンAの代謝物質）を用いた分化誘導療法が行われるようになり，その副作用としてみられる骨端線早期閉鎖が話題となっています．
（→コラム：ビタミンA過剰摂取と骨端線早期閉鎖）
- 残存する成長軟骨板が50%以上あれば，骨性架橋切除術が有効です．筆者が考案した鏡視下骨性架橋切除術は筆者のライフワークのひとつです（図3-16，図4-36, 37，図8-6）（→私の流儀：成長軟骨板の骨性架橋とその治療　p.113）．

コラム　ビタミンA過剰摂取と骨端線早期閉鎖

　最近，神経芽腫などの悪性腫瘍の治療としてレチノイン酸（ビタミンAの代謝物質）が大量投与されるようになり，副作用としての骨端線早期閉鎖が注目されています．ここで気になるのが「食品からのビタミンA過剰摂取でも骨端線早期閉鎖が起こり得るのか」，さらには「ビタミンAを過剰に摂取すると身長が低くなるのか」という疑問です．文献を調べてみると，小児の皮膚疾患に対して魚油を摂取させた後の骨化過剰症や，皮膚疾患に対するビタミンA投与後の骨端線早期閉鎖の報告が散見されます．そうした報告でのビタミンA摂取量から推測すると，肝油などのサプリメントの摂取では骨端線早期閉鎖が十分に起こりえること，食品だけからでも例えば毎日レバーをたくさん食べると起こりえない話ではないことがわかりました．ここで私たちが心に留めておかなければならないのは，大人には問題のないサプリメントでも，成長軟骨板のある小児には重大な障害をもたらす可能性があるということです．親の盲信がこどもの骨に害をもたらすようなことはあってはなりません．副作用のわかっていないサプリメントを安易にこどもに摂取させないようアドバイスすることも医療者としての務めではないかと思っています．

改訂2版のあとがき

　初版は思いのほか，多くの方々に読んでいただけました．「先生の本を読みました」「先生の本を診察室に置いています」「写真が多くてわかりやすいです」など，嬉しいお言葉をたくさんいただきました．あらためて読者の皆様に御礼申し上げます．

　実は初版を発刊後，解説が欠如していたさまざまな手術法を書き加えようと，たくさんの絵を書いては破り，書き直しては破りをくり返しておりました．メスを置くべき年齢が近づきながらも，外科医としてのプライドを捨てきれず，最後の悪あがきをしていたのかもしれません．しかしもともと絵心のない自分には，イメージ通りのものがなかなか描けなかったのです．そうこうしているうちに，多くの読者が望んでいるのは，手術の話よりもありふれた疾患の話であることがわかってきました．そこで方針を転換し，出来上がったのがこの改訂2版です．

　小児整形外科の進歩に伴って修正すべき内容も生じたため，いろいろ書き直しました．どうでもいい雑談のようなコラムを書き足してしまいましたが，あらためて読んでみると，実は一番皆様に伝えたかった自分の気持ちかもしれません．初版の内容の多くはそのまま残すこととなり，がっかりされる方がいらっしゃるかもしれませんが，どうか刷新した表紙の若々しいモデルに免じてご容赦いただけましたら幸いです．

　この改訂2版が，引き続き皆様の机上の成書として，かわいいこどもたちの幸せを守るアイテムのひとつとなることを祈っております．

西須　孝

初版のあとがき

　医師になってからちょうど30年目に自著を上梓することになりました．私をここまで育ててくれた亀ヶ谷 真琴 先生（千葉県こども病院整形外科 初代部長），守屋 秀繁 先生（千葉大学整形外科 名誉教授），森石 丈二 先生（船橋整形外科市川クリニック 院長），高山 篤也 先生（金沢病院 院長），私と苦労を共にしてきた同僚の柿崎 潤 先生，及川 泰宏 先生には，心より感謝申し上げます．骨腫瘍の治療を最終目標として始めた体外衝撃波の基礎研究が，いつしか骨成長のコントロールをテーマとした研究となり，その成果を日本小児整形外科学会で発表したのが1995年でした．その頃，臨床領域では森石先生に師事し，肩・肘関節外科を専門として鏡視下手術の幕開けに参加しておりました．また，若さゆえにそれだけでは飽き足らず，高山先生より教えを受けた脊椎外科を発展すべく，腹腔鏡下腰椎前方固定術の開発にも取り組んでおりました．しかし，気の弱さから臨床試験の担い手となることに苦痛を感じ，自らが表舞台に立つことはありませんでした．その後，体外衝撃波の研究目的でミュンヘン大学へ留学したときに，先天性股関節脱臼の超音波検診に参加する機会を得ました．驚いたことに，ドイツでは超音波検診が全出生児に行われていたため，整復に苦労する症例はほとんどありませんでした．帰国後は，何を目標として生きていくか，悶々とした日々を送っていましたが，そんなとき小児整形外科に内視鏡手術を導入する担い手を探していた亀ヶ谷先生と守屋教授の目に留まり，小児整形外科の道へ進むこととなりました．最初に手掛けたのは，本書でも解説した成長軟骨板周囲の骨髄鏡手術です．当初は骨髄炎の治療に適用しその安全性と有効性を確信しました．その後，成長障害の原因となる骨性架橋の切除にも適用し，現在その長期成績を検証中です．股関節の骨切り術は，亀ヶ谷先生から手取り足取り教えを受け，その後ベラルーシへ赴き，ソビエト連邦時代に発展し欧米諸国には伝わっていない神技とも思われる技術を学びました．

　最先端の治療を追い求めて技術革新に取り組む中，一番苦労していたのは日々の外来診療です．知識の不足は不要な検査につながり，過剰な検査は必ずしも診断に結びつきませんでした．今でも診断に迷う症例はありますが，この道に入った頃と比べれば格段に減りました．多くの経験を重ねてきたからです．本書執筆の動機は，これまでの経験を多くの人々に伝えたいと思ったことにあります．そして書き終えるまでには2年を要しました．この間，本書の提案から関わってくれた南山堂の秡川 亮 氏と二人三脚で作業を進めてきました．レイアウトの構成だけでなく，内容の細部まで目を通し，読者の視点からさまざまなアドバイスをいただきました．深く感謝しております．

　本書が，皆様の診察室に置いていただける一冊となれば，これ以上の喜びはありません．そして，より多くのこども達が"優しい診療"を受けられるようになることを願っております．

西須　孝

日本語索引

太字は疾患概要ページ

あ

アーチサポート　36
悪性リンパ腫　25, 303
亜脱臼　240
アルカリフォスファターゼ　309
アレルギー性紫斑病　60, 101
アレンドロネート　339
安静時痛　321

い

遺残性亜脱臼　150
異所性骨化，肘関節の　199
イズラン病　**40**
痛み
　——，足の　25
　——，下肢の　95
　——，肩の　234
　——，首の　276
　——，股関節の　124
　——，腰の　283
　——，膝の　62
　——，肘の　204
　——，指の　177
遺伝性軟骨腫症　324
咽後膿瘍　276

う

ウォルム骨　337
内股歩行　88, **108**
うちわ歩行　88, **108**

え

8プレート　106
栄養障害　307
エラース・ダンロス症候群　**333**
炎症性斜頚　271, **279**
円板状半月板　61, **68**

お

黄色髄　305
凹足　24
オーバーヘッド・トラクション法　145
オスグッド・シュラッター病　**71**
オリエ病　**324**

か

カーナー変形　185
開花性反応性骨膜炎　181
壊血病　62, 96, 303, 307, **333**
外骨腫
　——，胸郭の　257
　——，肩甲骨の　245
　——，大腿骨頚部の　136
　——，肋骨の　260
外旋歩行　91
外側円板状半月板　49
外側型野球肘　214
外転拘縮，股関節の　136
回内法　192
開排制限　120
外反肩　224
外反膝　86, 107
外反足，胎内肢位による　14
外反扁平足　16, **31**, 91, 333
　——，脳性麻痺による　19
外反母趾　**4**, 9
開放性脊髄髄膜瘤　293
海綿状血管腫　318
踵歩行　20
重なり趾　2, **8**
下垂足　24
下前腸骨棘裂離骨折　130
過前捻症候群　90
鵞足炎　62

き

鵞足部骨棘　62
下腿外捻　91
下腿骨外旋骨切り術　110
下腿三頭筋　18
下腿内捻　90, 110
肩関節不安定症　235, 237, **249**
滑液包炎　245
合趾症　1
滑車部骨壊死　195
滑膜ひだ障害　206
化膿性外閉鎖筋炎　129
化膿性肩関節炎　234
　——後遺症　232
化膿性関節炎　22, 298, **314**
化膿性筋炎　**154**
　——，大腿四頭筋の　51
化膿性股関節炎　126, **153**
化膿性骨髄炎　25, 303, **319**
　——，骨盤の　285
化膿性脊椎炎　284
化膿性仙腸関節炎　285
化膿性腸腰筋炎　130
化膿性内閉鎖筋炎　129
化膿性肘関節炎　205
　——後遺症　198
カフェオレ斑　93, 306
壁押しテスト　229
カムラティ・エンゲルマン病　330
環軸関節亜脱臼　272, 333
環軸関節回旋位固定　272, **279**
眼性斜頚　269
関節液の増加　298
関節炎　297
関節穿刺，膝の　51
関節内血管腫　301
関節ねずみ　204
関節の音　60

索引

感染症関連関節炎　22, 299, **316**
環椎後頭関節亜脱臼　333
柑皮症　186
顔面肩甲上腕型筋ジストロフィー
　　229, 245, **253**
顔面側弯　278

き

偽性軟骨無形成症　82
逆 Ponseti 法　29
脚長不等　92, 111
臼蓋形成不全　150
胸郭出口症候群　247
凝固因子欠損症　301
強剛母指　172, **188**
胸骨分節脱臼　260, **263**
胸鎖乳突筋　265
鏡視下滑膜切除術　302
鏡視下骨軟骨形成術　166
鏡視下半月板形成術　68
棘間靱帯炎　276
局所性線維軟骨異形成症
　　82, **105**
棘突起打診痛　287
距骨下全周解離術　30
距踵骨癒合症　27
筋性斜頚　221, 268

く

屈曲肢異形成症　233
屈指症　174, **189**
屈趾症，筋拘縮よる　4
クリック　60
クリッペル・ファイル症候群
　　281
くる病　80

け

脛骨の重複　100
頚髄症　46
頚椎骨腫瘍　277
頚椎装具　280

頚部痛　277
頚部リンパ節炎　266
結核　320
結核性骨髄炎　6, 303, **320**
結核性仙腸関節炎　292
血管凝固因子欠損症　317
血管腫　317
　——，股関節内の　132, 143
　——，上腕筋内の　201
　——，大腿四頭筋内の　51
　——，殿筋内の　137
　——，膝関節内の　55
血管性紫斑病　101
結合織性疾患　237, 311
血清アルカリフォスファターゼ
　　101, 308
血友病性関節症　302, 317
肩甲胸郭関節　227
　——固定術　243
肩甲骨外骨腫　236, 246
肩甲骨高位　223
肩甲骨骨切り術　247
肩甲上腕関節　227
肩甲脊椎骨　220
腱鞘巨細胞腫　184
腱付着部炎　129, **156**

こ

コアラ抱っこ　150
恒久性脱臼　240
後脛骨筋腱脱臼　28, **40**
抗酸菌性骨髄炎　303, **320**
合趾症　1
鉤爪趾　24
後足部内外反　17
酵素補充療法　331
後天性斜頚　271
後天性反張膝　46
後内方弯曲型　99
後方型野球肘　214
股関節亜脱臼，痙性麻痺による
　　139
股関節脱臼，Down 症の　**168**

呼吸不全性胸郭異形成症　257
骨芽細胞腫　303
骨幹端異形成症　184
骨形成不全症　337
骨系統疾患，O 脚　82
骨系統疾患，X 脚　87
骨髄炎　96, 177
骨髄病変　303
骨性架橋　64, 88, 107
　——切除術　113
骨性斜頚　269
骨折後遺症　198, 208, **215**
骨端症　156
骨端線早期閉鎖　47, **345**
　——，膝の　56
骨斑紋症　327
骨膜剥離切除術　111
骨流蝋症　5, **329**
混合性結合組織病　177

さ

鎖骨遠位端骨溶解症　242
坐骨結節骨端症　158
坐骨結節裂離骨折　131
鎖骨肩甲癒合症　233
鎖骨骨髄炎　235
鎖骨頭蓋異形成症　244
詐病　97, **344**
三角筋拘縮症　226, **251**
三角指節骨　186
三尖手　185, 340

し

子宮内圧迫症候群　278
指節骨癒合症　175
支柱付き短下肢装具　37
膝蓋骨形成不全　49
膝蓋前滑液包炎　58
膝蓋跳動　50, 69
膝窩嚢胞　58, **69**
膝窩翼状片症候群　49
しもやけ　6, 189
若年性関節リウマチ　314

若年性特発性関節炎
　　　　　　23, 57, 135, 177,
　　　　　　236, 276, 299, **314**
　　──，肘関節の　200
若年性特発性軟骨溶解症　**168**
斜頸位　270
斜頭　268
シャルコー・マリー・トゥース病
　　　　　　　　　　　33
ジャンパー膝　74
習慣性肩関節後方脱臼　237
習慣性肩関節前方脱臼　237
習慣性股関節脱臼　333
習慣性膝蓋骨亜脱臼　53, **67**
習慣性膝蓋骨脱臼　50, **333**
習慣性脱臼　240
舟状第1楔状骨癒合症　26
シューホーン型短下肢装具　34
出血性関節障害　301
　　──，股関節の　135
上位型分娩麻痺　227
上位頚髄損傷　272
小胸筋拘縮症　244
小空洞病　10
踵骨単発性骨嚢胞（腫）　**43**
小指中節骨短縮症　186
踵舟状骨癒合症　26
上前腸骨棘骨端症　157
尖足　21
踵足，胎内肢位による　14
小児四肢疼痛発作症　117
小児の骨髄　305
小脳扁桃ヘルニア　294
上腕骨遠位骨端離開　210
上腕骨外側顆骨折　209
上腕骨顆上骨折　209
上腕骨不全骨折　194
ジョーンズ骨折　**41**
神経線維腫症Ⅰ型　**341**
進行性骨化性線維異形成症
　　　　2, 200, 229, 276, **341**
身体症状症（身体表現性障害）
　　　　　　　　56, 97, **344**

シンディング・ラーセン・ヨハンソン病
　　　　　　　　　　　74

す

随意性肩関節前方脱臼　237
随意性脱臼　240
水晶体脱臼　311
垂直距骨　15, **29**
髄膜炎　272
スカプラY撮影　245
スナッピング　172
スプレンゲル変形　220

せ

正中頚囊胞　265
成長痛　95, **117**
成長軟骨板　113
青年型 Blount 病　86
生理的O脚　80, **103**
生理的X脚　106
生理的外反母趾　4
生理的下腿弯曲　98
生理的胸郭変形　259
生理的クリック　61
生理的尺骨神経脱臼　206
生理的反張膝　46
生理的膝伸展制限　48
セヴァー病　37
赤色髄　305
脊髄円錐低位　294
脊髄空洞症　94, 180
脊髄係留症候群　290, 294
脊髄脂肪腫　290
脊髄髄膜溜　293
脊柱側弯症　221, 294, 333
ゼブラライン　339
線維性関節強直　168
線維性骨異形成症　326
線維性骨皮質欠損症　**75**
前外方弯曲型　100
仙骨疲労骨折　288
潜在性二分脊椎　293
穿刺経路　299

尖足　35
仙腸関節炎　287, 292, 315
先天性外反母趾　3
先天性下腿偽関節症　99, **115**
先天性下腿弯曲症　99, **115**
先天性胸骨欠損症　261
先天性筋欠損症　**251**
先天性筋性斜頚　**278**
先天性脛骨欠損症　94
先天性恒久性膝蓋骨脱臼
　　　　　　　　　50, **67**
先天性拘縮性くも状指趾症　173
先天性股関節脱臼　119, **144**
　　──の重症度と治療法　148
先天性鎖骨偽関節症　242, **252**
先天性鎖骨欠損症　243, **252**
先天性上肢形成不全　228
先天性脊椎骨端異形成症　139
先天性多発性関節拘縮症
　　　　　48, 173, 312, **335**
先天性橈尺骨癒合症　203, **216**
先天性内転足　14, 89
先天性内反足
　　　　　15, 21, 24, **29**, 89
先天性握り母指症　173, **188**
先天性反張膝　45, **65**
先天性腓骨列欠損症　94
先天性膝関節脱臼　46, **65**
先天性皮膚洞　290
先天性無痛無汗症　60, **342**
前腕回内外制限　202

そ

爪下外骨腫　6, 10
爪・膝蓋骨症候群　54, 207, **343**
象皮病　341
僧帽筋欠損症　229
ソーセージ様手指　178
側頚囊胞　265
足根骨癒合症　19, **40**
足趾の骨溶解　6
足底腱膜炎　38, 315
足底板　36

足部外転装具　30
外股歩行　91
そとわ歩行　91
ソルターZ法　152

た

第1Köhler病　26, **38**
第2Köhler病　**38**
体外衝撃波治療　77
大腿骨近位形成不全症　94
大腿骨近位骨幹端　120
大腿骨溝　50
大腿骨転子部内反骨切り術　161
大腿骨頭壊死　156
大腿骨寛骨臼インピンジメント
　　　　　　　　　　　124
大腿骨頭すべり症　124, **162**
大腿四頭筋　51
　　――の拘縮　65
大腿四頭筋機能不全　46
大腿四頭筋形成不全　51
大腿四頭筋拘縮症　55
大腿四頭筋麻痺　46
大腿皮溝　120
大転子骨端症　158
大動脈解離　311
大理石骨病　140, **327**
ダウン症候群　333
多関節拘縮　312
竹様脊椎　276
多骨性線維性骨異形成症　326
多趾症　1
脱臼　240
多発性外骨腫　323
　　――, 肘関節の　211
多発性関節拘縮症　45, 197
多発性骨端異形成症　72
多発性骨病変　305
ダブル骨盤骨切り術　154
短趾症　1, **8**
単純性股関節炎　125, 152, 299
弾発指　172, **188**
弾発肘　206, **216**

ち

窒息性胸郭異形成症　257
中手骨短縮症　180, **189**
中足骨短縮症　4, **8**
肘頭疲労骨折　204
肘内障　192
　　――のエコー像　212
腸骨稜骨端症　157
腸腰筋肢位　154

つ・て

墜落性跛行　111
つま先歩行　20
ディスク・テスト　287
デュシェンヌ歩行　141
低フォスファターゼ血症
　　　　　　　　101, 331
鉄欠乏性貧血　303, 307

と

ドアノブ・クエスチョン　102
橈骨頭脱臼　**213**
　　――, 後方　196
　　――, 前方　196, 207
冬趾　10
凍傷　6
疼痛性跛行　95, 124
動揺胸郭　256
特発性股関節軟骨溶解症　**168**
特発性つま先歩行　21, **33**
特発性軟骨溶解症　137
トランペット肢位　229
トリプル骨盤骨切り術　154
とんび坐り　108

な

内視鏡下骨性架橋切除術　114
内旋歩行　88, **108**
内側円板状半月板　54
内側型野球肘　204, 214
内転拘縮, 股関節の　138
内転足　89

内反肩　231
内反趾　2, **7**
内反膝　83
内反小趾　2, **7**
内反足, 胎内肢位による　15
ナックル・パッド　187
斜め距骨　14, **31**
軟骨帽　323
軟骨無形成症　185, 339

に・ね

二分膝蓋骨　62
二分脊椎症
　　　　18, 22, 24, 290, **293**
乳児股関節脱臼　148
猫ひっかき病　58, 236, **344**

の

濃化異骨症　181, **328**
囊腫性二分脊椎　293
脳性麻痺　20, 55
乗り趾　7

は

排尿障害　293
バケツ柄状断裂　63
発育性股関節形成不全
　　　　　　119, 141, **144**
発育性股関節脱臼　148
白血病　25, 304
　　――, 肩　235
鳩胸　258, **262**
ばね指　172, **188**
パミドロネート　339
半月ガングリオン　63
反張膝　45, 87
パンナー病　215
反応性関節炎　299, **316**
反復性肩関節脱臼　237
反復性膝蓋骨（亜）脱臼　53
反復性脱臼　240
反復性腕尺関節脱臼　208

ひ

ビールス症候群　337
被虐待児症候群　21, 194
腓骨筋痙性扁平足　20
腓骨筋腱脱臼　28, 40
腓骨神経麻痺　24
尾骨痛　291, 295
膝屈曲制限　52
肘関節強直　216
肘関節内遊離体　195, 207
肘関節ロッキング　199, 216
ビタミンA過剰摂取　346
ビタミンD欠乏性くる病
　　　　　　80, 307, 332
ビタミンD抵抗性くる病
　　　　　　　81, 332
ビタミンD不足　263
非骨化性線維腫　75
非定型抗酸菌性骨髄炎
　　　　　　303, 320
皮膚筋炎　178
腓腹筋付着部炎　62
標的関節　317
疲労骨折　303
　　──, 大腿骨頚部の　131

ふ

不安定股　149
フィッシュテール変形　195
風棘　6, 189
風車翼状手　173
付着部炎関連関節炎
　　　　　38, 297, 315
ブドウ膜炎　300
フライバーグ病　38
フリーマン・シェルドン症候群
　　　　　　　　304
プロテインC・S欠乏症
　　　　　64, 85, 105
分娩麻痺　228

へ

閉鎖性脊髄髄膜瘤　290, 294
ヘモジデリン　317
ヘラクレスのタスク　336
ペルテス病　158
ペルテス様変形　139, 147
片肢性骨端異形成症
　　　　　52, 143, 330
片側萎縮症　93, 120
片側肥大症　93, 120
ペンバートン骨盤骨切り術　161
扁平骨頭　156
扁平足　16

ほ

傍骨端線部限局性骨髄浮腫
　　　　　　64, 303, 321
母指CM関節障害　187
母趾種子骨障害　11
母趾の短縮と外反　3

ま

マイクロジオディク病
　　　　6, 10, 179, 189
巻き趾　7
マックキューン・オールブライト症候群
　　　　　　　　326
麻痺性踵足　14, 36
マルファン症候群　333
慢性再発性多発性骨髄炎
　　　　25, 62, 303, 321

む・め・も

ムコ多糖症　331
メタコンドロマトーシス
　　　　　　184, 323
モンテジア骨折　216

や・ゆ

野球肘　213
有痛性外脛骨　26, 38
有痛性骨棘　75

よ

腰椎初期分離症　286, 292
腰椎分離症　287, 292
腰椎分離すべり症　293
腰痛　283
翼状頚　249
翼状肩甲　220, 245
よちよち歩き骨折　95

ら

ラーセン症候群　336
ランゲルハンス細胞組織球症
　　　　　　　　324

り

リーメンビューゲル法　144
離断性骨軟骨炎　27, 63, 69
　　──, 上腕骨小頭の　196
　　──, 足関節・足部の　40
　　──, 大腿骨頭の　132
リトルリーグ肩　236, 253
輪状靱帯　192
リンパ節炎
　　──, 肩の　236
　　──, 頚部の　266
　　──, 肘の　205

る

類骨骨腫　321
　　──, 大腿骨転子部の　133

ろ

ロイス・デイーツ症候群　333
漏斗胸　256, 262
ロッキング　172
肋骨外骨腫　258

わ

腕神経叢麻痺　247
先天性腕橈関節強直　197

外国語索引

太字は疾患概要ページ

A

acetabular head index（AHI） 150
AIIS（anterior inferior iliac spine） impingement 130
angel wing 221
antalgic gait 95
Antley-Bixler 症候群 197
Apert 症候群 195
apophysitis 156
Arnold-Chiari 奇形 294
arthrogryposis multiplex congenita （AMC） **335**

B

back knee 46
ballottement of patella （BOP） 50, 69
bamboo spine 276
BCG 関節炎 58
BCG 骨髄炎 303, **320**
Beals 症候群 174, 312, **337**
Behçet 病 300
Beighton スコア 311
Blount 病 82, **103**
brachymesophalangia 186
brachymetatarsia 4
Bryant 牽引 337
bumpectomy 166

C

Calve の扁平椎 288
campomelic dysplasia 233
Camurati-Engelmann 病 **330**
Cantrell 症候群 261
Carter スコア 311

Charcot-Marie-Tooth 病 21, 24, **33**, 141, 174
chronic recurrent multifocul osteomyelitis（CRMO） **321**
claw toe 24
cleidoscapular synostosis 227
Cobey 撮影 18
congenital contractural arachnodactyly 337
congenital dermal sinus 290
congenital tibial deficiency 94
containment 療法 160
curly toe 2, **7**

D

delta phalanx 186
developmental dysplasia of the hip （DDH） 144
Down 症候群 311, **333**
Drehmann 徴候 91, 162
drop foot 20
Duchenne gait 141
Dunn 変法 164
duplication 100
dysplasia epiphysealis hemimelica （DEH） 52, **330**

E

Ehlers-Danlos 症候群 311, **333**
enthesitis-related arthritis（ERA） 38, 297, **315**
Ewing 肉腫 303
extension lag 65

F

facet interlocking 282
familial episodic limb pain 117

femoral neck capsular distance （FNCD） 124
femoroacetabular impingement （FAI） 124
fibrodysplasia ossificans progressiva （FOP） 2, 200, **341**
fibrous ankylosis 168
fibrous dysplasia （FD） 326
fibular hemimelia 94
fishtail deformity 195
flail chest 256
flexible flatfoot 16, 31
FADIR（flexion-adduction-internal rotation） test 125
florid reactive periostitis 182
focal fibrocartilaginous dysplasia **105**
focal periphyseal edema （FOPE） 64, **321**
Freeman-Sheldon 症候群 312, **337**
Freiberg 病 27, **38**
Frog leg 像 127

G

genochondromatosis 324
Glisson 牽引 280
Gottron 徴候 177
grinding 245
guided growth 103

H

Hajdu-Cheney 症候群 181
heel cord 17
heel walk 20
Hegemann disease 195
Hilgenreiner line 120
HLA-B27 299

HLA-B27 関連関節炎　22, 315
HLA-B51　300
Hornblower's sign　229
housemaid's knee　58

I

idiopathic chondrolysis of the hip　168
idiopathic juvenile chondrolysis of the hip　168
idiopathic toe-walking（ITW）　21, 33
IgA 血管炎　101
iliac horn　53, 343
Ilizarov 法　30
intercoccygeal angle　291
International Hip Dysplasia Institute（IHDI）分類　123
in-toeing gait　88
intrarectal manipulation　295
Iselin 病　**40**

J

Jaffe-Campanacci 症候群　76
joint crack　61
Jones 骨折　**41**
juvenile idiopathic arthritis（JIA）　22, 297, **314**
juvenile rheumatoid arthritis（JRA）　314

K

Kalamchi 分類　147
Kasabach-Merritt 症候群　93, 318
Kirner's deformity　185
Klippel-Feil 症候群　276, **281**
Klippel-Trenaunay-Weber 症候群　93
knee-in　91

L

Langenskiöld 法　113

Langerhans 細胞組織球症　243, 277, 286, **324**
Larsen 症候群　65, 312, **336**
lateralization　150
Lauenstein 像　127
Loder 分類　163
Loeys-Dietz 症候群　37, 250, 311, **333**
low conus　294

M

Marfan 症候群　311, **333**
McCune-Albright 症候群　93, **326**
melorheostosis　329
meniscus ganglion　63
microgeodic disease　6, **10**, 189
mirror lesion　168
mixed connective tissue disease（MCTD）　177

N

neurofibromatosis type1　341
neveau　246
nidus　132, 323
Nuss 法　256

O

O 脚　85
oblique talus　14, **31**
observation hip　127
Ollier 病　183, **324**
Ombrédanne line　120
omovertebral bone　220
onion peel appearance　325
Osgood-Schlatter 病　62, **71**
osteopetrosis　327
osteopoikilosis　327
out-toeing gait　91
over head traction　144
overlapping toe　2, **8**
overriding fifth toe　2, **7**

P

Pannar 病　197, **215**
pars interarticularis　292
patellofemoral groove（PFG）　50
Pectus bar　256
periosteal stripping and periosteal division（PSPD）　111
peroneal spastic flatfoot　20
Perthes 病　128, **158**
pigeon chest　258
plagiocephaly　268
Poland 症候群　251, 256, **262**
Ponseti 法　29
popliteal angle　55
popliteal cyst　58, 69
POTOF　166
primary acetabular dysplasia（PAD）　151
protraction　220
proximal focal femoral deficiency（PFFD）　94
Psoas position　154
pyknodysostosis　**328**

R

radiofrequency ablation（RFA）　323
red marrow reconversion　305
Reiter 症候群　299
retraction　220
ring epiphysis　307
Robicsek 分類　258
rudimentary great toe　98
Russell-Silver 症候群　93

S

Sakalouski 法　146, 155
SAPHO 症候群　236
saucerization　68
Scheuermann 病　241
segmental dislocation　263
Sever 病　**37**

shepherd's crook deformity 326
Sinding Larsen-Johansson 病 62, **74**
solitary bone cyst **43**
spina ventosa 6, 189
Sprengel 変形 220, **247**
sternal segmental dislocation 260
Stickler 症候群 140
subluxation 150
Sulcus sign 238
suprapatellar cyst 58

T

Tachdjian 型装具 160
target joint 317
thigh-foot angle 89
Thomas 型装具 160
Toddler's fracture 96
toe walk 20
toe-in 91
traction fracture 105
traction spur 75
trangential view 196
trident acetabulum 340
trident hand 185
Turner 症候群 8
TV potision 108

U

ulnar clubhand 324
ultrasound joint space (UJS) 124

unsafe window 164
varus fifth toe 1, **7**
viable bone 160
video game induced knuckle pad 187
V-osteotomy 248

W

white line of Frankel 310
Wilkinson 法 247
winging scapula 220
Wormian bone 337

X・Y

X 脚 86
Y-osteotomy 248

MEMO

著者紹介

西須　孝（さいす　たかし）

千葉こどもとおとなの整形外科　院長

1989年 千葉大学医学部卒業，1997年 同大学大学院卒業，医学博士
1999年 ドイツ・ミュンヘン大学整形外科留学を経て，2001年より千葉県こども病院整形外科医長，2012年 同部長，2019年 千葉大学医学部臨床教授，2021年より現職

小児の四肢骨切り術・脱臼整復術・骨延長術に加え，苦痛の少ない治療を目指して乳幼児に導入した関節鏡手術や自身の考案した成長軟骨板周囲の骨髄鏡手術をライフワークとして，小児整形外科診療に従事

整形外科専門医，日本小児整形外科学会副理事長，日本肘関節学会評議員，日本四肢再建・創外固定学会幹事，日本小児股関節研究会幹事など

これが私の小児整形外科診療
－適切な診療への道しるべ－

2018年12月17日　1版1刷	ⓒ 2022
2020年11月5日　　　3刷	
2022年12月17日　2版1刷	

著　者
　西須　孝
　さいす　たかし

発行者
　株式会社　南山堂　代表者　鈴木幹太
　〒113-0034　東京都文京区湯島 4-1-11
　TEL 代表 03-5689-7850　www.nanzando.com

ISBN 978-4-525-32192-5

JCOPY 〈出版者著作権管理機構　委託出版物〉
複製を行う場合はそのつど事前に（一社）出版者著作権管理機構（電話03-5244-5088，FAX 03-5244-5089，e-mail: info@jcopy.or.jp）の許諾を得るようお願いいたします。

本書の内容を無断で複製することは，著作権法上での例外を除き禁じられています．また，代行業者等の第三者に依頼してスキャニング，デジタルデータ化を行うことは認められておりません．